Z pokładu Elizabeth Bonaventure,
okrętu flagowego Jej Królewskiej Mości,
Plymouth, niedziela 22 sierpnia 1585 roku

Do Wielce Szanownego sir Francisa Walsinghama

Śląc wpierw gorące pozdrowienia, Czcigodny Sekretarzu,
z ciężkim sercem sięgam po pióro, by skreślić niniejsze słowa.
Bez wątpienia spodziewałeś się, Panie, pomyślnych wiadomości
o wyjściu floty w morze. Z żalem powiadamiam, że obecnie
stoimy na kotwicy w zatoce Plymouth wskutek opóźnienia
spowodowanego przez kłopoty z zaopatrzeniem i wciąż
czekamy na przybycie galeonu Leicester *(z Pańskim zięciem*
na pokładzie), którego spodziewamy się lada dzień. Naturalnie,
podczas przygotowań do wyjścia w morze takiej dużej floty
drobne komplikacje są nieuniknione. Jednak ciąży mi na sercu
znacznie poważniejsza sprawa, dlatego uznałem, iż muszę się
nią podzielić z Tobą, Panie, choć proszę na razie nie wspominać
o tych smutnych okolicznościach królowej, mam bowiem nadzieję
szybko rozwiązać problem bez przyczyniania zmartwień Jej
Królewskiej Mości.

Być może znasz, Panie, przynajmniej ze słyszenia, Roberta
Dunne'a, szlachcica z Devon, czasami widywanego na dworze,

godnego oficera i towarzysza, z którym siedem lat temu odbyłem podróż dokoła świata (pozwolę sobie nadmienić, iż został należycie nagrodzony za swój udział w tym przedsięwzięciu). Otóż zaprosiłem Dunne'a do mojej załogi na obecną wyprawę do Hiszpanii i Nowego Świata, jakkolwiek wśród moich najbliższych doradców są tacy, którzy mnie do tego zniechęcali, zważywszy na osobiste kłopoty owego człowieka i to, co o nim mówiono, a czego nie ma powodu tutaj wyszczególniać. Jako że oceniam ludzi nie na podstawie pogłosek, ale czynów, postanowiłem dać Robertowi Dunne'owi szansę na odzyskanie honoru poprzez służbę ojczyźnie. Może powinienem posłuchać rad, chociaż teraz to bez znaczenia.

Dunne od samego początku zachowywał się dziwnie; wydawał się zamknięty w sobie i zalękniony, jakby się bał kogoś za plecami – zgoła nie ten sam człowiek, którego pamiętałem. Przypisałem to zdenerwowaniu przed długą podróżą; wszak nikomu nie przychodzi lekko zostawianie domu i rodziny, żeby ruszyć na koniec świata, a Dunne aż nazbyt dobrze poznał niebezpieczeństwa towarzyszące takiej ekspedycji. Wczorajszego wieczoru wybrał się na brzeg z kilkoma innymi dżentelmenami. Uznałem, że podczas pobytu w porcie mądrze jest pozwolić młodym ludziom na szukanie takich rozrywek, jakie Plymouth ma do zaoferowania żeglarzom – kiedy podniesiemy kotwicę, będą wiele czasu spędzać pod pokładem i podlegać surowej dyscyplinie – chociaż tym pod moją komendą i kolegom kapitanom przykazałem, iż mają się zachowywać godnie, by nie skompromitować floty.

Zeszłej nocy Dunne wrócił na pokład kompletnie pijany, co również było do niego wielce niepodobne. Bóg wie, ów człowiek miał wiele przywar, ale żywiłem przekonanie, że pijaństwo do nich nie należy, inaczej nie przyjąłbym go do służby na okręcie flagowym Jej Królewskiej Mości. Przybył w towarzystwie naszego kapelana, ojca Pettifera, który go znalazł błąkającego się po ulicach w stanie nietrzeźwości i uznał, że najlepiej będzie sprowadzić go na okręt – na jego miejscu nie podjąłbym

ZDRADA

Tej autorki

Giordano Bruno

HEREZJA
PRZEPOWIEDNIA
PROFANACJA
ZDRADA

S.J. PARRIS

ZDRADA

Z angielskiego przełożyła
Maria Gębicka-Frąc

ALBATROS

Tytuł oryginału:
TREACHERY

Redakcja: Ewa Pawłowska

Ilustracja na okładce: British Library/Fickr

Projekt graficzny okładki: Katarzyna Meszka

Skład: Laguna

ISBN 978-83-7985-506-3
Książka dostępna także jako e-book

Dystrybutor
Firma Księgarska Olesiejuk sp. z o.o. sp. j.
Poznańska 91, 05-850 Ożarów Mazowiecki
tel. (22) 721 30 00, faks (22) 721 30 01
www.olesiejuk.pl

Wydawca
WYDAWNICTWO ALBATROS SP. Z O.O.
(dawniej Wydawnictwo Albatros Andrzej Kuryłowicz s.c.)
Hlonda 2A/25, 02-972 Warszawa
www.wydawnictwoalbatros.com
Facebook.com/WydawnictwoAlbatros | Instagram.com/wydawnictwoalbatros

2017. Wydanie I
Druk: Abedik S.A., Poznań

Książkę wydrukowano na papierze Ecco Book Cream 60 g/m², vol. 2.0
z oferty Antalis Poland

Just ask Antalis

takiej decyzji, słyszałem bowiem, że mieli piekielne kłopoty, pomagając Dunne'owi wsiąść do szalupy, a następnie wspiąć się po sztormtrapie na pokład Elizabeth. Tam przyjął ich mój brat, Thomas, który po wspólnej ze mną kolacji wracał na swoją jednostkę. Świadom, że jestem w mojej kwaterze, zajęty pracą nad mapami z młodym Gilbertem, i myśląc, że nie powinien zawracać mi głowy tą sprawą, pomógł kapelanowi zaprowadzić Dunne'a do jego kajuty, żeby wytrzeźwiał. Później Thomas powiedział, że Dunne zachowywał się jak szaleniec, atakując niewidzialnych wrogów i mówiąc do ludzi, których tam nie było, jakby spożył coś więcej niż wino. Wedle ojca Pettifera padł na koję już zupełnie zamroczony, więc go zostawili, żeby przespał ten brak umiarkowania i rano okazał skruchę.

O tym, co się wydarzyło pomiędzy tym czasem a rankiem, wie tylko Bóg i, z żalem dodam, ktoś jeszcze. Pogoda była paskudna, padał deszcz i wiał silny wiatr, toteż ludzie przebywali pod pokładem, wyjąwszy dwóch wachtowych. O brzasku do moich drzwi zapukał mój hiszpański nawigator, Jonas, wielce zaniepokojony. Chciał podać Robertowi Dunne'owi jakąś miksturę, która postawiłaby go na nogi po nocnych ekscesach, ale kajuta była zamknięta na klucz, a Dunne nie wstał, żeby otworzyć. Zrozumiałem obawy Jonasa, wszyscy bowiem widzieliśmy ludzi, którzy zadławili się własnymi wymiocinami, dlatego z nim poszedłem – mam zapasowe klucze do prywatnych kajut. Otworzyliśmy drzwi i wyznam, że nie byłem przygotowany na widok, jaki ukazał się naszym oczom.

Dunne był odwrócony plecami do nas, ale gdy okręt zakołysał się na fali, powoli się okręcił i wtedy spostrzegłem… ale uprzedzam fakty. Dunne wisiał na haku latarni z pętlą ciasno zaciśniętą na szyi. Jonas krzyknął i wylał nieco mikstury, którą trzymał w ręce. Szybko go uciszyłem, nie chcąc alarmować ludzi. Zamknąwszy drzwi, wspólnymi siłami odcięliśmy Dunne'a i położyliśmy go na koi. Ciało już zesztywniało; zmarł

przed kilkoma godzinami. Zostałem z nim i posłałem Jonasa po
mojego brata, który w tym czasie był na swoim okręcie.

W każdych okolicznościach własnoręczne odebranie
sobie życia jest nie tylko tragedią, ale też ciężkim grzechem
przeciwko Bogu i naturze. Wyznam, iż rozgorzał mi w piersi
przelotny gniew na Dunne'a, że wybrał akurat tę chwilę, bo jak
Ci dobrze wiadomo, Panie, marynarze są pobożni i przesądni
jak żadni inni ludzie w świecie chrześcijańskim, więc uznaliby
śmierć samobójczą za zły znak, za cień rzucony na naszą
wyprawę. Nie wątpiłem, że niektórzy samowolnie zeszliby
z okrętu na wieść o takim zdarzeniu na pokładzie, czyniąc to
w przekonaniu, że Bóg odwrócił od nas swoje oblicze. Zaraz
potem zganiłem się w duchu za to, że myślę przede wszystkim
o wyprawie, kiedy jeden z nas został doprowadzony do skrajnej
rozpaczy.

Gdy czekałem na przybycie brata, miałem czas baczniej
przyjrzeć się zwłokom i natychmiast pojąłem, co jest nie
w porządku. Złość ustąpiła strachowi, owładnęło mną
przerażenie. Nie potrzebowałem medyka, który by mi
powiedział, że przyczyna śmierci była innego rodzaju,
niż się z początku wydawało. Zaraz zrozumiesz, Panie,
dlaczego proszę o dyskrecję. Muszę zachować dla siebie moje
podejrzenia, dopóki nie dowiem się więcej, jeśli bowiem okręt
ma być uważany za przeklęty z powodu samobójcy, to o ile
gorsze jest przebywanie na jego pokładzie człowieka winnego
jeszcze cięższego grzechu?

Z tego względu proszę o dochowanie tajemnicy.
Zapewniam, będę informować o postępach śledztwa i proszę
dawać wiarę tylko moim doniesieniom, gdyż plotka wypełźnie
z każdego zakamarka, często wypaczona w jakiejś ważnej
części, a ponieważ wiem, że masz tu swoje oczy i uszy,
nie chciałbym, żebyś został, Panie, wprowadzony w błąd.
Powiadomiłem załogę, że Dunne targnął się na życie, ale
koroner musi przeprowadzić dochodzenie w sprawie przyczyny
zgonu. Rozumiesz, Panie, że w trosce o koszta poniesione przez

*licznych wielmożów, łącznie z Tobą, Czcigodny Sekretarzu,
i samą Najjaśniejszą Panią, nie mogę wyruszyć w drogę
z przekonaniem, że w mojej załodze ukrywa się zabójca. Jeśli Jej
Królewska Mość dowie się o opóźnieniu, błagam o uśmierzenie
wszelkich Jej obaw o powodzenie wyprawy i zapewnienie, że
podniesiemy żagle, gdy tylko Opatrzność pozwoli. Przekazuję
list szybkiemu kurierowi i czekam na dobrą radę.*

Pozostaję zawsze do Twych usług, Wielce Szanowny Panie.

Francis Drake

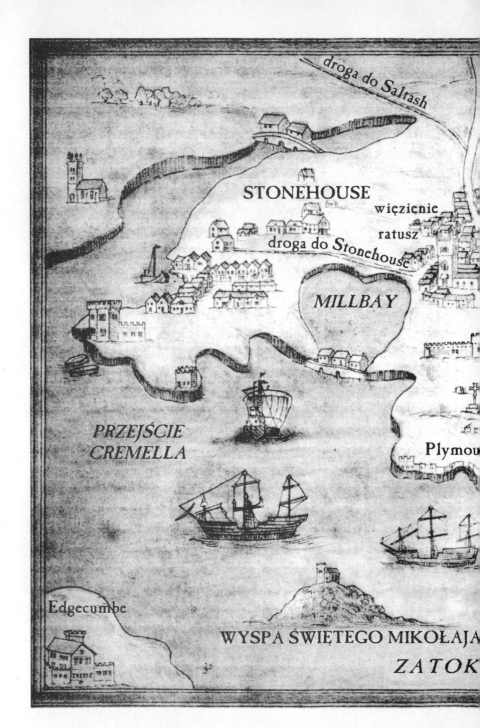

Maudlen

Lypson Hill

PLYMOUTH

droga do Plympton Marsh

Dom Westy

apteka

Looe Street

droga do Catdown

Nutt Street

SUTTON POOL

zamek

Fisher's Nose

CATTEWATER

LYMOUTH

1

– O, tam! Czyż nie jest to widok, Bruno, który przyśpiesza bieg krwi w żyłach? Czy nie sprawia, że rozpiera cię radość życia?

Sir Philip Sidney lekko się podnosi, gdy z dumą wskazuje rzekę, i mały prom skręca, wzbijając fontannę wody. Przewoźnik głośno klnie i macha wiosłem, żeby wrócić na kurs. Trzymam się ławki i patrzę przez rzadką mgłę na obiekt zachwytu mojego przyjaciela. Galeon jest wielki jak dom, trzy wysokie maszty wznoszą się na tle porannego nieba, drzewca i liny tną blade chmury na fragmenty w kształcie różnorakich figur geometrycznych.

– Łódź robi wrażenie – przyznaję.

– Nie mów „łódź", jeśli wolałbyś nie ujawniać swojej ignorancji. – Sidney siada z łoskotem i prom znów się niepokojąco kołysze. – To okręt. Czy chcesz, żeby Francis Drake pomyślał, że wiemy o sztuce żeglarskiej nie więcej niż dwie dziewczyny? Możesz wysadzić nas tam, przy schodach – dodaje do przewoźnika. – Weź sakwojaże i zostaw na kei jak najbliżej okrętu, zacny człowieku. – Potrząsa sakiewką na znak, że starania przewoźnika zostaną nagrodzone.

Podpływamy bliżej i z mgły wyłania się nabrzeże Woolwich. Dostrzegam krzątaninę wokół wielkiego okrętu: ludzie toczą beczki, podnoszą olbrzymie toboły zapakowane w zaimpregnowany materiał, zwijają liny, ciągną ręczne wózki i wyszczekują rozkazy, które niosą się nad Tamizą wraz z krzykiem mew krążących wokół topów masztów.

– Będę całkiem zadowolony, gdy sir Drake się dowie, że nie umiem odróżnić jednego końca okrętu od drugiego – mówię, zbierając siły, gdy prom uderza o stopnie nabrzeża. – Przyznanie się do niewiedzy świadczy o mądrości człowieka. Poza tym jakie to ma znaczenie? On raczej nie oczekuje, że dołączymy do jego brygady.

Sidney odrywa spojrzenie od galeonu i piorunuje mnie wzrokiem.

– Do załogi, Bruno. Poza tym mało wiesz. Drake słynie z tego, że każe swoim oficerom dzielić trudy żeglarskiego zajęcia z marynarzami. Nikt według niego nie jest tak wielkim panem, żeby wymigać się od zwijania lin albo szorowania pokładu, bez względu na tytuły. Taki ma styl dowodzenia. Mówią, że kiedy opłynął świat...

– Wszak nie jesteśmy jego oficerami, Philipie. Tylko składamy wizytę.

Po dłuższej chwili wybucha śmiechem i klepie mnie po ramieniu.

– Oczywiście! Niedorzeczna sugestia.

– Rozumiem, że chcesz wywrzeć na nim wrażenie...

– Wywrzeć wrażenie na nim? Ha! – Sidney wstaje i skacze z promu na schody, podczas gdy przewoźnik trzyma wbity w ścianę żelazny pierścień, by łódź się zanadto nie rozkołysała. Stopnie są śliskie od zielonych porostów i Sidney z trudem zachowuje równowagę, ale zaraz prostuje się i odwraca z błyskiem w oczach. – Posłuchaj: Francis Drake może wyprosił dla siebie u królowej tytuł szlachecki, ale nie przestał być synem wieśniaka. Natomiast moja matka jest córką księcia. – Dźga się kciukiem w pierś. – Moja siostra została hrabiną Pembroke, a mój wuj to hrabia Leicester, ulubieniec królowej Anglii. Powiedz mi, dlaczego miałoby mi zależeć, żeby zrobić wrażenie na Drake'u?

Ponieważ, mój przyjacielu, jest człowiekiem, jakim w skrytości ducha chciałbyś sam być, myślę sobie, chociaż tylko się uśmiecham i nic nie mówię. Niedawno na dworze, w sali pełnej arystokratów, Sidney nie okazał należytego szacunku pewnemu starszemu parowi, który w odpowiedzi nazwał go szczenięciem królowej. Teraz Sidney ma wrażenie, że gdy chodzi po galerii albo po pałacowych ogrodach, słyszy za sobą szydercze ujadania i gwizdy. Chciałby zasłynąć jako awanturnik, nie piesek salonowy Elżbiety. Niemal mu współczuję. Od początku lata, kiedy królowa postanowiła wysłać angielskie wojska, by wesprzeć protestantów walczących z Hiszpanami w Niderlandach, z trudem hamował podniecenie na myśl o wyruszeniu na wojnę. Armią dowodzi jego wuj, hrabia Leicester, i miał powody wierzyć, że obejmie komendę nad garnizonem we Flushing. Królowa interweniowała, obawiając się stracić dwóch faworytów jednocześnie. Na początku sierpnia wycofała ofertę i mianowała dowódcą Flushing kogoś innego, żeby Sidney został na dworze, w zasięgu jej wzroku. Błagał ją, żeby wzięła pod rozwagę jego honor, ale wyśmiała te usilne prośby, jakby je uważała za niedorzeczne, a jego samego za dziecko, które chce się bawić w żołnierza ze starszymi chłopakami. Jego duma ucierpiała. Ma trzydzieści lat i czuje, że umykają mu najlepsze lata, podczas gdy on jest zmuszany przez kaprys królowej do życia w kobiecym świecie gobelinów i aksamitnych poduszek. Wysłała go jako emisariusza do Plymouth; oczywiście to nie to samo co dowodzenie garnizonem, ale nawet ta krótka ucieczka z dworu i perspektywa wolności przyprawia go o zawrót głowy.

Jestem mniej entuzjastycznie nastawiony do tej eskapady, choć ze względu na niego staram się to ukrywać. Myślę sobie, że skakanie z promu na schody nabrzeża jak na mój gust za bardzo grozi zimną kąpielą, a w chwilę potem tracę równowagę i wymachując rękami, chwytam linę. Moje buty ślizgają się na każdym stopniu i staram się nie patrzeć w dół na szlamowatą, brunatną wodę. Pływam dość dobrze, ale kiedyś przez przypadek wpadłem do Tamizy – jej smród mógłby zabić człowieka przed dopłynięciem do brzegu i lepiej nie zastanawiać się nad tym, co pływa pod powierzchnią.

Przystaję na szczycie schodów, gdy nasz przewoźnik cumuje prom i wychodzi po stopniach z naszymi sakwami podróżnymi. W większości są to bagaże Sidneya, ściślej mówiąc. Ja zabrałem tylko jeden sakwojaż z kilkoma zmianami bielizny i materiałami piśmiennymi. Zapewnił mnie, że wycieczka potrwa nie dłużej niż dwa tygodnie, najwyżej trzy: popłyniemy galeonem wzdłuż południowych wybrzeży Anglii do zatoki Plymouth, gdzie galeon dołączy do floty sir Francisa Drake'a, i wrócimy stamtąd do Londynu. A jednak sam spakował się jak na podróż dokoła świata, słudzy podążają za nami na drugim promie z resztą jego rzeczy. Nie wspominam o tym, tylko przymrużam oczy, patrząc, jak mój przyjaciel radosnym okrzykiem wita członka załogi i wciąga go w rozmowę. Marynarz wskazuje na okręt. Sidney gorliwie kiwa głową, krzyżując ręce na piersi. Coś kombinuje? – pytam sam siebie w duchu. Od kilku tygodni dziwnie się zachowywał, od czasu poróżnienia się z królową, i dobrze wiem, że nie cierpi, gdy ktoś zrani jego dumę. Na razie jednak nie mam innego wyboru, muszę podążać za nim.

– Chodź, Bruno! – woła, władczy jak zawsze, machając wykończonym koronką rękawem w stronę trapu. Powstrzymuję się od uśmiechu. Sidney myśli, że ubrał się odpowiednio na podróż; zniknęły typowe dla niego bufiaste rękawy i pantalony, jak również watowany kaftan, który sprawia, że wszyscy modni Anglicy wyglądają, jakby się spodziewali dziecka. Kurtka, którą wybrał, wcale nie jest bardziej odpowiednia, uszyta z jedwabiu o barwie kości słoniowej, haftowana w delikatny złoty wzór z naszytymi perełkami. Kreza, choć nie tak ekstrawagancko szeroka jak zwykle, jest wykrochmalona i nieskazitelnie biała, a na głowie ma czarny aksamitny kapelusz z wysadzaną klejnotami broszą i pawim piórem, które tańczy na wietrze i często więźnie w złotych kolczykach. Zakładam się sam z sobą, jak długo pióro wytrzyma w tej morskiej bryzie.

Po trapie schodzi dżentelmen w stroju odróżniającym go od ludzi pracujących na nabrzeżu. Unosi rękę w powitalnym geście. Jest mniej więcej w wieku Sidneya, ma wysokie czoło, zaczesane do tyłu rudawe włosy oraz imponującą brodę, która wygląda na świeżo ułożoną przez balwierza. Staje na nabrzeżu i lekko się kłania Sidneyowi. Kiedy z uśmiechem unosi głowę, w kącikach jego oczu pojawiają się zmarszczki, przez co wygląda bardziej ujmująco.

– Witamy na galeonie *Leicester*. – Szeroko rozkłada ramiona.

– Miło cię widzieć, kuzynie. – Sidney z wielkim entuzjazmem obejmuje go i poklepuje po plecach. – Jesteśmy gotowi?

– Właśnie załadowują ostatnią partię amunicji. – Wskazuje za siebie na grupę marynarzy, którzy wciągają na pokład drewniane skrzynie, używając do tego mnóstwa lin, bloczków i wrzasku. Odwraca się w moją stronę i obrzuca mnie krótkim szacującym spojrzeniem. – Z pewnością jesteś tym Włochem, panie. Sława cię wyprzedza.

W przeciwieństwie do większości Anglików, kiedy spotykają cudzoziemców, szczególnie tych z katolickiej Europy, nie krzywi ust, co od razu budzi we mnie sympatię. Może człowiek, który opłynął pół świata, ma bardziej przychylne spojrzenie na inne nacje. Zastanawiam się, jaka to sława mnie wyprzedza. Jestem znany z niejednego powodu.

– Giordano Bruno z Noli, do usług, panie. – Kłaniam się nisko, żeby okazać szacunek należny szlachetnie urodzonemu.

Sidney kładzie rękę na ramieniu mężczyzny i zwraca się do mnie:

– Oto sir Francis Knollys, szwagier mojego wuja, hrabiego Leicester, i kapitan tego okrętu podczas naszej podróży.

– Jestem zaszczycony, panie. Wielce uprzejmie z twojej strony, że raczysz nas przyjąć na pokład.

Knollys szczerzy zęby w uśmiechu.

– Wiem, wiem. Już przykazałem Philipowi, żeby nikomu nie wchodził w drogę. Ostatnią rzeczą, jakiej potrzebuję na moim okręcie, jest dwóch poetów plączących się pod nogami i rzygających jak koty przy najmniejszej fali. – Zezuje w kierunku nieba. – Miałem nadzieję wyruszyć o brzasku. Wiatr sprzyja, może nadrobimy trochę czasu, kiedy wypłyniemy na Morze Angielskie. Umiesz chodzić po rozkołysanym pokładzie, mistrzu Bruno, czy przez całą drogę do Plymouth będziesz, panie, trzymać głowę w cebrze?

– Mam żołądek z żelaza. – Uśmiecham się, mówiąc te słowa, więc chyba wie, że nie muszą być do końca prawdziwe. Nie umknęło mi lekceważenie zawarte w słowie „poeci", Sidneyowi też nie. Nie przywiązuję do tego większej wagi, ale wolałbym nie przynieść sobie wstydu przed tym arystokratycznym żeglarzem. W jego oczach rzyganie do kubła jest najpewniejszym sposobem zakwestionowania czyjejś męskości.

- Miło to słyszeć. - Z aprobatą kiwa głową. - Każę przynieść wasze sakwojaże. Chodźcie obejrzeć kwaterę. Niestety, nie jest zbytkownie urządzona, nieodpowiednia dla kwatermistrza, ale będzie musiała wystarczyć. - Szyderczo kłania się Sidneyowi.

- Możesz sobie pokpiwać, kuzynie, ale kiedy wypłyniemy na hiszpańskie wody w południowej części Morza Karaibskiego, mając przed sobą garnizony potężnego króla Filipa, będziesz rad, że ktoś kompetentny zawracał sobie głowę załatwianiem amunicji i innego ekwipunku - powiada Sidney wyniośle.

- Ktoś kompetentny? A kto taki? - Knollys śmieje się ze swojego żartu. - I co poza tym oznacza ta liczba mnoga?

- Co?

- Sam powiedziałeś, „kiedy wypłyniemy na hiszpańskie wody". Przecież ty i twój przyjaciel płyniecie tylko do Plymouth?

Sidney zasysa policzki.

- My, czyli Anglicy. To wyraz solidarności, kuzynie.

Zauważam, że niezupełnie patrzy w oczy rozmówcy. Przyglądam się twarzy przyjaciela i w jakimś zakamarku mojego umysłu rodzi się podejrzenie.

Knollys prowadzi nas po trapie na pokład *Leicestera*. Załoga obraca głowy i wlepia w nas oczy, gdy przechodzimy, choć ręce nie przerywają pracy. Zastanawiam się, za kogo nas mają. Wysoki, smukły, bogato odziany Sidney o chłopięcej twarzy, pomimo niedawno wyhodowanej brody, chłonie wzrokiem nowe otoczenie - wygląda dokładnie na tego, kim jest, na arystokratę z upodobaniem do przygody. Mnie w czarnym stroju być może biorą za księdza.

Wchodzimy za Knollysem przez drzwi pod kasztelem rufowym do wąskiej kajuty, ledwie mogącej pomieścić nas trzech, z piętrową koją pod grodzią. Wnętrze, jak można się było spodziewać, cuchnie wilgocią, solą, rybami, wodorostami. Jeśli Sidneya zniechęca ta marna kwatera, to jednak tego nie okazuje. Unosi się z zachwytu nad wąskimi łóżkami, więc silę się na stoicyzm, chociaż zaciskam pięści za plecami i zmuszam się do powolnego oddychania. W dzieciństwie poznałem grozę ciasnych zamkniętych przestrzeni i przebywanie tutaj wydaje mi się okrutną karą. Obiecuję sobie, że podczas podróży będę jak najwięcej czasu spędzać na pokładzie, patrząc w niebo i na szeroką wodę.

– Czujcie się jak w domu – mówi wesoło Knollys, machając ręką, zadowolony z przewagi, jaką doświadczenie zapewnia mu nad bardziej wytwornym powinowatym. – Mam nadzieję, że zabraliście z sobą grube peleryny, bo wiatr na morzu będzie silny, mimo że panuje lato. Zostawię was, żebyście się mogli rozgościć. Zostało jeszcze wiele do zrobienia przed podniesieniem kotwicy. Przyjdźcie na pokład, kiedy będziecie gotowi. I pożegnajcie się z Londynem.

– Zajmuję dolną koję – oznajmia Sidney po wyjściu Knollysa, rzucając kapelusz na poduszkę. – Krótszy lot w dół, jeśli morze będzie wzburzone.

Opieram się o framugę.

– Dziękuję. I lepiej powiadom kuzyna, że będziemy potrzebować drugiej kajuty na twoje ubrania.

Sidney pada na koję i próbuje wyprostować długie nogi. Nie mieszczą się i leży jak rodząca, ze zgiętymi kolanami.

– Wiesz, Bruno, pewnego dnia nauczysz się okazywać mi szacunek należny z racji urodzenia. Oczywiście, sam temu jestem winien – mówi, zmieniając pozycję i rzucając kapelusz na podłogę. – Sam wyhodowałem tę bezczelność, traktując cię jak równego sobie. Będę musiał położyć temu kres. Na litość boską, jak mam na tym spać?! Nawet nie mogę położyć się na wznak. Czy to wyro zostało sklecone dla karła? Przypuszczam, że ty nie będziesz miał takich problemów. Na rany Chrystusa, w więzieniu Fleet mają lepsze warunki!

Podnoszę jego kapelusz i nasuwam go zawadiacko na ucho.

– Czego się spodziewałeś, piernatów i jedwabnej pościeli? To ty chciałeś się bawić w awanturnika.

Siada, nagle poważny.

– Nie bawimy się, Bruno. Jestem mianowanym kwatermistrzem Jej Królewskiej Mości. Nie, wcale nie żartuję. Poczekaj, a się przekonasz, jeszcze mi za to podziękujesz. Co innego byś robił tego lata poza dumaniem nad swoją niepewną sytuacją? W ten sposób przynajmniej będziesz miał jakieś zajęcie.

– Moja sytuacja, jak to ujmujesz, wcale się nie zmieni, kiedy wrócę. Jeśli nie znajdę jakiegoś sposobu, żeby pozostać w Anglii niezależnie od francuskiej ambasady, we wrześniu będę zmuszony wrócić z ambasadorem do Paryża. Trudno nad tym nie rozmyślać. Staram się nie okazać urazy, ale jego lekki ton mnie irytuje, kiedy mówi o mojej przyszłości i może o moim życiu.

Macha ręką.

– Za dużo się martwisz. Nowy ambasador... Jak on się nazywa... Châteauneuf? Tak naprawdę nie może cię wyrzucić na ulicę, prawda? Nie wtedy, gdy król Francji jest za tym, żebyś mieszkał w ambasadzie. Tylko próbuje cię zastraszyć.

– Z powodzeniem. – Splotłem ramiona na piersi. – Król Henryk od miesięcy nie płaci mi stypendium... Ma zbyt wiele zmartwień na swoim dworze, żeby zawracać sobie głowę jednym wypędzonym filozofem. Poprzedni ambasador sam je wypłacał ze szkatuły ambasady. Wystarczało mi to, co od niego dostawałem i co zarabiałem u... – Urywam, wymieniamy znaczące spojrzenie. – I to jest kolejny problem – mówię ściszonym głosem. – Châteauneuf oskarżył mnie o szpiegowanie dla Tajnej Rady.

– Na jakiej podstawie?

– Nie ma dowodów, ale podejrzewają, że ktoś przejmuje tajną korespondencję ambasady. Ponieważ jestem tutaj jedynym znanym wrogiem Kościoła katolickiego, ambasador wyciągnął własne wnioski.

– Ha. – Podciąga kolana. – W takim razie nie są tacy głupi, jak może się wydawać. Ale w przyszłości będziesz musiał uważać.

– Obawiam się, że nie będę mógł dalej pracować dla Walsinghama, to prawie niemożliwe. Poprzedni ambasador miał do mnie zaufanie. Châteauneuf zdecydowanie mi nie ufa i będzie obserwować mój każdy ruch. Jest najbardziej dogmatycznym katolikiem z rodzaju tych, którzy myślą, że tolerancja stanowi najwyższą obrazę. Nie będzie gościć pod swoim dachem kogoś takiego jak ja. Tak brzmiały jego słowa.

Sidney się uśmiecha.

– Suspendowanego zakonnika, ekskomunikowanego za herezję. Tak, rozumiem, że postrzega cię jako niebezpiecznego wichrzyciela. Ale myślałem, że zależało ci na powrocie do Paryża? – rzucił mi zawoalowaną aluzję.

– Zeszłej jesieni napisałem do króla z pytaniem, czy mogę na krótko powrócić. Odpowiedział, że obecnie nie może mnie przyjąć na dworze, gdyż to tylko zantagonizowałoby Ligę Katolicką. Poza tym… – opieram się o ścianę i krzyżuję ręce na piersi – mojej miłości już dawno tam nie ma. O ile w ogóle kiedykolwiek była.

Powoli kiwa głową. Rozumie, co to znaczy kochać kobietę, której nie można mieć. Nic więcej nie trzeba dodawać.

– Może przestań to rozpamiętywać. Znam remedium na twoje kłopoty. – Błysk w jego oku nie budzi specjalnego zaufania. Sidney ma dobre zamiary, ale jest impulsywny, a jego pomysły rzadko bywają praktyczne; mimo to nie mogę zdusić iskierki nadziei. Może chce wstawić się za mną u swojego teścia, Walsinghama, albo nawet u królowej. Tylko jakieś stanowisko dworskie pozwoliłoby mi się utrzymać na wygnaniu. Królowa nie może ogłosić tego publicznie, ale wiem, że Walsingham jej powiedział, że przez dwa lata narażałem życie w jej służbie. Z pewnością zrozumie, że będąc oskarżony o herezję przez inkwizycję, nie będę mógł żyć ani pisać w żadnym kraju katolickim.

– Pomówisz z królową?

– Poczekamy, zobaczymy. – To wszystko, co mówi w odpowiedzi, z tajemniczym mrugnięciem, które, jak wie, doprowadza mnie do furii.

Sidney został kwatermistrzem na początku wiosny – była to nominacja polityczna, kaprys królowej bez odzwierciedlenia w jego uzdolnieniach natury militarnej czy żeglarskiej, które jak na razie istnieją głównie w jego głowie. Przez całe lato nadzorował dostawy amunicji i armat na okręty Francisa Drake'a przed jego przyszłą wyprawą. Kiedy królowa otrzymała wiadomość, że do Anglii żegluje Dom Antonio, pretendent do tronu portugalskiego, z zamiarem zawinięcia do Plymouth, Sidney skwapliwie skorzystał z okazji, żeby na własne oczy zobaczyć flotę Drake'a: zgłosił się na ochotnika, żeby powitać przybysza i towarzyszyć mu w drodze do Londynu.

Wedle planu wyruszymy na pokładzie galeonu *Leicester* do Plymouth, gdzie zbierają się już inne okręty, tam spędzimy kilka dni wśród żeglarzy i kupców awanturników, czekając na Portugalczyka i jego świtę – dzięki temu Sidney będzie mógł się popisywać, mówiąc o armatach i nawigacji, generalnie sprawiając wrażenie, że jest kimś ważnym – a następnie pod koniec miesiąca, kiedy dwór wróci do miasta po lecie spędzonym na wsi, pojedziemy drogą lądową do Londynu z królewskim gościem. Jestem wdzięczny za tę odmianę, ale nie mogę przestać rozmyślać nad tym, co wyniknie po naszym powrocie. Jeśli Sidney coś wymyśli, żebym mógł zostać w Londynie, będę jego dozgonnym dłużnikiem.

❖ ❖ ❖

Kiedy Knollys wzywa nas na pokład, nad horyzontem widać prawie całe słońce, zamglone przez cienką gazę białej chmury. Z przelotnym ukłuciem nostalgii myślę o sycylijskiej cytrynie w muślinowym woreczku.

– Bóg da, a będziemy mieć dzisiaj ładną pogodę – mówi, patrząc w niebo. – Choć nie zaszkodziłoby pomodlić się o trochę więcej wiatru.

– Prosisz niewłaściwego człowieka – odpowiada Sidney, trącając mnie łokciem. – Bruno się nie modli.

Knollys patrzy na mnie z rozbawieniem.

– Zaczekaj, aż wyjdziemy w morze. Wtedy zacznie się modlić. Żarliwie.

Oficerowie wykrzykują rozkazy, marynarze rzucają cumy, ciągną liny. Z góry dochodzi skrzypienie drewna i łopot płótna, gdy żagle chwytają wiatr i wydymają się jak miechy. Po raz pierwszy od wejścia na pokład jestem naprawdę świadom, że porusza się on pod moimi nogami: łagodny ruch do przodu i do tyłu, gdy *Leicester* odbija od nabrzeża. Dzieciaki, które zarabiają pensy za pomoc przy załadunku i bieganie na posyłki, wznoszą radosne okrzyki i machają rękami na pożegnanie, co sił w nogach pędząc wzdłuż nabrzeża. Knollys ze śmiechem kiwa do nich ręką, Sidney i ja robimy to samo. Słońce wychodzi zza chmur i nagle snop światła złoci brązowe okucia i ogrzewa drewno. Na wodzie przed nami skrzą się setki tysięcy punkcików światła i myślę, że może jednak ta podróż sprawi mi przyjemność. Ale każdy krok mi przypomina, że to, co mam pod stopami, już nie jest solidne.

– Na razie możecie robić, co chcecie – mówi Knollys – byleście nikomu nie wchodzili w drogę.

– Jestem gotów zakasać rękawy, kuzynie. Wystarczy, że powiesz, czym powinienem się zająć. Słyszałem, jak Drake lubi kierować swoimi załogami. Nie jesteśmy tutaj po to, żeby siedzieć w słońcu, sączyć francuskie wino i patrzeć, jak uczciwi ludzie harują. – Sidney błyska promiennym uśmiechem i szeroko rozkłada ręce, jakby mówiąc: Oto jestem.

Patrzę na niego zatrwożony, bo o czymś takim nie było wzmianki w zaproszeniu. Zerkam na czubek grotmasztu, gdzie nad bocianim gniazdem powiewa proporzec ze złotym herbem. Mam nadzieję, że nie zgłosił nas na ochotnika do polerowania takielunku i szorowania pokładów.

Knollys mierzy go wzrokiem od stóp do głów, patrząc na jedwabny kaftan Sidneya, koronkowe mankiety i biżuterię. Uśmiecha się, ale cierpko.

– No tak… wino jest ściśle racjonowane. Przyznam ci się, Philipie, jestem zaskoczony, że w tych okolicznościach Jej Królewska Mość pozwoliła ci na tak długi czas opuścić dwór.

Sidney odwraca wzrok.

– Ktoś musi sprowadzić Dom Antonia do Londynu. Gdyby wybrał się w tę podróż na własną rękę, nie dotarłby tam w jednym kawałku. Wiesz, że Filip Hiszpański wyznaczył cenę za jego głowę.

– Mimo wszystko to dziwne, że królowa wierzy w twój rychły powrót do niej, zważywszy na to, że poróżniliście się. – Knollys się śmieje, oczekując, że Sidney mu zawtóruje.

Zalega cisza, która z każdą chwilą staje się coraz bardziej nieprzyjemna. Sidney w głębokim skupieniu wpatruje się w linię horyzontu.

– Powiedz mi, panie – proszę, żeby przerwać milczenie – jaki jest Francis Drake?

– Uparty – odpowiada Sidney bez wahania.

– Człowiek z charakterem – mówi Knollys po krótkim namyśle.

– Przez kilka lat zasiadałem z nim w komisji parlamentarnej – ciągnie Sidney. – Kiedy postawi sobie jakiś cel, staje się zawzięty jak pies wytresowany do tępienia szczurów. Poza tym trzeźwo patrzy na świat, jest twardy i potrafi harować jak wół, czego zresztą można się spodziewać po człowieku wychowanym do pracy fizycznej – dodaje, oglądając swoje paznokcie.

– Ma też waleczną naturę – powiada z zadumą Knollys – i niepohamowaną ambicję, chociaż nie dla osobistych korzyści, jak sądzę. Tak jakby bawiło go mierzenie się z tym, co niemożliwe. Potrafi być ucieleśnieniem uprzejmości. Sam widziałem, że jeńców ze zdobytych statków traktował z takim szacunkiem, jakim darzy własną załogę. Ale ma w sobie stal. Jeśli się mu sprzeciwisz, na Boga, każe ci za to zapłacić. – Ostro wciąga haust powietrza i wydaje się, że zaraz rozwinie temat, lecz nagle zmienia zdanie.

– Czy to człowiek wyedukowany? – pytam.

– Nie odebrał starannego wykształcenia, chociaż oczywiście zna się na sprawach, które dotyczą morza – mówi Knollys. – Ale ma w kajucie egzemplarz angielskiej Biblii i egzemplarz *Księgi męczenników* Foxe'a, a także pisma Magellana oraz francuskie i hiszpańskie tomy o sztuce nawigacji. Ogromnie lubi muzykę i zawsze pilnuje, żeby mieć na pokładzie ludzi z talentem do grania. Dlaczego o to pytasz, panie?

– Tylko dlatego, że uchodzi za najsłynniejszego żeglarza Europy. Jestem zaintrygowany i rad, że go poznam, ponieważ zmienił nasze postrzeganie świata. Wyobrażam sobie, że musi być człowiekiem o nadzwyczajnych cechach.

Knollys z uśmiechem kiwa głową.

– Nie będziesz rozczarowany, mistrzu Bruno. A teraz możecie, panowie, podziwiać widoki, ja zaś się zajmę moimi sprawami. Bóg da, a będziemy mieć spokojne morze i pomyślny wiatr, i wtedy za dwa dni zawiniemy do Plymouth.

Macha ręką w kierunku dziobu. Wchodzę za Sidneyem po prawie pionowych schodach na wysoki pokład. Gdy tyko Knollys odwrócił się plecami, Sidney zlekceważył jego polecenie; serdecznie się wita z najbliższym marynarzem i zasypuje go pytaniami o jego zajęcia – dlaczego w taki sposób wiąże linę, czemu marsle są wciąż zwinięte, jaka jest hierarchia w załodze, dokąd najdalej udało mu się dopłynąć z Anglii – przerywając ledwie dla zaczerpnięcia oddechu, aż biedny majtek zaczyna się w panice rozglądać w poszukiwaniu kogoś, kto go uwolni od tego przesłuchania.

Zostawiam ich z uśmiechem i znajduję sobie spokojne miejsce na dziobie. Tak się składa, że potrafię odróżnić jeden koniec okrętu od drugiego – część młodości spędziłem nad Zatoką Neapolitańską – ale dochodzę do wniosku, że im bardziej będę wyglądać na bezużytecznego, tym częściej będę miał święty spokój. Moje zainteresowanie budzi sztuka nawigacji, więc z przyjemnością skorzystam z okazji, żeby porozmawiać z Knollysem o jego mapach i przyrządach, jeśli się zgodzi. Skoro żeglarze od wieków z coraz to większą precyzją obliczali pozycję na podstawie gwiazd i przez stulecia wszystkie nasze mapy nieba były oparte na błędnym przekonaniu o ruchu gwiazd i planet w ich sferach, jestem ciekaw, jak nawigatorzy i kartografowie dostosowują się do nowej konfiguracji wszechświata teraz, gdy wiemy, że w jego centrum znajduje się Słońce, a nie Ziemia, i że gwiazdy nie tkwią na firmamencie, że ich sfera nie stanowi zewnętrznej granicy kosmosu. Zastanawiam się, czy mógłbym porozmawiać o tych koncepcjach z doświadczonym żeglarzem, takim jak Knollys. Sidney powiedział, że w 1577 roku okrążył glob z Drakiem podczas wyprawy, która przyniosła im sławę i bogactwo. Z pewnością zrobione przez nich obliczenia musiały dodatkowo potwierdzić, że Ziemia obraca się wokół Słońca, nie na odwrót. Królowa zakazała Drake'owi i jego towarzyszom publikowania relacji i map z tej ekspedycji, ponoć ze strachu, że wpadną w ręce Hiszpanów, ale może Knollys da się namówić przynajmniej na poufną rozmowę o odkryciach naukowych, jak jeden człowiek nauki z drugim.

Przed nami Tamiza lśni jak bity metal, gdy chmury przemykają przez oblicze słońca i ich cienie suną po wodzie; w tym świetle można niemal zapomnieć, że rzeka jest zupą ludzkich nieczystości.

Wspieram ręce na drewnianym relingu i patrzę w dół. Muszę się hamować; w tak niebezpiecznym położeniu muszę uważać, co mówię publicznie, dopóki nie będę wiedział, jak to może zostać odebrane. O Knollysie powiadają, że jest dobrym protestantem, jak jego szwagier, Leicester, i Sidney, ale byłbym głupcem, wyobrażając sobie, że koncepcje Kopernika zostały zaakceptowane przez więcej niż kilka osób. Ledwie dwa lata temu podczas publicznej debaty na Uniwersytecie Oksfordzkim otwarcie mnie wyśmiano za popieranie teorii heliocentryzmu. To, że inkwizycja nie może mnie dosięgnąć na terytoriach królowej Elżbiety, wcale nie musi oznaczać, że wszyscy Anglicy są oświeceni.

Płyniemy rzeką, która stopniowo rozszerza się w kierunku ujścia, mijamy rozproszone siedziby, nie większe niż chałupy, i łodzie podskakujące przy prowizorycznych pomostach. Brzegi po obu stronach są płaskie i bagniste, usiane kałużami, w których przegląda się blade niebo. W Londynie człowiek ma wrażenie, że jest osaczony, ściśnięty ze wszystkich stron, i widzi niebo tylko jako brudną wstążkę pomiędzy okapami wysokich domów, które blokują dopływ światła, pochylając się nad wąskimi uliczkami. Gdy oddalamy się od miasta, moje ramiona powoli się odprężają. Powietrze staje się świeższe i niesie zapach soli. Oddycham głęboko, ciesząc się nowym wrażeniem przestrzeni. Oswajam się z dźwiękami: trzask żagli, poskrzypywanie masztów i rej, rytmiczne łamanie się fal o kadłub, bezustanne skrzeczenie mew.

◆ ◆ ◆

Po kolacji, gdy Sidney siada do kart z Knollysem i jego oficerami, wymawiam się od gry i wracam na pokład. Wiatr jest silniejszy i trzeba szczelnie owijać się peleryną dla ochrony przed zimnem, ale wolę przebywać na słonym powietrzu niż zamknięty w kapitańskiej kajucie, w zaduchu dymu tytoniowego i słodkiego wina. Wprost przede mną słońce prawie tonie w wodzie, zostawiając na niebie pasma oranżu i różu. Po prawej stronie – Sidney nalega, żebym mówił „sterburta" – wybrzeże Anglii jest ciemną smugą. Po lewej, za nieustannie zmieniającą się wodą, leży Francja. Przymrużam oczy, patrząc w kierunku dalekich chmur, jakbym ją mógł zobaczyć.

Pokład trzeszczy za moimi plecami i zjawia się Sidney z glinianą fajką w zębach. Wyjmuje krzesiwo z sakiewki u pasa i przez dłuższą chwilę walczy, żeby zapalić fajkę na wietrze.

– Znowu rozmyślasz, Bruno?

– Na tym polega życie.

Chrząka, wyjmuje fajkę z ust, wydmuchuje kłąb dymu i szeroko rozpościera ręce, wypinając pierś ku wschodzącemu księżycowi.

– Nie ma to jak świeże morskie powietrze.

– Było świeże, zanim przyszedłeś.

Opiera się plecami o reling i szczerzy zęby w uśmiechu.

– Daj spokój, marudzisz jak moja żona. Wiecznie się skarży na zapach fajkowego dymu. Szczególnie teraz. – Wzdycha i odwraca się twarzą ku morzu. – Na Boga, jaka to ulga wyrwać się z domu. Brzemienne niewiasty są jeszcze bardziej krnąbrne niż zwykle. Ciekawe, dlaczego nikt mnie o tym nie uprzedził?

– O tej porze w ubiegłym roku narzekałeś, że może wcale nie będziesz miał dziedzica. Myślałem, że będziesz zadowolony.

– Wszystko to służy do zadowolenia innych, Bruno. Po człowieku o mojej pozycji oczekuje się pewnych rzeczy. Decyzja niekoniecznie należy do mnie.

– Nie chcesz być ojcem?

– Wolałbym nim zostać, kiedy będę miał możliwość samodzielnego utrzymania synów i córek, zamiast wciąż mieszkać kątem u teścia. Ale… cóż. – Splata dłonie i chwilę potem „strzela" palcami, rozprostowując je w stawach. – Nie pozwolą mi pójść na wojnę, dopóki nie spłodzę dziedzica, na wypadek gdybym miał już stamtąd nie wrócić. Więc przypuszczam, że powinienem być zadowolony. – Żagle się wydymają i trzaskają nad nami; okręt nieubłaganie sunie naprzód, statecznie, bez pośpiechu. Po długim milczeniu Sidney wystukuje fajkę o reling. – Dwa dni temu wysłałem grupę uzbrojonych ludzi i służących w drogę do Plymouth. Spotkają się z nami w mieście i odeskortują Dom Antonia do Londynu.

Znowu się budzi moje wcześniejsze podejrzenie.

– Wraz z nami – podsuwam.

Sidney odwraca się z triumfującym uśmiechem, jego oczy połyskują w gasnącym świetle. Chwyta mnie za rękaw.

– Nie wracamy do Londynu, przyjacielu. Zanim Dom Antonio rozgrzeje buty w Whitehall, my będziemy w połowie drogi przez Atlantyk.

Patrzę na niego przez długą chwilę, czekając – mając nadzieję – że dostrzegę jakąś wskazówkę, iż to kolejny z jego żartów. Dziki blask w jego oczach sugeruje coś innego.

– Co, będziemy podróżować na gapę? Ukryci wśród bagaży?

– Czyż nie mówiłem, że mam dla ciebie plan? – Opiera się o reling, zadowolony z siebie.

– Myślałem, że może będzie bardziej realistyczny.

– Na rany Chrystusa! Bruno, nie bądź takim malkontentem. Posłuchaj. Na czym polega nasz wspólny poważny problem?

– Na pragnieniu tworzenia poezji i upodobaniu do trudnych kobiet.

– Poza tym. – Patrzy na mnie, a ja czekam. – Brakuje nam niezależności, ponieważ nie mamy pieniędzy.

– Aha. Na tym.

– Właśnie! I jak go rozwiążemy? Musimy dostać pieniądze albo je zarobić. Ponieważ nie widzę nikogo chętnego, by potrząsnąć dla nas kiesą, czy jest lepszy sposób, niż wziąć złoto od Hiszpanów? Wrócimy do domu okryci chwałą, ze skarbem w ładowni… Warto będzie zobaczyć jej minę, nie sądzisz?

Przez chwilę myślę, że chodzi mu o żonę, ale w końcu pojmuję.

– Robisz to wszystko na złość królowej? Za to, że nie wysłała cię do Niderlandów? Zamierzasz pożeglować na drugi koniec świata bez jej pozwolenia?

Nie odpowiada od razu. Patrzy na wodę i głęboko oddycha.

– Wiesz, ile bogactw Francis Drake przywiózł do domu ze swojej podróży dokoła świata? Nie? W takim razie ci powiem. Hiszpańskie skarby warte ponad pół miliona funtów. Królowa dała mu dziesięć tysięcy, i jeszcze więcej do podziału między jego ludzi. I mówię tu tylko o tym, co zadeklarował. – Milknie, kręcąc głową. – Kupił sobie rezydencję w Devon, dawne opactwo wraz z należącą do niego ziemią, i herb na dodatek. Syn rolnika! A mnie nie stać nawet na kupno domu dla własnej rodziny. Mój syn będzie rósł ze świadomością, że utrzymanie zawdzięcza dziadkowi, podczas gdy jego ojciec siedzi bezczynnie, zależny od teścia, niczym kobieta. Jak sądzisz, jak się czuję?

– Rozumiem, że czujesz się niespełniony i zły na królową...

– Człowiek, którego wyznaczyła na dowódcę garnizonu we Flushing, jest gorszy ode mnie pod każdym względem. To publiczne upokorzenie. Nie mogę chodzić po galeriach Whitehall, wiedząc, że cały dwór bawi się moim kosztem. Czuję się tam jak bezwolna marionetka, za której sznurki pociąga królowa. – Zaciska spoczywającą na relingu rękę.

– Dlatego musisz wrócić do domu jako zwycięski bohater.

– Co innego ma robić Anglik, jak nie walczyć z Hiszpanami?! – Obraca głowę w moją stronę i widzę, że pobladł z gniewu. – To mój pierwszy obowiązek, a ona nie pozwala mi go spełnić z obawy, że straci z oka wszystkich swoich faworytów... Chce, żebyśmy trzymali się jej spódnicy, ponieważ się boi, że zostanie sama. Ale ja, Bruno, chciałbym być kimś więcej niż pupilkiem starzejącej się królowej dziewicy. – Szybko się rozgląda, żeby sprawdzić, czy ktoś nas nie podsłuchuje. – Wyobraź sobie dreszcz emocji podczas walki z królem Hiszpanii na jego terytoriach, powrót do Anglii z majątkiem. Elżbiecie zabraknie podarków, żeby wyrazić wdzięczność.

Mam ochotę się roześmiać, jest taki zapalony do swojego pomysłu. Pocieram zarośniętą szczękę, zasłaniając usta, aż w końcu mogę już mówić z poważną miną.

– Naprawdę chcesz to zrobić? Pożeglować z Drakiem na hiszpańskie wody? Czy on w ogóle o tym wie?

Wzrusza znamionami, jakby to był drobiazg.

– Wielokrotnie to sugerowałem, gdy tego lata pomagałem mu w przygotowaniach. Nie jestem pewien, czy brał mnie na poważnie. Ale sądzę, że się nie sprzeciwi.

– Sprzeciwi się, jeśli będzie wiedział, że chcesz wyruszyć bez zgody królowej i wbrew jej życzeniom. Nie będzie chciał wypaść z jej łask – mówię, ale myślę nie o losie Drake'a, tylko o moim. Królowa będzie wściekła na Sidneya za zlekceważenie rozkazu, a skoro ja biorę udział w jego przedsięwzięciu, też padnę ofiarą jej niezadowolenia. Sidney zbytnio nie ucierpi, bo jest tym, kim jest, ale ja mogę bezpowrotnie stracić w jej oczach. Oczywiście tylko w najlepszym wypadku, czyli wtedy, jeśli w ogóle wrócimy.

– Gdyby nie ja, Francis Drake nie mógłby wyruszyć na tę wyprawę – powiada Sidney cicho, z naciskiem. – To ja załatwiłem mu połowę okrętów w jego flocie i znaczną część funduszy od prywatnych inwestorów. To ja przekonałem wielmożów do pomocy w sfinansowaniu wyprawy. – Dźga się kciukiem w pierś dla podkreślenia swoich racji. – Nie może tak po prostu wysadzić mnie na brzeg.

Kręcę głową i odwracam wzrok, patrząc na fale. Wyolbrzymia swoją rolę w przedsięwzięciu, jestem tego pewien, ale kiedy dosiada konika, nie można mu przemówić do rozumu. Skoro ma sobie za nic słowa królowej Anglii, z pewnością będzie głuchy na moje argumenty.

– Nie mam wojskowego doświadczenia, Philipie, i nie jestem żołnierzem. To nie dla mnie.

Prycha.

– Jak możesz tak mówić?! Widziałem, Bruno, jak walczysz i pokonujesz ludzi dwa razy wyższych od siebie. Potrafisz być groźny jak na filozofa. – Błyska szerokim uśmiechem.

Czuję ulgę, bo już się bałem, że jesteśmy na skraju poważnego konfliktu.

– Umiem się spisać w karczemnych burdach, jeśli trzeba. To niezupełnie to samo co abordaż statku albo zdobywanie portu. Jaki będzie ze mnie pożytek na morzu?

– Jaki będzie z ciebie pożytek w Londynie? Nowy ambasador chce obserwować twój każdy krok albo w ogóle cię stamtąd wykopać. Nie mając wpływowego protektora, Bruno, nikomu nie jesteś potrzebny.

Gwałtownie się odwracam i zaciskam zęby, dopóki nie mogę zaufać sobie na tyle, żeby mówić bez zdradzania gniewu. Czuję, że

Sidney kipi ze złości, mocno stukając cybuchem o reling. W końcu gliniana fajka pęka, a on z przekleństwem wrzuca ją do morza.

– Dzięki, sir Philipie, za przypomnienie, gdzie jest moje miejsce – mówię napiętym, zduszonym głosem.

– Na miłość boską, Bruno! Chodziło mi tylko o to, że podczas tej podróży przydasz się bardziej niż gdziekolwiek indziej. Poza tym on o ciebie pytał.

– Kto?

– Francis Drake. Dlatego cię zaprosiłem.

Podejrzliwie ściągam brwi.

– Przecież Drake mnie nie zna. Dlaczego o mnie pytał?

– No, nie wymienił cię po nazwisku. Ale tego lata w Londynie zwrócił się do mnie z prośbą, czy mógłbym znaleźć uczonego, który mógłby mu w czymś pomóc. Przykładał do tego wielką wagę, choć nie chciał wyjaśnić powodu.

– Przecież ty jesteś uczonym. Z pewnością o tym wie.

– Najwyraźniej nie jestem. Szuka kogoś, kto zna starożytne języki i starożytne teksty. Człowieka o dużej wiedzy i równej jej dyskrecji, jak powiedział, do delikatnego zadania. Odrzekłem, że znam odpowiednią osobę. – Uśmiecha się, zarzucając rękę na moje ramię, znów będąc uosobieniem łagodności. – Poprosił, żebym cię zabrał z sobą do Plymouth. Pomyśl, Bruno, nie mam pojęcia, czego chce, ale jeśli zdołasz wyświadczyć mu jakąś przysługę, to może wygładzić nam drogę do zamustrowania się na jego okręcie.

Nic na to nie odpowiadam. Kiedy mnie zapraszał w podróż do Plymouth, kadził mi co niemiara: nie wyobraża sobie podróży beze mnie, powiedział; będzie mu brakować naszych rozmów; w jego kręgu na dworze nie ma nikogo, z kim chciałby podróżować, nikogo, czyje towarzystwo wyżej by sobie cenił. Teraz się okazuje, że jestem mu potrzebny jako swego rodzaju waluta, jako przedmiot do handlu wymiennego z Drakiem. Jak głupiutka dzierlatka dałem się nabrać na słodkie słówka i uwierzyłem, że potrzebuje mnie z uwagi na moje przymioty. Co więcej, zdaję sobie sprawę, że jestem głupi, skoro czuję się urażony, i to podsyca moją złość, na niego i na siebie. Strząsam z pleców jego ramię.

- Bruno, daj spokój. Sama myśl o podróży bez ciebie... Co najmniej przez trzy miesiące zdany na towarzystwo posiwiałych starych wilków morskich, bez rozmów, które nie dotyczą wołków zbożowych, olinowania i picia własnych sików? Nie porzuciłbyś mnie, skazując na taki los. – Pada na kolana, błagalnie składając ręce.

Niechętnie zdobywam się na uśmiech.

- Wołki zbożowe i picie własnych sików? W takim razie zgoda, przekonałeś mnie.

- A widzisz? Wiedziałem, że nie zdołasz się oprzeć. – Podnosi się i otrzepuje kolana.

Naszą przyjaźń zawsze cechowało dobroduszne przekomarzanie się, ale jego wcześniejsze słowa mocno mnie zabolały. Może naprawdę tak mnie postrzega: bez wpływowego protektora jestem zerem.

- Posłuchaj mnie teraz uważnie, Philipie. – Odwracam się, żeby spojrzeć mu w oczy. – Tak zuchwałe narażanie się na niezadowolenie królowej... naprawdę tego chcesz? Nie jestem pewien, czy ja chcę.

- Bruno, daję ci słowo, gdy wrócimy do domu, sam widok bogactw przywiezionych do jej skarbca sprawi, że w jednej chwili zapomni o urazie. – Kiedy nie odpowiadam, pochyla się i ścisza głos do szeptu. – Czy zdajesz sobie sprawę, że pieniądze, które dostajesz od Walsinghama, to nie jałmużna? Płaci ci za informacje. Jak będziesz mógł je dostarczać, jeśli baron de Châteauneuf cię wypędzi?

- Znajdę jakiś sposób. Wcześniej zawsze znajdowałem. Walsingham wie, że go nie zawiodę.

- Daj spokój, Bruno! – Daje mi lekką sójkę w bok, żeby mnie rozweselić. – Nie chcesz zobaczyć Nowego Świata? Co dobrego z marzeń o światach poza sferą gwiazd stałych, jeśli nie masz odwagi podróżować po naszej planecie? – Przegarnia włosy palcami, stawiając kępki nad czołem. To gest, który robi nieświadomie, kiedy jest poruszony. – Masz trzydzieści siedem lat. Jeśli nie chcesz od życia niczego więcej, jak tylko siedzieć z książką w pokoju, to nie mam pojęcia, dlaczego wyszedłeś z klasztoru.

- Ponieważ inkwizycja skazała mnie na śmierć – odpowiadam

cicho. Sidney dobrze o tym wie, ale jak komuś takiemu jak on wyjaśnić realia życia na wygnaniu? – A co z twoją żoną i dzieckiem? – pytam, gdy się przeciąga i odwraca jakby do odejścia.

Patrzy na mnie tak, jakby nie pojął pytania.

– Co z nimi?

– Twoje pierwsze dziecko przyjdzie na świat za ile? Za trzy miesiące? A ty chcesz być w tym czasie w połowie oceanu. – Bez pewnych szans na powrót, dodaję w duchu. Nawet ja wiem, że po słynnym opłynięciu kuli ziemskiej Francis Drake wrócił do Anglii tylko z jednym okrętem spośród sześciu, z którymi wyruszył, i z jedną trzecią załogi. Ale Sidney jest żywiołowy jak chłopiec, kiedy wkłada w coś serce, i głęboko wierzy w triumfalny powrót z kilogramami hiszpańskiego złota, nie ma co do tego wątpliwości.

Marszczy brwi.

– Przecież zrobiłem swoje. Żona urodzi dziecko niezależnie od tego, czy tam będę, czy nie, i nie zabraknie jej nianiek, żeby się nim zająć. Na krew Chrystusa, Bruno, zrobiłem to, o co mnie prosili. Mam dziedzica, a właśnie z tego powodu trzymali mnie w zamknięciu w Barn Elms przez ostatnie dwa lata. Czy nie zasłużyłem na odrobinę wolności?

Kusi mnie, by skomentować, że prawdopodobnie mylnie pojmuje naturę małżeństwa, ale się powstrzymuję. Raczej nie mam prawa doradzać mu w sprawach kobiet, a poza tym dalsze irytowanie go nie ma sensu. Złości się, jak teraz widzę, nie na mnie, ale na każdego, kto wysunąłby te same zastrzeżenia: na żonę, teścia, Francisa Drake'a, królową. Przygotował sobie usprawiedliwienie. Darzę Sidneya wielką sympatią i podziwiam wiele jego przymiotów, ale wiem, że jest rozpuszczonym paniczykiem i źle reaguje na słowa krytyki.

– To może być dziewczynka – zauważam.

Prycha ze złością.

– Wracam na dół, żeby się napić. Idziesz?

– Zostanę jeszcze jakiś czas.

– Jak chcesz. – Odwraca się u szczytu schodów wiodących na główny pokład, z dłonią na poręczy. – Wiesz, Bruno, próbuję znaleźć jakiś sposób, by ci pomóc. Myślałem, że może mi podziękujesz. –

Sprawia wrażenie zranionego. Byłem tak zdumiony jego obłędnym planem, że nie przyszło mi na myśl, iż mogłem zranić jego uczucia.

– Wybacz mi. Jestem ci wdzięczny za wszystkie starania... wierz mi, naprawdę.

– W takim razie płyniesz ze mną do Nowego Świata. – Jego twarz jaśnieje.

– Daj mi się przyzwyczaić do tego pomysłu.

Sidney znika pod pokładem, a ja kieruję uwagę na otaczającą nas czarną wodę. Dwutygodniowa wycieczka miała być rozrywką; miesiące na morzu to zupełnie co innego. W świetle słońca morze wydawało się łagodne i uległe. Teraz jego ogrom mnie przytłacza. Rzucanie mu wyzwania, próba pokonania go na małej łupince wydaje się groteskowa i arogancka. Ale może wszystkie akty odwagi z początku wydają się głupie. Bryza zwiewa włosy z mojej twarzy. Zdaję sobie sprawę, że słońce zaszło i już nie widać linii horyzontu. Nie ma podziału między morzem i niebem, nie ma niczego poza bezkresną ciemnością i obojętnymi gwiazdami.

2

Dwa dni później, wczesnym wieczorem 23 sierpnia, okrążamy przylądek i wchodzimy do zatoki Plymouth. Ludzie wiwatują na pokładzie. Wiatr przestał nam sprzyjać, gdy minęliśmy wybrzeże Kentu i wpłynęliśmy na Morze Angielskie, żeglując wolniej, niż zapowiadał Knollys, ale teraz niebo nad nami jest czyste, słońce połyskuje na wodach szerokiej zatoki z trzech stron otoczonej przez łagodnie nachylone klify, ciemnozielone od gąszczu porastających je drzew. Od godziny stałem z Sidneyem na dziobie, wypatrując portu, ale nic nie mogło przygotować mnie na widok kotwiczącej tam floty.

W zatoce stoi około trzydziestu okrętów wojennych i statków kupieckich. Największy, pomalowany na czarno i biało, przewyższa rozmiarami galeon *Leicester*. Pomiędzy nimi na falach kołysze się dziesięć mniejszych pinas, żagle są zwinięte, proporce łopoczą na wietrze, barwy heraldyczne jaśnieją na tle bladego nieba. Woda się skrzy i wszystko razem wygląda jak cudowne widowisko. Przyłapuję się na tym, że wybałuszam oczy i rozdziawiam usta jak dziecko, podobnie reaguje Sidney, gdy załoga na pokładzie radośnie krzyczy na widok swoich towarzyszy. Do tej chwili nie okazywałem wielkiego zainteresowania żeglugą, ale zgromadzona flota naprawdę budzi ducha przygody. Wyobrażam sobie wszystkie te okręty żeglujące w szyku pod komendą Drake'a do Nowego Świata, Sidney i ja stoimy na dziobie, mrużący oczy w słońcu, patrząc ku nieznanemu horyzontowi. I powrót z kieszeniami pękającymi od hiszpańskiego złota, powitanie salutem armatnim w Plymouth… Sidney naprawdę wierzy, że to możliwe, i gdy tu jesteśmy, trudno jest nie zarazić się jego entuzjazmem. Wszędzie wokół nas wybuchają komendy, zaraz potem rozlega się furkot zwijanych żagli, pojękiwanie lin i grzechot łańcuchów. Wielki trzeszczący kadłub galeonu *Leicester* nieruchomieje, gdy zostają rzucone kotwice. Załoga z obu burt spuszcza szalupy na wodę. Knollys patrzy na nas z dumą w oczach, jakby dawał do zrozumienia, że to wszystko jest jego dziełem.

– Widzicie okręt flagowy *Elizabeth Bonaventure* pod rozkazami sir Francisa Drake'a. A tam stoi *Tygrys* pod komendą kapitana Christophera Carleilla.

Wskazuje na zatokę. Sidney rzuca mi spojrzenie z ukosa i jego twarz wykrzywia grymas. Zna z dworu połowę inwestorów tej ekspedycji, wielu oficerów ma koneksje z jego rodziną. Będzie musiał do ostatniej chwili trzymać swoje plany w tajemnicy, żeby Walsingham o niczym się nie dowiedział.

Knollys kontynuuje niczego nieświadom, jego wyciągnięta ręka rzuca długi cień na pokład, gdy gestykuluje.

– Tam macie *Smoka Morskiego*, *Białego Lwa* i galeotę *Kaczkę*, tam jest mały *Przetacznik*, a obok niego kotwiczy *Thomas Drake*, nazwany na cześć brata głównodowodzącego i pod jego komendą.

Jesteśmy dość blisko, żeby widzieć załogi okrętów, ludzi wspinających się po drabinkach i rojących się na pokładach jak owady. Kotwiczymy w osłoniętej zatoce, gdzie prawie nie wieje, i po raz pierwszy od opuszczenia Londynu czuję na plecach ciepło słońca.

– A co to za wyspa? – pytam, wskazując skalisty kopiec pośrodku zatoki. Nad stromymi urwiskami rosną drzewa, a na wierzchołku wznosi się kamienna wieża.

– Wyspa Świętego Mikołaja – mówi Knollys, ocieniając dłonią oczy – choć miejscowi zwą ją Wyspą Drake'a. Sir Francis próbował zgromadzić fundusze, żeby ulepszyć fortyfikacje na wypadek inwazji. Jest tam garnizon, chociaż, jak się zdaje, od lat nieobsadzony z powodu braku pieniędzy. Chodźcie, kapitan Drake się nas spodziewa.

Prowadzi nas po schodach pod pokład i każe wyrzucić drabinkę sznurową przez luk. Jest cienka i wygląda na niepewną, ale Knollys bez lęku schodzi do łodzi wiosłowej, której koniec trzyma dwóch krzepkich marynarzy. Sidney mnie trąca, żebym ruszył za nim, i milczący marynarz pomaga mi wyjść przez luk. Schodzę bez patrzenia w dół po jednym szczeblu naraz, ściskając liny tak mocno, że palą mnie ręce, świadom, że niecierpliwe stopy Sidneya wiszą kilka cali nad moją głową.

Wioślarze kluczą pomiędzy stojącymi na kotwicy okrętami i z tej wysokości, z poziomu wody, człowiek w pełni pojmuje ogrom galeonów. Kadłuby są wysokie jak kościoły, maszty sięgają tak wysoko, że trzeba zadzierać głowę, żeby zobaczyć szczyty. Człowiek ma wrażenie, że jest w wąskiej uliczce pomiędzy wysokimi budynkami, jeśli budynki można wyrwać z posad i rozkołysać. Nad wodą niesie się wesoła melodia wygrywana na fletach i skrzypcach. Nasza łódź ze szczękiem dobija do pokrytego skorupą pąkli stromego drewnianego urwiska, z którego zwisa następna drabinka, czekając na nas. Zerkam na ręce. Sidney to zauważa i parska śmiechem.

– Nie spodziewaj się, Bruno, że wrócisz do domu z delikatnymi dłońmi wielkiego pana.

– Nie jestem pewien, czy kiedykolwiek miałem delikatne dłonie wielkiego pana – mówię. Wyciągam ręce jakby na dowód i oglądam je z obu stron. Koniuszki palców jak zawsze mam powalane atramentem.

– Co innego mówią damy z francuskiego dworu – ripostuje, puszczając do mnie oko. To jeden z jego ulubionych żartów: zadawałem się z księżnymi i kurtyzanami Paryża, zanim zwróciłem uwagę na Anglię. Bawi go, że kiedyś byłem zakonnikiem; nie wyobraża sobie, jak mogłem przeżyć w zakonie najbardziej burzliwe lata młodości. Może tylko sobie wyobrażać, jaki byłby on sam, i lubi żartować, że po wystąpieniu z zakonu gziłem się ze wszystkim, co się rusza, jak szczeniak wyżywający się na nodze krzesła. Bawi go to tym bardziej, że to nieprawda.

Knollys wchodzi pierwszy, Sidney za nim i na końcu ja. Ten okręt jest wyższy niż *Leicester*, bolą mnie ręce i drabinka zdaje się nie mieć końca. Patrzę tylko przed siebie, na wijące się liny i drewnianą burtę, o którą ocieram kostki za każdym razem, gdy fala rzuca mnie na nią. Gdy moja głowa osiąga poziom relingu, wyciągam rękę, żeby go złapać, ale ręka się ześlizguje. Przez jedną koszmarną chwilę dławi mnie lęk, że spadnę, ale silne ręce chwytają mnie za nadgarstki i nieelegancko wciągają na pokład.

– Spokojnie.

Odzyskuję równowagę, biorę głęboki wdech i patrzę w twarz mojego wybawcy.

– A kogóż to o mało nie straciliśmy na rzecz ryb? – pyta całkiem życzliwym tonem. Gdy się uśmiecha, w kąciku ust błyska złoty ząb.

– Doktor Giordano Bruno z Noli, do usług. – Serce łomoce mi z ulgi albo szoku, a może jednego i drugiego na myśl, że mogłem spaść z tej wysokości do wody. – Panie – dodaję, uświadamiając sobie, do kogo się zwracam.

Nie musi się przedstawiać. Spokojny autorytet, wrodzona pewność siebie, sposób, w jaki inni stoją w półkolu, nie pozostawiają wątpliwości, że mówię do człowieka, którego Hiszpanie nazywają *El Draque*, smokiem. Najsłynniejszy korsarz Anglii uśmiecha się do mnie i klepie po ramieniu.

– Witaj na *Elizabeth Bonaventure*. Jesteś, panie, medykiem? – Na jego twarzy maluje się nadzieja.

– Teologiem, niestety. Mniej użyteczne rzemiosło. – Uśmiecham się przepraszająco.

– No nie wiem. – Patrzy na mnie szacującym wzrokiem. – Może jednak się przydasz, panie. Zapraszam… Macie ochotę coś zjeść? Zasiądziemy do kolacji w mojej kajucie.

Knollys kiwa głową.

– Dziękuję. Jest wiele do omówienia.

– Ach, kapitanie Knollys… – Francis Drake pociera brodę i jego uśmiech znika. – Więcej, niż mógłbyś przypuszczać.

Powaga w jego głosie przykuwa moją uwagę, ale zaraz potem Drake się odwraca i wykrzykuje rozkazy do jednego ze stojących w pobliżu ludzi. Mam okazję niepostrzeżenie przyjrzeć się kapitanowi. Jest barczysty i silny, wyższy ode mnie, choć nie taki wysoki jak Sidney, i ma szczerą twarz, ogorzałą po latach spędzonych na morzu. Wokół oczu widnieją białe zmarszczki, jakby śmiał się tak często, że słońce nie miało czasu ich opalić. Ma rzednące brązowe włosy, upstrzone srebrem na skroniach, i siwiejącą schludną brodę. Oceniam jego wiek na czterdzieści kilka lat. Teraz rozumiem, dlaczego Sidney, pomimo przechwalania się swoją rangą, pragnie zrobić wrażenie na tym człowieku. Drake emanuje spokojną siłą zdobytą dzięki doświadczeniu i pod tym względem trochę mi przypomina mojego ojca, zawodowego żołnierza, choć z pewnością jest nie więcej niż dziesięć lat starszy ode mnie. Uświadamiam sobie, że chcę, żeby mnie polubił.

Drake odwraca się w naszą stronę i ściska ręce.

– W takim razie idziemy. Ugasimy pragnienie, czekając na strawę.

Gdy idziemy za nim na drugi koniec pokładu, marynarze przerywają swe zajęcia i patrzą, jak przechodzimy. Zauważam, że na okręcie panuje dziwna atmosfera; ludzie obserwują nas ukradkiem, z podejrzliwością w oczach, i wykrywam stłumione zaniepokojenie. Tu nie słychać muzyki ani śpiewów. Właściwie nikt się nie odzywa, nie słyszę rubasznego, dobrodusznego przekomarzania się, do jakiego przywykłem podczas podróży na Leicesterze. Czy mają za złe naszą obecność? A może milczą z szacunku. Podchwytuję spojrzenie marynarza, który patrzy spod krzaczastych, zrośniętych brwi z powściągliwą, wrogą miną. Coś tu jest nie w porządku.

Drake prowadzi nas do drzwi na tylnym pokładzie, gdzie na straży stoi dwóch zwalistych mężczyzn z halabardami, patrzących prosto przed siebie, ponurych. Światło słońca pełga po nagich krawędziach broni. Ich obecność mnie niepokoi. Przypuszczam, że Drake i oficerowie mają w swoich kwaterach cenne przedmioty, których należy pilnować, choć taka demonstracja siły wydaje mi się oznaką braku zaufania wobec załogi. Drake się pochyla, żeby po cichu zamienić kilka słów ze strażnikiem, następnie otwiera drzwi i zaprasza nas do elegancko urządzonej kajuty, podobnej do kwatery Knollysa na Leicesterze, choć skromniej umeblowanej. Luksusy ograniczają się tutaj do tkanego dywanu na podłodze i ciemnoczerwonych draperii zebranych po bokach szerokiego okna z trzech stron kajuty. Pod oknem stoi długi dębowy stół z rozpostartą dużą mapą, otoczoną przez mniejsze mapy i papiery zagryzmolone obliczeniami i szkicami linii brzegowej. Przy stole, schylony nad mapami z piórem w ręce, siedzi chudy młodzieniec ze strzechą włosów koloru słomy, z małymi okularami w okrągłych oprawkach na nosie. Gwałtownie unosi głowę, gdy wchodzimy, i patrzy na nas, jabłko Adama mu podskakuje. Po chwili śpiesznie zgarnia papiery, jakbyśmy go przyłapali na oglądaniu erotycznych rycin.

– Dziękuję, Gilbercie, sprzątnij i zostaw nas – mówi Drake. Młody człowiek kiwa głową i zdejmuje okulary. Bez nich mruży oczy, gdy na nas spogląda. Wprawnie zwija mapy i składa papiery, ukradkiem popatrując na Sidneya.

– To odwzorowanie Merkatora, prawda? – mówię, pochylając się i wskazując dużą mapę, którą zaczyna rolować. Patrzy na mnie i strzela oczami na Drake'a, jakby sprawdzał, czy wolno mu odpowiedzieć.

– Znasz się na kartografii, doktorze Bruno? – pyta Drake, patrząc na mnie z nowym zainteresowaniem.

– Odrobinę – mówię śpiesznie, gdy świat znika w czarnej tubie pod poplamionymi atramentem palcami młodzieńca. – Ale każdy zainteresowany kartografią zna mapę Merkatora. Pierwszą prawdziwą próbę odwzorowania kuli na płaszczyźnie, z równoleżnikami naniesionymi z matematyczną dokładnością.

– Zgadza się – odzywa się młody mężczyzna z nagle ożywioną twarzą. – To pierwsze odwzorowanie kuli ziemskiej przeznaczone specjalnie do nawigowania po morzu. Wielkie dokonanie Merkatora polega na dostosowaniu równoleżników do krzywizny Ziemi. To oznacza, że możemy teraz wykreślać kurs... – Spostrzega minę Drake'a i przełyka resztę wyjaśnienia. – Proszę o wybaczenie, trochę mnie poniosło.

– Mój sekretarz, Gilbert Crosse. – Drake z pobłażliwym uśmiechem przedstawia młodzieńca, który wychodzi zza stołu. – Gilbercie, to nasi goście z *Leicestera*, kapitan Knollys, sir Philip Sidney i doktor Giordano Bruno.

Skryba z nerwowym uśmiechem kłania się nam kolejno, choć na mnie dłużej zatrzymuje zaczerwienione oczy, zamyka papiery w szafce i wychodzi z kajuty.

– Wielce utalentowany młodzieniec – dodaje Drake, ruchem głowy wskazując drzwi, które Gilbert zamknął po wyjściu. – Trafił do mnie od Walsinghama. Proszę spocząć, panowie.

W boazerii za stołem osadzone są drewniane ławki. Sadowimy się na nich, gdy Drake nalewa wina z kryształowej karafki do delikatnych kielichów z weneckiego szkła. Młody człowiek zostawił laskę Jakuba, przyrząd używany do określania szerokości geograficznej; mój przyjaciel, John Dee, były astrolog królowej, ma taką w swojej bibliotece. Podnoszę ją i skoro nikt nie ma nic przeciwko, opieram jeden koniec o policzek i kieruję drugi w ścianę, wyobrażając sobie, że jest w równej linii z horyzontem.

– Ostrożnie, Bruno, bo wydłubiesz komuś oko – mówi Sidney, rozwalony na ławce.

Opuszczam laskę i spostrzegam, że Drake patrzy na mnie z zaciekawieniem.

– Potrafisz się tym posługiwać, panie?

– Pokazano mi, jak obliczać kąt pomiędzy horyzontem i Gwiazdą Polarną, ale tylko na lądzie. – Odkładam przyrząd na stół. – Przypuszczam, że to się nie liczy.

– Ale to znacznie więcej, niż potrafi wielu ludzi. Niezwykła umiejętność jak na teologa. Umiesz używać laski Jakuba, sir Philipie? – pyta Sidneya.

Sidney macha ręką.

– Niestety nie, kapitanie Drake, ale chętnie się nauczę.

Drake z miłym uśmiechem podaje mi kielich wina. Nie może nie zauważyć, że Sidney nie tytułuje go jak należy; obaj są szlachcicami i tym samym równi pod względem statusu, chociaż Sidneya nikt o tym nie przekona. Patrzę, jak Drake stawia mój kielich. Napięcie, które wyczułem wśród ludzi na pokładzie, wsącza się nawet tutaj, do wypolerowanej i wyrafinowanej kajuty kapitańskiej. Myślę o uzbrojonych strażach za drzwiami.

Zamek szczęka i Drake na wpół się podnosi, szybki jak błyskawica, z prawą dłonią na rękojeści rapiera. Odpręża się na widok nowo przybyłych, sześciu ogorzałych żeglarzy w kosztownych strojach. Przewodzi im mężczyzna mniej więcej w moim wieku, chudszy od Drake'a, lecz tak do niego podobny, że musi być jego krewnym. Podchodzi do stołu i obejmuje kapitana.

– Thomasie, panowie, proszę, dołączcie do nas. – Drake wskazuje mu miejsce obok Sidneya. Jego śmiech wyraża ulgę i przyglądam mu się z ciekawością: dlaczego kapitan jest taki nerwowy? – Oczywiście znasz sir Philipa Sidneya, a to jego przyjaciel, doktor Bruno. Obaj przybyli powitać Dom Antonia, którego się spodziewamy lada dzień. Panowie, przedstawiam mojego brata i prawą rękę, Thomasa Drake'a. A to pan Christopher Carleill, mój zastępca podczas tej wyprawy – mówi, wskazując przystojnego, atletycznie zbudowanego mężczyznę po trzydziestce, mającego złote kędzierzawe włosy i przenikliwe oczy. Widzę, jak Sidney zmusza się do uśmiechu: ten Carleill jest pasierbem Walsinghama i choć ma niewiele więcej lat niż on, robi karierę wojskową, na czym jemu tak bardzo zależy.

Następnie Drake przedstawia nam kapitana Fennera, który dowodzi *Elizabeth Bonaventure*, bo Drake, choć żegluje na okręcie flagowym, jest zajęty koordynacją dowodzenia całej floty. Za Fennerem stoi trzech siwowłosych, poważnych mężczyzn. Są to kolejni zaufani kapitanowie Drake'a, którzy mu towarzyszyli w słynnej podróży dokoła świata i wrócili, żeby znów poświęcić swoje życie i okręt jego służbie.

Knollys z radością wita się ze starymi towarzyszami; poklepują się po plecach i pokrzykują, choć powitania wydają mi się dziwnie stonowane. Mnie i Sidneya przybysze traktują z szorstką uprzejmością, ale znowu odnoszę wrażenie, że nasze powitanie jest pełne napięcia, że atmosferę psuje jakiś niewypowiedziany strach.

– Skoro przybył już *Leicester*, przypuszczam, że flota wyruszy, gdy tylko przypływ na to pozwoli? – pyta Sidney Drake'a.

Drake i jego brat wymieniają spojrzenia. Panuje cisza.

– Sądzę – zaczyna powoli dowódca floty, obracając kielich w ręku – że jesteśmy zmuszeni trochę zaczekać. Są pewne sprawy do wyjaśnienia.

Sidney kiwa głową, jakby rozumiał.

– Wciąż uzupełniacie zapasy, jak mniemam? To zawsze wymaga czasu.

– Mniej więcej o to chodzi. – Drake się uśmiecha. Nerw pulsuje mu pod okiem. Jego ręce spoczywają płasko na stole. Kajuta łagodnie się kołysze i wodniste refleksy pełgają po wyłożonych boazerią ścianach.

Ktoś puka do drzwi. Drake znowu się spina, prawie niedostrzegalnie, ale to tylko służący z jedzeniem. Te nagłe, nerwowe ruchy są reakcją kogoś, kto się czuje nękany – rozpoznaję je, ponieważ sam często tak żyłem, z ręką zawsze blisko noża u pasa. Ale co sprawia, że dowódca floty boi się na pokładzie swojego okrętu flagowego?

Doszedłem do przekonania, że jedzenie na wszystkich statkach przypomina podeszwę skórzanego buta, ale ten posiłek jest tak dobry, jak żaden inny od czasu, gdy się stołowałem we francuskiej ambasadzie. Drake wyjaśnia, że wciąż dostają świeży prowiant z Plymouth, a z jego doświadczenia wynika, iż we flocie dobry kucharz jest równie ważny jak dobry dowódca, jeśli nie ważniejszy, i wszyscy patrzą na Carleilla z dobrodusznym śmiechem.

– Aczkolwiek jeśli... – zaczyna Drake i milknie. Wszyscy inni spuszczają oczy, jakby wiedzieli, co zamierzał powiedzieć.

W trakcie posiłku napięcie wśród kapitanów staje się jeszcze wyraźniejsze. Zapadają coraz dłuższe i częstsze chwile ciszy, choć Sidney usłużnie zapełnia je pytaniami o podróż. Kapitanowie wydają się wdzięczni za możliwość ograniczania rozmowy do spraw związanych z żeglugą. Dopiero teraz, gdy słucham ich dyskusji, zaczynam w pełni rozumieć skalę i ambicję przedsięwzięcia. Oficjalnym celem Drake'a jest żegluga wzdłuż wybrzeża Hiszpanii i uwolnienie angielskich statków bezprawnie zatrzymanych w hiszpańskich portach, ale wychodzi na to, że w rzeczywistości planuje masowy atak na hiszpańskie terytoria w Nowym Świecie. Zamierza przepłynąć Atlantyk i zdobyć najbogatsze porty domeny hiszpańskiej*, kończąc kampanię zajęciem Hawany. Pomiędzy kęsami i czę-

---

* Domena hiszpańska (ang. *Spanish Main*) – zamorskie posiadłości Hiszpanii w południowej części Morza Karaibskiego w XVI w.

sto w trakcie przeżuwania z powagą rzuca takie liczby, że łzy mi się kręcą w oczach: milion dukatów z zajęcia Cartageny, kolejny milion z Panamy.

– Jeśli to wygląda na licencjonowane piractwo – mówi z nazbyt skromnym śmiechem – nigdy nie tracimy z widoku prawdziwego celu wyprawy: odcięcia zaopatrzenia Hiszpanii w skarby z Indii Zachodnich.

Bez dochodu z Nowego Świata Filip Hiszpański będzie musiał pohamować swoje ambicje do prowadzenia wojny z Anglią, tak więc jeśli ten skarb trafi do szkatuły Anglii, Elżbieta będzie mogła wysłać odpowiednie siły, żeby obronić protestantów w Niderlandach. Teraz rozumiem, dlaczego niektórzy z najwybitniejszych dygnitarzy na dworze postanowili zainwestować w tę flotę; jej powodzenie jest kwestią nie tylko osobistych zysków, ale też bezpieczeństwa kraju. Staje się również dla mnie jasne, że Sidney znalazł alternatywną możliwość wyruszenia na wojnę i że spodziewa się, iż do niego dołączę.

Kiedy znika ostatni kęs, kapitanowie dziękują i wracają na swoje okręty. Zostaje tylko Thomas Drake i Knollys.

Sir Francis odsuwa talerz i spogląda na Sidneya.

– Postawię sprawę jasno, sir Philipie. Stanie się najlepiej, jeśli opuścisz Plymouth jak najszybciej po przybyciu Dom Antonia. Z pewnością tenże będzie chciał zwlekać, jesteśmy bowiem starymi towarzyszami i zainteresowałaby go rozmowa o nowej ekspedycji, ale w tych okolicznościach powinieneś czym prędzej wrócić do Londynu. Dla własnego bezpieczeństwa.

Sidney się waha; boję się, że rozważa, czy to odpowiedni moment na wyjawienie swojego wielkiego planu.

– W jakich okolicznościach? – pytam, nie dając mu szansy na zabranie głosu.

Zamiast odpowiedzieć, Drake spogląda na drzwi, a potem na brata.

– Thomasie, zarządź, by uprzątnięto stół. Następnie każ tym dwóm jegomościom stanąć trochę dalej.

Thomas Drake otwiera drzwi i woła służących, którzy szybko

zabierają talerze. W tym czasie zamienia kilka słów ze strażnikami, czeka, by sprawdzić, czy rozkazy zostaną wykonane, zamyka drzwi i zajmuje miejsce przy stole. Drake ścisza głos.

– Panowie, mam smutne wieści do zakomunikowania. Wczoraj o brzasku jeden z moich oficerów na tym okręcie został znaleziony martwy.

– Boże, miej nas w opiece. Kto?! – pyta Knollys, siadając z wrażenia.

– Jak to się stało? – pyta jednocześnie Sidney.

– Robert Dunne. Może go znałeś, sir Philipie? Godny dżentelmen, w siedemdziesiątym siódmym żeglował ze mną dokoła świata.

– Znam go tylko ze słyszenia – mówi Sidney. W jego ustach nie brzmi to jak komplement.

– Robert Dunne. Dobry Boże, jest mi ogromnie przykro. – Knollys z szokiem wyrytym na twarzy opiera się o ścianę. – Był dobrym żeglarzem, jeśli nawet… – Milknie, jakby zmienił zdanie co do tego, co chciał powiedzieć.

A więc to jest przyczyną ponurej atmosfery.

– Odpowiedź na pytanie, jak to się stało, jest trudniejsza – mówi dalej Drake, a jego brat unosi rękę.

– Francisie…

– Równie dobrze mogą znać prawdę, Thomasie, skoro nie możemy nic przedsięwziąć, dopóki ta sprawa nie zostanie wyjaśniona. – Nalewa sobie wina i puszcza karafkę w obieg. – Dunne'a znaleziono powieszonego w jego kajucie – kontynuuje. – Możecie sobie wyobrazić, jak to wpłynęło na załogę. Mówią o złych znakach, o klątwie ciążącej na tej podróży, o karze boskiej. Marynarze czytają świat jak księgę proroctw, doktorze Bruno – wyjaśnia – i na każdej stronie znajdują dowód, że los jest im przeciwny. Zatem taka śmierć na pokładzie, jeszcze zanim wyruszyliśmy…

– Tak więc to samobójstwo? – przerywa mu Knollys, ze smutkiem kiwając głową.

– Na to wygląda. Byle jak zawiązany stryczek przymocowany do haka w suficie.

– Ale ty, panie, w to nie wierzysz – kończę za niego myśl.

45

Drake obrzuca mnie przenikliwym spojrzeniem.

– Dlaczego tak sądzisz, doktorze Bruno?

– Czytam to w pańskiej twarzy.

Przez chwilę przygląda mi się bez słowa, jakby z kolei on próbował mnie rozszyfrować.

– Interesujące – stwierdza w końcu. – Robert Dunne był solidnym człowiekiem. Doświadczonym żeglarzem.

– Był głęboko przygnębionym człowiekiem, Francisie, wszyscy to wiemy – mówi Knollys.

– Z pewnością poważnie zadłużonym – zgadza się Drake – ale wyprawa miała rozwiązać ten problem. Odbieranie sobie życia jeszcze przed postawieniem żagli nie ma sensu.

– Człowiek może stracić wiarę w siebie – podsuwa myśl Sidney.

– W siebie, możliwe, ale nie w Boga. Dunne był pobożny, jak to żeglarz. Odebranie sobie życia uważałby za grzech ciężki. – Drake milknie, ostrzegawczo unosząc palec, i zniża głos. – Ale oto mój problem. Pozwoliłem ludziom wierzyć, że zmarł śmiercią samobójczą. Mogą mówić o ściąganiu klątw i duszy Dunne'a nawiedzającej okręt, jednak na razie wolę to niż spekulacje o innej możliwości.

– Myślisz, panie, że ktoś go zabił? – Sidney tak szeroko otwiera oczy, że niemal zasłania brwi rzęsami.

Drake gestem daje mu znak, żeby mówił ciszej.

– Jestem tego pewien. Nie miał twarzy wisielca.

– Więc został powieszony po śmierci, żeby wyglądało na samobójstwo? – zniżam głos. – Ilu ludzi wie o tym podejrzeniu?

– Jedyni, którzy widzieli ciało, to człowiek, który go znalazł, Jonas Solon, i mój brat, Thomas, po którego natychmiast posłałem. Wezwałem również kapelana, żeby zapytać o radę. Zaproponował odmówienie modlitwy nad zwłokami i dodał, że jeśli chodzi o obrządek, dla samobójcy niewiele więcej może zrobić.

– Nikt inny nie uznał, że ciało wyglądało niezwykle? To znaczy, jak na samobójstwo przez powieszenie?

– Jeśli tak, nikt mi tego nie powiedział. Później na osobności podzieliłem się z Thomasem moimi obawami, a on wyznał, że jest podobnej myśli. – Drake pije haust wina. Na jego twarzy wyraźnie maluje się niepokój, chociaż nie szczędzi starań, żeby go ukryć.

– Nie doszukałem się oznak uduszenia, chociaż było jasne, że przez jakiś czas wisiał powieszony za szyję – mówi Thomas cichym głosem. – Oczy były przekrwione i zauważyłem siniaki wokół nosa i ust. Ale nie miał obrzmiałej twarzy, jakiej się można spodziewać u wisielca.

– Z początku pomyślałem, żeby tego samego dnia pochować go w morzu, by rodzinie zaoszczędzić upokorzenia pogrzebu samobójcy – podejmuje wątek Drake. – Ojciec Pettifer, kapelan, i mój brat odwiedli mnie od tego pomysłu, bo wprawdzie śmierć nastąpiła na moim okręcie, ale wciąż znajdujemy się na wodach angielskich i lekceważenie procedur prawnych byłoby głupotą. Poza tym raczej nie moglibyśmy utrzymać czegoś takiego w tajemnicy. Dlatego kazałem przewieźć zwłoki na brzeg i przekazać koronerowi. Tego samego dnia posłaniec ruszył do jego żony... Dunne pochodził z Devon, jego rodzina mieszka nie więcej niż dzień jazdy stąd. Dochodzenie przyczyny zgonu odbędzie się za trzy dni, żeby dać jej czas na podróż. – Kręci złotym kolczykiem w uchu. – Rozumiecie moje trudne położenie, panowie? Jeśli Dunne został zamordowany, muszę przed postawieniem żagli poznać prawdę o tym, co się wydarzyło, ale zrobić to w taki sposób, żeby nie zagrozić wyprawie.

– Chcesz powiedzieć, że sprawcą jest ktoś z załogi i że wciąż może tu być? – pyta Sidney pełnym grozy szeptem.

– Właśnie to musimy ustalić w jak najbardziej dyskretny sposób – odpowiada Drake. – Co do mnie, nie wierzę, że mógł to zrobić ktoś obcy. Wachtowi czuwali w nocy i przysięgają, że żadna nieznana osoba nie weszła na pokład po zmroku.

– Jeśli zabójcą jest ktoś spośród twoich ludzi, to chyba dobrze, że wierzy, jakoby wszyscy uważali tę śmierć za samobójstwo? – dedukuje Knollys. – Będzie myślał, że jest bezpieczny, i może wymknie mu się coś, co go zdradzi.

– Na to liczę. Tak czy inaczej, nie możemy wyjść w morze przed rozwikłaniem sprawy. – Drake pociąga koniec brody i marszczy brwi. – Zabójca może uderzyć ponownie. – Zerka na brata. Zastanawiam się, czy ma jakieś szczególne podstawy, żeby w to wierzyć. – Ale też nie chcę, żeby badanie przyczyny zgonu wykazało, że Dunne został zamordowany, bo wówczas koroner będzie musiał przeprowadzić śledztwo. W takim przypadku flota może tu stać w nieskończoność. Ludzie z załogi zaczną dezerterować. Całą ekspedycję trafi szlag. – Patrzy na Sidneya, kiedy to mówi. Biorąc pod uwagę, ilu jego przyjaciół i krewnych na dworze zainwestowało w tę wyprawę, Sidney równie dobrze jak Drake wie, co spoczywa na szali. Z ponurą miną kiwa głową.

– Tyle że rodzina nie będzie chciała orzeczenia *felo de se** – mruczy Knollys. – Gdyż to by oznaczało, że zmarł jako przestępca, a wtedy jego majątek przepadnie na rzecz Korony. Jeśli istnieje bodaj cień wątpliwości, wdowa z pewnością wolałaby, żeby ta śmierć została uznana za zabójstwo. Przynajmniej wtedy byłyby szanse na wymierzenie sprawiedliwości.

– Koroner musi wydać werdykt *felo de se* – mówi ostro Drake – w przeciwnym razie bezpowrotnie przepadnie inwestycja warta sześćdziesiąt tysięcy funtów. – Macha ręką w stronę okna, za którym widać wznoszące się i opadające na falach inne okręty kosztownego przedsięwzięcia. – Nie mówiąc o zaufaniu kilku najwyżej postawionych ludzi w kraju, łącznie z samą królową. To największa prywatna flota, jaką kiedykolwiek widziała Anglia. Jeśli zawiedziemy jeszcze przed wyjściem z portu, nigdy więcej nie zbiorę funduszy na kolejną taką wyprawę. Muszę przed dochodzeniem wiedzieć, czy na pokładzie mojego okrętu jest zabójca.

– I co z nim zrobisz, kiedy go znajdziesz? – pyta Sidney.

– Zadecyduję, kiedy to nastąpi.

Knollys ma taką minę, jakby zamierzał podać kolejny argument, ale na widok twarzy dowódcy zachowuje milczenie. Obserwuję Drake'a zafascynowany jego kamiennymi rysami. Prowadzenie licznej floty na drugi koniec świata musi wymagać charakteru, który budzi w sercach lojalność. Ale co z innymi cechami? Na pewno

---

* *Felo de se* – termin prawniczy o znaczeniu: „samobójca", „samobójstwo". Pochodzi z łaciny średniowiecznej (*fe(l)o* – złoczyńca, *de se* – wobec siebie samego).

potrzebna jest też bezwzględność, jak sądzę; gotowość, gdy zachodzi potrzeba stosowania przymusu, by pokazać, że prawem jest to, co się mówi. Na pokładzie okrętu, tysiące mil od lądu, taki człowiek musi wierzyć, że jest władcą swojego małego królestwa, i wymagać bezwzględnego posłuszeństwa poddanych. Musi działać bez skrupułów i bez wahania podejmować decyzje.

– Dlaczego przed dochodzeniem? – pyta Sidney.

– Cztery lata temu byłem burmistrzem Plymouth – odpowiada Drake. Wspiera łokcie na stole. – Wiem, jak pracują rajcy. Koroner hrabstwa Devon nie umiałby znaleźć zbrodniarza nawet wtedy, gdyby się ukrywał za kotarą jego łóżka. Nieporadne śledztwo, które przeprowadzi, nie wniesie niczego poza zasianiem niezgody i nieufności wśród załóg, a nadto pozwoli zabójcy na ucieczkę. Nie. – Zaciska pięści i mięśnie się napinają w jego szczęce. – Zamierzam sam znaleźć tego człowieka.

Wodzi wzrokiem po naszych twarzach, jakby zachęcając nas do podważenia jego decyzji. Wszyscy po kolei spuszczają oczy, zapada krępująca cisza.

– Ilu ludzi przebywa na pokładzie *Elizabeth*? – pytam.

– Obecnie, gdy stoimy w porcie, około osiemdziesięciu.

– I nikt niczego nie widział ani nie słyszał? To dziwne, że na tętniącym życiem okręcie ktoś udusił i powiesił zdrowego mężczyznę w jego własnej kajucie w taki sposób, by nikt nie usłyszał szamotaniny i walki o życie.

Drake spogląda na mnie.

– Masz, panie, rację, z tym że w noc śmierci Dunne był bardzo pijany. Zszedł na brzeg z kilkoma innymi marynarzami. Powiedzieli, że zachowywał się dziwnie, jeszcze zanim zobaczyli tawernę.

– Dziwnie?

– Kilku z nich powiedziało, że przed tawerną wdał się w gwałtowną kłótnię, co doprowadziło do bijatyki. Później Dunne przepadł i nie widziano go do późna. Ojciec Pettifer, nasz kapelan, znalazł go błąkającego się po ulicy i sprowadził na *Elizabeth*. Thomas ich spotkał, gdy próbowali wejść na pokład.

– Akurat wychodziłem po kolacji z Francisem – wyjaśnia Thomas. – Pomyślałem, że Dunne jest kompletnie zalany. Ledwie się trzymał na nogach i wygadywał niestworzone rzeczy.

– To znaczy?

– Bredził jak człowiek w malignie. Powtarzał, że depczą mu po piętach, i wskazywał w noc.

– Kto deptał mu po piętach? – pyta Sidney, pochylając się nad stołem.

Thomas obrzuca go lekceważącym spojrzeniem.

– Ha, gdyby powiedział, mielibyśmy lepsze pojęcie, kogo szukać. – Dźga palcem powietrze. – Po prostu gestykulował jak szaleniec, mniej więcej tak, i powtarzał: „Nie widzisz go, Thomasie Drake?". Kiedy zapytałem: „Kogo?", szeroko otworzył oczy i odparł: „Diabła we własnej osobie".

– A jak wyglądały jego oczy? Czy coś zauważyliście? – pytam.

– Oczy? Przecież było ciemno – mówi Thomas i zaraz potem jakby ustępuje. – Chociaż w tym świetle wydawały się bardzo przekrwione, ze zwężonymi źrenicami. Oczy pijanego, jak można się było spodziewać. To dziwne. Dunne miał swoje przywary, ale zaglądanie do kielicha do nich nie należało. Najwyraźniej trunek uderzył mu do głowy... nawet zwracał się do mnie jak do żony...

– Boże, miej ją w opiece, skoro tak łatwo można was pomylić – wtrąca Sidney.

Thomas w milczeniu gromi go wzrokiem.

– Pomogłem odprowadzić go do kajuty. Kazałem mu się przespać. Tuż przed drzwiami wskazał przed siebie i powiedział: „Martho, dlaczego przyprowadziłaś konia na pokład?". Później się zrzygał i nogi się pod nim ugięły.

– Wszyscy mieliśmy takie noce – komentuje Sidney.

– Tak, historia byłaby zabawna, gdyby nazajutrz rano nie znaleziono go martwego – zauważa Drake z surową twarzą. Sidney robi skruszoną minę.

– Wspólnymi siłami położyliśmy go do łóżka – mówi Thomas. – Zdaje się, że od razu zasnął.

– I nikt go nie widział ani z nim nie rozmawiał po odstawieniu do kajuty? Nikt nie słyszał niczego niezwykłego? Chociaż, jak się domyślam, zadawanie zbyt wielu pytań byłoby trudne. – Pocieram szczękę paznokciem kciuka i znowu myślę, że niedługo muszę odwiedzić balwierza.

– Zadajesz mnóstwo pytań, doktorze Bruno – odburkuje Thomas Drake. – Można by pomyśleć, że byłeś koronerem.

Sir Francis kieruje na mnie swe przenikliwe oczy.

– Dokładnie rozumiesz mój problem, panie. Skoro raz się podało, że zmarł z własnej ręki, trudno bez wzbudzania podejrzeń rozpytywać, co kto widział lub słyszał. – Wzdycha i odsuwa kielich. – Niektórzy już poszeptywali, że chcą odejść, póki można, bo ta wyprawa jest skazana na zgubę. Przekonałem ich, żeby zostali, ale jeśli wyjdzie na jaw, że popełniono morderstwo, utrzymanie załogi może okazać się niemożliwe. Każdy będzie patrzeć na innych i zachodzić w głowę, kto wśród nich jest mordercą. Muszę postępować bardzo ostrożnie.

– Ale sam wierzysz, że jeden z nich jest zabójcą – mówi Sidney z nutą zniecierpliwienia w głosie. – Więc musisz go znaleźć albo ryzykować, że znowu zabije.

– Dziękuję, sir Philipie – mówi Drake z nienaganną uprzejmością – ale sytuacja jest może bardziej skomplikowana, niż to rozumiesz. Tak czy inaczej, ciesz się, że nie jest to problem, który zakłóci twój sen. Będziesz miał pełne ręce roboty, zajmując się Dom Antoniem. Biedak przez całe życie ucieka przed zabójcami... Nie chcę, żeby długo przebywał w Plymouth, jeśli kolejny gdzieś się tutaj przyczaił.

Widzę, z jakim wysiłkiem Sidney hamuje się od zareagowania na tę dworną ripostę. Na wpół się spodziewam, że wstanie i oznajmi swój zamiar dołączenia do floty, ale może powinienem mieć do niego więcej zaufania, gdyż nawet on rozumie, że chwila nie jest odpowiednia. Ściągam brwi i wbijam oczy w stół, już porządkując dowody, zastanawiając się nad „jak" i „dlaczego". Z jednej strony odczuwam dziwną ulgę na wieść o tej śmierci; z pewnością z tym cieniem wiszącym nad wyprawą Sidney nie zdoła się wkręcić na pokład, a ja zyskam dobrą wymówkę bez konieczności jawnego sprzeciwiania się przyjacielowi. A jednak inna część mojego umysłu staje na baczność na myśl o perspektywie rozwikłania sprawy niewyjaśnionej śmierci – już widzę w wyobraźni tę scenę na pokładzie, ostatnie chwile martwego mężczyzny po wejściu do kajuty na mrocznym, spokojnym okręcie. Kręcę głową, żeby uciszyć brzęczące pod czaszką pytania. Śmierć tego człowieka to nie moja sprawa, co zresztą Drake już dał do zrozumienia.

Jakby słyszał moje myśli, Sidney się pochyla i wskazuje na mnie ręką nad stołem.

– Być może moglibyśmy pomóc, sir Francisie. Masz szczęście, że mój przyjaciel Bruno jest lepszy niż pies myśliwski w tropieniu zabójcy. Kiedy chodzi o niewyjaśnione morderstwa, jest akurat człowiekiem, którego ci potrzeba.

Prostuje się i śle mi promienny uśmiech. W tej chwili chętnie wypchnąłbym go za burtę.

Drake unosi brwi.

– Naprawdę? Dziwna umiejętność u teologa.

– Obawiam się, że sir Philip przesadza. Przy jednej czy dwóch okazjach udało mi się wykryć sprawcę, czystym przypadkiem...

– Nie będzie się przechwalać, bo jest za skromny. – Sidney wchodzi mi w słowo. – Ale mógłbym przytoczyć kilka opowieści... Bruno ma fantastyczną pamięć i najsubtelniejszy umysł wśród żywych do znajdowania morderców i stawiania ich przed obliczem sprawiedliwości. Tak, ledwie zeszłego lata...

– Tak, sir Philipie, lecz tutaj w grę wchodzą sprawy morskie, a w tej materii nie mam doświadczenia – przerywam mu, żeby nie zgłosił mnie na ochotnika do tego zadania. – Sir Francis ma rację, to smutne zdarzenie nie jest naszą sprawą.

Spodziewam się, że Drake przyzna mi rację, ale zamiast tego pilnie mi się przygląda i skubie brodę.

– Ale jesteś, panie, uczonym, jak zapewnia mnie sir Philip? Znasz starożytne języki?

Skłaniam głowę, przytakując, przypominając sobie, co Sidney mówił o zainteresowaniu Drake'a moją osobą.

– Niektóre. Zależy, o które chodzi.

– W tym problem. Nie jestem pewien.

Thomas Drake unosi rękę.

– Francisie, nie sądzę...

– Spokojnie, bracie. – Drake ściska palcami garb nosa. Unosi głowę i nie bez wysiłku uśmiecha się do towarzystwa. – Panowie, żałuję, że nie mogliście zastać nas w lepszych nastrojach. Przykro mi, że musiałem zepsuć wam humor, ale uznałem, że najlepiej będzie was powiadomić. Wierzę, że zdołamy szybko zakończyć tę sprawę. A teraz, jak przypuszczam, chcecie wrócić na brzeg i tam przenocować.

Sidney, zmieszany, przenosi spojrzenie z Drake'a na Knollysa.

– Przecież mamy koje na pokładzie *Leicestera*.

Knollys chrząka.

– Philipie, muszę zaprowadzić pewne zmiany w składzie załogi i będzie mi potrzebna kajuta dla oficera. Poza tym myślałem, że wolelibyście nocować wygodniej w gospodzie.

– Każę moim ludziom przewieźć was na brzeg. Czekają na was Pod Gwiazdą... nie ma obawy, to najlepsza gospoda w Plymouth. Wiem, bo ją dzierżawię. – Drake się śmieje. – Sam się tam zatrzymuję, kiedy jestem w mieście. Wystarczy wspomnieć moje nazwisko, a zrobią wszystko, co w ich mocy, żeby spełnić każde wasze życzenie. – Wstaje, obdarzając nas obu uśmiechem, ale jego spojrzenie spoczywa na mnie, jakby się zastanawiał, czy powiedzieć coś więcej.

Twarz Sidneya wyraża napięcie, kiedy podejmuje wysiłek, żeby nie zaprotestować.

– To wielka uprzejmość z twojej strony – mówi rwącym się głosem. – Sir Francisie, czy mógłbym porozmawiać z tobą nieoficjalnie, zanim opuścimy pokład?

Thomas Drake jest gotów interweniować; wygląda na to, że mianował się doradcą brata i pilnuje, z kim i o czym ma rozmawiać. Drake, który nie sprawia wrażenia człowieka potrzebującego takiej ochrony, ruchem ręki nie dopuszcza go do głosu.

– Naturalnie. Może wyjdziemy zaczerpnąć świeżego powietrza? Czuję, że tego mi trzeba. – Kiwa głową w stronę drzwi. – Proszę, zaczekajcie na mnie na pokładzie rufowym, niebawem do was dołączę.

Po chwili wahania Sidney kłania się na znak zgody. Thomas Drake otwiera przed nami drzwi. Posłuszni rozkazom strażnicy stoją kawałek dalej, dość blisko, żeby mieć oko na kwaterę kapitana, ale nie na tyle, żeby słyszeć prowadzoną wewnątrz rozmowę. Zastanawiam się, czy zajmowali te pozycje podczas całego spotkania. Na ich miejscu przykleiłbym ucho do drzwi, gdy tylko zostały zamknięte. Mówię to Sidneyowi, kiedy Thomas wraca do kajuty.

– Oczywiście, że tak byś postąpił – mówi ze śmiechem. – Najpewniejszym sposobem na skłonienie Bruna do zrobienia czegoś jest przykazanie, że nie wolno mu tego robić, by nie dowiedział się czegoś zakazanego.

– Podczas gdy ty jesteś wzorem posłuszeństwa, o czym niebawem się przekona Jej Królewska Mość.

Syczy, żebym był cicho. Wchodzimy na zarezerwowany dla oficerów górny pokład na rufie. Pod nami ludzie siedzą w grupach, jedni grają w kości, drudzy kozikami ostrzą kawałki drewna, inni opierają się o reling i patrzą na kotwiczącą w zatoce flotyllę.

– Z pewnością nielekko jest utrzymać dyscyplinę, gdy okręty stoją bezczynnie w porcie – zauważam.

Sidney niemal się na mnie rzuca, tak jest rozentuzjazmowany, jego oczy znowu jaśnieją, gdy wpada na nowy pomysł – odgaduję jaki, zanim się odezwie.

– Otóż to! Drake będzie tracić pieniądze, żywiąc załogę, żeby ludzie nie zdezerterowali. Dlatego musimy dla niego rozwikłać tę zagadkę, by flota mogła jak najszybciej wyjść w morze. Wtedy zostanie naszym dłużnikiem.

– Nie. – Cofam się o krok. – Nie wyznaczysz mnie do wykrycia tego zabójcy, Philipie. Już na przekór zdrowemu rozsądkowi dałem się przekonać do wzięcia udziału w wyprawie… chociaż jeszcze nie dostałem zaproszenia od kapitana Drake'a. Prawdę mówiąc, wydawało mi się, że tu zawadzamy.

Sidney macha mankietem w moim kierunku.

– Właśnie o tym zamierzam z nim porozmawiać. Ponadto czy jest lepszy sposób na pokazanie, jacy jesteśmy niezbędni? – Mruży oczy w niskim wieczornym słońcu. – Słuchaj, flota nie może wypłynąć, dopóki Drake nie rozstrzygnie, kto jest odpowiedzialny za śmierć Roberta Dunne'a. Wiele wysoko postawionych osób włożyło pieniądze w to przedsięwzięcie, za moją namową, łącznie z moim wujem, Leicesterem, i lordem Burghleyem, nie wspominając o samej królowej. Jeżeli okręty będą tkwić w Plymouth, wszyscy oni stracą większą część swoich inwestycji. Ale jeśli znajdziemy tego zabójcę, Bruno, ocalimy wyprawę. – Dla podkreślenia wagi swoich słów lekko potrząsa mnie za ramię.

– Przeceniasz moje umiejętności – mówię, odsuwając się od niego. – Parę razy, przyznaję, dopisało mi szczęście i zdemaskowałem mordercę, ale nie jest to zajęcie, któremu oddaję się z zamiłowaniem. Znajduję się w takich sytuacjach bez mojej woli.

– A co z Canterbury? Chętnie tam pojechałeś, żeby znaleźć zabójcę przez wzgląd na kobietę. Ale dla przyjaciela tego nie zrobisz, prawda?

Odwracam wzrok. Nie zostało już nic do dodania w sprawie z Canterbury. Sidney zmienia taktykę.

– Może i tego nie chcesz, Bruno, ale po prostu masz do tego talent, jak niektórzy mają dar do zarabiania pieniędzy albo śpiewu. Jeśli Bóg ci go dał, to chce, żebyś z niego korzystał. Widzę to sceptyczne spojrzenie, ale przypomnij sobie przypowieść o talentach.

– Zastanawiam się, kiedy zostałeś moim duchowym doradcą. – Kręcę głową. – To nie nasza sprawa. Słyszałeś, co powiedział Drake. Ten człowiek miał długi. Bez wątpienia jednemu z wierzycieli znudziło się czekanie. Albo to jakaś kłótnia pomiędzy żeglarzami… Myślisz, że gdyby ktoś z załogi coś wiedział, wyznałby to cudzoziemcowi, który nigdy nie wypłynął dalej niż z Calais do Tilbury? Niech Drake tym pokieruje wedle własnego uznania, jak sam powiedział.

Sidney trąca mnie łokciem, żebym zamilkł, bo dowódca floty pojawił się na szczycie stromych schodów.

– Panowie! Dziękuję, że zaczekaliście. Tu jest znacznie przyjemniej, prawda?

Rozkłada ramiona, żeby ogarnąć panoramę. Jest jeszcze w miarę jasno, smugi grafitowych chmur pokrywają niebo. Mewy krążą wokół masztów, głośno się uskarżając. Po obu stronach zatoki z wody wyrastają zielone zbocza i dym snuje się z kominów rozproszonych domów. Przed nami, na morzu, łagodnie kołyszą się okręty na kotwicach, ze zwiniętymi żaglami. Za nami miasteczko Plymouth kuli się nad zatoką. Łagodny wiatr odgarnia mi włosy od twarzy i trzepocze koronką kołnierza Sidneya.

Drake staje z nami przy relingu. Odwraca się i znowu na mnie patrzy, jakby mnie oceniał, po czym zwraca spojrzenie ku horyzontowi.

– O czym pragniesz ze mną pomówić, sir Philipie? – Coś w jego tonie sugeruje, że dobrze zna odpowiedź na swoje pytanie.

Sidney splata palce i uważnie się im przygląda. Kiedy w końcu unosi głowę, patrzy na port, nie na Drake'a.

– Sir Francisie, pamiętasz, jak w Londynie przyszedłeś do mnie porozmawiać o zaopatrzeniu? Rozmawialiśmy wówczas także o innej sprawie, dotyczącej mojego zaangażowania w zorganizowanie tej wyprawy.

Teraz gdy zależy mu na przysłudze, pilnuje się i używa tytułu Drake'a. Drake marszczy czoło, po czym spogląda na niego ze zmieszaniem albo rozbawieniem, a może jednym i drugim.

– Ależ, sir Philipie, myślałem, że to tylko rozmowa. Pamiętam, nadmieniłeś, że chciałbyś z nami popłynąć, lecz obaj skonstatowaliśmy, iż Jej Królewska Mość nigdy nie udzieli swej zgody.

– Jak nadmieniłem, musielibyśmy uważać, żeby się nie dowiedziała przed wyruszeniem w drogę. – Sidney mówi cichym, spokojnym głosem, ale wykrywam w nim nuty determinacji nacechowanej rozdrażnieniem. Postawienie na swoim jest dla niego teraz punktem honoru.

Drake pociera się po karku.

– Uznałem, że to żart. Śmiałem się, gdyś to powiedział, jeśli dobrze pamiętam.

– Myślałem, że śmiech oznacza zgodę.

Przez długą chwilę panuje cisza i wszyscy śledzimy wzrokiem mewy. Jedna przysiada na relingu i patrzy na nas wyniośle.

– No tak – odzywa się w końcu Drake pojednawczym tonem –

nie zrozumieliśmy się wzajemnie, ale nikomu nie stała się krzywda. W każdym razie masz odprowadzić Dom Antonia do Londynu, a moja flota nigdzie nie pożegluje, dopóki sytuacja nie zostanie wyjaśniona. – Przegarnia włosy ręką i unosi oczy ku chmurom, jakby tam mógł znaleźć rozwiązanie.

– Sir Francisie! – Teraz Sidney jest stanowczy, rzeczowy. – Nie zaprzeczysz chyba mojej roli w gromadzeniu kapitału na tę ekspedycję. Tym samym, jak sądzę, zasłużyłem na prawo udziału w wyprawie wraz z moim przyjacielem.

Drake patrzy na mnie z niedowierzaniem. Ty też? – pyta jego uniesiona brew.

– Ale jeśli to ci nie wystarcza, pokażemy, ile jesteśmy warci. Nie żartowałem, mówiąc, że Bruno ma lepszy nos do tropienia morderców niż świnia do szukania trufli.

– Wdzięczne porównanie – odpowiadam z sarkazmem. Drake się uśmiecha.

– Sama królowa poręczyłaby za niego, gdyby tu była. – Sidney jest nieugięty. – Jeśli odkryjemy, kto jest zabójcą, nikt nie straci pieniędzy, flota ruszy w morze, a my zasłużymy na nasze w niej miejsce.

– A królowa? Spodziewa się, że wrócicie na dwór z Dom Antoniem, prawda? Nie spojrzy życzliwym okiem ani na ciebie, ani na mnie, kiedy Portugalczyk zjawi się sam z wiadomością, że jesteś w połowie drogi do Nowego Świata.

Sidney wzrusza ramionami.

– Ale po naszym powrocie zapomni o gniewie, kiedy usłyszy o zajęciu hiszpańskich portów.

Drake na moment zamyka oczy, jakby nakłaniał się do zachowania cierpliwości.

– Podczas takiej wyprawy niczego nie można zagwarantować. Jej Królewskiej Mości podoba się pomysł zajęcia hiszpańskiego złota, to pewne. Ale jest ostrożna, jeśli chodzi o jakikolwiek akt agresji, który może sprowokować króla Filipa do wypowiedzenia wojny.

– Jakby sam każdego dnia w tygodniu nie dopuszczał się aktów agresji! – krzyczy Sidney z wściekłością. – Zatrzymał angielskie statki kupieckie w hiszpańskich portach i skonfiskował ich ładunek, choć kupcy przestrzegali tamtejszego prawa handlowego. Nie mamy innego wyboru, jak się za to odegrać.

Drake kładzie rękę na jego ramieniu.

– Mam w kajucie zgodę na wzięcie odwetu, własnoręcznie podpisaną przez królową. To pozwolenie na wejście do hiszpańskich portów, uwolnienie zatrzymanych tam angielskich statków i wynagrodzenie strat naszym kupcom. – Milczy przez chwilę. – Nikt nie będzie obarczał królowej odpowiedzialnością, jeśli zinterpretuję rekompensatę na mój własny sposób. Właśnie z tego powodu użyła niejednoznacznych sformułowań. Ale jeśli chcemy zająć porty domeny hiszpańskiej, musimy postępować z najwyższą delikatnością.

– Mając wybór, zawsze wolę delikatne korsarstwo – mówię. – To brutalne każdego wpędza w paskudny humor.

Drake obraca głowę, niepewny, czy z niego nie żartuję. Po chwili parska śmiechem i klepie mnie po plecach.

– A ty co o tym sądzisz, mój uczony przyjacielu? Ty również marzysz o łupieniu hiszpańskich statków i wypychaniu sakiewek szmaragdami wielkimi jak winogrona? Zaryzykujesz szkorbut, gorączkę kabinową*, udar słoneczny, utonięcie, rozbicie się na skałach za szansę wbicia sztyletu w brzuch Hiszpana?

Unoszę głowę i patrzę mu w oczy. Sidney przeszywa mnie ostrzegawczym spojrzeniem; tutaj mam sekundować jego entuzjazmowi.

– Nigdy nie marzyłem o wbijaniu sztyletu w czyjkolwiek brzuch, sir Francisie. Ale wyznam, że tęsknię za nowymi horyzontami, i to miejsce jest dla mnie równie dobre jak każde inne. – Stukam butem w pokład dla podkreślenia racji. – Poza tym nie miałbym nic przeciwko dorodnym szmaragdom.

Uśmiecha się ze zmęczeniem.

– Tak, są do zdobycia. Takie duże. – Łączy kciuk i palec wskazu-

---

* Gorączka kabinowa – *cabin fever* (ang.) – stres spowodowany zbyt długim przebywaniem w zamkniętym pomieszczeniu; klaustrofobia.

jący, robiąc kółko. Ręka mu opada i jego twarz poważnieje. – Czy to prawda, że macie dar do znajdowania zabójców? Dyskretnie?

– Nie nazwałbym tego darem, panie. Bardziej skutkiem szeregu zbiegów okoliczności.

– Przed waszym przybyciem rozmawiałem z bratem. Uważa, że nie powinienem dzielić się moimi podejrzeniami o śmierci Dunne'a z nikim spoza dowództwa tej wyprawy. Chyba nie trzeba mówić, że muszę was zaprzysiąc do zachowania tajemnicy, ale skoro wy sami zaoferowaliście swoje usługi, poproszę o radę, ponieważ jesteście wykształceni, w przeciwieństwie do mnie. Bóg świadkiem, umiem czytać tylko mapy nawigacyjne. – W uśmiechu, jakim obdarza Sidneya, kryje się sarkazm, jakby dobrze wiedział, jak jest przezeń postrzegany. Dobrze świadczy o moim przyjacielu to, że z zakłopotaniem spuszcza oczy.

– Jaki to ma związek ze śmiercią Roberta Dunne'a? – pytam.

Drake zerka przez ramię i wychyla się za reling, więc musimy się przysunąć, żeby go usłyszeć.

– Nie mam pojęcia, kto owej nocy podniósł rękę na Dunne'a, ale chyba wiem, kto za tym stoi. I jeśli mam rację, ta śmierć nie będzie ostatnia. Zakończy się moją, jeśli go nikt nie powstrzyma.

Zimny wiatr hula po pokładzie. Wstrząsa mną dreszcz, lecz zgoła nie z zimna. Jestem świadom, że to skutek jego słów, chociaż wyrzekł je spokojnym tonem.

– Stąd uzbrojeni strażnicy – zauważam.

– Zawsze ich mam na pokładzie, ale teraz więcej. Nie mogę się wyzbyć podejrzenia, że śmierć Dunne'a była ostrzeżeniem dla mnie.

– Jak doszedłeś do takiego wniosku? – zapytuje Sidney. – Jeśli miał długi, czy nie mógł to być…

Drake ucisza go spojrzeniem.

– Jestem o tym przekonany, sir Philipie, ponieważ zrobiłem sobie w życiu wielu wrogów, którzy poprzysięgli mi zemstę. Wszystkie nasze przeszłe uczynki, panowie, w taki czy inny sposób zostaną wymyte na brzeg teraźniejszości. – Patrzy na wodę, gdzie gasnące słońce wymalowało szlak światła.

– Możesz mówić bardziej konkretnie, panie? – pytam.

Drake lekko kręci głową.

– Tak. To osobliwa historia, ale dzisiaj, panowie, nie będę was dłużej zatrzymywać. Porozmawiamy jutro. Chciałbym, doktorze Bruno, żebyś rzucił okiem na pewną książkę – mówi i znowu zerka przez ramię. Choć na pokładzie rufowym nie ma nikogo innego, jego twarz wyraża napięcie. – Nie tutaj. Spotkamy się jutro przy kolacji w waszej gospodzie. Aha... jeszcze jedno. Jutro z Buckland przyjedzie moja żona z owdowiałą kuzynką. Są przekonane, że przybywają się z nami pożegnać... Nie miałem okazji jej uprzedzić. Z powodu tej śmierci miałem zbyt wiele spraw na głowie... Czy mogę się odwołać do waszej uprzejmości, panowie, prosząc o dotrzymywanie paniom towarzystwa, gdy będę zajęty?

Kłaniam się na znak zgody, przecież nic innego nie wypada zrobić. Sidney milczy, ale wyraźnie widzę, że czuje się obrażony. Kładę rękę na jego ramieniu, chcąc pohamować rodzący się wybuch, ale on ją strąca jak szerszenia.

– Życzę dobrej nocy, panowie – rzecze Drake z uśmiechem i formalnym uściskiem dłoni. – Zatem do jutra.

Idziemy z nim do schodów i widzę czekających na dole uzbrojonych ludzi patrzących prosto przed siebie jak dwa posągi przy drzwiach kościoła.

3

Gdy żegnamy się z Knollysem i innymi oficerami, Sidney maskuje gniew nienagannymi manierami, choć wyczuwam, że jest nastroszony. W łodzi, którą dwóch członków załogi zabiera nas na brzeg, zaciska usta i prawie nic nie mówi. Wobec tego ja muszę odpowiadać na wesołe rady marynarzy, gdzie znaleźć najlepsze dziwki w Plymouth i w których tawernach rozcieńczają piwo. Z szerokiej zatoki, gdzie kotwiczą wielkie okręty, wpływamy za falochron do zatoczki, która, jak mówią, nazywa się Sutton Pool. Tutaj na cumach podskakują łodzie rybackie, ich kadłuby się lekko zderzają. Marynarze wprawnie wiosłują pomiędzy nimi do pływającego pomostu; tam wysiadamy i idziemy na nabrzeże. Gdy po raz pierwszy od kilku dni staję na twardym gruncie, moje nogi wydają się dziwnie niegodne zaufania. Kiedy patrzę na szereg domów na nabrzeżu, budynki przesuwają się i kołyszą, jakbym był pijany.

Marynarze odbijają od kei i odpływają poza zasięg słuchu, a Sidney szeroko rozstawia nogi, wspiera ręce na biodrach i przeciągle wzdycha.

– Wierzysz twarzy tego człowieka? – Ma prawie komiczną minę; muszę przygryźć wnętrze policzka, żeby nie parsknąć śmiechem. Zrywa kapelusz, chwyta się za włosy i pociąga, stawiając je na sztorc. – Przybywam tutaj jako kwatermistrz, a on myśli, że nadaję się tylko do bawienia jego kobiet? Przypuszczam, że gdyby miał dziecko, mianowałby mnie niańką, jednocześnie mówiąc, że nie jest pewne, czy znajdzie dla mnie miejsce w wyprawie, którą pomogłem sfinansować!

– Nie miałem pojęcia, że gardzisz towarzystwem kobiet.

– To nie przystoi dżentelmenowi, czy tego nie rozumiesz, Bruno? Nie, może nie rozumiesz. On daje mi do zrozumienia, że nie jestem dżentelmenem. – Wzdycha dramatycznie. – Jakaś stara owdowiała kuzynka. I żona... mówią, że młoda, ale na pewno brzydka, w przeciwnym razie nie powierzyłby opieki nad nią innemu mężczyźnie.

– Może ufa jej, że zdoła ci się oprzeć.

Patrzy na mnie z umiarkowanym zaskoczeniem, jakby ten pomysł był dla niego nowością.

– Ha. Mimo wszystko to ujma na honorze. Nawet ta propozycja... – Macha ręką w kierunku wąskiej ulicy za nami. – Uważa mnie za tak zniewieściałego, że nie obejdę się bez piernatów, prawda? Powinniśmy być tam, Bruno, z mężczyznami. Ha, niebawem będziemy... już ja tego dopilnuję.

Mnie kapelusz w rękach, próbując odzyskać panowanie nad sobą, ale widzę, że zraniło go odesłanie na ląd. Poczytuje to sobie za kolejne upokorzenie. Najpierw królowa, teraz ten syn wieśniaka; czy wszyscy myślą, że nadaje się tylko do bawienia kobiet? Ta zraniona duma jest niebezpieczna; czyni go tym bardziej lekkomyślnym w chęci pokazania, ile jest wart.

– Być może Drake nie chce kolejnych darmozjadów przy swoim stole – powiadam. – I może nie bez powodu... raczej nie bylibyśmy największymi atutami obojętnie w czyjej załodze.

– Mów za siebie.

– Przecież to robię. Już nadmieniłem, że ze mnie nie będzie pożytku na morzu. Jestem pewien, że wolą oszczędzać racje żywnościowe.

– A jednak się mylisz. – Sidney patrzy na mnie z przekrzywioną głową, jakby właśnie wpadł na jakiś pomysł. – Zaciekawiłeś go. Prosił, żebym cię sprowadził. Zastanawiam się, co to za książka, którą chce ci pokazać.

– Coś, co ma związek ze starożytnymi językami.

– Dziwne, nie sprawia wrażenia osoby, która lubi ślęczeć nad tekstami antycznymi. Niemal zasugerował, że książka ta ma związek z morderstwem. – Jego oczy ożywiają się na chwilę, dopóki sobie nie przypomina o swojej urazie. – Tak czy inaczej, Bruno, musimy dać mu to, czego chce. Znajdźmy zabójcę, przeczytajmy książkę. Bez względu na wszystko musimy pokazać, że mamy przydatne dla niego umiejętności.

Nic na to nie odpowiadam. Podnoszę sakwojaż i ruszam dziwnie rozkołysanym krokiem w kierunku domów. Sidney mnie dopędza, sadząc potężnymi susami. Milczy pogrążony w głębokiej zadumie. Dla mnie jasne jak słońce jest to, czego on nie widzi albo nie chce zobaczyć: Drake nie ma ochoty pozwolić mu na udział w wyprawie, nawet gdybyśmy jutro znaleźli zabójcę Roberta Dunne'a i sprezentowali go, związanego i zakneblowanego, już w porze kolacji. Nie sądzę, żeby to choćby o odrobinę zwiększyło szanse przyjęcia nas na pokład. Jednak nie ma sensu mówić tego Sidneyowi.

– Wiesz, jutro – sapie, gdy skręcamy w wąską brukowaną ulicę, która biegnie stromo pod górę od portu – odwiedzę wszystkie większe okręty floty i omówię sprawy zaopatrzenia z ich kapitanami. W ten sposób będą wiedzieli, że jestem tu jako kwatermistrz, a nie tylko eskorta wypędzonych książąt i kobiet Drake'a. Nie pozwolę, żeby ci żeglarze śmiali się ze mnie za moimi plecami.

– Przecież nie znasz się na kwatermistrzostwie. Nie od strony praktycznej. Mogą roześmiać ci się prosto w twarz, jeśli będziesz udawał, że posiadasz wiedzę, o której nie masz zielonego pojęcia.

Piorunuje mnie wzrokiem, potem rozciąga usta w szerokim uśmiechu.

– Jeśli przekonująco udajesz, że wiesz, co robisz, większość ludzi będzie cię widzieć twoimi oczami. Bruno, to ty mnie tego nauczyłeś.

Uśmiecham się, przyznając mu rację.

– Nie jestem pewien, czy ta taktyka sprawdzi się wśród ludzi, którzy opłynęli świat dokoła.

Znajdujemy gospodę Pod Gwiazdą przy Nutt Street, szerokiej ulicy z wysokimi, zadbanymi domami. Sidney powołuje się na znajomość z Drakiem i płaci za pokój, żądając – jakby parodiował samego siebie – płóciennych prześcieradeł i puchowych materaców. Gdy się targuje z gospodynią o najlepszą izbę, wodzę wzrokiem po wnętrzu. To piękny budynek, mający może sto albo więcej lat, dostojny w prostym stylu epoki: wyłożona szerokimi kamiennymi płytami, zasłana sitowiem podłoga, bielone ściany, wysoka powała z drewnianymi belkami. Świeczki w kinkietach są z wosku, nie z taniego łoju, a zza szynkwasu płynie rozgrzewający aromat pieczystego i przypraw korzennych. Mimo to stwierdzam, że gospoda mi się nie podoba. Instynkt podpowiada mi, że to podejrzane miejsce, i dostaję gęsiej skórki. Moje palce same wędrują do małego noża, który noszę przy pasie, i gładzą kościaną rękojeść, żeby mnie podnieść na duchu. Z jakiegoś powodu czuję się tu nieswojo, chociaż nie umiem wyjaśnić dlaczego. Mówię o tym Sidneyowi, gdy wchodzimy po schodach do naszego pokoju, ale on tylko się śmieje.

– Odpręż się, Bruno, morderca Roberta Dunne'a został na *Elizabeth Bonaventure*. Nie będzie się tutaj skradać po nocy, żeby cię dopaść. Poza tym to jedyna przyzwoita gospoda w Plymouth. Nie przeprowadzę się tylko dlatego, że masz jakieś przeczucia jak wioskowa guślarka.

Śmieję się razem z nim, bo prawdopodobnie ma rację, ale nie mogę się otrząsnąć z wrażenia, że ktoś nas obserwuje i jego oczy wcale nie są przyjazne. Kiedy schodzimy do szynku na ostatni kufel piwa przed snem, przystaję w drzwiach, podczas gdy Sidney szuka miejsca, i omiatam wzrokiem mężczyzn siedzących na ławach. W gospodzie panuje duży ruch; każdy w promieniu dwudziestu mil, kto produkuje na sprzedaż, słyszał o kotwiczącej tu flocie Drake'a i wie, że tam, gdzie są okręty, jest bezustanne zapotrzebowanie na zapasy. Według Knollysa we flocie jest około dwóch tysięcy pięciuset głodnych ludzi i każdego dnia, gdy odraczane jest wyjście w morze, trzeba zaspokajać ich różnorakie apetyty.

Przepycham się przez tłum, gdy Sidney idzie do szynkwasu, i wciąż omiatam wzrokiem izbę, szukając wolnego miejsca. Grupa ludzi nagle się rozstępuje i spostrzegam patrzącego na mnie człowieka na końcu drewnianej ławy, w cienistym kącie blisko drzwi. Nie widzę wyraźnie twarzy, bo gość ma naciągnięty głęboko bezkształtny kapelusz; nosi też czarną podróżną pelerynę, choć w izbie jest duszno. Widzę tylko tyle, że patrzy wprost na mnie, ale w jego sylwetce, w tym, jak się garbi, próbując nie zwracać na siebie uwagi, w oczach płonących pod rondem kapelusza jest coś, co budzi echa w mojej pamięci. Jestem pewien, że już go gdzieś widziałem. Obracam się w stronę Sidneya, żeby mu go pokazać, lecz ktoś zasłania mi widok, a kiedy znów mogę spojrzeć, jego już nie ma. Słyszę głośny trzask drzwi. Bez namysłu roztrącam grupę kupców, nie bacząc na ich przekleństwa, i wyskakuję na dziedziniec, gdzie wypatruję nieznajomego w kapeluszu.

Na dziedzińcu też jest tłoczno: są tam konie, dwukółki, stajenni i podróżni. Chłopcy biegają tam i z powrotem, dźwigając bele słomy i kufry, uskakując z precyzją tancerzy, żeby nie wpadać jeden na drugiego. Ani śladu mężczyzny w czerni. Omijając krzątających się ludzi i stosy łajna, wybiegam przez wysoką bramę na ulicę, rozglądam się w lewo i prawo. Zniknął, a światła ubywa. Chmury przypełzły i spiętrzyły się nad miastem, gdy byliśmy pod dachem. Sidney staje przy mnie z kuflami w rękach i z konsternacją śledzi kierunek mojego spojrzenia.

– Co tutaj robisz? – pyta.

– Ten człowiek w czerni, przyczajony w kącie. Widziałeś go?

– Widziałem w izbie ze czterdziestu ludzi, przynajmniej połowę w czerni. O co ci chodzi?

Kręcę głową.

– Obserwował nas. Jestem tego pewien. Uciekł, kiedy pojął, że go zobaczyłem. – Wyciągam ręce, wskazując pustą ulicę. – Ale dokąd?

– Kto miałby nas obserwować? – Sidney sceptycznie patrzy w głąb ulicy. – Nikt nie wie, że tu jesteśmy.

– Nie mam pojęcia, kto to taki, chociaż jestem pewien, że już go gdzieś widziałem. – Gdy się rozglądam, patrząc na nielicznych przechodniów wracających do domu z nastaniem nocy, zaczynam powątpiewać w moje przeświadczenie. Podczas pobytu w Anglii narobiłem sobie wrogów, lecz żaden z nich nie mógłby się dowiedzieć, gdzie jestem. Lata spędzone we Włoszech po ucieczce z klasztoru nauczyły mnie, jak to jest, gdy trzeba bezustannie spoglądać przez ramię i wypatrywać w każdym tłumie wrogiej twarzy czy człowieka z ręką schowaną pod peleryną. Myślałem, że w Anglii się od tego uwolnię, ale praca wykonywana dla Walsinghama oznacza, że nawet tutaj nie brakuje takich, którzy nienawidzą mnie tak bardzo, by pragnąć mojej śmierci. Biorę głęboki wdech; ubiegłego roku w Londynie, kiedy myślałem, że jestem śledzony, przysiągłem sobie, iż nie zostanę jednym z tych, którzy podskakują na widok cienia i wyciągają nóż na każde szczeknięcie psa. Ale nie wymyśliłem sobie tego mężczyzny w czerni. Żałuję, że zniknął mi z oczu.

– Podobno jesteś mistrzem w sztuce zapamiętywania – rzuca wesoło Sidney. – Skoro ty nie możesz zapamiętać twarzy, jaka jest nadzieja dla nas pozostałych?

– Nie widziałem jego twarzy. Chodziło o coś innego, o jego zachowanie.

Ręką z kuflem wskazuje gospodę.

– Na litość boską, chodźmy się napić. Możesz spać z dobytym sztyletem, jeśli to ci zapewni lepszy wypoczynek.

Myśli, choć tego nie mówi, że wyobraziłem sobie człowieka w czerni albo przynajmniej jego zainteresowanie naszymi osobami. Może ma rację. W milczeniu wracamy do szynku, gdzie nie ma ani śladu tajemniczego obserwatora, ja jednak nie mogę się pozbyć niepokoju. Wypadki tego dnia i perspektywa wplątania się w sprawę kolejnego morderstwa – i to takiego, które nie ma związku z nami – podwoiły moje wątpliwości dotyczące udziału w wyprawie Drake'a. Sidney zostaje w szynku, żeby się napić z nieznajomymi, ja kładę się na łóżku i patrzę na mapę szczelin w tynku. Mam wrażenie, że niezależnie od tego, gdzie się obracam, moje życie jest w niebezpieczeństwie, czy na morzu, czy we Francji, czy nawet tutaj, w Plymouth. Nie śpię z wyciągniętym nożem, ale trzymam go przy łóżku. Kiedy słyszę szczęk klamki, siadam wyprostowany jak strzała, już po niego sięgając. Sidney wtacza się do pokoju i ryczy ze śmiechu na mój widok.

4

Nazajutrz Sidney jest w paskudnym humorze, leży i jęczy w kłębowisku prześcieradeł, gdy się myję. Mówi, że nie jest głodny. Samotnie schodzę na śniadanie. Zabieram chleb, ser i małe piwo do długiego stołu, wokół którego zasiadają podróżni. Przyglądają mi się przez chwilę zaczerwienionymi oczami, lecz zaraz potem kierują uwagę z powrotem na własne jedzenie; w żadnym wypadku nie jestem tu jedynym cudzoziemcem i dochodzę do wniosku, że to jedna z zalet miasta portowego. Niebo wygląda jak ponura szarożółta ostryga i w tym płaskim świetle moje nocne lęki się kurczą i stają nieistotne. W końcu niemal jestem gotów śmiać się z samego siebie. Od czasu do czasu zerkam na miejsce przy drzwiach, gdzie siedział mężczyzna w czerni, i zachodzę w głowę, czy nie przywidziało mi się jego złowrogie spojrzenie.

Poranek mija powoli. Sidney czeka na wiadomości od Drake'a, stroi fochy i jest rozdrażniony jak dziecko, któremu zakazano zabawy na dworze. Chce pójść do portu i znaleźć kogoś, kto za opłatą przewiezie nas do okrętów, ale wybijam mu to z głowy, przypominając, że Drake zapowiedział, iż w południe mamy się spotkać na obiedzie Pod Gwiazdą. Nie pozostaje nam nic innego, jak czekać do wyznaczonej pory. Próbuję czytać, ale Sidney kręci się po pokoju, bez chwili przerwy mamrocząc, co skutecznie uniemożliwia mi lekturę. W końcu proponuję przechadzkę, na co łaskawie się godzi. Chmury grożą deszczem; spoglądam w niebo, owijam się peleryną i z tęsknotą myślę o niebie nad Zatoką Neapolitańską.

Nabrzeże tętni życiem. Małe łodzie rybackie wykonują skomplikowany taniec, płynąc w kierunku wyjścia z portu. Ludzie krzyczą na pomostach, rzucając i odbierając cumy. Beczki z rybami dudnią, toczone po deskach. Tęgie, rumiane przekupki gromadzą się tam, gdzie jest wyładowywany połów, stawiają stoły na kozłach i pracują zakrwawionymi i posrebrzonymi przez łuski rękami. Rozochocone mewy bezczelnie krążą kilka stóp nad ich głowami, skrzecząc niczym chór grecki. Wiatr niesie woń rybich wnętrzności.

Idziemy wzdłuż portowego muru do starego zamku z czterema przysadzistymi wieżami, wzniesionego na cyplu dla ochrony portu. Bluszcz i jakieś inne pnące rośliny zwisają z murów niczym festony pajęczyn, potęgując atmosferę zaniedbania. Widok na redzie pogłębia zły nastrój Sidneya.

– Znacznie bardziej wolałbym być tam, Bruno, bez względu na to, co kazaliby mi robić. – Macha ręką w stronę zatoki, gdzie *Elizabeth Bonaventure* podskakuje na fali niczym malowana zabawka.

– Wiem. Już to mówiłeś.

Nagle jego twarz się rozjaśnia.

– Wczoraj po twoim wyjściu odbyłem w szynku ciekawą rozmowę dotyczącą naszego przyjaciela, Roberta Dunne'a. Chcesz posłuchać?

– Ach, Philipie, czy to mądre? Drake chce, żeby śmierć tego człowieka uważano za samobójstwo. Nie będzie wdzięczny za podsycanie spekulacji wśród mieszkańców miasta przez zadawanie zbyt wielu pytań.

– Zanim zaczniesz mnie łajać jak guwernantka, wiedz, że nie zadałem żadnego pytania. Gdy tylko kupcy się dowiedzieli, że mam powiązania z flotą, nikt nie zdołałby ich powstrzymać. I jeśli Drake sądzi, że uciszył wszystkie spekulacje raportem o samobójstwie, to się grubo myli. – Pociera głowę i krzywi się. – Na Boga, mocne to piwo. Wiesz, chyba powinniśmy wracać. Być może Drake już na nas czeka.

Słońce chowa się za woalem chmur, stojąc niemal w zenicie. Skręcamy na ścieżkę w kierunku miasta.

– Zatem miejscowi gadają o morderstwie?

– O morderstwie, o czarach, o klątwach... do wyboru, do koloru. Żeglarze nie są lubiani w Plymouth, mimo że od nich zależą zarobki miejscowych. – Rozgląda się dla większego efektu dramatycznego, chociaż w pobliżu nie ma żywego ducha. Ostry wiatr omiata przylądek, tutaj na górze można odnieść wrażenie, że jest raczej listopad, a nie sierpień.

– Tak więc – podejmuje – nasz przyjaciel Dunne...

– Przestań go tak nazywać.

– Dlaczego? – Ściąga brwi. – Czemu dziś jesteś taki rozdrażniony? To ja się strułem piwem.

– Nie był naszym przyjacielem i nie mamy powodu wtykać nosa w sprawę jego śmierci. Brzmi to tak, jakbyś ją lekceważył.

Sidney chwyta mnie pod ramię.

– Jego śmierć, jak ci to już wyjaśniłem co najmniej ze trzy razy, jest naszym biletem na pokład tego okrętu. – Wskazuje ręką. – Okrętu, który za rok wróci do portu tak obciążony złotem, że ledwie będzie widać bukszpryt nad falami.

Nie zawracam sobie głowy podejmowaniem dyskusji.

– W takim razie mów dalej. O Dunne.

Niecierpliwie kląska językiem i głębiej naciąga kapelusz dla ochrony przed wiatrem.

– Powiedzieli, że Robert Dunne był dobrze znany w Plymouth. Mieszkał tu przez kilka ostatnich miesięcy, choć miał dom w Dartington, dzień jazdy stąd.

– Zatem nie był w dobrych stosunkach z żoną?

– Między innymi.

Ścieżka opada ku ulicy, która się ciągnie wzdłuż wewnętrznego portu, gdzie cumują małe łodzie rybackie. Pod nami ludzie siedzą na beczkach, zajęci naprawianiem sieci albo sprawdzaniem żagli. Grupa chłopców siedzi na portowym murze; przepychają się, okładają pięściami albo strzelają z procy do mew. Od czasu do czasu kamyk leci nie tam, gdzie trzeba, i jeden czy drugi rybak potrząsa pięścią i miota siarczyste przekleństwa, a wtedy chłopcy uciekają w huraganie wrzaskliwego śmiechu. Czekam, żeby Sidney rozwinął temat.

Kiedy zyskuje pewność, że skupiam na nim całą uwagę, pochyla się ku mnie i mówi ściszonym głosem:

– Najwyraźniej Dunne był stałym gościem najbardziej znanego burdelu w mieście, Domu Westy.

– Naprawdę? Nazwano go tak zapewne na cześć dziewiczych westalek, kapłanek z czasów starożytnego Rzymu, jak mniemam. Bardzo subtelnie dobrana nazwa. Jego żona się dowiedziała, weszła w przebraniu na okręt i go powiesiła?

– Spróbuj traktować to, co mówię, poważnie, Bruno. Niejeden raz widziano Dunne'a w towarzystwie tych samych dwóch mężczyzn.

– W burdelu?

– Nie, w tawernach. Nikt nie wie, kim oni są. A możesz mi wierzyć, że tutejszym handlarzom i kupcom bardzo zależy, żeby wiedzieć, kto zacz. Wiedzieli, kim jestem, zanim otworzyłem usta. Ale towarzysze Dunne'a stanowią tajemnicę.

– Czy jednym z nich był mężczyzna w czarnej pelerynie?

Sidney przewraca oczami.

– W istocie – mówi, postukując palcem o zęby. – Powiedzieli, że jeden z nich zawsze nosił kapelusz. Nawet pod dachem. Czy twoja nocna zjawa miała kapelusz?

– Owszem, czarny, naciągnięty głęboko na uszy. I zapewniam, że zarówno on, jak i jego kapelusz, nie są moim wymysłem.

Sidney duma nad tym przez chwilę.

– Każdy z tych cuchnących rybami handlarzy zeszłej nocy twierdził, że tu i ówdzie widział Dunne'a z jego towarzyszami, jednak żaden z nich nie miał okazji przyjrzeć się ich twarzom.

– Przynajmniej wiemy, że jeden z nich nosi kapelusz. To zawęża zakres poszukiwań.

Szczerzy zęby.

– Niewiele na początek, prawda?

– Drake powiedział, że w noc śmierci Dunne wdał się w karczemną awanturę. Czy komuś coś o tym wiadomo?

Znowu się pochyla.

– Najpopularniejsza teoria głosi, że ci nieznajomi wykorzystywali Dunne'a, żeby się dobrać do skarbu Drake'a.

– Jakiego skarbu?

– Drake jest słynny w Plymouth, jak można się spodziewać, i lubiany, zrobił bowiem wiele dobrego dla miasta, ale oczywiście mnożą się wyssane z palca plotki, że po powrocie z podróży dokoła świata oddał królowej tylko część łupów, a resztę ukrył gdzieś w pobliżu.

– I te uczciwe dusze chciałyby znaleźć skarb i przekazać go Jej Królewskiej Mości?

Sidney się śmieje.

– Jestem pewien, że właśnie to im przyświeca. Ale żałuj, że nie słyszałeś historii o tym, co więcej Drake przywiózł z wyprawy.

– Mianowicie?

– Księgi napisane ręką samego diabła, ptaki o piórach ze szczerego złota, młode dwugłowe kobiety, które rodzą dzieci będące pół smokiem, pół człowiekiem. A przecież powszechnie wiadomo, że takie cuda znajduje się na drugim końcu świata.

– Aha, takie cuda. A niby gdzie Drake trzyma tę diaboliczną menażerię?

– Nie wiem. Chyba myślą, że ktoś zapłacił Dunne'owi, by się dowiedział.

Idziemy ulicą wzdłuż nabrzeża z bielonymi domami i tawernami zwróconymi w stronę wody. Nagle Sidney trąca mnie łokciem w żebra i ruchem głowy wskazuje ścieżkę przed nami. Dwie dobrze ubrane młode kobiety ręka w rękę idą w naszą stronę, a za nimi w dyskretnej odległości podąża służący. Jedna jest wysoka, z rudymi puklami pod francuskim czepkiem, druga o ciemniejszych włosach, o jasnej karnacji i z wyraziście zarysowanymi brwiami. Z ich spojrzeń i szeptów jasno wynika, że też nas zauważyły. Sidney już ma się zgiąć w wyszukanym ukłonie, kiedy jedna z dam krzyczy, unosząc dłonie do ust. Patrzy nie na nas, ale dalej, na mur portowy. Obracam się na pięcie i widzę, jak jeden z urwisów wymachuje rękami, wrzeszcząc jak opętany. Najmniejszy z jego kolegów spadł z nabrzeża do wody i teraz się miota i prycha, próbując krzyczeć.

– To mój brat, nie umie pływać! Nie chciałem go zepchnąć! – piszczy chłopak na kei, podskakując i machając rękami.

Jasna głowa znika pod powierzchnią, wynurza się w krótkim gejzerze piany i ponownie znika. Niewiele myśląc, ściągam kaftan i skaczę, starając się nie zamykać oczu w mętnej wodzie, gdy szok zimna wstrząsa moimi żebrami. Z początku nie widzę ani śladu dziecka, potem spoglądam w dół i dostrzegam drobne ciało w wydętej koszuli, otoczone srebrnymi łańcuchami bąbelków. Podpływam do niego i chwytam go w pasie, ściągany w dół przez ciężar wełnianych pantalonów. Chłopczyk jest zaskakująco ciężki, ale kiedy wyłaniam się z nim na powierzchnię, łapczywie chwytając haust powietrza, do muru mam niedaleko. Usłużne ręce wyciągają się po chłopca i kładą go na bruku, któryś z rybaków przykłada ucho do jego ust. Wciągam się na nabrzeże i klękam na kamieniach, żeby odzyskać oddech, woda ścieka mi z ubrania i włosów. Chłopiec leży bez ruchu, mężczyzna nim potrząsa, próbując go ocucić.

– Nie żyje? – pyta z płaczem ten, który go zepchnął, z boleści drąc palcami koszulę. – Matka mnie zabije!

– Przesuńcie się. – Klękam obok chłopca i kilka razy mocno uciskam jego klatkę piersiową. – Widziałem raz, jak się to robi, w Wenecji, kiedy chłopak wpadł do kanału. – Teraz mały Anglik odzyskuje przytomność, natychmiast przekręca głowę i wymiotuje na buty stojącego przy nim mężczyzny, który klnie z zaskoczenia i wali jego starszego brata po głowie.

– Zrób to jeszcze raz, huncwocie, a wrzucę cię za nim! – Grozi mu i chłopak wyje jeszcze głośniej. – Napędziłeś nam wszystkim strachu. Gdyby ten dżentelmen nie był taki szybki, straciłbyś dzisiaj brata, a ja nie chciałbym być tym, który powie waszej matce o śmierci jej skarbu.

Przychodzi mi na myśl, że to wyróżnienie może sprawić, iż starszy chłopiec zapragnie znów zepchnąć brata do wody, ale zachowuję milczenie. Rybak zwraca się do mnie:

– Dziękuję, panie. Moi siostrzeńcy zawsze pałętają się tam, gdzie nie potrzeba. Ich matka jest wdową. Gdyby was tutaj nie było... ja też nie umiem pływać. – Z grymasem zerka na mętną wodę. – Jestem Amos Prisk, panie. Tam cumuje moja łódź. – Wskazuje ręką, potem wyciera ją w kaftan i wyciąga do mnie. Ma mocny uścisk, chociaż nieco śliski. Staram się nie myśleć o rybich bebechach. – Postawiłbym wam kielicha, tyle że moja siostra jeszcze nie wróciła z targu z dziennym zarobkiem. – Puszcza moją rękę i pokazuje puste dłonie.

– Nie ma potrzeby – odpowiadam zakłopotany. Zebrał się spory tłum gapiów obserwujących przebieg dramatu; na skraju dostrzegam dwie atrakcyjne kobiety, które patrzą na mnie i szepczą między sobą. Wyższa się pochyla, mówi coś po cichu przyjaciółce i obie się śmieją. Odrywam od nich wzrok i nad ich głowami, kawałek dalej, dostrzegam postać w czerni stojącą pomiędzy domami w wylocie jednej z uliczek, które kręto wiją się z miasta w kierunku portu. Stoi w zupełnym bezruchu, obserwując scenę z twarzą ukrytą w cieniu ronda kapelusza. Robię krok do przodu, ale Sidney zachodzi mi drogę.

– Bohaterski czyn, Bruno. Masz wodorosty na twarzy. Tutaj. – Zdejmuje uwłaczającą mi roślinę, składa ręce na piersi i kiwa głową jakby pod wielkim wrażeniem, chociaż nie do końca maskuje irytację w głosie. Niecierpliwym gestem każę mu zejść z drogi, ale człowiek w czerni już zniknął. Sidney ma zarzucony na ramię mój kaftan.

– Jestem pewien, że zrobiłbyś to samo, gdybyś miał mniej kosztowny strój – mówię, sięgając w dół, żeby wyżąć pantalony. Obdarza mnie uszczypliwym uśmiechem.

– Lepiej zabierzmy cię z dala od dam, bo wyglądasz nieprzyzwoicie z torsem oblepionym przez mokrą koszulę. – Bierze mnie pod rękę i prowadzi w kierunku domów. Gdy przechodzimy, kłania się kobietom. Spostrzegam, że ta ciemniejsza przygląda mi się ze skupioną miną.

– Postąpiliście nadzwyczaj dzielnie! – woła jakby pod wpływem impulsu, gdy już je minęliśmy.

Sidney posyła jej swój najbardziej uroczy uśmiech, ostrożnie kładąc rękę na moim ramieniu.

– Mój przyjaciel jest wysławiany za swoją odwagę stąd aż do Indii. Proszę nie myśleć o wpadaniu do wody, drogie panie, dopóki nie będzie go pod ręką.

Podchwytuję rozbawione spojrzenie kobiety i przepraszająco kręcę głową.

– Ależ, panie – mówi z udawanym zatroskaniem – skąd mamy wiedzieć, gdzie cię znaleźć, gdybyśmy przypadkiem pomyślały o wpadnięciu do wody?

Sidney patrzy na mnie, unosząc brew.

– Możesz nas znaleźć Pod Gwiazdą, pani.

– Cóż za zbieg okoliczności – odzywa się ta o kasztanowych włosach. – My też się tam zatrzymałyśmy. Miłego dnia, panowie. – Ujmuje swoją towarzyszkę pod rękę i obraca się elegancko, błyskając uśmiechem do Sidneya.

Patrzy za nimi, potem obraca się ku mnie z cichym gwizdnięciem.

– Śmiała parka, nie sądzisz? I śliczne. I drogo odziane. Czyżby kurtyzany?

– Tutaj?

– Tam gdzie są żeglarze... Ale może masz rację. Takie kobiety kosztowałyby więcej, niż żeglarz zarabia przez rok, chyba że się nazywa Francis Drake. I zatrzymały się w naszej gospodzie. Ta ciemniejsza strzelała do ciebie oczami, Bruno, choć wyglądasz jak zmokły pies. Bodaj cię! – Unosi pięść i szczerzy zęby. – Powinienem zadziałać szybciej. Nic nie sprawia takiego wrażenia na kobietach jak ratowanie dzieci czy zwierząt, że aż padają ci do nóg.

– Następnym razem, gdy je zobaczymy, wrzucę kocię do studni, żebyś się mógł wykazać – mówię, pocierając ramiona i drżąc, gdyż mokre ubrania przywierają mi do skóry. Sidney zarzuca mi kaftan na ramiona i daje lekkiego szturchańca w tył głowy, jak rybak swojego siostrzeńca. Postanawiam na razie nie mówić mu o mężczyźnie w czerni.

◆ ◆ ◆

W południe schodzimy do szynku, żeby zapytać o Drake'a, i służąca prowadzi nas do prywatnej jadalni za główną salą. Moje ubrania schną; mam na sobie rdzawy kaftan i pantalony Sidneya, więc czuję się jak jedna z tych małpek, które damy na dworze stroją w jedwabne żakieciki i wysadzane klejnotami obróżki, a potem prowadzają na smyczy. Pantalony są dla mnie zbyt obszerne, a szelest jedwabiu jest nieznajomy i denerwujący; obracam głowę przy każdym kroku, myśląc, że ktoś mnie śledzi, dopóki sobie nie uprzytamniam, że źródłem dziwnego szmeru są moje własne nogi.

Sidney otwiera drzwi i szczęka mu opada na widok gości zgromadzonych przy stole. Francis Drake siedzi u szczytu stołu. Thomas Drake też jest obecny, a także blady grubas w stroju duchownego i zbytkownie odziany czterdziestoletni mężczyzna. Ale nie to jest przyczyną zdumienia Sidneya. Jego uwagę przykuwają dwie młode kobiety z nabrzeża, siedzące skromnie z figlarnymi uśmiechami na ustach. Przez chwilę jestem zdezorientowany; wcześniejsze domysły Sidneya utkwiły mi w głowie, dlatego pomyślałem najpierw, że Drake wynajął ladacznice. Potem widzę, że kładzie dłoń na delikatnych białych palcach tej kasztanowłosej, i powoli spływa na mnie zrozumienie. Na lewej ręce kobieta ma ślubną obrączkę.

– Słyszałem, doktorze Bruno, że jesteś niczego sobie błędnym rycerzem. – Drake unosi kielich w toaście, gdy obchodzimy stół.

– Matki z Plymouth nie muszą się obawiać o swoje dzieci, gdy przebywacie w mieście – podchwytuje ton Thomas Drake. Siedzi na prawo od ciemnowłosej kobiety, która wciąż mi się przypatruje z tym ukradkowym półuśmiechem. Wyczuwam, że Thomas Drake wolałby, żeby nas tu nie było.

– Jestem przekonany, że Bruno otrzyma tytuł honorowego obywatela tego miasta, zanim stąd wyjedziemy – mówi Sidney, oszałamiając towarzystwo promiennym uśmiechem.

Wzruszam ramionami, zakłopotany skupioną na mnie powszechną uwagą.

– Każdy zrobiłby to samo na moim miejscu.

– Ja na pewno, oczywiście, gdybym w porę zauważył wypadek – zgadza się Sidney, zamaszystym ruchem zdejmując kapelusz. – Niestety, po prostu byłeś odrobinę szybszy.

– Och, sir Philipie, ale szkoda byłoby niszczyć takie piękne piórko dla dziecka rybaka – mówi ciemnowłosa kobieta z poważną miną. Jej przyjaciółka z trudem powstrzymuje się od śmiechu, potem unosi wzrok i napotyka spojrzenie Sidneya. Drake z rozbawieniem przenosi spojrzenie z jednej osoby na drugą.

– Zdaje się, że już zawarliście znajomość – mówi, wskazując na kobiety.

– Nie zostaliśmy sobie formalnie przedstawieni, mój drogi – odpowiada kasztanowłosa, klepiąc go po ręce.

– Moja żona, Elizabeth, lady Drake – oznajmia z dumą kapitan. Kobieta skromnie skłania głowę, po czym spod rzęs zerka na Sidneya. Mój przyjaciel ma minę człowieka, który źle obstawił szanse wygranej w walce psów. – I jej kuzynka Nell, lady Arden.

Ciemnowłosa kiwa głową do Sidneya, po czym spogląda wprost na mnie.

– Wdowa po świętej pamięci sir Richardzie Ardenie – dodaje. Nie mogę oprzeć się wrażeniu, że robi to specjalnie dla mnie. Jeśli chodzi o „plebejską" żonę Drake'a i jej „starzejącą się", owdowiałą kuzynkę, nie mam nic więcej do dodania. Przypuszczam, że stosunek Sidneya co do przyjęcia roli przyzwoitki niewiast w Plymouth właśnie zmienił się diametralnie. Co więcej, jest możliwe, że to ja będę musiał zostać przyzwoitką, żeby je chronić przed Sidneyem.

Drake wskazuje mu krzesło po swojej lewej stronie, naprzeciwko żony. Ja zajmuję miejsce pomiędzy kapelanem i mężczyzną wyglądającym na dworzanina, po przekątnej do lady Arden, która znowu się uśmiecha, jakby ją bawił jakiś jej tylko znany żart. Osądzam, że ma około dwudziestu pięciu lat, jest w wieku żony Drake'a. Ma gładką, nieskazitelną cerę, ciemne brwi i zielone oczy, które błyskają figlarnie i którym nic nie umyka. W jednej chwili Plymouth stało się znacznie bardziej interesujące.

– Ty, panie, jesteś tym sławnym doktorem Bruno? – Mężczyzna w szatach duchownego odstawia kielich i patrzy na mnie z łagodną miną. Niechętnie odrywam uwagę od lady Arden, żeby na niego spojrzeć. Ma rumiane policzki, typowe dla niektórych Anglików, którzy wskutek tego przez cały czas wyglądają na zawstydzonych albo podnieconych. Jasne włosy zrzedły mu na czubku głowy, ale gładkość oblicza sugeruje, że ma nie więcej niż trzydzieści parę lat. Jego słowa nie wyrażają oczywistego rozdrażnienia,

lecz nic na to nie mogę poradzić – interpretuję je jako prowoka-
cyjne, choć taka reakcja prawdopodobnie mówi więcej o moim niż
o jego charakterze.

– Nie byłem świadom, że moja sława, jakakolwiek by była, dotarła aż do Plymouth – mówię, prezentując uprzejmy uśmiech.

– Dotarły do nas głosy, że sir Philip Sidney sprowadza z sobą
sławnego włoskiego filozofa – powiada, odwzajemniając uśmiech,
choć nie ogarnia on jego oczu. – Ambrose Pettifer, kapelan na *Elizabeth Bonaventure*. – Wyciąga rękę tak, jakby właśnie sobie przypo-
mniał o zasadach etykiety. Ujmuję ją i stwierdzam, że jest nieprzy-
jemnie wilgotna.

– Giordano Bruno z Noli. Ale to już wiesz, ojcze.

– Rozumiem, że jesteś księdzem. Dominikaninem, jeśli się nie
mylę?

– Niestety, mylisz się, ojcze. Odszedłem z zakonu prawie dziesięć lat temu. Już nie uważam się za kapłana.

Unosi jasną brew.

– Nie sądziłem, że wolno coś takiego zrobić.

– Nie wolno. Dlatego zostałem ekskomunikowany.

– Ach. – Na chwilę szeroko otwiera oczy. Pociąga łyk wina. –
Słyszałem, że Kościół rzymski uznał cię, panie, za winnego herezji
za idee zawarte w twoich książkach.

Mój uśmiech staje się wymuszony.

– Głównie uznali tak ci, którzy ich nie czytali. W każdym razie
znalazłem się w doborowym towarzystwie, jako że papież również
królową angielską uważa za heretyczkę. I każdego, kto podziela jej
wyznanie.

– Tak, lecz czyż nie jest prawdą, że w swoich książkach czer-
piesz ze starożytnej magii i piszesz, że człowiek może się wznieść
duchowo tak, by stać się równy Bogu?

Rozglądam się, sprawdzając, czy ktoś przypadkiem się nie przy-
słuchuje.

– Piszę o kosmologii i o filozofii, o starożytnej sztuce zapamiętywania. Nigdy nie dowodziłem, że człowiek może stać się równy
Bogu. – Przynajmniej nie w zbyt wielu słowach.

– To dobrze – mówi pruderyjnie. – Ponieważ dla mnie brzmi to jak herezja gnostyczna. Tak więc – kontynuuje, obracając w palcach pusty kielich – wolałbym, żeby załoga się nie dowiedziała, że byłeś, panie, księdzem katolickim. Anglicy są przesądni, jak wiadomo, a żeglarze bardziej niż ludzie innych profesji. W sytuacji krytycznej wrócą do starej wiary. Wielu z nich wciąż nosi relikwie i medaliki ze świętymi, chociaż wiedzą, że to zakazane, i często słyszę, jak w niebezpieczeństwie wzywają na pomoc Najświętszą Marię Pannę wraz ze wszystkimi świętymi w niebie. – Składa ręce. – Zamykam na to oczy i uszy, oczywiście, ale sytuacja skomplikowałaby się, gdyby wiedzieli, że na pokładzie przebywa kapłan starej wiary. Czy rozumiesz mnie, doktorze Bruno?

– Nie ma obawy, ojcze – wtrąca Sidney, słysząc ostatnie zdania. – Bruno daleko odszedł od stanu kapłańskiego. Daję słowo, że nie będzie próbował przemycać im katolickich idei, gdy odwrócisz się, wielebny ojcze, plecami.

Śmieję się, wdzięczny za nadanie lżejszego tonu rozmowie, lecz Pettifer nie daje się zbyć tak łatwo.

– Możesz żartować, sir Philipie – mówi, unosząc palec – ale zaledwie dwa dni temu człowiek zginął z własnej ręki na pokładzie *Elizabeth*. Wyobraź sobie, jak to wpłynęło na ludzi. Mówią o klątwach, złych znakach i o karze boskiej, wskutek czego tym trudniej utrzymać ich na ścieżce prawdziwej wiary. Mam pod opieką ich dusze, rozumiesz, panie.

– Ha, dołożę wszelkich starań, żeby nie powiększyć waszego brzemienia – zapewniam, sięgając po dzbanek wina. Boże, ależ ten twój sługa jest nadętym bufonem.

W odpowiedzi śle mi wymuszony uśmiech.

– W każdym razie przypuszczam, że obaj wyruszycie w drogę do Londynu, gdy tylko przybędzie Dom Antonio? Sir Francis raczej nie będzie miał możliwości, by w tych okolicznościach zaproponować mu gościnę. Najlepiej się stanie, jeśli od razu wyruszycie wraz z Portugalczykiem z powrotem na dwór.

– Nie wątpię – rzuca Sidney lekkim tonem. Na szczęście przybycie trzech służących z talerzami pełnymi liści sałaty i białego chleba, po których pojawiają się półmiski ryb gotowanych w winie, uwalnia mnie od dalszej konwersacji na dotychczasowy temat.

– Złowione u tych wybrzeży, przywiezione dzisiejszego ranka – zapewnia Drake, wskazując ryby z taką dumą, jakby sam je złapał. Widzę, że Sidney i inni elegancko ubrani dżentelmeni podejrzliwie patrzą na dania. Uważają jedzenie ryb za pokutę, skromne danie w piątki i w czasie Wielkiego Postu, kiedy dobrzy chrześcijanie odmawiają sobie mięsa, ale Drake pałaszuje je jak wykwintnie przyrządzoną sarninę. Po roku na morzu Sidney zacznie doceniać świeże ryby, myślę, uśmiechając się do siebie, gdy służący mnie obsługuje.

– Planujesz długi pobyt w Plymouth, lady Drake? – pyta Sidney, pochylając się nad stołem.

– Po wyjeździe mojego męża znudziło nas własne towarzystwo w Buckland. Kiedy otrzymałyśmy wiadomość, że flota wciąż kotwiczy w Plymouth, pomyślałyśmy, że złożymy tu wizytę. Co nie znaczy, że w Plymouth jest coś ciekawego, wyjąwszy wasze łaskawe towarzystwo, panowie. Ale jesteśmy zadowolone ze zmiany otoczenia. Może nawet skorzystamy z okazji, żeby zajrzeć do bławatnika i kupić jakieś tkaniny.

– Damy muszą szukać rozrywek wszędzie tam, gdzie tylko można je znaleźć – dodaje lady Arden z cierpkim uśmiechem.

Drake patrzy na żonę i uśmiecha się z aprobatą. Obserwuję ją, zaciekawiony.

– A ty, sir Philipie? Jak długo tu zostaniesz? – dopytuje mój sąsiad, obdarzony władczym głosem człowieka przywykłego do narzucania innym swojej woli. Ma starannie przystrzyżoną szpakowatą spiczastą brodę i bardzo krótko ścięte włosy, żeby zamaskować powiększającą się łysinę, ale jest przystojny w surowy sposób. Zwracam uwagę na opuchniętą, świeżo rozciętą górną wargę.

– Przynajmniej do czasu przybycia Dom Antonia, sir Williamie – odpowiada Sidney, pochylając się z dwornym uśmiechem.

– Dobry Boże, czy ten portugalski łajdak wciąż się pałęta po świecie? – Sir William przewraca oczami i wyciąga kielich po więcej wina. – Myślałem, że już sobie odpuścił. Nie pojmuję, dlaczego Jej Królewska Mość go znosi, a co dopiero daje mu pieniądze.

– Ponieważ on ma większe prawo do tronu Portugalii niż Filip Hiszpański. – Sidney odkłada nóż i jego twarz poważnieje. – Jeśli Dom Antonio zostanie królem, będzie naszym nieocenionym sprzymierzeńcem. Musisz wiedzieć, że odkąd Hiszpania zajęła Portugalię po śmierci starego króla, obecnie ma pod rozkazami największą flotę w Europe. W interesie Anglii leży, żeby się temu przeciwstawić.

Sir William chrząka.

– To było pytanie retoryczne, sir Philipie. Poza tym nawet Dom Antonio nie wierzy, że są nadzieje na odzyskanie portugalskiego tronu. Hiszpania przekupiła całą tamtejszą arystokrację w zamian za poparcie roszczenia do sukcesji. Poproszę o wino.

– A ty sam długo tu zostaniesz, sir Williamie? – pyta Sidney.

– Ja? Dopóki flota nie wyjdzie w morze.

– A później wracasz na dwór?

Sir William parska ostrym śmiechem.

– A potem pożegluję z nimi, Philipie. Mam koję na pokładzie *Elizabeth*.

– Co?! – Sidney niezupełnie panuje nad emocjami; szczęka mu opada i przenosi spojrzenie z Drake'a na sir Williama, aż w końcu bierze się w garść i przeszywa kapitana wściekłym spojrzeniem.

– Sir William Savile zainwestował ogromną sumę w tę wyprawę – wyjaśnia Drake, chociaż ma dość przyzwoitości, żeby zrobić lekko zakłopotaną minę. – I posiada cenne doświadczenie wojskowe.

– Pomyślałem, że nadszedł czas na małą przygodę – powiada sir William z szerokim uśmiechem i zaraz się krzywi, bo naciąga skaleczenie na wardze. Opukuje je czubkiem palca. – Człek mięknie i gnuśnieje, gdy przez całe lato obija się na dworze, mając tylko niewiasty do konwersacji... za przeproszeniem, moje panie. – Kiwa głową do lady Arden, która nic nie odpowiada, choć w jej oczach połyskuje oburzenie. – Przynajmniej taki miałem zamiar do czasu tej pechowej sprawy z biednym Dunne'em... – Patrzy na Drake'a i milknie. Drake kręci głową, jakby go ostrzegał przed kontynuowaniem tematu, przypuszczalnie z uwagi na obecność kobiet.

– Jakże to straszne – szepcze lady Arden z dramatycznym drżeniem. – Co człowieka jest w stanie pchnąć do zrobienia czegoś takiego? To znaczy, do odebrania sobie życia. – Patrzy na mnie, szeroko otwierając zielone oczy.

– Desperacja – mówię, jako że nikt inny nie kwapi się z odpowiedzią.

– Albo strach – dorzuca sir William Savile, oddzierając kawałek chleba.

– Dlaczego tak uważasz, panie? – pytam, obracając się w jego stronę. Patrzy na mnie, wyraźnie zaskoczony, że zwracam się do niego tak bezpośrednio. Ocenia moją pozycję, zanim postanawia udzielić odpowiedzi.

– Ha – mruczy. – Przypuszczam, że człowieka można doprowadzić do punktu, z którego nie ma już odwrotu, wtedy rozważa śmierć jako ucieczkę przed czymś znacznie gorszym. – Patrzy w kielich, gdy to mówi.

– Gorszym niż śmierć? – podchwytuje jego słowa lady Arden z pogardą w głosie.

– Jest wiele rodzajów śmierci, pani – odpowiada sir William. – Kto wie, przed jakimi demonami uciekał Robert Dunne.

– Dobrze go znałeś, panie? – dopytuję.

Obrzuca mnie ostrym spojrzeniem.

– Niezbyt. Miał posiadłość ziemską w Devon, podobnie jak ja. Wiele razy rozmawialiśmy o morskich sprawach, więc z przyjemnością się dowiedziałem, że zamieszkamy po sąsiedzku w kajutach na *Elizabeth*. Myślałem, że będziemy kontynuować rozmowy podczas długich miesięcy na morzu, ale niestety... – Rozkłada ręce w geście bezradności.

– Czy rozmawiałeś z nim w noc jego śmierci, sir Williamie? – Pochylam się może zbyt gorliwie.

Savile marszczy brwi.

– Myślę, panowie – wtrąca Drake – że uchybiamy pamięci naszego nieszczęsnego towarzysza, w ten sposób dyskutując o jego śmierci. Szczególnie przy kolacji. – Uśmiecha się uprzejmie, ale wychwytuję ten sam ostrzegawczy ton, na który wczoraj zwróciłem uwagę. Savile przelotnie spogląda mu w oczy i kiwa głową.

Reszta posiłku mija na rozmowach o sprawach związanych z wyprawą, ale cień tajemniczej śmierci Dunne'a krąży na jej skrajach, temat, którego wszyscy rozmyślnie unikamy. Gdy Drake mówi, że jest gotów postawić żagle, jestem świadom, że chce to zrobić natychmiast po zidentyfikowaniu zabójcy Dunne'a. Chyba Savile i kobiety wciąż są przejęci rzekomo samobójczą śmiercią Dunne'a. Skoro Savile zajmował sąsiednią kajutę, Drake z pewnością go pytał, czy w noc śmierci słyszał jakieś niepokojące odgłosy – a jeśli nie pytał, to może dlatego, że nie darzy go zaufaniem. Wcale mu się nie dziwię, ponieważ jest coś nieprzekonującego w jowialnej prostoduszności tego człowieka. Mówię sobie, że powinienem przedyskutować to z Drakiem, zanim popełnię jakieś głupstwo, zadając nazbyt dociekliwie pytania; a zaraz potem sobie przypominam, że przysiągłem sobie nie angażować się w tę sprawę.

Dalej przy stole Sidney bawi Drake'a i jego żonę anegdotami z życia dworskiego. Drake wygląda na uprzejmie znudzonego; jego żona przeciwnie, chłonie każde słowo, śmieje się zadowolona i nie spuszcza z niego oka. Gdyby to była moja żona, myślę, trzymałbym ją z daleka od Sidneya. Jeśli sytuacja będzie się rozwijać w tym tempie, przy kolacji mój przyjaciel zacznie pisać dla niej sonety. Przyglądam się Drake'owi, jego szerokiej opalonej twarzy, jego dużym czerwonym dłoniom, w których kielich z winem wydaje się całkiem mały. Nie przypuszczam, żeby on pisał dla niej wiersze. Kiedy unoszę głowę, lady Arden błyska do mnie porozumiewawczym uśmiechem, jakby śledziła tok moich wewnętrznych rozważań.

Gdy słudzy sprzątają ze stołu, Drake się pochyla, żeby szepnąć coś żonie. Oboje wstają i przepraszają resztę towarzystwa. Drake oznajmia, że musi zadbać o potrzeby małżonki i że zobaczymy się później na pokładzie. Savile'owi drga wąs, bawi go dobór słów Drake'a.

– A kto zadba o twoje potrzeby, lady Arden? – pyta swawolnie, patrząc na nią pożądliwie. – Jestem pewien, że mógłbym się tym zająć.

– Jakie to szarmanckie z twojej strony, sir Williamie – mówi z lodowatą uprzejmością. – Obawiam się, że jako wdowa muszę radzić sobie sama. A teraz, jeśli mi wybaczycie, panowie, na jakiś czas wrócę do mojego pokoju. Zmęczyły mnie emocje towarzyszące dyskusji o mapach morskich. – Uśmiecha się słodko, wodząc wzrokiem wokół stołu, i odsuwa krzesło.

Wstajemy, gdy panie i Drake wychodzą. Odwracam się i widzę Thomasa Drake'a przy moim ramieniu.

– Sir Francis przyjmie ciebie, panie, i sir Philipa na górze, w komnacie swojej żony – szepcze. – Pragnie mówić z wami na osobności.

Ojciec Pettifer właśnie wychodzi, ale odwraca się i podchwytuje moje spojrzenie, gdy Thomas mówi. Jestem pewien, że podsłuchał. Znów wykrywam wrogość w jego oczach.

– Bogata jak Krezus od śmierci starego – mamrocze Savile, wskazując kciukiem drzwi.

– Słucham?

Pochyla się z wilczym uśmiechem.

– Ach, nie ma potrzeby udawać. Widziałem, jak na nią patrzyłeś. Wszyscy próbujemy, możesz mi wierzyć. Kto nie chciałby złowić dorodnej wdówki z kuframi pełnymi pieniędzy. Ale ci powiem.... Bruno, prawda?... Kiedy owdowiała, ma niewielką motywację, żeby znowu zostać żoną. Wdowy nabierają upodobania do niezależności, rozumiesz. – Kiwa głową, jakby na potwierdzenie swojej dezaprobaty. – Każą ci się nachodzić, zanim ulegną. Cieszy je dzierżenie władzy. A jednak może wygra najlepszy, co?

Uśmiecham się.

– Masz wolną rękę, sir Williamie. Ja przyjąłem święcenia kapłańskie.

– Dobry Boże! Naprawdę? – Cofa się i patrzy na mnie spod przymrużonych powiek, jakbym właśnie mu zdradził, że mam ogon. – Duchowny? Co cię do tego skłoniło? Mimo wszystko nie musisz się tym przejmować... – Klepie mnie po ramieniu równie serdecznie jak Sidney. – W dzisiejszych czasach Jej Królewska Mość wręcz zachęca kapłanów do żeniaczki. Zostań w Anglii, a może jeszcze znajdziesz sobie słodką żonkę. Zapewne nie kobietę o wysokiej pozycji, ale zawsze. Będę miał cię na oku.

– Wielce to miłe z twojej strony, sir Williamie. Chociaż następnych dwanaście miesięcy, co najmniej, spędzisz na morzu. Obawiam się, że będziesz miał ograniczone możliwości w tym względzie.

– Co prawda, to prawda – mówi, skręcając w palcach koniec wąsa. – No tak, zatem po powrocie. W zupełności wystarczy ci guwernantka albo ktoś tego pokroju.

– Pokornie dziękuję za dobre intencje.

Sidney, który stoi przy drzwiach, przyciąga moją uwagę i kiwa głową w kierunku schodów.

– Dokąd się wybieracie z takimi przejętymi minami? – pyta Savile. – Nie macie ochoty zagrać w karty? Na pokładzie konam z nudów.

– Wszczynasz bójki, żeby się rozerwać? – pyta Sidney, wskazując jego wargę.

– O to ci chodzi? – Savile unosi rękę i delikatnie dotyka skaleczenia. – To nic takiego. Wynikło nieporozumienie. Bezczynność działa mi na nerwy. – Ścisza głos. – Ludzie po prostu chcą postawić żagle, wiecie. Rozumiem, że sir Francis pragnie okazać szacunek rodzinie Dunne'a, ale doprawdy, trzeba pomyśleć o reszcie floty, nie wspominając o inwestorach. Im dłużej zwlekamy, tym większe ryzyko, że któryś ze szpiegów Filipa Hiszpańskiego zwietrzy, co zamierzamy, i przekaże mu ostrzeżenie. Nie dotrzemy dalej niż do Azorów, gdy rzuci się na nas hiszpańska flota.

– Jakich szpiegów? – pytam.

– Są wszędzie – mówi z teatralnym gestem, który obejmuje całą szeroką sień gospody. Rozglądam się. Jesteśmy sami. – Cóż, nie powinno to dziwić. W porcie, gdzie aż roi się od cudzoziemców, łatwo jest zniknąć w tłumie. Nawet Drake trzyma tego przeklętego Hiszpana na swoim okręcie. Słyszałeś kiedy coś równie niedorzecznego? Założę się, że przekazuje wszystko swoim rodakom. Już z samego wyglądu nie budzi zaufania. Ale to samo można powiedzieć o wszystkich katolikach. Mają takie czarne oczy, że nie można poznać, czy patrzą prosto na ciebie. – Niewzruszenie przyglądam mu się moimi czarnymi oczami, aż w końcu do mojego rozmówcy dotarło, że popełnił nietakt, i odchrząkuje cicho. – Za przeproszeniem, nie ciebie miałem na myśli.

– Niestety, nie możemy zasiąść do stolika karcianego, sir Williamie – mówi Sidney, żeby przerwać niezręczną ciszę, jaka zapadła po słowach Savile'a. – Zamierzamy poczytać trochę poezji.

– Ooch... poezja. Wolałbym włożyć jaja w prasę do wina. Z Bogiem, panowie. – Po szybkim ukłonie Savile maszeruje do szynku.

– Może twój człowiek w czerni jest jednym z tych hiszpańskich szpiegów, od których się roi w tym miejscu – mówi Sidney z zadumą, gdy wchodzimy po schodach. Obrzucam go miażdżącym spojrzeniem. – Przestań się na mnie gapić tymi rozbieganymi katolickimi oczami – dodaje i uskakuje, zanim mogę dać mu sójkę w bok.

5

Pokój jest większy i lepiej umeblowany niż ten, który dzielę z Sidneyem. Widzę, jak mój przyjaciel z odrobiną zazdrości błądzi po nim spojrzeniem. Nie ma ani śladu kobiet. Drake siedzi na krańcu bogato rzeźbionego łóżka. Na kolanach trzyma skórzaną torbę, obejmując ją opiekuńczo rękami, jakby się spodziewał, że ktoś mu ją wyrwie. Unosi głowę z roztargnionym uśmiechem i wskazuje nam wyściełane krzesło przy kominku. Jest tylko jedno; Sidney siada, ja opieram się o kominek. Thomas Drake staje plecami do drzwi i kiwa głową do brata.

– Panowie – mówi Drake. – Jest coś, co pragnę wam pokazać, ale trzeba to zrobić w tajemnicy.

– Czy ma to związek ze śmiercią Roberta Dunne'a? – pyta Sidney, przesuwając się na skraj krzesła.

Drake nie kryje wahania.

– Tak przypuszczam. Mam nadzieję, że zdołacie to ustalić.

Thomas Drake, wciąż stojący pod drzwiami, ledwie słyszalnie prycha z dezaprobatą. Drake unosi wzrok.

– Mój brat jest głęboko przekonany, że to, czym zamierzam się z wami podzielić, powinno pozostać tajemnicą. Wyjaśniłem, że w przeciwieństwie do nas jesteście uczonymi. Poza tym wierzę, że możemy wam zaufać. Przecież chcecie czegoś ode mnie, nieprawdaż? – Przeszywa Sidneya znaczącym spojrzeniem. – Udziału w podróży do Nowego Świata?

Sidney w milczeniu kiwa głową.

– W takim razie dobrze. – Drake się uśmiecha. Duma przez chwilę, pociągając za brodę. – Pytanie, od czego zacząć.

– Od listu – podpowiada Thomas. Nie okazuje entuzjazmu.

– Tak. – Drake ściąga usta i bierze głęboki wdech, jakby wyruszał na trudną wyprawę. – Tego samego dnia, gdy znaleźliśmy zwłoki biednego Dunne'a, a ściślej mówiąc, tego samego wieczoru, otrzymałem wiadomość. Została dostarczona na pokład *Elizabeth* przez mojego sekretarza, Gilberta, który zabiera listy codziennie napływające do tej gospody. Proszę. – Sięga w zanadrze kaftana i wyjmuje arkusz papieru. Robię krok do przodu i biorę go z jego ręki, gdyż stałem bliżej. Kartka jest z jednego boku nierówna, jakby została wydarta z notesu, złożona trzy razy. Była zapieczętowana szkarłatnym woskiem, choć nie ma na nim odcisku pieczęci. Rozkładam ją i opuszczam, żeby Sidney też mógł zobaczyć. Przekaz jest prosty:

Mateusz 27, 5

– Tajemnicze – mruczy Sidney, wyjmując papier z mojej ręki i obracając go na drugą stronę. – Jaki to wers, Bruno?

– Założę się, że wie – mówi Drake, zauważając moją minę i wskazując na mnie.

– *Rzuciwszy srebrniki ku przybytkowi, oddalił się, potem poszedł i powiesił się** – cytuję z pamięci. – Śmierć Judasza Iskarioty.

Wygląda na to, że Drake jest pod wrażeniem.

– Macie całe Pismo Święte w głowie?

– Bruno jest mistrzem sztuki zapamiętywania – wyjaśnia Sidney dumny z moich umiejętności. – Wynalazł własny system. W jego stronach to uchodzi za rozrywkę. Może ci zacytować całego Homera, jeśli będziesz znudzony któregoś wieczoru.

– Dzięki temu podróż szybko zleci – wtrąca Thomas Drake, unosząc brew.

Odwzajemniam jego sarkastyczny uśmiech i stukam palcem w kartkę, którą trzyma Sidney.

---

* *Biblia Tysiąclecia*, Wydawnictwo Pallottinum, Poznań 2003.

– Myślicie, że ten wers jest jakimś nawiązaniem do śmierci Dunne'a?

– Przysłany w dniu, gdy umarł, na pozór odbierając sobie życie przez powieszenie? Nie widzę, jak inaczej można by to odczytać – mówi Drake.

– Wedle *Ewangelii Mateusza* Judasz Iskariota powiesił się z powodu wyrzutów sumienia po tym, jak zdradził swego pana – mówię, przeglądając tekst widoczny w moim umyśle. – Czyżby ten tajemniczy korespondent chciał zasugerować, że Dunne zrobił to samo? Że się powiesił z poczucia winy? Czy Dunne kogoś zdradził?

– Przecież nie wierzymy, że Dunne sam się powiesił – zaznacza Sidney.

Patrzymy na Drake'a. Z ciężkim westchnieniem otwiera torbę na kolanach.

– Zdrada. Możliwe. A może wers nawiązuje do czegoś innego. – Sięga do torby i wyjmuje oprawiony manuskrypt. Natychmiast się prostuję, ciarki przebiegają mi po plecach. W ciągu trzynastu lat pobytu w klasztorze San Domenico Maggiore wiele czasu spędziłem w skryptorium i w archiwach tamtejszej biblioteki, a później wśród księgarzy w Wenecji. Umiem rozpoznać stare rękopisy niemal dotykiem i węchem i opowiedzieć o ich pochodzeniu na podstawie oprawy, welinu, ornamentacji. Nie muszę dotykać tego, który Drake ostrożnie trzyma w palcach, żeby wiedzieć, że jest stary i niezwykły. Odruchowo podchodzę i sięgam po księgę.

Unosi rękę.

– Proszę o chwilę cierpliwości, panowie. Opowiem pewną historię, która pomoże wyjaśnić, co mam zamiar wam pokazać.

Sidney zaciska ręce wokół kolan jak dziecko, które z niecierpliwością czeka przy fotelu dziadka. Zmieniam pozycję przy kominku i skupiam na Drake'u całą uwagę.

– Zaczyna się osiem lat temu, na początku mojej podróży dokoła świata – powiada Drake. – Czy mówi ci coś nazwisko Thomas Doughty?

Kieruje pytanie do Sidneya, który siada prosto, wyraźnie zaskoczony.

– Doughty? Ależ oczywiście, pracował dla mojego wuja, hrabiego Leicester, zanim został... – Hamuje się, niepewnie patrząc na Drake'a. – Zanim zmarł.

– Został stracony – precyzuje szorstko Drake. – W zapomnianym przez Boga miejscu zwanym Puerto San Julián, w Patagonii, na końcu świata. Ścięto mu głowę na oczach mojej całej załogi i zapewniam, że nie bez powodu, bez względu na to, jakie plotki mogłeś słyszeć na dworze. – Wysuwa podbródek, jakby wyzywał nas do zakwestionowania jego słów. Sidney lekko się kurczy na krześle. – Ale to nie jest początek historii – kontynuuje Drake łagodniejszym tonem. – Niedługo po rozpoczęciu podróży, niedaleko Wysp Zielonego Przylądka, zdobyliśmy niewielki statek, *Santa Marię*. Płynął do Ameryki, więc nie miał w ładowniach niczego cennego, ale był wart zachodu z powodu zapasów, a ponadto mogliśmy wykorzystać dodatkowy statek. Wysadziłem załogę do szalup i pozwoliłem im dryfować do brzegu. Pomimo złej reputacji, jaką mi wyrabiają Hiszpanie, w miarę możliwości wolę dotrzeć tam, gdzie chcę, bez rozlewu krwi. Jednakże zdarzył się niefortunny wypadek. – Milknie i pociera kark, jakby wspomnienie to sprawiało mu przykrość. – Na pokładzie *Santa Marii* przebywał młody ksiądz, jezuita podróżujący do kolonii. Kiedy weszliśmy na pokład, zabarykadował się w prywatnej kajucie, mimo że kapitan złożył broń prawie bez walki. Thomas Doughty i jego brat, John, wyłamali drzwi. Zapędzili młodego księdza w kąt. Powiedzieli, że trzymał sztylet, a drugą ręką przyciskał do piersi drewnianą szkatułę. Naturalnie założyli, że zawartość musi być cenna; kilka razy zażądali, by ją im oddał, ten jednak odmówił. Kiedy Doughty zrobił krok w jego stronę, ksiądz skoczył na braci i przeklinając straszliwie, rzucił na nich klątwę. Należy to uznać za akt lekkomyślnej desperacji, bo przecież bracia byli uzbrojeni w rapiery, zatem gdy ksiądz zaatakował ich sztyletem, Thomas Doughty go przebił. W momencie, w którym jezuita zrozumiał, że umiera, próbował wyrzucić szkatułę przez okno, ale John Doughty zdołał temu zapobiec. Możecie sobie wyobrazić ich rozczarowanie, kiedy zobaczyli, że w środku znajdował się tylko ten stary manuskrypt napisany w języku, którego żaden z nich nie umiał odczytać.

Przerywa opowieść i gestem prosi brata, żeby mu podał wino. Thomas Drake napełnia kielich z dzbana stojącego na stoliku przy drzwiach, i nam również proponuje wino. Sidney przyjmuje poczęstunek, natomiast ja kręcę głową, chcąc usłyszeć ciąg dalszy historii. Już wybiegam myślą do przodu i wbijam wzrok w manuskrypt należący do Drake'a; jeśli ksiądz był skłonny do poświęcenia własnego życia, by ocalić te stronice, albo cisnąć je do morza, tak aby nie dostały się w niepowołane ręce, książka musi mieć jakąś wartość. Taką, którą tylko drugi uczony może oszacować.

– Ponieważ żaden z nas nie umiał go odczytać, manuskrypt trafił do ładowni *Santa Marii* – mówi Drake po długim łyku wina. – Wraz z innymi łupami zamknięto go w skrzyni do późniejszej inwentaryzacji. Incydent z księdzem był godny ubolewania i załoga nie kryła niezadowolenia z tego powodu pomimo całej nienawiści do Hiszpanów. Thomas Doughty nie cieszył się uznaniem, był arogancki i uważał, że dżentelmen nie powinien przykładać się do pracy fizycznej. Ledwie opuściliśmy Plymouth, doszły mnie słuchy, że Doughty otwarcie krytykuje moje dowództwo, tak więc byłem zmuszony udzielić mu reprymendy, co zrodziło obopólną urazę. Załoga zaczęła poszeptywać, że zabójstwo księdza ściągnęło klątwę na naszą wyprawę. Niektórzy powiadali, że wydając ostatnie tchnienie, wezwał diabła.

Drake bierze łyk wina i kontynuuje:

– *Santa Maria* została przemianowana na *Mary* na cześć mojej pierwszej żony. Z myślą, że może w ten sposób przekonam ludzi o moim zaufaniu do tego człowieka i w ten sposób uciszę jego buntownicze pomruki przeciwko mnie, wyznaczyłem Doughty'ego na kapitana. Popełniłem poważny błąd, co szybko sobie uprzytomniłem. Wysłałem brata na *Mary*, żeby dostarczył mi manuskrypt wraz z kilkoma innymi cennymi przedmiotami, bo niezupełnie ufałem Doughty'emu.

– Przyłapał mnie, gdy je zabierałem, i zarzucił mi kradzież – wtrąca Thomas Drake. – Stało się to powodem wielkiej kłótni z sir Francisem. Doughty oskarżył nas obu o szabrowanie tego, co prawowicie należy do wszystkich, którzy przyczynili się do zdobycia statku. Podczas gdy się przekrzykiwali, ktoś z załogi szeptem mnie powiadomił, że niejeden raz widziano, jak Doughty wychodził z ładowni, lecz nikt nie śmiał go zatrzymać. Rzeczywiście w jego kajucie znaleźliśmy kilka pierścieni i monet z *Santa Marii*. Twierdził, że jeńcy dali mu to w prezencie, ale nikt nie dał mu wiary, z wyjątkiem jego brata i kilku malkontentów, których przeciągnął na swoją stronę.

Zaciska zęby; wyraźnie wspomnienie braci Doughtych wciąż burzy mu krew w żyłach.

– Odebrałem Doughty'emu dowództwo *Mary* i przeniosłem go na inny statek – mówi Drake, podejmując opowieść. – Tam z bratem zaczęli knuć przeciwko mnie na poważnie. Thomas Doughty rozpuszczał plotkę, że rozkazałem mu zabić księdza, by ukraść diabelską księgę. John Doughty wmawiał ludziom, że obaj z bratem znają się na czarach i mogą przywołać diabła, by rozpętał sztorm, który zniszczy mój okręt flagowy i każdego, kto im się przeciwstawi. Inni powiadali, że Thomas Doughty obiecywał im sowite nagrody po powrocie do Anglii, jeśli staną po jego stronie, wzniecą bunt i uczynią go dowódcą wyprawy. Nawet się chełpił, że zanim marynarze go nim uczynią, może sprawić, by wielu ludzi z załogi powyrzynało się nawzajem i skończyło w morzu jako pokarm dla ryb. – Splata palce i przyciska je do ust. – Powiedzcie mi, czy miałem tolerować taką jawną groźbę dla mojego zwierzchnictwa?

Przenosi spojrzenie z Sidneya na mnie, pytająco unosząc brwi. Przypuszczam, że to pytanie retoryczne, ale obaj energicznie kręcimy głowami.

– W istocie, nie. Kazałem go przywiązać do grotmasztu na znak, że to nie przelewki. Kiedy został uwolniony, wysłałem go na jeden ze statków zaopatrzeniowych, gdzie, jak myślałem, nie wyrządzi szkody. Przez sześćdziesiąt dni żeglowaliśmy na południowy zachód przez Atlantyk, nie widząc lądu, i przez cały czas byłem świadom, że brat Doughty'ego i ich zwolennicy wciąż zmawiają się przeciwko mnie, niezadowoleni z tego, jak go potraktowałem. Dyscyplina była w niebezpieczeństwie, więc kiedy dotarliśmy do Puerto San Julián, powołałem radę przysięgłych, żeby go osądzić za zdradę. Resztę znacie. – Sączy wino i odwraca wzrok, jakby nie chciał relacjonować zakończenia opowieści.

W pokoju zapada cisza, gdy Drake i jego brat wracają wspomnieniami do tamtych wydarzeń. Patrzę na dowódcę; mówił tak, jakby żałował tej sprawy z Thomasem Doughtym, lecz mimo to wykrywam tę cechującą go niezachwianą bezwzględność. Drake nie jest człowiekiem, z którym chciałbyś się poróżnić, myślę nie po raz pierwszy.

– A co z manuskryptem? – przypominam, wskazując księgę. Drake obraca się w moją stronę i mruga, jakby próbował sobie przypomnieć, gdzie przerwał wątek opowieści.

– Manuskrypt – mówi z namysłem. – Tak. Zatrzymałem na pokładzie nawigatora z *Santa Marii*, Hiszpana o nazwisku Jonas. Już żeglował do wybrzeży Brazylii i uznałem, że jego wiedza może okazać się przydatna. Mówił dobrze po angielsku i zgodził się pełnić rolę tłumacza. Od niego też dowiedziałem się trochę o młodym księdzu, którego zabili bracia Doughty. Zwał się ojciec Bartolomeo i był Hiszpanem, ale wstąpił do Kolegium Jezuickiego w Rzymie i dzięki temu objął stanowisko w Bibliotece Watykańskiej. Wszedł na pokład *Santa Marii* w ostatniej chwili, przybywszy dzień przed postawieniem żagli. Błagał o zabranie go do Indii Zachodnich, twierdząc, że musi się pilnie skontaktować z przełożonym zakonu jezuitów w Brazylii. Miał z sobą tylko tę drewnianą skrzynkę, której nigdy nie spuszczał z oka. Był dalekim krewnym kapitana, więc ten zgodził się wyświadczyć mu przysługę i znalazł dlań koję. Jonas powiedział, że ojciec Bartolomeo stronił od innych i rzadko wychodził z kajuty, więc nieczęsto go widywał, ale uznał, że jezuita zachowuje się jak człowiek zdjęty strachem o życie. Był nerwowy, zawsze spoglądał przez ramię, nawet kiedy odbili od brzegu. Marynarze zaczęli się zastanawiać, czy ukradł to coś, co trzyma w skrzynce, i ucieka przed wymiarem sprawiedliwości. Kiedy rozległy się krzyki, że mój okręt atakuje *Santa Marię*, ksiądz według Jonasa zamknął się w kajucie, ale wszyscy na pokładzie słyszeli, jak wołał do Jezusa, Maryi i wszystkich świętych, żeby mu wybaczono ściągnięcie gniewu bożego na tę wyprawę.

– Co przez to rozumiał? – pyta Sidney.

Drake wzrusza ramionami.

– Gdyby żył, może mógłby to wyjaśnić albo przynajmniej powiedzieć nam coś o tej księdze. Jednakże bracia Doughty zadbali, żeby zabrał wyjaśnienia z sobą do swojego Stwórcy.

– Czy mógłbym zobaczyć manuskrypt? – proszę cicho, nie będąc w stanie dłużej hamować ciekawości.

Drake się waha.

– Nie jestem uczonym, jak już wspomniałem. Ale nawet ja wiem, że człowiek niechętnie oddaje życie z powodu księgi. Trzymałem ją w zamkniętej szkatule i pod kluczem w mojej kajucie do końca podróży. Prawie o niej zapomniałem z powodu procesu Doughty'ego i wszystkiego, co nastąpiło później.

Wciąż wyciągam rękę, zachęcająco kiwając głową jak do dziecka, żeby się rozstało z ulubioną zabawką. Drake się uśmiecha.

– Jakiś ty niecierpliwy, panie. I nie jesteś odosobniony w swojej chęci zdobycia tej księgi. Ale najpierw chcę usłyszeć obietnicę zachowania całkowitej tajemnicy. Od ciebie również, sir Philipie. Cokolwiek zawiera ta księga, z jej powodu zginęło już dwóch ludzi. Im mniej osób będzie wiedziało, że mam ją tutaj, tym lepiej.

– Przyrzekam – oświadczam uroczyście. – Na wszystko, co dla mnie święte.

Sidney kątem oka obrzuca mnie rozbawionym spojrzeniem; pewnie się zastanawia, co dla kogoś takiego jak ja może być świętością. Choć lubi uważać się za śmiałego myśliciela, jest posłusznie ortodoksyjny w swojej protestanckiej wierze.

– I ja – mówi Sidney. – Przysięgam na moje życie.

Najwyraźniej Drake'owi to wystarcza, przechodzi bowiem przez pokój i wkłada manuskrypt w moje ręce z taką czułością, jakby mi powierzał swoje nowo narodzone dziecko. Skóra okładek jest sztywna pod moimi palcami; gdy otwieram księgę, co zdaje się trwać wieki, uświadamiam sobie, że zapomniałem oddychać.

– Jeśli zdołasz rzucić trochę światła na manuskrypt, Bruno, to może wyjaśnić pewne rzeczy – odzywa się Drake. – Chciałbym przynajmniej wiedzieć, co to takiego. Nawet nie mam pojęcia, w jakim języku została napisana.

– To dość stary koptyjski tekst – mruczę, przebiegając wzrokiem po kilku pierwszych linijkach. Nagle serce zamiera mi w piersi.

– Co? – pyta Sidney, spoglądając nad moim ramieniem. – Co to jest, Bruno? Zbladłeś jak trup.

Unoszę głowę, patrzę na Drake'a, chwilowo ograbiony z możliwości odezwania się czy poruszenia. Kiedy w końcu odzyskuję głos, z mojego gardła płynie tylko chrypienie.

– Pokazywałeś to komuś, panie?

Drake ściąga brwi.

– Bardzo niewielu osobom.

– Chodzi mi o to… czy pokazałeś manuskrypt komuś, kto mógł się zorientować, co to takiego?

– Kazałem ją wycenić księgarzowi. Dunne go polecił.

– Robert Dunne?

– Tak – odpowiada sir Francis z lekko zniecierpliwioną miną. – Po powrocie z podróży dokoła świata zapomniałem o tej księdze. Leżała w skrzyni z wieloma innymi cennymi przedmiotami, które przywiozłem. Rozumiesz, panie, nie wszystko, co zabrałem Hiszpanom z błogosławieństwem Jej Królewskiej Mości, trafiło do inwentaryzacji w Tower.

Kiwam głową i natychmiast wyrzucam jego słowa z pamięci.

– Dopiero gdy kupiłem stare opactwo Buckland, została wydobyta z magazynu. Po raz pierwszy miałem bibliotekę, jak przystoi dżentelmenowi… – szczerzy zęby do Sidneya – i manuskrypt spoczął na półce. Zawsze chciałem go wycenić, ale życie stawiało na mojej drodze ważniejsze sprawy. Moja pierwsza żona zmarła, wybrano mnie na burmistrza Plymouth, a następnie zostałem członkiem parlamentu. Wiecznie byłem w drodze do i z Londynu, przez cały czas próbując sfinansować moją ekspedycję do Ameryk. Stara księga wyleciała mi z pamięci. Pewnego dnia Dunne przyjechał na kolację do Buckland… Jego rodzinna siedziba znajdowała się niedaleko. Zapytał mnie, czy wciąż mam ten tajemniczy manuskrypt i czy może go obejrzeć. Wyszukałem księgę w bibliotece, grubo pokrytą już kurzem, a on studiował ją przez jakiś czas. Zaproponował, że zabierze ją do Londynu i zleci wycenę jakiemuś znajomemu, księgarzowi, który zna się na takich rzeczach i mógłby mi za nią dobrze zapłacić.

– Czy Dunne mógł ją przeczytać? – pytam. Zimny węzeł zaciska się w moim brzuchu. – Czy był wystarczająco wykształcony? Czy wiedział, co to za dzieło?

– A co to jest? – Sidney się niecierpliwi, pociągając mnie za rękaw jak dziecko. Nie zwracam na niego uwagi, czekając na odpowiedź Drake'a.

– Chyba nie – odpowiada powoli, wpatrując się w manuskrypt teraz takim wzrokiem, jakby się go obawiał. – Ale nie potrafił ukryć zainteresowania, więc naturalnie stałem się podejrzliwy. Było dla mnie jasne, że już z kimś rozmawiał o księdze i doszedł do przekonania, że jest sporo warta. – Wzdycha. – Dunne był dobrym żeglarzem. Bóg mi świadkiem, że mówienie o nim źle sprawia mi przykrość i czynię to niechętnie, ale jedną jego wielką słabością był hazard. Miał ogromne długi, zarówno w Plymouth, jak też w Londynie, i zawsze szukał sposobów na trzymanie wierzycieli z dala od siebie. Wiem, że gdybym mu pozwolił zabrać księgę, nie ujrzałbym połowy jej wartości, o ile w ogóle dostałbym miedziaka. Dlatego mu powiedziałem, że sam zabiorę manuskrypt do tego księgarza, gdy następnym razem będę w Londynie, i dam mu prowizję, jeśli uzyskam dobrą cenę.

– Ale go nie sprzedałeś – mówię prawie szeptem, czubkami palców gładząc pergamin tak delikatnie, jakby był kobiecą skórą.

– Ten księgarz nie wzbudził mojego zaufania. – Drake siada na brzegu łóżka, patrząc na mnie. – Tak, pokazałem mu księgę. Udał wielkie rozczarowanie, powiedział, że nie tego się spodziewał, że jest niewiele warta. Mimo wszystko zaproponował kupno za cenę, która miała sprawić, że poczuję, iż wyświadcza mi łaskę. Ale dostrzegłem błysk w jego oczach, błysk zachłanności, rozumiecie? Nie zdołał go ukryć.

– Czy powiedział coś o księdze?

Drake kręci głową.

– Powiedział, że to stara legenda o Judaszu Iskariocie, interesująca tylko dla teologów. Ja na to, że chciałbym ją wycenić gdzieś indziej, a on natychmiast podwoił ofertę. Wtedy go powiadomiłem, że księga nie jest na sprzedaż. – Przerywa, żeby wypić haust wina. – Niespełna miesiąc później mieliśmy włamanie w Buckland.

– Szukali manuskryptu?

– Tak sądzę. Biblioteka została przetrząśnięta, ale, o ile mogłem się zorientować, nic nie zginęło i wszystkie cenne przedmioty w domu zostały nietknięte. Gdy się zastanawiałem, co zrobić, manuskrypt leżał w moim skarbcu. Po tym zdarzeniu wynająłem więcej strażników do pilnowania domu, ale byłem pewien, że włamanie miało związek z człowiekiem, do którego wysłał mnie Dunne.

– Ten księgarz... – Wątpliwości podnoszą mi włoski na karku. – Czy pamiętasz jego nazwisko, panie?

Drake ściąga brwi.

– Nie jestem pewien, czy w ogóle je poznałem. Dunne zabrał mnie na spotkanie z nim w Paul's Churchyard... jeśli zostaliśmy sobie formalnie przedstawieni, zapomniałem, jak się nazywał. Powiem jednakże o nim pewną znamienną rzecz.

– Tak? – Unoszę brwi, choć jestem prawie pewien, co zaraz usłyszę.

– Nie miał uszu.

Sidney i ja wymieniamy znaczące spojrzenia.

– Był to kolejny powód, żeby mu nie ufać – kontynuuje Drake, choć zauważył nasze spojrzenia. – Nie traci się obojga uszu przez przypadek. Wyraźnie został ukarany jako pospolity przestępca, aczkolwiek nie wiem za co.

– Za wichrzycielstwo – mówię prawie bez jednej myśli. Drake wlepia we mnie oczy.

– Znasz, panie, tego człowieka?

– Możliwe. – Przez chwilę błądzę palcami przy gardle, gdy przez moją głowę przemykają wspomnienia z czasów spędzonych w Oksfordzie.

– Ilu księgarzy ma obcięte oboje uszu? – zwraca się do mnie Sidney. – To musi być on.

– Dobrze, że nie sprzedałeś mu, panie, księgi – wyznaję z ulgą. – Choć to go zapewne nie powstrzyma od próby jej zdobycia za wszelką cenę, jeśli mówimy o tym samym człowieku.

– Zatem jest cenna? – Drake pochyla się z błyskiem w oczach.

– Na litość boską, Bruno…. powiedzże nam, co to takiego! – dopomina się zniecierpliwiony Sidney.

Biorę głęboki wdech i staram się mówić spokojnym głosem:

– Święte Oficjum zaświadcza, że ta księga nie istnieje. Biskup Ireneusz z Lyonu wspomniał o niej w drugim stuleciu, w swoim traktacie przeciwko herezjom gnostycznym, ale z tego, co wiem, to jedyne zachowane nawiązanie. Biblioteka Watykańska zawsze przeczyła jej istnieniu, chociaż nie powstrzymało to uczonych od tropienia jej śladów…

– Oszczędź nam wykładu, człowieku, i przejdź do rzeczy! – warczy Thomas Drake ze swojego posterunku przy drzwiach. – Powiedz nam wreszcie, co to takiego.

Patrzę na niego, dopóki nie odwraca wzroku, i wtedy zaczynam czytać tak cicho, jak to możliwe:

– *Tajna relacja z tego, co Jezus wyjawił podczas rozmowy z Judaszem Iskariotą trzy dni przed Paschą.*

Thomas Drake tylko mruga i wzrusza ramionami. Sir Francis zerka na manuskrypt ze zmarszczonym czołem, jakby próbował odgadnąć jego znaczenie. Tylko Sidney patrzy na mnie z błyskiem zrozumienia.

– Świadectwo Judasza Iskarioty. – Waha się. – Ale z pewnością musi być zmyślone?

Delikatnie pocieram pergamin w palcach.

– Niekoniecznie.

– Nadal nie jestem ani trochę mądrzejszy – wyznaje Drake. – Czy raczyłbyś oświecić prostych żeglarzy?

Patrzę na niego, zastanawiając się, od czego zacząć.

– Pismo Święte zawiera cztery relacje o życiu i śmierci Jezusa Chrystusa, zwane Ewangeliami czerech ewangelistów, zaakceptowanymi przez ojców Kościoła jako prawdziwe, natchnione przez Boga i mniej więcej wzajemnie się potwierdzające. To wszyscy wiemy. – Stukam palcem w księgę leżącą na moich kolanach. – Jednakże we wczesnych latach Kościoła krążyło wiele innych relacji, alternatywnych ewangelii, dla których nie znaleziono miejsca w ortodoksyjnej doktrynie. Dlatego zostały wyrugowane, zniszczone, zakazane. Wśród nich podobno miała się znajdować *Ewangelia Judasza*.

Drake popatruje to na mnie, to na księgę.

– Napisana przez niego samego?

– Niektórzy tak uważają. Wokół jej treści narosło wiele legend. Gnostycy wierzą, że oczyszczała Judasza Iskariotę i wyjawiała całą prawdę o historii zbawienia, co podkopałoby fundamenty wiary chrześcijańskiej. – Ręce, w których trzymam księgę, drżą, gdy to mówię. – Jeśli ten manuskrypt okaże się autentyczny, jeśli dowiedzie, że historia ludzkiego zbawienia została oparta na fałszywych relacjach, jeśli istnieje inna wersja historii... co wtedy?

– Co powinno się zrobić z manuskryptem? – pyta Drake. Wyraz jego twarzy sugeruje, że ma kłopoty, żeby to wszystko sobie przyswoić.

– Najlepiej na razie trzymać w zamkniętej szkatule i w kajucie pod kluczem. I pod żadnym pozorem nie sprzedawać księgarzowi bez uszu.

– Dlaczego? Na co mu ta księga? – pyta Thomas Drake.

– Jeszcze nie wiem. – Patrzę na manuskrypt; nie ma sposobu na oszacowanie jego znaczenia bez przeczytania całości tekstu. – Może chce ją sprzedać temu, kto da najwięcej. A może ma inne plany.

– O, nie, nie, nie. Jeśli można dostać dobrą cenę za tę księgę, to ja ją uzyskam. – Sir Francis zaciska szczęki i przewierca mnie wyzywającym spojrzeniem.

– Jezuita już zapłacił za nią wysoką cenę. Pracował dla Biblioteki Watykańskiej, powiadasz, panie?

– Według Jonasa. A dlaczego pytasz, doktorze Bruno?

– Rozsądnie byłoby założyć, że tam znalazł księgę. Dlaczego ją zabrał, by wywieźć na koniec świata? Zrobił to za wiedzą swoich zwierzchników czy bez niej? Tak czy inaczej, ktoś musiał zauważyć, że zniknęła, i ruszył jej tropem. Nie byłbym zaskoczony, gdybym się dowiedział, że szukają jej agenci Świętego Oficjum. – Przebiega mnie dreszcz, gdy mówię te słowa. Jeśli jest coś, czego braku nie można zarzucić rzymskiej inkwizycji, to na pewno nieustępliwość. Zastanawiam się, czy wciąż mnie szukają. Spuszczam oczy i biorę głęboki wdech. Może już o mnie zapomnieli? Jestem wolnym człowiekiem, przebywam w kraju protestanckim, minęło dziewięć lat, odkąd raczej porzuciłem mój klasztor w Neapolu, niż zbiegłem z obawy przed inkwizycją... Ale to płonne nadzieje, znam przecież odpowiedź: inkwizycja nigdy nie zapomina. – Ta księga może rozedrzeć Kościół na strzępy – dodaję, unosząc wzrok i napotykając szczere spojrzenie Drake'a. – Może pogrążyć Europę w wojnie, jeśli jej treść wyjdzie na jaw. Możesz być pewny, panie, że Watykan chce ją odzyskać, i to za wszelką cenę.

– Europa już się burzy z powodu interpretacji Pisma Świętego – powiada Sidney, jakby cała ta sprawa go nudziła. – Chleb, wino, ciało, krew. Papież, predestynacja. Jaką różnicę może uczynić jedna więcej ewangelia?

Patrzę na niego z wyrzutem.

– Możesz tak mówić, ponieważ w twoim kraju nigdy nie działała inkwizycja.

– Mieliśmy Krwawą Marię – ripostuje. – Żyje jeszcze wielu tych, którzy pamiętają, do jakich okrucieństw dopuściła w imię zachowania czystości wiary.

Drake wciąż na mnie spogląda z podbródkiem opartym na pięści.

– Chyba najlepiej będzie przekazać ją Jej Królewskiej Mości. Może dać ją swoim uczonym, żeby ją przestudiowali, i kazać ją zniszczyć, jeśli uzna to za stosowne rozwiązanie. Za skarby świata nie oddam jej w ręce papieża.

– Ale ktoś powinien ją najpierw przeczytać – mówię szybko. – I sporządzić kopię, na wypadek gdyby cokolwiek się stało z tym egzemplarzem.

– Przez tego kogoś, jak mniemam, rozumiesz siebie? – pyta Thomas Drake sardonicznym tonem, jaki rezerwuje dla mnie i Sidneya.

– Chyba że umiesz przeczytać pismo koptyjskie, Thomasie Drake. Nie widzę nikogo innego odpowiedniego do tego zadania – odparowuje cios Sidney w mojej obronie.

Thomas patrzy na niego spod przymrużonych powiek.

– Więc twój przyjaciel, panie, proponuje, żeby powierzyć mu księgę. Jaką mamy gwarancję, że znowu ją zobaczymy? Jak się zdaje, dobrze zna tego księgarza i ma dobre pojęcie o jej wartości. I, za przeproszeniem, jest Włochem.

– Macie moje słowo honoru, panowie, co powinno wystarczyć wśród dżentelmenów – oznajmia z naciskiem Sidney. Wstaje i odruchowo sięga ręką do rapiera. Thomas Drake robi krok do przodu, wypinając pierś. Nie umknęło mu znaczenie słów mojego przyjaciela i ich implikacje.

– Spokój, obaj! – przykazuje Drake z ostrzegawczym spojrzeniem. Przywołany do porządku Sidney siada, a Thomas wraca na swoje miejsce przy drzwiach. – Oczywiście to Bruno musi ją przeczytać. Ale będziesz musiał to zrobić, panie, w mojej kajucie, na pokładzie *Elizabeth*. Pewien mądry człowiek poradził mi, żebym nie spuszczał jej z oka. – Uśmiecha się na znak, że nie zamierzał nikogo obrazić.

– Ale co to wszystko ma wspólnego ze śmiercią Roberta Dunne'a? – odzywa się Thomas, choć mniej buńczucznie niż wcześniej.

Drake kręci głową.

– Czy ktoś przejrzał jego rzeczy osobiste? – pytam.

– Nie – mówi Drake. – Pomyślałem, że każę je zebrać dla bliskich, kiedy przybędą, ale nie miałem czasu. Kajuta jest zamknięta na klucz od czasu wyniesienia stamtąd ciała.

– To dobrze. W mieście widziano, że się spotykał z dwoma nieznajomymi. Warto byłoby sprawdzić, czy z kimś korespondował albo czy może jest tam coś, co pomogłoby ich zidentyfikować. Chociaż przypuszczam, że obecnie mamy już pewne pojęcie. – Zerkam na Sidneya. – Trzeba sprawdzić, czy uda nam się odkryć, kto przyniósł do gospody Pod Gwiazdą list z nawiązaniem do Judasza. Chciałbym też porozmawiać z tym hiszpańskim tłumaczem o młodym jezuicie. – Mój umysł już pracuje, pozostawiając w tyle moje własne zastrzeżenia.

– Mówiłem ci… Bruno migiem wykryje zabójcę – mówi Sidney, z satysfakcją zacierając ręce.

Drake kiwa głową, choć nie wygląda na zupełnie przekonanego.

– Czy możesz działać dyskretnie, panie? Nie chcę jeszcze bardziej trwożyć ludzi podejrzeniami, że popełniono morderstwo. Ani wdowy po Dunnie, która będzie tu lada dzień... Lepiej, by wierzyła, że zginął z własnej ręki, bo inaczej wpadniemy w sądowe wnyki i flota nigdy nie wyjdzie w morze.

Znowu uderza mnie to, że nie bawi się w sentymenty.

– Nie ma obawy. Bruno, jeśli tylko chce, potrafi być przebiegły jak sam diabeł – mówi gładko Sidney.

Już mam zaprotestować przeciwko takiemu porównaniu, kiedy rozlega się głośne pukanie do drzwi. Wszystkich nas przebiega nerwowe drżenie. Thomas Drake odskakuje, gdy drzwi się otwierają. Wchodzi lady Drake, ściągając rękawiczki, a za nią jej kuzynka.

– Może przynajmniej zaczekasz, Elizabeth, aż ktoś powie „proszę"? – burczy Drake, choć jego twarz wyraża ulgę. – Ktoś powinien pilnować drzwi. Czyżby nie wypełniał swojego zadania?

– Powiadomiłam go, że to mój pokój i nie może zabronić mi wstępu – odrzeka lady Drake, patrząc na nas z uśmiechem. – Zakończyłeś swoją tajną naradę? Sprzykrzyło nam się czekanie na was, no i wreszcie wyszło słońce. – Spogląda na księgę na moich kolanach, a później na mnie z pytaniem w oczach. – Więc... tajemnica rozwikłana?

– Poświęcamy jej należne względy – mówi Drake, zanim mam szansę się odezwać. Bierze księgę z mojej ręki i ostrożnie chowa do skórzanej torby. Czuję ukłucie żalu, gdy tom opuszcza moje ręce. Oddałbym prawie wszystko za możliwość spędzenia popołudnia sam na sam z tym manuskryptem.

– Sir Francisie, obiecałeś nam towarzystwo tych wytwornych panów podczas naszej wizyty – przypomina lady Arden z udawaną przyganą – a jednak przez całe popołudnie miałeś ich tylko dla siebie. Musisz nauczyć się dzielić z innymi. – Posyła mi oszałamiający uśmiech i okręca na palcu wstążkę kaptura. Zauważam, że nie umyka to Thomasowi Drake'owi.

– Dobrze. I tak muszę wracać na okręt. Wolałbym nie zobaczyć, że wszyscy zdezerterowali podczas mojej nieobecności. – Drake łagodnie poklepuje lady Arden po ramieniu. – Zejdźmy na dół, panowie.

Razem kłaniamy się paniom.

– Niebawem dołączymy do was w sieni – zapowiada lady Drake. – Sądzę, że powinniśmy wykorzystać piękną pogodę i dopóki można, pospacerować wzdłuż Hoe. Czy zgadzasz się ze mną, sir Philipie? – Patrzy na niego spod rzęs, skromnie składając dłonie.

– Jak sobie życzysz, pani – mówi Sidney z kolejnym ukłonem. Drake wydaje się zadowolony. Jego żona spodziewa się właśnie takich dwornych manier i jest rad, że znalazł dla niej partnera do towarzystwa na odpowiednim poziomie, by schlebiał jej próżności, ale i zachowywał pełen szacunku dystans. Tylko ja widzę wyraz oczu Sidneya. Mam nadzieję, że Drake nie będzie miał powodów żałować swojej decyzji.

Uzbrojony strażnik schodzi za Drakiem i jego cenną torbą po schodach. Nie mogę się powstrzymać, strzelam wzrokiem po korytarzach i zerkam przez ramię, czujny na najlżejszy ruch. Jeśli ta księga wpadnie w niepowołane ręce, zanim będę miał okazję ją przejrzeć, nigdy sobie tego nie wybaczę, a chyba ktoś w Plymouth – może więcej niż jedna osoba – pragnie tego samego równie mocno jak ja. Nie mam wątpliwości, że jest gotów za to zabić.

6

Niebo nad portem jest czyste, kiedy wychodzimy na nabrzeże, odprowadzając Drake'a i jego brata do łodzi, która zabierze ich
z powrotem na *Elizabeth Bonaventure*. Łaty błękitu pojawiają się pomiędzy chmurami i przeglądają w wodzie; przypominają kawałki
barwionego szkła. Łodzie rybackie kołyszą się łagodnie na cumach,
czemu towarzyszy bezustanny łopot żagli, trzeszczenie fałów na
wietrze i poszczękiwanie żelaznych mocowań. Podczas gdy Thomas Drake szuka wioślarzy, a sir Francis żegna się z żoną, odciągam
Sidneya na stronę.

– Czy to może być on?

Patrzy na mnie.

– Rowland Jenkes? Nie rozumiem, jak mógłby to być ktoś inny.

Pocieram zarośniętą szczękę, przypominając sobie księgarza,
którego poznałem w Oksfordzie; został przybity do pręgierza za wichrzycielstwo i odciął sobie uszy, żeby uciec; człowiek ten zarabiał
teraz na życie sprowadzaniem zakazanej literatury katolickiej i bez
wahania zabiłby każdego, kto by stanął mu na drodze.

– Wiemy, że uciekł z Oksfordu i przepadł bez wieści. Miał kontakty ze wszystkimi katolickimi uchodźcami w Paryżu i we francuskich seminariach. Jeśli krążyły pogłoski o księdze, która zniknęła
z Biblioteki Watykańskiej, to błyskawicznie dotarły do jego uszu, że
się tak wyrażę.

Sidney szczerzy zęby, choć jego twarz szybko poważnieje.

– Czy to oznacza, że jest w Plymouth?

Wzruszam ramionami.

– Wygląda na to, że ktoś tutaj szuka manuskryptu, a Robert Dunne w jakiś sposób był w to zamieszany. Ci dwaj mężczyźni, z którymi go widywano... Jenkes mógł być jednym z nich. Jak sądzisz, chcieli się nim posłużyć do kradzieży księgi?

– Ten, który wczoraj przyciągnął twoją uwagę, to Jenkes?

– Możliwe... Jestem pewien, że kiedyś go widziałem. Będziemy musieli na siebie uważać, bo jeśli to on, to na pewno zechce się zemścić za Oksford.

Sidney marszczy brwi.

– W każdym razie śmierć Dunne'a nie ma sensu. Drake mówi, że nikt obcy nie mógłby wejść na pokład bez wiedzy wachtowych, którzy natychmiast zaalarmowaliby oficerów. Mógł go zabić tylko ktoś, kto przebywał na *Elizabeth*. Może ktoś współpracujący z Jenkesem?

– Ale jeśli Dunne pracował dla Jenkesa...

Przerywamy rozmowę, bo przywołuje nas Drake. Obaj z Thomasem już siedzą w szalupie wraz z uzbrojoną eskortą na dziobie. Drake czujnie omiata wzrokiem wodę.

– Później przyślę po was łódź! – woła. – Tymczasem panie będą rade z waszego towarzystwa!

Unoszę rękę tak jakby na pożegnanie, a może w geście salutowania, choć nie mogę oderwać oczu od skórzanej torby, którą sir Francis przyciska do piersi. Pomimo uroku dam chętnie porzuciłbym je w porcie, żeby spędzić kilka godzin sam na sam z manuskryptem. Tylko jedna kobieta miała siłę, by oderwać mnie od książki równie ważnej jak ta, która teraz maleje w rozmigotanej dali, gdy łódź powoli płynie w kierunku falochronu, a potem zupełnie znika z pola widzenia.

– Wolałbyś być, doktorze Bruno, na morzu z mężczyznami, czyż nie tak? – Głos lady Arden przywołuje mnie do rzeczywistości. Odwracam się, a ona stoi przy mnie, niepokojąco blisko, z figlarnym uśmiechem na ustach.

– Ależ skąd – mówię, starając się, by zabrzmiało to wiarygodnie. Odpowiada perlistym, naturalnym śmiechem i odchodzi z nabrzeża. Idę z nią ramię w ramię.

– Nie musisz kłamać z obawy, że zranisz moje uczucia, panie. Okropnie jest być kobietą. Wy, uczeni, zawsze uważacie nasze towarzystwo za gorsze od tego swojej płci, ponieważ myślicie, że nie mamy wartych wysłuchania opinii o polityce, nawigacji, wojnie albo na jakikolwiek inny temat, który uważacie za ważny. Dopiero gdy zapada noc i wypijecie trochę wina, stwierdzacie, że jesteście w stanie tolerować naszą obecność.

– A macie?

– Co? – Przekrzywia głowę, żeby na mnie spojrzeć.

– Warte wysłuchania opinie o polityce i o wojnie.

– Och, setki. I wyłożę je wszystkie podczas przechadzki, zanim będziesz miał okazję odprawić mnie jak każdą inną płochą dziewczynę. – Ujmuje mnie pod rękę.

– Nie mogę się doczekać, pani, żeby ich wysłuchać – zapewniam, świadom lekkiego nacisku jej palców na mój rękaw. – Sądzę, że każdy mężczyzna, który próbował cię odtrącić, ryzykował wiele.

– Szybko się uczysz. – Znowu się śmieje i mocniej ściska moje ramię. – Więc… czytałeś księgę?

– Jaką księgę? – Nie jestem pewien, co Drake powiedział żonie o manuskrypcie. Nie chcę być tym, który ją zatrwoży.

Lady Arden obrzuca mnie takim spojrzeniem, jakie bona rezerwuje dla dziecka.

– Nie udawaj, panie, niewiniątka… Chodzi o księgę, którą, jak myśli sir Francis, ktoś chce mu wykraść. Lizzie przypuszcza, że planuje sprzedać manuskrypt, gdyż potrzebuje więcej pieniędzy na swoją wyprawę. Domyślamy się, że sir Philip chce ją kupić, a ty masz dopilnować, by cena była uczciwa.

– Czy w twoich oczach wyglądam na księgarza?

– Nie na księgarza. Na uczonego. – Milknie, mierząc mnie wzrokiem. – Przynajmniej tak wyglądałeś dziś rano. Zanim wpadłeś do wody. Teraz wyglądasz, panie, bardziej jak… – Przygląda się ubraniom Sidneya.

– Wystrojona małpa?

– Jak sir Philip, chciałam powiedzieć. – Chichocze. – Choć może różnica nie jest zbyt wielka.

– Ha, uznam to za komplement. I nie wpadłem, tylko rozmyślnie wskoczyłem. Gwoli prawdy.

Ponownie się uśmiecha.

– Oczywiście.

Jakby na potwierdzenie moich słów chór przenikliwych głosów rozbrzmiewa za naszymi plecami. Odwracam się i widzę chłopca, którego rano wyciągnąłem z wody. Pędzi ku nam na bosaka, trzymając w rękach coś, co wygląda jak garść liści. Większy chłopak, jego brat, ociąga się z tyłu z grupą dzieciaków w podobnym wieku. Kiedy mały podbiega bliżej, widzę, że przyniósł truskawki.

– Dla ciebie, panie. – Podaje mi owoce z nadzieją na twarzy. Cienka strużka smarków spływa mu z nosa do ust, ale nie może ich obetrzeć, mając zajęte ręce, więc wysuwa język i je zlizuje. Patrzę na niego i nagle wpada mi do głowy myśl, że mało brakowało, a chłopiec ten nie zobaczyłby popołudnia. Włosy wciąż ma sztywne od soli.

– Dziękuję. – Kucam i robię koszyk z dłoni, żeby wziąć owoce. – Jak masz na imię?

– Sam. – Wypina pierś i wyczekująco przenosi spojrzenie ze mnie na truskawki.

Czuję, że powinienem skosztować jego dar, więc ocieram z resztek ziemi jedną truskawkę i wsuwam ją do ust. Jest twarda jak kula i jeszcze niedojrzała, ale udaję, że bardzo mi smakuje.

– Sam, to chyba najlepsze truskawki, jakie jadłem w Anglii.

Dzieciak jest wniebowzięty. Ociera nos rękawem i kaszle, potem biegnie truchtem po kocich łbach do kolegów, którzy już tłoczą się wokół niego i trajkoczą z ożywieniem, pokazując mnie palcami.

– Zyskałeś dozgonnego przyjaciela – mówi lady Arden.

– Truskawkę? – Wyciągam ręce. Patrzy na owoce, lekko krzywiąc usta.

– Nie, jeśli zrywał je tą samą ręką, której używa do wycierania nosa.

Uśmiecham się.

– Może chociaż spróbujesz, pani. Nie lubisz dzieci?

Zerka na gromadę chłopaków.

– Ani tak, ani nie. Moja siostra ma czworo i z przyjemnością je rozpieszczam, przez krótki czas. Mój mąż okazał się tak nierozważny, by umrzeć, nie obdarzywszy mnie potomstwem, co jest postrzegane jako moja wielka porażka. Ilekroć widzę dzieci, szczególnie zdrowych chłopaków, jak ci tutaj, w skrytości ducha czynię sobie wyrzuty.

Nie jestem pewien, co na to powiedzieć, więc milczę. Kiedy dzieci nikną z zasięgu wzroku, rzucam truskawki w krzaki i lady Arden znowu mnie bierze pod rękę. Idziemy za Sidneyem i lady Drake ścieżką, która prowadzi do zamku. Nie ujęła go pod ramię; idą w pełnej szacunku odległości, przechylając głowy ku sobie, żeby wzajemnie się słyszeć podczas rozmowy. Oczywiście oboje mają małżonków. Jestem świadom, że ja i lady Arden nie podlegamy takim ograniczeniom. Czy przystoi, żeby szła ze mną w ten sposób? Ona najwyraźniej o to nie dba; to ja się czuję niezręcznie, jakbyśmy łamali jakąś zasadę przyzwoitości.

– Mój świętej pamięci mąż ma kuzyna, który obecnie jest jedynym dziedzicem jego posiadłości i tytułu. Był dość uprzejmy, żeby zaproponować mi małżeństwo. – Ściąga usta i patrzy na morze, mówiąc te słowa.

– Nie uszczęśliwia cię ta perspektywa, jak mniemam, pani.

Krzywi się.

– Mój mąż zmarł ledwie w ubiegłym roku. Okazał się przyzwoitym człowiekiem, ale nie wyszłam za niego z miłości. Był prawie trzydzieści lat starszy ode mnie. Takie związki rzadko są udane. – Spogląda na lady Drake i na jej twarzy maluje się lekkie poczucie winy. – Byłam żoną przez siedem lat i nie dałam mu powodu do skargi. Jako wdowa będę właścicielką jego majątku, dopóki żyję, teraz sama sobie jestem panią. Chcę trochę dłużej cieszyć się tą pozycją, zanim wyrzeknę się wolności dla innego mężczyzny. Poza tym... – krzywi usta – kuzyn mojego męża przypomina dzika. Myślisz, że mówię w przenośni, ale tu się mylisz. Naprawdę wygląda jak dzik, ze szczeciną i wszystkim innym. Za każdym razem, gdy otwiera usta, żeby się odezwać, mam ochotę wepchnąć w nie jabłko.

Wybucham gwałtownym śmiechem, a ona mi wtóruje, wspierając się na moim ramieniu. Lady Drake i Sidney przystają i odwracają głowy, rozbawieni, choć zauważam, że lady Drake wydaje się też dotknięta.

– Co to za żart, Nell?! – woła. – Podzielisz się nim z nami, prawda?!

– Właśnie mówiłam doktorowi Brunowi o kuzynie Edgarze, zwanym Dzikiem! – odkrzykuje lady Arden, po czym w niezrównany sposób naśladuje świńskie pochrząkiwanie. Sidney patrzy na nią ze zdziwieniem. Całkiem możliwe, że nigdy nie widział dobrze urodzonej damy udającej dzika.

Elizabeth Drake ze śmiechem kręci głową.

– O Boże, tylko nie on – powiada. – Nie, wszyscy uważamy, że zasługujesz na kogoś lepszego. – Na dłuższą chwilę zatrzymuje spojrzenie na mnie i lady Arden przywierającej do mojego ramienia. Kwalifikuję się jako „lepszy" niż utytułowany kuzyn, który wygląda jak dzik, czy nie? Jej mina nie daje mi żadnej wskazówki.

– Lady Drake opowiadała mi o Robercie Dunnie – mówi Sidney, patrząc na mnie znacząco, gdy do nich dołączamy.

– Dobrze go znałaś, pani? – pytam.

– Niezbyt. Ale wszystkie rodziny w Devonshire wzajemnie się znają, rzecz jasna, do pewnego stopnia. Robert Dunne był młodszym synem. Nie umiał gospodarować pieniędzmi i ruszył na morze, żeby zbić fortunę. Po powrocie z podróży z sir Francisem przez jakiś czas uchodził za bohatera, nawet ożenił się z dziedziczką. Jednak później przegrał wszystko, co przywiózł do domu. To strasznie smutne, że sam odebrał sobie życie. – Tym samym tonem mogłaby powiedzieć, że z powodu deszczu nie udał się wiejski festyn. – Gdyby z tego powodu obecna wyprawa nie doszła do skutku, sir Francis byłby zdruzgotany.

A ty? – zastanawiam się, patrząc na żonę Drake'a. Czy liczysz na rok względnej wolności pod nieobecność męża? Przenoszę spojrzenie z niej na lady Arden. Może tego naprawdę pragną wszystkie kobiety: wolności, żeby być sobie sterem, żeglarzem, statkiem, bo pewnie wedle ich wyobrażeń tym cieszą się mężczyźni. Ale tak naprawdę żaden z nas nie jest panem samego siebie w świecie wzajemnych zależności i protekcji. Bez słowa popatruję na Sidneya. Podchwytuję jego spojrzenie; wyraźnie Drake nie chciał przestraszyć żony prawdą o śmierci Dunne'a.

– Przypuszczam, że mój mąż uważa jego śmierć za ciąg dalszy klątwy Johna Doughty'ego – mówi lady Drake, jakby czytała w moich myślach.

– Johna Doughty'ego? Jak zrozumiałem, miał na imię Thomas – mówię skonsternowany.

– Thomas był tym, którego sir Francis zabił za podżeganie do buntu – wyjaśnia lady Arden.

– Kazał stracić – poprawia automatycznie lady Drake. – John jest jego bratem. Wrócił cały i zdrowy z podróży, a gdy tylko dotarł do Londynu, próbował wytoczyć proces mojemu mężowi za umyślne zabójstwo. W owym czasie wybuchł z tego powodu wielki skandal.

– Pamiętam – mówi Sidney, kiwając głową. – John Doughty i jego poplecznicy twierdzili, że sir Francis nigdy nie dowiódł, że ma zezwolenie królowej na wykonywanie wyroków śmierci na morzu. Niektórzy powiadali, że to niebezpieczny precedens, ponieważ bracia Doughty byli szlachetnego rodu, a sir Francis, wybacz mi, pani, w owym czasie jeszcze nie został nobilitowany. Choć oczywiście teraz wszyscy go uważamy za szlachcica – dodaje śpiesznie. Patrzę na niego z ukosa.

– John Doughty przedstawił sprawę na dworze – wyjaśnia lady Drake, ignorując jego uwagę – ale została oddalona z powodu uchybień formalnych. Doughty był przeświadczony, że królowa osobiście interweniowała, żeby jego oskarżenia nie skalały chwały dokonań mojego męża.

– Czy w istocie to zrobiła? – pytam.

– Niewielu w to wątpi – mówi Sidney. – Publicznie broniła Drake'a przed hiszpańskimi oskarżeniami o piractwo i morderstwa. Mało prawdopodobne, że przyzwoliłaby na wysuwanie zarzutów jednemu ze swoich poddanych. – Kręci głową. – Można by niemal współczuć Johnowi Doughty'emu, nie tylko z tego powodu, że jego pozew został odrzucony, ale też dlatego, że niedługo później oskarżono go o przyjęcie pieniędzy od agentów Filipa Hiszpańskiego za porwanie albo zabicie sir Francisa. Został wtrącony do więzienia Marshalsea. Z tego, co mi wiadomo, być może wciąż tam przebywa.

– Nie – przeczy lady Drake. – Zwolniono go wczesną wiosną. Ktoś musiał kupić mu wolność.

– Czy to prawda, że wziął hiszpańskie pieniądze? – pytam.

– Kto wie? Hiszpania wyznaczyła wysoką cenę za głowę mojego męża, tyle jest pewne. Nie brakuje takich, którzy chętnie wbiliby mu nóż w plecy za takie pieniądze, i to z mniej istotnego powodu niż ten, który ma John Doughty. Wiemy tylko tyle, że po wyjściu z więzienia Doughty poprzysiągł zemstę sir Francisowi i wszystkim tym, którzy przyczynili się do śmierci jego brata. Przysłał mojemu mężowi podpisaną krwią wiadomość, że rzucił klątwę na niego i na każdy okręt, którym będzie żeglować, i że nie spocznie, dopóki mój mąż nie zapłaci życiem za śmierć jego brata. Sir Francis wyraził obawę, że czas spędzony w więzieniu odebrał mu rozum.

– Ma talent dramatyczny, ten John Doughty – komentuję. – Można by wystawić jego historię na scenie i gawiedź rykiem domagałaby się więcej.

– Tak właśnie powiedziałam mężowi. – Lady Drake sprawia wrażenie zadowolonej. – Ale John Doughty twierdził, że zna się na czarach. Niektórzy świadczyli przeciwko niemu, mówiąc, iż wypowiadał zaklęcia, by przywołać diabła podczas wyprawy. Sir Francis udał, że ma w pogardzie takie rzeczy, ale w głębi duszy jest przesądny jak wszyscy żeglarze. Zwłaszcza od czasu tych śmierci.

– To znaczy?

– Dwóch przysięgłych, którzy podczas wyprawy skazali na śmierć Thomasa Doughty'ego, zmarło przedwcześnie w ciągu kilku ubiegłych miesięcy. Jeden, podobno zdrów jak ryba, dostał gwałtownych bólów brzucha i rano był martwy. Drugi, doświadczony jeździec, spadł z konia na polowaniu i skręcił kark. – Wzrusza ramionami i rozkłada ręce, jakby wydawała orzeczenie stwierdzające, że zgon mógł nastąpić w wyniku nieszczęśliwego wypadku.

– Coś takiego każdemu się może przytrafić.

– To samo powtarzam sir Francisowi. Ale obaj zmarli po uwolnieniu z więzienia Johna Doughty'ego. A teraz Robert Dunne.

– On też wszedł w skład rady przysięgłych? – pyta Sidney.

Lady Drake przytakuje.

– Mój mąż mówi, że to długi hazardowe doprowadziły go do rozpaczy, lecz w oczach sir Francisa widzę, że sam w to nie wierzy. Dlaczego człowiek, który nazajutrz miał wyruszyć na wyprawę po skarby, miałby odbierać sobie życie? Z pewnością podejrzewa, że Dunne został zamordowany, i to podsyca jego obawy.

– Może zbyt nisko szacujesz jego odwagę, pani – powiadam, siląc się na uspokajający ton. Lady Drake spogląda na mnie ostro.

– W takim razie dlaczego opóźnia wyjście floty w morze?

Kręcę głową.

– Nie twierdzę, że znam jego powody. – Myślę, lecz nie mogę tego udowodnić, że klątwa Johna Doughty'ego nie miała nic wspólnego z siłami nadprzyrodzonymi. Może ci przysięgli zmarli wskutek nieszczęśliwych wypadków, a może nie. Człowiek skupiony na zemście z pewnością może znaleźć okazję, żeby podsunąć komuś truciznę albo spłoszyć konia. A teraz Robert Dunne, powieszony we własnej kajucie. Jeśli ten John Doughty wydał wyrok śmierci na tych, których uważa za morderców swojego brata, i likwiduje jednego po drugim, to załatwiwszy Dunne'a, zbliżył się niebezpiecznie blisko do największego celu ze wszystkich – samego Drake'a. Nic dziwnego, że dowódca floty się boi. Ale co ta historia, jeśli w ogóle, ma wspólnego z księgą Judasza?

Zimny wiatr od morza dźga nas niczym nóż. Lady Arden drży i szczelniej otula szalem ramiona. Zamek piętrzy się na lewo od nas, cztery przysadziste wieże od północy górują nad miastem, a od południa nad zatoką. *Elizabeth Bonaventure* kołysze się na falach; na pokładzie znajduje się manuskrypt, który może wstrząsnąć posadami wiary chrześcijańskiej, myślę, i opada mnie dziwny niepokój, melanż ekscytacji i strachu.

Sidney teraz idzie ze mną, a kobiety przed nami, ramię w ramię, z blisko przysuniętymi głowami, gdy dzielą się zwierzeniami. Sidney patrzy na mnie spod przymrużonych powiek.

111

– Założę się, że będziesz ją miał, zanim opuścimy Plymouth – szepcze.

Uśmiecham się.

– Wolałbym, Philipie, żebyś nie wyrażał się tak dosadnie.

– Dlaczego nie miałbym być szczery? Przecież ona nie zadaje sobie trudu, żeby ukryć, jak bardzo jej się podobasz. Nie sądzę, żeby osiągnięcie celu wymagało od ciebie wymyślnych zalotów. – Splótł ramiona na piersi, wciąż wpatrzony w kobiety. – Wdowy... – zawiera w tym słowie mieszaninę pożądania, pogardy i strachu, kwintesencję uczuć mężczyzn do pań, które ich onieśmielają – są kobietami najniebezpieczniejszego rodzaju, Bruno.

– Dlaczego?

Waha się.

– Ponieważ nas nie potrzebują.

Wybucham głośnym śmiechem, ale Sidney jest śmiertelnie poważny i znów sobie przypominam o dzielącej nas różnicy. Bez szlacheckiego nazwiska i majątku do przekazania w spadku nigdy nie byłem mężczyzną, w którym kobiety widziałyby odpowiednią partię. Odkąd wyrzekłem się święceń kapłańskich, zdarzało mi się spotykać takie, które lubiły mnie za samą twarz, ale kobietom szlachetnego rodu, jak lady Arden, nie mam do zaoferowania niczego poza przelotnym romansem i rozrywką, podczas gdy czekają na odpowiedniejszego kandydata. Sidney mi zazdrości i zachodzi w głowę, dlaczego się wzbraniam przed skorzystaniem z okazji.

– Lady Arden spodziewa się powtórnie wyjść za mąż – mówię. – Za jakiegoś kuzyna męża.

– Powinieneś zatem kuć żelazo, póki gorące, zanim stanie się własnością innego – radzi.

Tylko się uśmiecham i kręcę głową. Według mnie to dziwny sposób postrzegania kobiet, choć może tylko dlatego, że przez trzynaście lat wiodłem życie mnicha i brak mi doświadczenia. A może dlatego, że jedyna kobieta, o której poślubieniu kiedykolwiek myślałem, prędzej by umarła, niż pozwoliła, żeby ktoś ją uważał za swoją własność.

– Rzekłbym, że najniebezpieczniejszą kobietą jest żona innego mężczyzny – zauważam, patrząc przed siebie. Sidney spogląda na mnie z ukosa.

– One się spodziewają, że będziesz z nimi flirtować – mówi. – Prawić im komplementy. Schlebiać ich próżności. Wszystko to jest częścią gry, niczym więcej. Ona to rozumie.

– A jej mąż?

– Czy Drake rozumie taniec dwornych manier? Jak sądzisz?

Mijamy zamek i idziemy ścieżką wzdłuż zakrzywionego cypla, gdy chmury płyną w głąb lądu. Kilka jardów dalej kobiety chcą zawrócić. Sidney mnie zostawia, żeby zająć swoje miejsce u boku lady Drake, wciąż zachowując stosowny wobec niej dystans. Wiatr niesie do nas intonację ich głosów, ale nie słowa.

– Jesteś zadumany – zauważa lady Arden. Musi podbiegać co kilka kroków, żeby za mną nadążyć, bo w drodze do miasta mimowolnie przyśpieszam, chętny jak najprędzej odprowadzić nasze podopieczne do gospody, żeby móc wrócić na okręt.

– Proszę mi wybaczyć – mówię, obracając się ku niej. Zmuszam się, żeby oderwać uwagę od zielonkawoszarej wody za zamkiem, od Judasza i jego testamentu. Jeśli to rzeczywiście jego testament. Jej ściśnięty przez gorset biust wznosi się i opada z wysiłku na skutek szybkiego marszu. – Jestem zbytnio przyzwyczajony do towarzystwa własnych myśli. Niestety, brakuje mi dwornych manier mojego przyjaciela.

Bagatelizuje komentarz i znowu wsuwa rękę pod moje ramię.

– To, co zwiesz dwornymi manierami, jest tylko sformalizowaną nieszczerością. Galanteria dworaka nie ma znaczenia, jest niczym więcej niż ogładą wyniesioną z domu rodzinnego. Wolę rozmawiać z kimś, kto pomyśli, zanim się odezwie, i wie, o czym mówi. O czym teraz myślisz?

– O przeszłości – odpowiadam, patrząc na morze.

Kiwa głową i idziemy w milczeniu kilka kroków, po czym znowu się do mnie zwraca:

– Byłeś mnichem, jak mówi sir Francis?

– Wiele lat temu.

– Dlaczego wystąpiłeś z zakonu?

– Uznałem, że zakon... ogranicza.

Parska znaczącym śmiechem i ładnie się rumieni. Ludzie zawsze uważają tę odpowiedź za zabawną, jakby śluby zakonne mogły ograniczać mężczyznę tylko pod jednym względem.

– Zadawałem też zbyt wiele pytań – dodaję.

– Czy wciąż tego nie robisz? – pyta z figlarnym uśmiechem.

– Nie tak wiele jak ty, pani. – Mówię to żartem, ale jej uśmiech gaśnie i zabiera rękę, przez chwilę dotknięta do żywego. Dość szybko odzyskuje panowanie nad sobą, ale nie pyta mnie o nic więcej.

Idę w milczeniu obok niej w kierunku nabrzeża, zły na siebie; jest we mnie coś przekornego, jakaś wewnętrzna przekora, by odstręczać kobietę, która okazuje mi zainteresowanie, choć nie umiem powiedzieć, czy to spuścizna moich ślubów, czy moich nieudanych eksperymentów na polu miłości.

Obraca głowę w moją stronę, gdy dochodzimy do brukowanej ulicy, która biegnie wzdłuż nabrzeża.

– Wybacz mi impertynencję, doktorze Bruno – prosi. – Tak rzadko spotykam mężczyznę, z którym rozmowa sprawia mi przyjemność, że zapominam o tym, iż w przeciwieństwie do kobiet niektórzy z was nie cenią sobie pogawędek. Ale mam ostatnie pytanie, jeśli mi pozwolisz.

– Proszę. – Szeroko rozkładam ręce, choć stwierdzam, że jestem gotów skłamać.

– Czy obaj z Philipem napijecie się z nami wina dziś wieczorem Pod Gwiazdą? Sir Francis umówił nas na kolację z burmistrzem i jego żoną, to towarzyski obowiązek, Elizabeth nie może się wymigać... ale mam nadzieję, że uda nam się wyjść wcześniej, zanim pomdlejemy z nudów. – Rozgląda się, jakby burmistrz albo jego żona podsłuchiwali z zaułka. – Proszę się zgodzić. To da nam przynajmniej zachętę, żeby przetrwać wieczór, kiedy poczujemy, że upadamy na duchu.

Uśmiecham się; mam wprawdzie ograniczone doświadczenie, jeśli chodzi o kontakty z prowincjonalnymi angielskimi dygnitarzami, ale nawet ta namiastka skłania mnie do współczucia.

– Z przyjemnością, tyle że nie znam godziny naszego powrotu na okręt.

– Naturalnie, macie ważniejsze zajęcia – mówi urywanie i znowu się przeklinam; czy odrobina uprzejmości tak wiele by mnie kosztowała?

– Czy... nie martwi cię, pani, że ludzie uznają to za niestosowne?

W odpowiedzi prycha pogardliwie.

– Jacy ludzie? Masz na myśli mieszkańców Plymouth? Handlarzy i przekupki, i grubych rajców nadętych w przekonaniu o swojej ważności... Dlaczego miałabym się przejmować ich bezsensownymi plotkami? – Unosi twarz ku pochmurnemu niebu i śmieje się. – Poza tym, czy nie jesteś godnym najwyższego szacunku towarzyszem? – Szelmowski uśmiech powraca i lady Arden popatruje na mnie tak, jakbyśmy byli wspólnikami w jakimś spisku.

– Myślałem nie tylko o tobie, pani – szepczę, gdy obok nas zjawia się Sidney z lady Drake.

– Przyśpieszmy, obawiam się, że zacznie padać – nagli nas lady Drake, patrząc na chmury gromadzące się na niebie. – Doktorze Bruno, już raz zostałeś dzisiaj przemoczony. Jestem pewna, że nie chcesz zniszczyć następnego kompletu ubrań.

– Zwłaszcza moich – dodaje Sidney.

– W takim razie do wieczora – mówi do mnie lady Arden, gdy dochodzimy do gospody. Nie sądzę, żebym kiedykolwiek zrobił na Sidneyu takie wrażenie. Kobiety wymieniają spojrzenia. Zostawiam Sidneya, by się z nimi pożegnał, i wymykam się do szynku.

Gospodyni, krzepka niewiasta po pięćdziesiątce, obdarzona rozłożystymi biodrami i ogorzałą twarzą mieszkanki wybrzeża, jest zajęta besztaniem dziewki służącej za opieszałość. Na mój widok milknie z ustami otwartymi w połowie zdania i jej mina łagodnieje.

– Tak, panie, czym mogę służyć? – Wyciera ręce w fartuch.

– Czy mógłbym zamienić z tobą słówko na osobności? – Błyskam moim najlepszym uśmiechem, który zwykle dobrze mi służył w rozmowie ze starszymi kobietami.

Wygładza spódnice i uśmiecha się kokieteryjnie.

– No tak, oczywiście... Weź się w garść, kocmołuchu! – burczy do dziewczyny. – I pilnuj się, żebym cię znowu nie przydybała na wymigiwaniu się od obowiązków, bo nie brakuje innych na twoje miejsce.

Dziewczyna coś mamrocze, dyga i pierzcha z sali. Gospodyni zwraca się ku mnie z rękami wspartymi na biodrach.

– Te dziewuchy zachowują się tak, jakby to one robiły łaskę, przychodząc do roboty... O co chodzi, panie?

– Wcześniej byłem tu z sir Francisem Drakiem, który wyraził zaniepokojenie w pewnej drobnej sprawie.

Natychmiast jej rysy tężeją i składa ręce jak do modlitwy.

– W związku z obiadem? Jeśli pod jakimś względem był niezadowalający, proszę go zapewnić...

– Nie, nie, obiad był doskonały. Nadawałby się dla samej Jej Królewskiej Mości, jak powiedział sir Philip Sidney. – Widzę, że się odpręża i rozciąga usta w uśmiechu. – Nie, chodzi tylko o to, że parę dni temu sir Francis otrzymał list. Zostawiono go dla niego tutaj, w gospodzie. Teraz chciałby się dowiedzieć, kto go doręczył.

Gospodyni ściąga brwi.

– Ludzie czasami przynoszą tu listy do kapitana Drake'a. Jego skryba po nie zachodzi, ale nie pamiętam każdego jednego posłańca.

– Było to dwa dni temu, w niedzielę. Przecież w niedzielę nie mogło tu przybyć wielu ludzi z listami?

– Zdziwiłbyś się, panie. Kiedy taka flota szykuje się do wyjścia w morze, nie ma czegoś takiego jak dzień odpoczynku. Nie przypominam sobie. Możesz, panie, spytać dziewczynę, ona też czasami przynosi wiadomości. – Wskazuje na drzwi.

W korytarzu na zewnątrz zastaję ponurą, nadąsaną służącą zajętą zamiataniem kamiennych płyt podłogi. Podnosi głowę, gdy podchodzę, a ja się krzywię, wskazując za siebie na znak, że chodzi mi o jej chlebodawczynię. Dziewczyna się uśmiecha.

– Pamiętasz, kto w niedzielę przyniósł list do sir Francisa Drake'a?

Wspiera się na kiju od miotły.

– A kto chce to wiedzieć?

– Ja, oczywiście.

Mierzy mnie wzrokiem od góry do dołu i zatrzymuje spojrzenie na sakiewce, którą mam u pasa. Jest zuchwała i patrzy mi w oczy z przebiegłą miną.

– Jesteś, panie, Włochem? – mówi to tak, jakby już o mnie słyszała, i ta myśl mnie niepokoi.

– A kto chce to wiedzieć?

Parska śmiechem.

– A, niech tam! Nie, nie pamiętam listów zostawionych w niedzielę. – Znów zerka na sakiewkę. – Teraz ty musisz, panie, odpowiedzieć na moje pytanie – mówi, kiedy staje się jasne, że sakiewka zostanie zamknięta.

– Jak sobie życzysz. Tak, jestem Włochem.

– Podróżujesz z sir Philipem Sidneyem?

– Jesteś bardzo dobrze poinformowana. Skąd o tym wiesz?

Wzrusza ramionami, wskazując drzwi.

– Gospodyni Judith tak powiedziała. Ta za drzwiami. – Odrywa spojrzenie od moich oczu, gdy to mówi. Nie podoba mi się myśl, że ludzie już o nas plotkują, chociaż przypuszczam, że należało się tego spodziewać, zważywszy na zainteresowanie otaczające ekspedycję Drake'a. Dziewczyna jest spryciarą, nie mam co do tego wątpliwości, ale wiedza służących może być bezcenna; niepostrzeżenie wślizgują się do pokoi gości i zazwyczaj mają bystre oczy i uszy.

– Z pewnością widzisz każdego, kto przychodzi do gospody – powiadam lekkim tonem, gdy wraca do zamiatania.

Gwałtownie unosi głowę i przymruża oczy.

– Większość – mówi. – A bo co?

– Ciekawi mnie, czy zauważyłaś mężczyznę w czerni, który nosi głęboko naciągnięty na czoło kapelusz. Widziałem go zeszłej nocy w szynku.

Wzrusza ramionami i jakby z namysłem ściąga usta.

– Nie mogę powiedzieć, czy pamiętam. Tu bywa mnóstwo mężczyzn. – Jest wyzwanie w jej spojrzeniu, gdy czeka na mój następny ruch.

Niechętnie wyjmuję monetę i podnoszę ją do góry.

– Może to poprawi ci pamięć.

Patrzy na monetę.

– Wiem, o kogo ci chodzi, panie. Dzioby po ospie. Bystre niebieskie oczy. To ten?

Powoli kiwam głową, czując ciarki na karku. Opisała Rowlanda Jenkesa.

– Zwróciłaś uwagę na jego uszy?

– A co z nimi?

– Nie ma obu. Dlatego zawsze nosi kapelusz.

– W takim razie nie mogłabym ich zobaczyć, co nie? – Wyciąga rękę po zapłatę. Lekko cofam monetę.

– Często tu zagląda?

Znowu wzrusza ramionami.

– Był kilka razy, ale od dwóch niedziel go nie widziałam.

– Słuchaj, jak masz na imię?

– Hetty... szlachetny panie – dodaje sarkastycznym tonem.

– Jeśli go znowu zobaczysz, Hetty, albo coś o nim usłyszysz, albo się dowiesz, gdzie mieszka, daj mi znać, a może dostaniesz więcej. – Podaję jej groata*, który natychmiast znika w fałdach brudnej spódnicy. – Znajdziesz mnie w gospodzie. Tu się zatrzymałem.

– Wiem – mówi, obrzucając mnie tym samym niewzruszonym spojrzeniem. Życzę jej dobrego dnia i czuję na sobie jej wzrok, gdy odchodzę.

_____

* Groat – brytyjska srebrna moneta wartości 4 pensów, bita w latach 1351–1660, a potem w XIX w.

7

Wspinanie się po drabince sznurowej na *Elizabeth Bonaventure* tym razem idzie mi łatwiej. Nagłe przechyły i rzucanie na obrośnięty przez pąkle kadłub zaskakują mnie już nie tak często i moje ręce zaczynają przywykać do szorstkich włókien liny. Stwierdzam, że wchodzę szybciej niż wcześniej, i choć wysokość kadłuba wciąż mnie przyprawia o zawroty głowy, gdy spoglądam w dół z relingu, nie grozi mi ześlizgnięcie się do morza. Thomas Drake wita nas na pokładzie ze swoją zwykłą gburowatością.

– W tej chwili mój brat jest zajęty z kapitanem Carleillem. Zabiorę was do niego, kiedy skończą.

– Może tymczasem zajrzymy do kajuty, w której zmarł Robert Dunne? – proponuje Sidney z miłym uśmiechem. – Sir Francis pomyślał, że warto sprawdzić, czy wśród jego rzeczy są jakieś wskazówki dotyczące osoby, która chciałaby mu wyrządzić krzywdę.

– Ciszej. – Thomas szybko się rozgląda. Nie jest skłonny do ustępstw. – Jego dobytek trzeba zapakować do kufrów i przekazać rodzinie. Ale jestem pewien, że gdyby tam było coś do znalezienia, tobyśmy to zobaczyli. Miał niewiele rzeczy.

– Może tak, a może nie… – mówi Sidney wciąż z promiennym uśmiechem. Zdaje się, że uznał tę nieustępliwą i uprzedzającą grzeczność za doskonały sposób na zirytowanie Thomasa Drake'a. Na razie jego metoda się sprawdza. – Rzeczy, które znaczą najwięcej, częstokroć są tak małe, że zostają przeoczone. I oczywiście twój brat był zbyt przejęty swoim martwym oficerem, żeby się zajmować przeglądaniem jego dobytku. Na szczęście doktor Bruno ma bystre oko, odpowiednie do tego zadania. Dokładnie pamiętam, jak sir Francis mówił, że pozwolenie Brunowi na rozejrzenie się po kajucie Dunne'a jest dobrym pomysłem.

Thomas Drake się waha, rozważając, czy nie postawić na swoim, ale nagle ustępuje.

– Przyniosę klucz. Zaczekajcie tutaj. – Odwraca się gwałtownie i znika na schodach, które wiodą do kwatery kapitana.

– Lubisz go drażnić – zauważam, opierając się o reling i patrząc na morze.

– Sam się o to prosi. Okazuje niechęć do mnie tak bezceremonialnie, że nie mogę się powstrzymać. Czerpie przyjemność z tego, że ma tutaj pewną władzę. To jedyne miejsce, gdzie może w taki sposób mówić do człowieka o mojej pozycji. Nadęty młokos z zagrody, który wykorzystuje sławę swojego brata.

– Sam też jest kapitanem, Philipie. – Wzdycham.

– Skoro tak, dlaczego nigdy go nie ma na własnym okręcie? Jak się zdaje, jest przekonany, że musi czuwać nad sprawami swojego brata, jakby bez niego wszystko miało się rozsypać. Dziwne, że sir Francis to toleruje.

– Mnie też się nie podoba jego zachowanie, ale jeśli nadal będziesz go zrażać, dołoży wszelkich starań, byś nie wziął udziału w wyprawie. I jak sądzisz, po czyjej stronie opowie się sir Francis?

– Zauważyłeś, z jaką niechęcią odnosi się do tego, żebyśmy przeprowadzili śledztwo w sprawie śmierci Dunne'a? – mówi, ignorując moje pytanie. – Ma zastrzeżenia za każdym razem, gdy jest poruszany ten temat, mimo że sir Francis nam sprzyja.

– W zasadzie nie powiedziałbym, że sprzy…

– Ale Thomas wciąż próbuje nas trzymać z dala od tej sprawy – upiera się Sidney. – Sądzisz, że ma coś do ukrycia?

– Na miłość boską! – odpowiadam gwałtownie, odwracając się do niego. – Chyba nie myślisz, że rodzony brat Drake'a…

Sidney ostro dźga mnie w żebra i widzę, że o wilku mowa.

– Chodźcie za mną – mówi Thomas, patrząc zmrużonymi oczami to na mnie, to na Sidneya, po czym prowadzi nas w kierunku kwater oficerskich. Schodzi po stopniach na pokład pod kajutą kapitana i zatrzymuje się przed niskimi drzwiami, które otwiera kluczem wyjętym z zanadrza kaftana. Odwraca się ku nam z ręką na klamce.

– Pilnujcie się, żeby traktować wszystkie przedmioty z należnym szacunkiem – przykazuje, ostrzegawczo unosząc palec wskazujący. – Sir Francis odpowiada przed rodziną za wszystkie rzeczy osobiste Dunne'a.

Czuję, że Sidney się najeża, słysząc tę sugestię.

– Możesz być, panie, pewny, że zostawimy wszystko w takim samym porządku, w jakim zastaliśmy – mówię kojącym głosem, kładąc rękę na ramieniu Sidneya, żeby go pohamować.

Thomas patrzy na nas przez chwilę, kiwa głową i otwiera drzwi, za którymi znajduje się mała kajuta, mniej więcej taka jak ta, którą dzieliliśmy na *Leicesterze*. Sidney przepycha się obok niego do wejścia, ja grzecznie przepraszam i wciskam się za nim. Fetor uderza w nas z porażającą siłą.

– Słodki Jezu... – wydaje mimowolny jęk Sidney, przyciskając rękaw do ust i nosa. W pokoju wisi gęsty smród moczu i wymiotów, nasilony przez wilgoć.

– Życzę miłej pracy – mamrocze Thomas przez rękaw. Stoi w drzwiach, blokując dopływ światła. Belki stropu są tak niskie, że Sidney musi się garbić; ja mogę stać prosto, ale ledwo, ledwo. Gdy oddycham przez usta, powietrze jest prawie do zniesienia.

– Przecież tu nie ma miejsca, żeby się powiesić – zauważam, stwierdzając rzecz oczywistą. Nawet jeśli Robert Dunne był mojego wzrostu, nie mógłby zawisnąć na belce bez zaczepiania stopami o podłogę. – Gdzie była przymocowana lina?

– Tam. – Thomas Drake wskazuje wbity w belkę żelazny hak służący do zawieszania latarni.

Chwytam go oburącz i odrywam stopy od podłogi.

– Utrzymałby człowieka, ale nie ma miejsca, żeby na nim zawisnąć – mówię, wskazując wysokość od podłogi do sufitu. – W najlepszym wypadku dusiłby się powoli, gdy jego ciężar zaciskałby pętlę.

– Otóż to. I na twarzy nie było oznak typowych dla powieszenia, jak powiedział mój brat.

– Był ciężkim człowiekiem? – pytam.

Thomas Drake unosi głowę i szacuje mnie wzrokiem.

– Waszego wzrostu, powiedziałbym, choć bardziej krępy. Miał szerokie ramiona i wydatny brzuch.

– W takie razie ważył swoje. Niełatwo go było podnieść. – Ponownie patrzę na hak.

– Jeśli zabójca chciał, żeby wyglądało na to, że Dunne sam odebrał sobie życie, wieszanie go przywodzi na myśl farsę – komentuje Sidney. – Dlaczego nie wybrał czegoś subtelniejszego, jak trucizna?

Odwracam się powoli i kieruję na niego szeroko otwarte oczy.

Przyciska rękaw do twarzy z zagadkową miną, ale nagle sobie przypominam o obecności Thomasa Drake'a i nieznacznie kręcę głową.

Thomas nie jest głupi, wyczuwa tę rozmowę bez słów, co tylko powiększa jego nieufność. Robi krok w głąb małego pomieszczenia i splata ręce na piersi.

– Zajmijcie się tym, co trzeba.

– W tym mroku niczego nie widzę. Zamierzasz przez cały czas tkwić w drzwiach, odcinając dopływ światła? – Sidney się prostuje, żeby stawić czoło Thomasowi, zapomina o niskim suficie i uderza weń głową. – Psiamać! Czy zbudowali to dla karłów?

– Dla żeglarzy, którzy wiedzą, jak się dostosować do ciasnego wnętrza okrętu – mówi oschle Thomas. Rozplata ręce; nie wie, co z nimi zrobić, więc znowu je krzyżuje. – Przypuszczacie, że was tu zostawię, żebyście bez nadzoru przetrząsali cudze rzeczy?

Nawet w kiepskim świetle widzę gniew wykrzywiający twarz Sidneya. Bitwa charakterów, która się tu rozgrywa, jest niemal słyszalna w panującej ciszy. Thomas chyba sobie uświadamia, że źle się wyraził, bo jego spojrzenie staje się niepewne i otwiera usta, jakby chciał coś powiedzieć. Sidney robi długi krok przez kajutę i staje z twarzą zaledwie o cal od twarzy Thomasa. Kiedy się odzywa, jego głos jest cichy i opanowany.

– Pozwól, że ci przypomnę, Thomasie Drake, jestem szlachcicem i kwatermistrzem królowej. Wybacz mi… – tu uśmiecha się czarująco – ale pomyślałem, że sugerujesz, iż prawdopodobnie ukradnę dobytek zmarłego. Tak oceniasz mnie czy mojego przyjaciela?

Thomas się nie cofa, ale z każdą chwilą traci rezon.

– Oczywiście, nie to miałem na myśli, sir Philipie – powiada, spuszczając oczy. – Muszę przeprosić, ale byłem na morzu dość długo, by wiedzieć, że najlepszych ludzi może skusić błyskotka, którą można wsunąć w rękaw albo za pazuchę. Mamy obowiązek chronić rzeczy Dunne'a i przekazać je rodzinie – dodaje.

– Szkoda, że nie zrobiliście więcej, żeby chronić jego osobę za życia – mówi Sidney, odstępując. – Cóż, Thomasie, nie jestem z tych zepsutych przez błyskotki, podobnie jak mój przyjaciel Bruno. Twój brat powiedział, iż będzie rad, jeśli sprawdzimy kajutę Dunne'a, na wypadek gdyby to mogło rzucić światło na jego śmierć. Co jest prawie niemożliwe, gdyż zasłaniasz wejście.

Thomas rozważa swoje możliwości i w końcu robi krok do tyłu, wychodząc z kajuty.

– Tu wciąż jest prawie ciemno, psiamać – klnie Sidney. – Możesz przynieść latarnię?

– Nie jestem twoją pokojówką, panie. – Thomas mówi napiętym głosem, ale po chwili dodaje: – Zobaczę, co da się zrobić. – Jeszcze się waha, nie spuszczając z nas oka. W końcu się odwraca i odchodzi od drzwi. Sidney natychmiast je zamyka.

– Teraz już nic nie widzę – protestuję, waląc goleniem w coś, co biorę za stojącą na podłodze drewnianą skrzynię.

– Mieliśmy to robić dyskretnie – przypomina mi Sidney. – Drake nie chce, żeby marynarze widzieli, jak przetrząsamy kajutę nieboszczyka. Co by sobie o tym pomyśleli? Chociaż przez to zamieszanie Thomas już ściągnął większą uwagę, niż potrzeba. I co teraz o nim powiesz? – Wskazuje kciukiem drzwi. – Mówię ci, Bruno, ten typ nie chce, żebyśmy wtykali nos w tę sprawę. Jak sądzisz dlaczego? Śmiało, jesteś filozofem.

– Myślę, że czuje się urażony tym, w jaki sposób się do niego zwracasz. I uważa nas za ludzi z zewnątrz. Moim zdaniem to żaden dowód, że jest zamieszany.

– Jak zatem mam się do niego zwracać?! – podnosi głos Sidney, wyraźnie oburzony. – Nie okazuje mi należnego szacunku i mówi do mnie tak, jakbym był rozpieszczonym dzieckiem plączącym mu się pod nogami!

Zachowuję obojętny wyraz twarzy.

– Na morzu szacunek jest drażliwą kwestią, czyż nie? Na pokładzie okrętu różnice w urodzeniu są mniej ważne niż stopnie oficerskie. Na tym polegał problem z braćmi Doughty, jak rozumiem. Thomas Drake najwyraźniej wierzy, że tutaj przewyższa cię rangą, i jeśli chcesz, żeby jego brat zabrał cię w podróż do Nowego Świata, będziesz musiał na razie się z tym pogodzić. Ale chyba sobie nie wyobrażasz, że naraziłby wyprawę brata, zabijając oficera? Jaki mógłby mieć powód?

– Może żywił urazę do Dunne'a. A może wiedział o nim coś...

Nieśmiałe pukanie do drzwi przerywa jego rozważania. Sidney otwiera i widzimy młodego skrybę Drake'a, Gilberta, z latarnią i pudełkiem z przyborami do krzesania ognia.

– Kapitan Drake kazał mi to przynieść – powiadamia nas, podając przyniesione przedmioty. – Kapitan Thomas Drake, powinienem był rzec. – Sidney kiwa głową, bierze wszystko z szorstkim podziękowaniem i już ma zamknąć drzwi, kiedy Gilbert podchodzi, chrząkając. – Proszę o wybaczenie – zaczyna, splata palce i urywa niezdecydowanie. – Czy mogę spytać, czego panowie szukają?

– Nie – cedzi Sidney, kładąc rękę na klamce.

Daję mu znak, żeby był cicho, i wychodzę z cienia, żeby lepiej widzieć Gilberta. Bez okularów mruży oczy, wskutek czego wygląda na wiecznie niezadowolonego. Jest blady jak człowiek, który spędza życie zgarbiony nad książkami, a nie na omiatanym przez wiatr pokładzie. Ciekawi mnie, co tutaj robi.

– Dobrze znałem Roberta Dunne'a z pobytu na dworze – mówi Sidney, postanawiając udzielić odpowiedzi. – Sir Francis poprosił, żebyśmy spakowali jego rzeczy dla wdowy, która ma przybyć lada dzień. Więc, jeśli nie masz nic przeciwko...

– Tak, oczywiście – mamrocze Gilbert, choć nie rusza się z miejsca. Spod przymrużonych powiek spogląda na ściany kajuty. –

Biedna kobieta. To dla niej straszna tragedia. Człowiek nie powinien umierać w grzechu samobójstwa. Chociaż... – Zawiesza głos, wzmagając naszą ciekawość.

Słyszę, jak obok mnie Sidney cmoka ze zniecierpliwienia. Kładę rękę na jego ramieniu. Gilbert Crosse najwyraźniej chce się podzielić swoimi myślami.

– Chociaż co? – zachęcam go z uśmiechem.

Zerka przez ramię na pokład i podchodzi o krok bliżej.

– Nic na to nie poradzę, ale się zastanawiam, czy sir Francis co do tego nie żywi pewnych wątpliwości – mówi konfidencjonalnym tonem.

– Naprawdę? – Zachowuję niewzruszoną minę. – Tak powiedział?

– Nie mnie. – Gilbert kręci głową. – Ale sprawia wrażenie zaniepokojonego. Dyskretnie wypytywał, kto tej nocy pełnił wachtę, kto ostatni rozmawiał z Dunne'em, tego rodzaju rzeczy.

– Spodziewam się, że chciał ustalić jego stan ducha – mówię.

– Możliwe. A może nie bierze śmierci Dunne'a za taką, na jaką wygląda. – Skubie materiał rękawa. – I chciałbym to wiedzieć, bo widzicie... – Przygryza wargę, rzucając okiem przez ramię.

– O co chodzi, Gilbercie? – naciskam łagodnie. Wydaje się, że chce zrzucić ciężar z serca, ale się boi, że za dużo powie. – Z jakiego powodu?

– Wiem, że ktoś nie mówi prawdy w odpowiedzi na pytania kapitana Drake'a.

– Naprawdę? – Sidney przyskakuje do niego, nagle zainteresowany. – Kto?

Następuje pauza nabrzmiała oczekiwaniem. Gilbert ściska dłonie i rozważa, czy powiedzieć coś więcej.

– Byłem na pokładzie tamtej nocy przed śmiercią Dunne'a – mówi. – Widziałem ich, jak wrócili.

– Co robiłeś? – pyta Sidney tak obcesowo, że Gilbert podskakuje jak użądlony.

– Robiłem... pomiary – mamrocze. Sidney rzuca mi porozumiewawcze spojrzenie. Poznaję, że nie lubi Gilberta, ja jednak chcę go wysłuchać. Ktoś, kto jest skłonny wyjawić swoje podejrzenia nieznajomym, może mieć pożyteczne informacje. A może sam chce się czegoś dowiedzieć.

– Myślałem, że tej nocy padało – mówi Sidney.

Gilbert się rumieni i wygląda na podenerwowanego.

– Później. Przed północą niebo było całkiem czyste. Po prostu lubię ćwiczyć pomiary moim astrolabium. Używanie go na morzu, gdy okręt żegluje przy silnym wietrze, jest znacznie trudniejsze, więc chcę się wprawić.

– Masz żeglarskie astrolabium? – Patrzę na niego z podziwem. Te instrumenty, zaprojektowane do obliczania szerokości geograficznej na podstawie gwiazd, są kosztownym rarytasem. Zaczynam się zastanawiać, jakiego rodzaju skrybą jest ten młodzieniec. – Więc nie tylko kopiujesz listy kapitana Drake'a, ale też nawigujesz?

Przestępuje z nogi na nogę i wbija wzrok w buty.

– Ja tylko pomagam w obliczeniach, to wszystko.

– Kontynuuj swoją opowieść, jeśli jest warta słuchania – ponagla go niecierpliwie Sidney.

Gilbert duka przeprosiny i podejmuje wątek:

– Ojciec Pettifer sprowadził Dunne'a na pokład. Nawet w ciemności widziałem, że Dunne był beznadziejnie pijany. Ledwie się trzymał na nogach, kapelan musiał go podtrzymywać. Thomas Drake pomógł Pettiferowi zaprowadzić go do kajuty. Kapelan spędził z nim jakiś czas, a gdy wyszedł, Hiszpan Jonas zapukał do drzwi i wszedł. Miał jakąś swoją miksturę.

– Jaką miksturę?

– Powiadają, że Jonas zna się na ziołach. – Gilbert przenosi spojrzenie ze mnie na Sidneya i z powrotem, jego oczy wyrażają niepokój. – Umie sporządzić mikstury na chorobę morską albo nadmiar mocnego piwa. Sam ich nie próbowałem. Jak na mój gust za bardzo trącą guślarstwem, a ja jestem człowiekiem nauki.

Prostuje plecy. Sidney parska stłumionym śmiechem.

– Więc tej nocy Jonas zaniósł Dunne'owi jakąś miksturę? – pytam, śląc Sidneyowi ostre spojrzenie.

– Tak sądzę. Rzecz w tym, że słyszałem, jak Jonas mówił kapitanowi Drake'owi, że tylko zajrzał do Dunne'a, zobaczył, że ten jest zamroczony, i wyszedł, zabierając z sobą swoje lekarstwo. – Jego głos opada do przejętego szeptu. – Ale to nieprawda.

– Chcesz powiedzieć, że Jonas przebywał tam dłużej?

Gilbert przygryza wargę i kiwa głową.

– Byłem na pokładzie jeszcze co najmniej przez pół godziny, dopóki nie zaczęło padać, i przed powrotem do mojej kwatery nie widziałem wychodzącego Hiszpana. Pomyślałem o tym dopiero nazajutrz, kiedy gruchnęła wieść, że Dunne się powiesił... – Głos młodzieńca cichnie i Gilbert wbija oczy w podłogę.

– Więc mówisz...? – zachęcam.

Szybko kręci głową.

– Nie. Chodziło mi tylko o to, że Jonas może coś wiedzieć o stanie duszy Dunne'a tamtej nocy. Może rozmawiali.

– Czy powiedziałeś sir Francisowi, że Jonas kłamie?

Patrzy na mnie z trwogą w oczach.

– O nie... przecież mogłem się pomylić. I nie chciałem zasiać wątpliwości w sercu kapitana Drake'a, jeśli sam nie miał żadnych. – Przygryza paznokieć kciuka. – Po prostu się zastanawiałem, czy może wam, panowie, nie wyraził jakichś wątpliwości.

A zatem o to chodzi. Z całą tą niezdarnością i bezustannym wierceniem się ten młody człowiek jest jednak bystrzejszy, niż na to wygląda; rzeczywiście zbiera informacje. Pytanie brzmi: dlaczego?

– Nam? Nie, przecież dopiero co tu przybyliśmy – odpowiadam.

– Mało prawdopodobne, że zwierzyłby się nam z takich wątpliwości, jeśli nie powiedział niczego swojej załodze – popiera mnie Sidney.

Gilbert robi skruszoną minę.

– Oczywiście nie zamierzałem was urazić, szlachetni panowie.

– Dlaczego w ogóle mówisz o wątpliwościach? – pytam lżejszym tonem. – Czy Robert Dunne nie zrobił na tobie wrażenia człowieka zdolnego odebrać sobie życie?

Ściąga usta.

– Nie znałem go dobrze. Obracaliśmy się w innych kręgach. Ale po namyśle rzekłbym, że nie.

– Miał wielkie długi karciane – zaznacza Sidney. – To może doprowadzić człowieka do skrajnej rozpaczy.

– Wszyscy o tym wiedzieli – mówi Gilbert z dezaprobatą. – Ale przy tych nieczęstych okazjach, gdy z nim rozmawiałem, podchodził z wielkim entuzjazmem do wyprawy. Mówił, że to będzie jego ostatnia ekspedycja. Na morzu wierzyciele go nie dosięgną, a po powrocie podreperuje rodzinny majątek i w końcu będzie mógł naprostować swoje życie.

– Podreperuje rodzinny majątek? Czy chodziło mu o skarby, jakie z sobą przywiezie?

Gilbert wzrusza ramionami.

– Nie wiem. Chyba tak.

– Czy miał przyjaciół na pokładzie *Elizabeth*? – pytam. – Ludzi, z którymi był blisko?

Patrzy na mnie, mrugając.

– Często widziałem, jak rozmawiał z Hiszpanem Jonasem. Znali się z czasów podróży dokoła świata w siedemdziesiątym siódmym. Poza tym nie mam pojęcia, co robił po zejściu na brzeg. Trzeba byłoby wypytać członków załogi. Naprawdę wiele z nimi nie przestaję. – Spuszcza oczy, gdy to mówi, i zdaję sobie sprawę, że jest samotny na pokładzie *Elizabeth*. Nie należy ani do zahartowanych marynarzy, ani do szlachetnie urodzonych oficerów. Podróż do Nowego Świata będzie dla niego długa, jedynie z astrolabium do towarzystwa.

– Aczkolwiek jeśli ktoś wie, czy Dunne zamierzał odebrać sobie życie, to z pewnością kapelan. Ojciec Pettifer – dodaje. – Niektórzy mu się zwierzają. – Krzywi usta, jakby sugerował, że nie potrafi pojąć dlaczego.

– Ale nie ty?

– Nie – przeczy stanowczo. – Wolę wyznawać grzechy bezpośrednio Bogu, kiedy zachodzi potrzeba.

Kiwam głową, starając się ukryć uśmiech. Ciszę mąci trzask za moimi plecami. Odwracam się i widzę, jak Sidney zapala latarnię. Już wyczuwam jego niecierpliwość. Zadecydował, że ten nadgorliwy młodzieniec jest nie więcej niż plotkarzem, który poluje na każdy strzęp informacji. Ale ja mam wrażenie, że Gilbert nie po-

wiedział nam wszystkiego. Kładę rękę na klamce, jakbym chciał zamknąć drzwi, on jednak nie kwapi się do odejścia.

– Jak rozumiem, doktorze Bruno, napisał pan książki o kosmologii, w których dowodzi, że wszechświat jest nieskończony, czy
tak? – Szura nogami i dostaje wypieków, jakby prosił dziewczynę do
tańca. Skłaniam głowę, przyznając mu rację. – Powiadają, że twoje
teorie, panie, wzbudziły ogromne kontrowersje.

– Podobnie jak odwzorowanie Merkatora, kiedy je publikował.
Trudno przekonać ludzi, że świat może wyglądać inaczej niż w sposób, w jaki zawsze go postrzegali.

Energicznie kiwa głową, jego twarz się rozjaśnia.

– Tak, w istocie. Tak bardzo chciałbym przedyskutować z tobą
te teorie, doktorze Bruno. Z pewnością możesz sobie wyobrazić, panie, jak człowiek łaknie intelektualnych dysput wśród ludzi takich
jak ci. Modliłem się, żebyśmy mieli okazję porozmawiać, póki przebywa pan w Plymouth.

Odpowiadam niezobowiązującym pomrukiem i przytrzymuję
dla niego otwarte drzwi.

– Cóż, zostawiam panów ich smutnemu zadaniu – mówi po
chwili. Odwraca się i spogląda na kajutę. – Może znajdziecie tu coś
interesującego. – Uśmiecha się, wciąż zerkając nad moim ramieniem. Odwzajemniam uśmiech i niegrzecznie zamykam mu drzwi
przed nosem.

– Jakie grzechy mógłby wyznać taki fajtłapa? Pożądanie astrolabium sąsiada? – Sidney przewraca oczami. – Pan Bóg zapłakał, gdy
go stworzył. Czy wiesz, co robiliśmy z takimi jak on w Oksfordzie?

– Wolałbym nie zgadywać.

Sidney szczerzy zęby w szerokim uśmiechu.

– Ha, zapewniłeś sobie zajęcie na podróż, Bruno. Będziecie mogli
szaleć do upadłego ze swoimi pomiarami i przyrządami. Złakniony
intelektualnej dysputy! Jak na prostego skrybę ma o sobie wysokie
mniemanie.

– Daj mu spokój – strofuję go. – Pomóż mi dźwignąć ten kufer
na koję.

– Och, rozumiem, bronisz go tylko dlatego, że słyszał o twoich książkach. – Sidney splata ramiona na piersi i kiwa głową. – Ni z tego, ni z owego został twoim najserdeczniejszym przyjacielem. Cóż, ja uważam, że to dziwoląg.

– Nie zaprzeczam. Ale teraz skupmy się na tym.

Razem chwytamy drewnianą skrzynię i stawiamy ją na skotłowanym łóżku. Waży mniej, niż się spodziewałem, i o mało nie tracimy równowagi.

– Był bardzo chętny, żeby podzielić się swoimi złymi przeczuciami – zauważam, patrząc, jak Sidney wyjmuje ze skrzyni kolejne warstwy ubrań Dunne'a.

– Prawdopodobnie po prostu rad, że ktoś go słucha – mówi, nie unosząc głowy. – Nie przypuszczam, by załoga miała wiele czasu dla takiego bladego jak papier gryzipiórka.

– Jednak sprawiał wrażenie szczerego, nie sądzisz? – Opieram się o ścianę, przebiegając w myśli niesprowokowane wyznania Gilberta. – Jeśli naprawdę podejrzewa, że Dunne nie popełnił samobójstwa, uśmierzenie takich obaw musi nieść ulgę. Przypuszczam, że Drake ukręca łeb takim spekulacjom, gdy tylko do niego dochodzą.

– Chciał się jednak zorientować, co wiemy o Hiszpanie. Myślisz, że coś się za tym kryje?

– Wcześniej wspomniałeś o truciźnie jako najprostszym sposobie zabicia człowieka bez wzbudzania podejrzeń. Zastanawiam się, dlaczego wcześniej o tym nie pomyśleliśmy. A teraz wiemy o pokładowym zielarzu, który zaniósł Dunne'owi miksturę w noc jego śmierci.

– Przecież najwyraźniej byli przyjaciółmi – podkreśla.

– Gilbert powiedział, że widział, jak rozmawiali. To niekoniecznie to samo. – Zastanawiam się przez chwilę. – Nie wiem, jak mamy się zabrać do przepytywania tego Jonasa bez wzmożenia jego czujności. Zwłaszcza jeśli ma coś do ukrycia.

– Masz talent do tego rodzaju rzeczy. Dlatego Walsingham tak wysoko cię ceni.

– Najwyraźniej nie jestem jedynym, którego Walsingham ceni na tym okręcie.

– Tak. – Kiwa głową w stronę drzwi. – Musimy mieć oko na

tego gryzipiórka. Nie może się dowiedzieć o naszych planach żeglowania z flotą Drake'a, dopóki nie ruszymy w drogę. Nie chcę, żeby wypaplał to Walsinghamowi... Co tu jest?

Wyjmuje ze skrzyni ostatnie ubrania i z jękiem zawodu rzuca je na koję.

– Nic z wyjątkiem koszul, do tego niezbyt porządnych.

– Musi być coś więcej. – Powoli się obracam, ogarniając wzrokiem całą kajutę. Latarnia kołysze się na haku i cienie tańczą po ścianach w jej żółtym blasku. Już czuję zaburzenia równowagi, mam to samo wrażenie, że zniknęło spode mnie wszystko, co pewne i solidne. Wyciągam rękę i kładę na szorstkiej drewnianej ścianie, by się podeprzeć. Jest tu niewiele dobytku; zbyt mało, żeby dać nam jakiekolwiek pojęcie o człowieku, który skończył jak wołowa półtusza, zawieszony na haku wbitym w belkę. Przebiega mnie drżenie. – Z pewnością podróżował z niewielkim bagażem jak na kogoś, kto spodziewa się wrócić za rok.

Sidney wrzuca ubrania, nie zawracając sobie głowy ich składaniem, i podnosi kufer z koi. Nagle okręt kolebie się wzdłużnie jakby na niespodziewanej fali. Sidney zmaga się z ciężarem skrzyni i upuszcza ją na podłogę, o włos od stopy. Nagły ruch sprawia, że stożek światła z latarni skacze dziko na boki, na krótko oświetlając cieniste głębie kajuty.

– *Dio mio,* co to takiego?! – Zdejmuję latarnię z haka i rzucam się do koi, żeby odchylić zmięte prześcieradła, gdzie na białym płótnie ciemnieją czerwone plamy.

– Co znalazłeś? – Sidney wpycha się obok mnie, zaciekawiony, jego cień pada na łóżko.

– Cofnij się, nic nie widzę. Proszę, trzymaj. – Podaję mu latarnię i podnoszę prześcieradło bliżej twarzy. Atłas jest suchy, sztywny. Pochylam się i wącham. – Wino – osądzam, rzucając prześcieradło z powrotem na koję. – Przez chwilę myślałem, że to krew. – Ściągam kapę, odsłaniając butelkę z ciemnozielonego szkła i dwa kamionkowe kubki. Oba zawierają zaschnięte resztki wina. Wtykam nos do jednego i wącham.

Sidney szczerzy zęby.

– Jesteś lepszy od psa myśliwskiego, Bruno, tak jak to niedawno powiedziałem Drake'owi.

– Dziwnie pachnie – mówię, podając mu kubek. – Słodko. Znajoma woń, ale...

Wdycha powietrze z kubkiem przy twarzy.

– Boże Narodzenie tym pachnie. Wino było zaprawione korzeniami. To by się zgadzało. Wszyscy mówili, że Dunne był pijany tej nocy. Musiał się napić w swojej kajucie jeszcze przed zejściem na brzeg.

– Ale są tu dwa kubki. Wygląda na to, że nie pił sam. – Ponownie wącham kubek. Sidney ma rację; słodki aromat przywołuje na myśl zimowe przyprawy. – Może ktoś dodał czegoś do wina. Coś, co tłumaczyłoby jego zachowanie.

– Chodzi ci o to, że mogli go zabić, gdy niezupełnie był sobą? – Sidney drapie się po karku. – Przypuszczam, że to możliwe. Co myślisz o Hiszpanie i jego ziołach?

Ściągam brwi.

– Kto wie? Chciałbym pogadać z tym Jonasem, zanim się uprzedzimy do niego. Jednak miałby środki. Czekaj, co tam jest pod spodem?

Wolne miejsce pod koją zostało przekształcone w schowek. Otwieram jedne drzwiczki, wnętrze na pierwszy rzut oka jest puste.

– Przyświecisz mi?

Sidney kuca obok mnie, świecąc latarnią po kątach. Kładę się na brzuchu, wciskam do dziury głowę i ramiona, obmacuję rękami deski na podłodze i po bokach.

– Czego szukasz? – pyta Sidney, podając mi lampę.

– Nie wiem. Ale gdzie ukryłbyś coś cennego, jeśli nie ma tego w kufrze? Tu musi coś być. – Mój głos jest stłumiony przez zamkniętą przestrzeń. – Wypływał w morze na rok albo dłużej, więc każdy by się spodziewał, że zabrał jakieś rzeczy osobiste. Chociażby pamiątki z domu. Ta kajuta jest zbyt spartańska.

– Może nie chciał, żeby cokolwiek przypominało mu o domu. Może widział wyprawę jako ucieczkę od dotychczasowego życia.

Nic na to nie mówię. Mam wrażenie, że Sidney wcale nie myśli o Dunnie. W chwili gdy jestem gotów przyznać się do porażki, dostrzegam jakieś gryzmoły na deskach w najdalszym kącie schowka. Stawiam latarnię obok siebie, niezdarnie sięgam do pasa po nóż i wsuwam ostrze pod deskę, żeby ją podważyć. Unosi się z łatwością, odsłaniając małe zagłębienie. Sięgam tam i wyjmuję grubą, oprawną w skórę księgę z ozdobnym zatrzaskiem.

– Co tam masz? – Sidney wyraźnie się niecierpliwi.

– Angielską Biblię, wnosząc z wyglądu. Trzymaj.

Wykręcam się spod koi, podaję mu latanię i otrzepuję ubranie. Siadamy razem na łóżku, z głowami pochylonymi nad książką. Sidney podważa zatrzask i unosi sztywną okładkę, odsłaniając pierwszą stronę.

W kartach księgi z wielką precyzją wycięto skrytkę, głęboką po samą tylną okładkę. Wewnątrz spoczywa aksamitna sakiewka ściągnięta sznureczkiem. Podnoszę ją i ważę w dłoni.

– Zajrzyjmy – mówi Sidney, nadstawiając rękę. Przewracam sakiewkę do góry dnem i wypada z niej pięć jasnych monet. Gwiżdże.

– Pięć złotych aniołów*. Chryste Panie! Myślałem, że Robert Dunne był zgrany do ostatniego miedziaka. Skąd wziął taką sumę?!

– Może wygrał.

– To mało prawdopodobne, z tego, co słyszeliśmy. Powinniśmy pokazać tę książkę Drake'owi. To stara sztuczka, wiesz. – Wtyka palec w wycięcie. – Tak katolicy często szmuglują fiolki krzyżma** i wody święconej przez porty. Celnikom nie przychodzi na myśl, żeby zaglądać do książek. Zobaczmy, czy jest coś pod spodem. – Sidney przyklęka na deskach i pochyla się z latarnią, żeby obmacać miejsce pod deskami. – Ha! Co my tu mamy!

Podaje mi złożoną kartkę i sięga z powrotem, żeby wyciągnąć zaśniedziałą monetę.

---

* Pięć złotych aniołów... Anioł (ang. *angel*) – złota moneta angielska pozostająca w obiegu w latach 1465–1663. Nazwa pochodzi od wizerunku św. Michała Archanioła przebijającego smoka na awersie. Wartość monety w czasach Elżbiety I wynosiła 10 szylingów (120 pensów lub ½ funta).

** Krzyżmo – mieszanina oliwy i balsamu używana do namaszczania przy udzielaniu sakramentów chrztu, bierzmowania, święceń kapłańskich oraz konsekracji biskupów, kościołów i ołtarzy.

– Spójrz na to. – Pokazuje znalezisko na rozpostartej dłoni. Z bliska widzę, że moneta jest wielkości suwerena, ale z taniego metalu, z wybitym nie portretem królowej, ale wyobrażeniem płomienia nad misą. – Co z tego rozumiesz? Nigdy nie widziałem takiej monety. Zagraniczna, nie sądzisz?

Kręcę głową.

– Nie sądzę, że to w ogóle moneta. Prędzej jakiś żeton, może prywatna waluta? Chociaż nie rozpoznaję symbolu.

Sidney przygląda się monecie i wzrusza ramionami.

– W takim razie rzućmy okiem na ten kawałek papieru.

Był zapieczętowany szkarłatnym woskiem, pieczęć pękła schludnie na dwoje. Rozkładam go i podsuwam Sidneyowi, żebyśmy mogli czytać jednocześnie.

Will Bryte
Edward Morgan
Abe Fletcher
Robert Dunne
Francis Knollys
Thomas Drake
Francis Drake

Pierwsze trzy nazwiska na liście zostały przekreślone. Sidney patrzy na mnie z błyskiem w oku.

– Co z tego rozumiesz?

Przyglądam się liście.

– Chciałbym wiedzieć, czy Bryte, Morgan albo Fletcher byli wśród przysięgłych, o których wspomniała lady Drake i z których dwóch zmarło w tym roku.

– Nie rozpoznaję tych nazwisk, ale taka była też moja pierwsza myśl. Z pewnością masz rację. Ciekawe, czy to pismo Dunne'a.

Ponownie otwieram książkę. W górnym prawym rogu po wewnętrznej stronie okładki widnieje wypisane atramentem nazwisko *R. Dunne*, a poniżej *Plymouth 1577*. Zakręcone ogonki R i D zdecydowanie się różnią od tych na liście nazwisk.

– Jeśli Dunne osobiście napisał swoje nazwisko, w takim razie powiem, że nie. Odwróć kartkę.

Sidney odwraca kartkę na drugą stronę, gdzie znajdują się połówki pieczęci i nazwisko adresata, *Szlachetny Pan Robert Dunne*, wypisane tym samym charakterem pisma. Sidney się pochyla, żeby z bliska obejrzeć wosk.

– Nie ma odcisku. Ktokolwiek jest autorem, wiedział, że dla Dunne'a to będzie coś oznaczać. Ale dlaczego wysłał mu listę z jego nazwiskiem?

– Może to groźba. By wiedział, że jego czas się kończy. Chociaż ostrzeganie człowieka, którego planuje się zabić, wydaje mi się dziwne.

– Autor sugeruje również atak na Drake'a i jego brata – mówi Sidney, pocierając szczękę. – Dlaczego Dunne nie powiedział nic Drake'owi?

Patrzę na niego z ukosa.

– Może miał powód, żeby tego nie robić.

– Dlaczego?

Siadam na brzegu koi, wodząc czubkami palców po wypukłym wzorze na okładce książki.

– Co wiemy o Robercie Dunnie? Szlachcic, choć poważnie zadłużony. Należał do rady przysięgłych, którzy siedem lat temu skazali Thomasa Doughty'ego na śmierć. Co czyni go jednym z celów zemsty Johna Doughty'ego.

– O ile historia Johna jest prawdziwa – zaznacza Sidney, opierając się o drzwi. – Wszystko może być tylko plotką i zbiegiem okoliczności.

– Istotnie. Po prostu staram się rozpatrzyć wszystkie możliwości. Wiemy, że Robert Dunne stał się nałogowym karciarzem i że dla niego ta podróż była sposobem na ucieczkę przed wierzycielami.

– Wiemy też, że w niezbyt dalekiej przyszłości spodziewał się wzbogacić, jeśli wierzyć twojemu nerwowemu przyjacielowi kartografowi.

– Nie jest moim przyjacielem. Ale tak. Dunne prawdopodobnie miał na myśli swoje łupy z wyprawy, lecz jeśli chodziło mu o coś innego? I słyszeliśmy, że niejeden raz widziano go w towarzystwie dwóch nieznajomych. Były to spotkania, z którymi wyraźnie nie chciał się obnosić przed żeglarską bracią.

– Następnie mamy księgę Judasza i księgarza, którym, jak sądzimy, jest Rowland Jenkes. Dunne był pośrednikiem, nie zapominaj. A teraz dochodzi ta tajemnicza sakiewka. Może ukradł ją komuś, kto później zabił go z zemsty?

– A może to jakiś rodzaj zapłaty?

Sidney patrzy na mnie wyczekująco. Ponieważ jednak nie rozwijam tego przypuszczenia, wzrusza ramionami.

– To pogmatwane.

Chowam list za pazuchę.

– Powinniśmy zapytać Drake'a o tę listę. Jeśli figurują na niej nazwiska przysięgłych, którzy skazali Thomasa Doughty'ego, to może rzucić nowe światło na sprawę. Czy nie mówiłeś, że John Doughty poszedł do więzienia, ponieważ podejrzewano, że Hiszpanie go zwerbowali do zabicia Drake'a?

Sidney mruży oczy.

– Tak zostało powiedziane w sądzie, ale…

– Załóżmy, że taka była prawda. Gdybyś był Johnem Doughtym, zdecydowanym dokonać zemsty, jak byś się do tego zabrał? Drake wszędzie chodzi z uzbrojonymi ludźmi i rozpoznałby cię na milę, więc w jaki sposób chciałbyś się do niego dobrać? Gdybyś był sprytny, czy nie zwerbowałbyś kogoś, kto wykonałby brudną robotę za ciebie? Kogoś, kto mógłby zbliżyć się do Drake'a bez wzbudzania podejrzeń?

Patrzy na mnie.

– Chodzi ci o kogoś takiego jak Robert Dunne?

– Namówienie człowieka, żeby odebrał życie drugiemu człowiekowi, to arcytrudne zadanie. Zwłaszcza gdy ten jest uważany za bohatera. Potrzebowałbyś kogoś, kto łatwo ulegnie przymusowi alko jakiejś pokusie. Może nią być zapłata z góry. – Stukam palcem w sakiewkę.

– Filip Hiszpański zaproponował dwadzieścia tysięcy dukatów temu, kto zabije Drake'a. Dla wielu byłoby to wystarczającą zachętą.

Myślisz, że John Doughty zamierzał wykorzystać Dunne'a do zabójstwa Drake'a w zamian za udział w nagrodzie? – Kręci głową. – To dość zawiła teoria, Bruno.

– Wiem. – Wkładam sakiewkę do książki i z westchnieniem utykam ją pod pachą. – Z przyjemnością usłyszę prostszą, jeśli ją masz.

Zaciska usta.

– Jeszcze nie. Powinniśmy pokazać to wszystko Drake'owi i zobaczyć, co on z tego zrozumie.

– Może nie podziękować za sugestię, że jest następny na liście mordercy.

– Wątpię, żeby spędziło mu to sen z powiek. Gdyby obawiał się noża zabójcy, nie zrobiłby kroku za próg. – Sidney udaje obojętność, ale wyraźnie jest pod wrażeniem odwagi Drake'a.

Podnosząc latarnię, zamykam drzwi schowka i rzucam ostatnie spojrzenie na kajutę nieboszczyka. Ogarnia mnie nagła melancholia na myśl, że czyjeś życie może zostawić tak niewiele śladów. Trudno nie dumać o tym, co ja zostawię po sobie, jeśli ktoś przyjdzie po mnie w najciemniejszych godzinach nocy. Ani wdowy, ani dziecka, ani ziemi. Nic poza książkami, które napisałem. Przynajmniej, jak sądzę, jest to swego rodzaju ślad na piasku. Już mam odejść, kiedy coś błysnęło na podłodze, jedno krótkie mignięcie, gdy przesuwam lampę.

– Czekaj... Co to było?

Kucam i spomiędzy desek wyjmuję mały perłowy guzik w kształcie kwiatka. Pokazuję go Sidneyowi na dłoni.

– Nie pochodzi z koszuli albo kaftana, które wyjmowałeś z kufra?

– Nie sądzę. Nie jest tani, a ubrania Dunne'a w większości są wyświechtane. Ale przejrzyjmy je jeszcze raz.

Otwiera skrzynię i rzuca naręcze ubrań nieboszczyka na łóżko. Razem podnosimy skromną kolekcję koszul i kaftanów. Pachną wilgocią i stęchlizną.

– Wszystkie koszule są sznurowane – zauważam.

– A kaftany mają guziki okręcone nicią – mówi, wrzucając rzeczy z powrotem do kufra i wycierając ręce. – O ile guzik nie należał do ubrania, które miał na sobie w chwili śmierci, to nie jego.

– Więc możemy założyć, że ktoś inny zgubił tu guzik. Może odpadł w trakcie szarpaniny.

– Urwał się podczas dźwigania go pod sufit – sugeruje Sidney. – To nie było łatwe zadanie.

– Zachowaj go. I od tej pory uważnie się przyglądaj guzikom wszystkich członków załogi. Może właściciel nie zdaje sobie sprawy, że jednego brakuje.

Sidney wrzuca guzik do sakiewki razem z monetą. Ja wsuwam listę nazwisk w zanadrze kaftana i utykam książkę pod pachą.

Wychodzimy na pokład akurat wtedy, gdy otwierają się drzwi sąsiedniej kajuty. Sir William Savile zapina krótką zieloną pelerynę na ramionach. Patrzy na nas zaskoczony, że wychodzimy z kwatery Dunne'a, ale wita się ze swoją zwykłą kordialnością. Znowu wykrywam w tym lekką ironię, jakbyśmy wszyscy się zmówili, że każdy z nas ma grać jakąś rolę. A może tylko staję się nazbyt podejrzliwy.

– Coście tam robili, panowie? Szabrowali? – Szczerzy zęby, głową wskazując książkę, a ja przeklinam się za to, że nie pomyślałem o jej ukryciu.

– Zbierali rzeczy Dunne'a dla wdowy – oznajmia Sidney z nutką wyniosłości w głosie. Savile unosi brew.

– Aha. Widzę, że dowódca nie boi się wyznaczać wam niewdzięcznych zadań – mówi, wpatrując się w książkę. – Co do mnie, zapowiedziałem, że będę od czasu do czasu stać na wachcie, ale odmawiam szorowania wychodków. Czy to książka Dunne'a? Nigdy nie widziałem, żeby studiował cokolwiek poza rozdaniami kart.

– To Biblia – wyjaśniam. – Może wolał się modlić w samotności.

Skłania głowę.

– Wygląda na przyzwoitą księgę. Kosztowną jak na człowieka, który twierdził, że nie ma złamanego szylinga. I zmarł jako mój dłużnik, pozwolę sobie dodać, między innymi. Mogę zobaczyć?

Z wyczekującym uśmiechem spogląda mi w oczy, wyciągając rękę po książkę. Nie wykonuję jednakże żadnego ruchu, by mu ją podać.

– Grałeś z nim, panie, w karty?

Savile parska śmiechem.

– Za moje grzechy! Jego entuzjazm do gry był wprost proporcjonalny do braku umiejętności. Żałosny głupiec... Pierwszej nocy, gdy stanęliśmy w Plymouth, sir Francis najął prywatny pokój Pod Gwiazdą i razem zasiedliśmy do kolacji. Później zaczęła się gra. Dunne odpadł wcześnie i pozwolę sobie powiedzieć, że nie umiał przegrywać. Byłem wśród tych, których obiecał spłacić. Wypadł z pokoju w wielkiej furii. Nie tego człowiek się spodziewa po oficerze, ale przecież niektórym z tych wiejskich szlachciców brakuje ogłady, nieprawdaż? – Kieruje pytanie do Sidneya, który nie odwzajemnia obłudnego uśmiechu, mimo że prawie na pewno podziela jego poglądy. To przykre, gdy się widzi snobizm jednego tak jawnie odzwierciedlany w drugim człowieku.

– Stawki były wysokie? – pytam.

Obraca głowę i pozwala spojrzeniu prześlizgnąć się po mnie od góry do dołu, zanim zatrzymuje je na mojej twarzy.

– Stosowne do pozycji graczy. Etykieta wymaga, żeby nie wchodzić do gry, jeśli nie można sprostać stawkom. W przeciwnym razie jest to bardzo źle odbierane.

– Dunne odszedł od stołu sporo winien reszcie towarzystwa?

– Nie dość, żeby miał się z tego powodu zabić. Ani żeby ktoś inny go zabił. – Uśmiecha się krzywo.

– Czyżby ktoś sugerował, że właśnie tak się stało?

– Myślałem, że właśnie ty to sugerujesz, doktorze Bruno. Ale zawsze snuje się przypuszczenia w takich sprawach, nieprawdaż? Tak czy inaczej, nie wypada mówić źle o zmarłym – dodaje nieszczerze. – Dokąd zmierzacie, panowie? Na spotkanie z dowódcą? – Ma taką minę, jakby zamierzał do nas dołączyć. Zerkam na Sidneya; niczego nie omówimy z Drakiem, jeśli Savile się do nas doczepi.

– Tego popołudnia zamierzam odwiedzić inne okręty jako kwatermistrz – oznajmia Sidney, z dumą prężąc ramiona. – Bruno będzie pomagał sir Francisowi w pracy nad mapami.

Savile spogląda na mnie z błyskiem zainteresowania w oku.

– Jesteś nawigatorem, panie?

- Trochę się znam na astronomii.
- Ha. Myślałem, że ma do tego człowieka. Bladego okularnika. Cóż, sir Philipie, chyba powinienem pójść z tobą. Jeśli spędzę kolejne popołudnie w kajucie, obawiam się, że z nudów sam się zabiję. - Milknie, widząc nasze miny. - Przepraszam. Bezmyślność. Ale naprawdę zamknięcie tutaj przez cały dzień wystarcza, żeby odebrać człowiekowi rozum. A atrakcje Plymouth szybko tracą swój powab.
- Nie jestem pewien, czy podczas miesięcy na morzu będzie dużo więcej rozrywek - zauważam.
- Tak, ale to co innego. Przynajmniej będziemy w centrum wydarzeń. Sama wyprawa jest przygodą! Chodź, sir Philipie. Gdzie zaczniemy?

Sidney rzuca mi bezradne spojrzenie, gdy Savile bierze go pod rękę.

- Zaniosę klucz sir Francisowi - mówię, hamując uśmiech, gdy biorę rzeczony przedmiot z ręki Sidneya. - Nie chciałbym cię odrywać od oficjalnych obowiązków, sir Philipie.

Zaciska usta w irytacji i łypie na mnie groźnie. Jeśli miał nadzieję na zadanie dyskretnych pytań o Dunne'a na kolejnych okrętach, jego plan zniweczy towarzystwo Savile'a, ale to już problem Sidneya. Może znajdzie jakieś rozwiązanie; ja już myślę o księdze w kajucie Drake'a.

8

– Ach, Bruno. Wejdź, proszę. Mam nadzieję, że kobiety nie za-
męczyły cię swoim paplaniem tego popołudnia. – Drake siedzi za
dużym stołem, z rozpostartą na nim masą papierów. Obok niego
stoi Gilbert Crosse, pochylony z ołówkiem w ręce, w okularach
opuszczonych na czubek nosa. Thomas Drake stoi przy oknie z rękami splecionymi z tyłu. Bez uśmiechu kiwa głową na powitanie.
Sidney ma rację, ten człowiek naprawdę jest stróżem swojego brata.
Gilbert z trwogą przenosi spojrzenie ze mnie na Drake'a i zaczyna
zgarniać papiery. Drake kładzie rękę na jego ramieniu.
– Nie ma obawy, Gilbercie – mówi. – Doktor Bruno nie przyszedł szpiegować naszych map.

Podchodząc bliżej, widzę, że papiery są pokryte szczegółowymi ry-
sunkami fragmentów linii brzegowej ze schludnie opisanymi równoleżnikami i południkami, ze starannie wykaligrafowanymi nazwami
geograficznymi. Wyciągam szyję, by lepiej widzieć, i zdaję sobie sprawę, że patrzę na północno-wschodnie wybrzeże Hiszpanii, od Cabo
Finisterre po zatokę Ría de Vigo. Gilbert spostrzega, że czytam mapę,
i przykłada palce do skroni, jakby niepokój przyprawiał go o ból głowy.
– Ty je wykreśliłeś? – pytam. Musiał usłyszeć podziw w moim
głosie, ponieważ się rumieni aż po nasadę włosów i gestem właściciela kładzie rękę na skraju jednej z map. – Ale skąd miałeś dane? –
Przyglądam się uważnie, zaintrygowany. – Nie rozpoznaję tu żadnej
ze znanych mi map.

141

Gilbert patrzy na Drake'a, wzrokiem pytając o pozwolenie.

– Mam nadzieję, że nie – odpowiada Drake z uśmiechem, kładąc rękę na ramieniu chłopaka. – To oryginalne mapy. Nie zostały skopiowane z żadnej z istniejących *mappa mundi*. Sporządzono je na podstawie rzeczywistych obliczeń i pomiarów dokonanych przez prawdziwych nawigatorów i pilotów.

– Tworzycie własną mapę? – Wlepiam w nich zdumione oczy. Powszechnie wiadomo, że wymyślne, udziwnione mapy wykreślone przez kartografów, nawet tych najbardziej utalentowanych, jak Gerard Merkator, mają niewielki związek z rzeczywistym kształtem krajów świata, a zwłaszcza konturami linii brzegowej, o czym dobrze wiedzą doświadczeni żeglarze. Kartografowie kopiują istniejące mapy i w ten sposób błędy są powielane. Zawsze wydawało mi się dziwne, dlaczego poszukiwacze przygód i kupcy różnych nacji wzbraniają się przed współpracą, jeśli chodzi o tworzenie map – taka współpraca oznaczałaby ogromny postęp w naszym rozumieniu świata i ułatwiła podróże. Ale wiedza nawigatora jest bezcennym, ściśle strzeżonym skarbem i dzielenie się nią z innym państwem równałoby się wyrzeczeniu przewagi militarnej i handlowej.

– Wojna z Hiszpanią jest nieunikniona, prędzej czy później – powiada Drake, obrzucając mnie poważnym spojrzeniem. – Jeśli nie w tym roku, to w przyszłym albo za dwa lata. Zasugerowałem sekretarzowi Walsinghamowi, że flota Jej Królewskiej Mości będzie miała znacznie większe szanse wygranej, jeśli uzyskamy dokładne mapy hiszpańskiej linii brzegowej z naniesionymi kluczowymi portami. Nie mówiąc o posiadaniu lepszych map domeny hiszpańskiej z każdą ważną warownią. W odpowiedzi przysłał mi Gilberta.

Młodzieniec zmusza się do robienia skromnej miny, ale widzę, że promienieje.

– Masz zatem pewne umiejętności kartograficzne? – pytam, patrząc na niego z nowym zainteresowaniem.

– Gilbert jest mistrzem kreślarskim – oznajmia Drake z taką dumą, jakby sam go wyszkolił. – Nadto studiował matematykę i kosmografię. Brakuje mu tylko doświadczenia w interpretowaniu linii brzegowej z bliska, z pokładu okrętu. Mamy nadzieję to nadrobić. – Klepie chłopaka po plecach.

– Studiowałem w Antwerpii u mistrza kartografa, który szkolił się u Abrahama Orteliusa – wyjaśnia Gilbert, lekko wypinając pierś. – Chociaż podczas tej podróży mam być tylko skrybą kapitana Drake'a – dodaje szybko.

– Tak. Te mapy nie istnieją – powiada z naciskiem Drake, stukając w arkusze leżące na stole i przeszywając mnie ostrzegawczym spojrzeniem.

Kłaniam się na znak, że rozumiem, przypominając sobie, że królowa zakazała mu publikowania map i relacji z podróży dokoła świata, żeby jedno albo drugie nie wpadło w hiszpańskie ręce. Jeśli mapy Gilberta mają zapewnić Anglii przewagę, Hiszpanie nie mogą się dowiedzieć o ich istnieniu. Są to, można rzec, ściśle tajne informacje wojskowe.

– Co tam masz, doktorze Bruno? – pyta Gilbert, mrugając za okularami i wskazując książkę, którą trzymam pod pachą. – Znalazłeś to w kajucie Roberta Dunne'a? – Odkłada ołówek i patrzy z zaciekawieniem.

Drake przenosi ostre spojrzenie ze mnie na Gilberta, ocenia sytuację, wstaje i płynnym ruchem roluje mapy na stole, zrzucając ołówek Gilberta na podłogę. Podczas gdy kartograf szuka go po omacku, kapitan nieznacznie kręci głową.

– Dziękuję, Gilbercie. Podejmiemy pracę po kolacji, jeśli można, od podejścia do rzeki Vigo.

Gilbert godzi się z odprawą, choć z niespokojnym wyrazem twarzy przestępuje z nogi na nogę.

– Planowałem dziś wieczorem popłynąć na brzeg – mówi z lekkim drżeniem w głosie. – Na nabożeństwo wieczorne, jak zawsze. Choć, oczywiście, jeśli uznałeś, panie, że jestem tu potrzebny...

Drake macha ręką.

– Nie, wybacz, zapomniałem. Daleki jestem od stawania pomiędzy człowiekiem i jego potrzebą modlitwy. Przypuszczam, że będziemy mieli dość czasu na omówienie sprawy przed zbliżeniem się do wybrzeży Hiszpanii. – Krzywi się, jakby ta perspektywa malała mu przed oczami.

Gilbert wychodzi zza stołu. Uśmiecha się do mnie nieśmiało, patrząc na książkę w moich rękach. Jeśli naszym celem było uniknięcie spekulacji o naturze śmierci Dunne'a, to kiepsko nam to wyszło, myślę sobie. Niebawem cała załoga będzie poszeptywać o Sidneyu i o mnie, grzebiących w rzeczach osobistych nieboszczyka, i zachodzić w głowę, dlaczego to robiliśmy. Chociaż po naszej rozmowie z Gilbertem i Savile'em plotki z pewnością już się rozeszły wśród marynarzy.

Kiedy drzwi zamykają się za Gilbertem, Drake z roztargnieniem oburącz przegarnia włosy i wskazuje mi miejsce naprzeciwko siebie.

– Gdzie jest sir Philip? – pyta.

– Wybrał się na rozmowy o zaopatrzeniu z innymi kapitanami. Sir William postanowił mu towarzyszyć.

Drake chichocze.

– Niech wzajemnie plączą się sobie pod nogami. Co znalazłeś, doktorze Bruno, w kajucie Dunne'a?

Podaję mu książkę, wyjaśniając, gdzie była ukryta. Kiwa głową, gdy po otwarciu widzi wycięty schowek i sakiewkę.

– Tak, widziałem już coś takiego. Dobry sposób na ukrycie cennych rzeczy, choć moim zdaniem lepsza jest mniej pretensjonalna książka. Ciekawe, gdzie Dunne zdobył takie pieniądze.

– Nie przy karcianym stole – oświadcza z przekonaniem Thomas. Przychodzi mi na myśl, że być może nieboszczyk był również jego dłużnikiem.

– Skądkolwiek trafiły mu w ręce, ich obecność sugeruje, że zabójcę nie interesowały kosztowności – mówię. – Kryjówka nie była zbytnio wyszukana i znalezienie pieniędzy nie wymagałoby wielkiego zachodu. Pod deskami koi odkryliśmy również to. – Podaję Drake'owi listę. Gdy ją czyta, przestaje nad sobą panować i twarz mu blednie.

– Thomasie, rzuć na to okiem. – Przekazuje listę bratu. Thomas czyta; gniew i szok walczą o lepsze na jego twarzy. Bracia wymie-

144

niają długie spojrzenie, po czym sir Francis zwraca się do mnie: –
Wie, Bruno, co to takiego?

– Lista przysięgłych z Puerto San Julián? Tych, którzy skazali
Thomasa Doughty'ego na śmierć?

– Skąd możesz o tym wiedzieć?! – warczy Thomas Drake,
podrywając głowę znad kartki. Gniecie ją w garści i piorunuje mnie
wzrokiem.

– Lady Drake wspomniała o tym dzisiaj, kiedy spacerowaliśmy.

– Doprawdy? – Drake unosi brew i kiwa głową, jakby wcale nie
był tym zaskoczony. – Wiesz zatem, że John Doughty, który miał
szczęście nie podzielić losu brata podczas tamtej wyprawy, chciał
zemsty, gdy wróciliśmy do Anglii. Jego próba oskarżenia mnie spa-
liła na panewce i wtedy przysiągł, że weźmie tę sprawę w swoje
ręce. – Milknie i ramiona mu się unoszą, gdy wzdycha.

– Jak rozumiem, trafił do więzienia?

– Nie przez mojego brata – zapewnia Thomas Drake tak szybko
i wyzywająco, że równie dobrze mógłby potwierdzić, iż było wprost
przeciwnie. Sir Francis posyła mu ostrzegawcze spojrzenie.

– John Doughty został oskarżony o przyjęcie pieniędzy od Hiszpanów za zabicie mnie albo uprowadzenie. Do dziś nie wiem, czy
była w tym prawda... Niektórzy powiadają, że oskarżenia zostały
wyssane z palca, żeby go uciszyć. Nagroda natomiast jest całkiem
prawdziwa, Filip Hiszpański oferuje za moją głowę dwadzieścia tysięcy dukatów. – Szeroko się uśmiecha, dumny z tego faktu, i w jego
ustach błyska złoty ząb. Po chwili znów poważnieje. – John Doughty został uwięziony w Marshalsea. W moim przekonaniu nie mogło być dla niego gorszego miejsca, gdyż trafił pomiędzy katolików
odmawiających brania udziału w anglikańskich nabożeństwach,
sympatyzujących z Hiszpanami, co tylko podwoiło jego nienawiść
do mojej osoby. Wyszedł na wolność w styczniu tego roku. Wtedy
zaczęły napływać listy.

– Przysyłał pogróżki?

Drake zaciska usta.

– Zawsze ten sam temat: jestem winny morderstwa, krew żąda
krwi. Nie poświęciłbym tym wynurzeniom ani krzty uwagi, gdyby

nie zawierały pewnych szczegółów na dowód, że ich autor dokładnie wie, co ostatnio robiłem. – Krzywi się. – Trudno to zignorować, zwłaszcza że nawiązywał też do mojej żony.

– Groził jej?

– Nie otwarcie. Na przykład wspominał, że dobrze wyglądała w żółtej sukni, w której poszła do kościoła w niedzielę, tego rodzaju rzeczy. Daje do zrozumienia, że obserwuje ją z bliska. Dlatego muszę traktować go poważnie. Szczególnie odkąd usłyszałem wieści o Willu Brycie.

– Co mu się stało?

– Rzekomo zrzucił go koń. Nie zaniepokoiłoby mnie to, gdybym nie otrzymał wiadomości, że niespełna miesiąc później zmarł Edward Morgan. Podobno zabiła go jakaś choroba jelit. Tak mówili. – Milknie i wygładza listę na stole, patrząc na nią.

– Likwiduje nas jednego po drugim – mówi Thomas Drake bezdźwięcznym głosem.

Drake spogląda na brata, potem na mnie.

– Elizabeth powiedziała, że jestem głupi, doszukując się nie wiadomo czego w nieszczęśliwych wypadkach i zbiegach okoliczności. Kiedy jednak usłyszałem o śmierci Morgana, poczułem tchnienie śmierci na karku. A teraz Robert Dunne... – Bezradnie rozkłada ręce. – Powiedziałem wówczas bratu: „John Doughty za tym stoi, wspomnisz moje słowa".

– I myślisz, panie, że on jest teraz w Plymouth?

– Powiedziałem, że to niemożliwe – wtrąca Thomas, podchodząc bliżej. – Nie ulega wątpliwości, że Doughty nie mógłby wejść na ten okręt. Zbyt wielu ludzi z załogi zna jego twarz. Nie chciałem w to uwierzyć. Ale to... – Pochyla się i dźga listę palcem wskazującym.

– Do tego Fletcher, Thomasie – dopowiada Drake, kręcąc głową. – Zawsze się nad tym zastanawiałem. – Widzi moją minę, zatem wyjaśnia: – Abe Fletcher zeznawał przeciwko Thomasowi Doughty'emu na procesie. Fala zmyła go za burtę podczas sztormu w Cieśninie Magellana. Był jedyną ofiarą. Płynął na tym samym okręcie co John Doughty.

– Tak więc on był pierwszy – mówi Thomas. Nie traci panowania nad sobą, ale szybko zerka na drzwi kajuty i splata palce tak mocno, że bieleją kostki.

Atmosfera w kajucie się zmienia; zakrada się strach i wszyscy czujemy, jak nad nami wisi. Patrzymy jeden na drugiego. Zdaje się, że żaden z nas nie wie, co powiedzieć.

– Czy charakter pisma jest taki sam jak w pańskich listach? – pytam w końcu, żeby przerwać ciszę.

Drake mruży oczy i patrzy na kartkę.

– Listy, które otrzymywałem, były napisane dziwacznym charakterem, pełne gryzmołów i niepojętych symboli. Pismo szaleńca, rzekłbym, choć może tylko na pokaz. Spaliłem je, oczywiście, gdyż nie chciałem niepokoić Elizabeth.

– Ale dlaczego ta lista trafiła w ręce Dunne'a? Przypuszczam, że jako groźba – mówi Thomas, odpowiadając na swoje pytanie. Patrzy na brata, jakby chciał usłyszeć potwierdzenie. – I dlaczego Dunne nic nie powiedział? Jeśli miał powody się obawiać, że jego życie jest w niebezpieczeństwie, podobnie jak żywoty innych sędziów przysięgłych związanych ze sprawą Doughty'ego, dlaczego nie wspomniał o tym swojemu dowódcy? Moglibyśmy coś zrobić, żeby go chronić.

– Może z dumy – odpowiada Drake. Jest w ponurym nastroju. Waham się.

– Może jest inny powód. – Bracia na mnie patrzą. – A jeśli lista miała być nie ostrzeżeniem, tylko instrukcją?

Sir Francis pierwszy rozumie, o co mi chodzi, i zdumienie wyziera z jego oczu.

– Chcesz powiedzieć, że Dunne...? – Marszczy brwi, spoglądając na Thomasa. – Nie, nie Robert. To niemożliwe. Był lojalnym towarzyszem.

Rozkładam ręce wnętrzem dłoni w górę.

– To tylko teoria. Ale John Doughty musiał zdawać sobie sprawę, że sam ma niewielkie szanse na zbliżenie się do sir Francisa Drake'a czy do jego brata, Thomasa. A jeśli zmusił Dunne'a, obiecując, że daruje mu życie? Dunne miesiącami byłby waszym bliskim towarzyszem na morzu. Miałby mnóstwo okazji, a wy nie podejrzewalibyście go o niecne zamiary.

Drake patrzy na brata i wzrusza ramionami.

– Przecież na liście figuruje także jego nazwisko. – Thomas Drake kręci głową. – I nawet zakładając, że planował zabójstwo sir Francisa... sam już nie żyje, a twoja wydumana teoria, doktorze Bruno, nie zbliża nas do odpowiedzi na pytanie, dlaczego albo kto go zabił.

– Ale nie możemy uniknąć wniosku, że zabójcą jest ktoś z załogi – mówi Drake. Wszyscy zerkamy na drzwi.

– Gilbert wspomniał, że ten Hiszpan, Jonas, wszedł owej nocy do kajuty Dunne'a. Zastanawiałem się, czy może coś wiedzieć? – Ostrożnie formułuję pytanie, bo nie chcę, żeby zabrzmiało tak, jakbym podzielał podejrzenia Gilberta.

– Tak, wysłałem Jonasa, żeby do niego zajrzał – odpowiada Thomas wyzywająco. – Hiszpan zna się na ziołach, umie przyrządzać napary, które dobrze robią na przepicie. Kazałem mu przygotować lekarstwo dla Dunne'a.

– Czy powiedział, w jakim stanie był Dunne, kiedy go zostawił? Ten Jonas może być ostatnią osobą, która widziała go żywego. Poza zabójcą. – Nie musiałem dodawać, że to może być jedna i ta sama osoba.

Thomas kręci głową.

– Powiedział tylko, że Dunne spał, kiedy wychodził.

– Jeśli chcesz, możesz sam z nim porozmawiać, Bruno – proponuje Drake.

– To zły pomysł, Francisie. – Thomas obrzuca brata twardym spojrzeniem. – Jeśli ludzie zaczną powątpiewać w wersję, którą im podałeś...

– Wszystko idzie źle, od samego początku! – Drake odpycha się na krześle od stołu i wstaje, zaczerwieniony po swoim wybuchu gniewu. Bierze głęboki wdech i ścisza głos, gdy mówi: – Źle się dzieje od chwili, gdy go znaleźliśmy. Ale nie posuniemy się nawet o krok w stronę rozwiązania tego problemu, dopóki nie poznamy prawdy o śmierci Dunne'a. – Powoli wypuszcza powietrze. – A teraz, Bruno – zwraca się do mnie z wymuszonym uśmiechem – księga Judasza. Może znajdziesz tam coś, co rzuci światło na sprawę.

Idzie w kąt kajuty i otwiera szafkę wbudowaną w boazerię. Wyjmuje z niej pakunek, który widzieliśmy wcześniej Pod Gwiazdą. Mrowią mnie czubki palców na samą myśl o przewracaniu tych kruchych kart. Kładzie księgę na stole przede mną.

– Thomasie, pozwólmy doktorowi Brunowi zabrać się do pracy. Przejdę się po okręcie, porozmawiam z ludźmi. Ty możesz zrobić to samo u siebie. Zapewnij załogę, że wszystko jest w porządku.

Mam wrażenie, że w ostatnim zdaniu zabrzmiała łagodna nuta przygany, i uśmiecham się do siebie.

– Zamierzasz zostawić go samego? – Thomas wskazuje na mnie, wyraźnie oburzony.

– Co według ciebie miałby zrobić, wyskoczyć przez okno? Za drzwiami stoi uzbrojona straż, nie uciekłby daleko. A gdyby ktoś zamierzał ukraść mu księgę, cóż… sir Philip mnie zapewnia, że nikt przy zdrowych zmysłach nie próbowałby walczyć z Brunem. Mam rację, Bruno?

– Umiem się bronić, gdy zachodzi potrzeba, sir Francisie – mówię, mając nadzieję, że nie będę musiał tego udowadniać.

Thomas Drake niechętnie idzie ku drzwiom; obrzuca mnie ostatnim spojrzeniem, które mówi, że ma o mnie wyrobione zdanie. Drake kiwa głową i zamyka za sobą drzwi.

◆ ◆ ◆

Popołudnie przechodzi we wczesny wieczór. Od czasu do czasu słońce wyziera zza chmur i odbite światło rzuca płynne refleksy na boazerię i szerokie biurko w kajucie kapitana. Prawie nie zauważam lekkiego kołysania okrętu, poskrzypywania drewna, setek innych hałasów, które należą do morza. Tracąc poczucie czasu, wykuwam zdanie po zdaniu, zaabsorbowany słowami, które moja ręka pisze na czystych kartkach, przekształcając zakrętasy i spirale koptyjskich liter w solidną łacinę. Często przerywam, zbieram myśli. Te słowa mogą być bardziej wybuchowe niż proch i kule armatnie przechowywane w ładowniach wszystkich tych okrętów razem wziętych.

Gwałtowne pukanie do drzwi przerywa mi rozmyślania. Z drgnieniem unoszę głowę; to na pewno jakiś gość do Drake'a. Byłem tak pochłonięty księgą, że nie mam pojęcia, czy strażnicy nadal stoją na posterunku. Z napiętymi ramionami odwracam zapisaną kartę, chwytam rękojeść noża i wołam:

– Proszę!

Drzwi się uchylają i widzę mężczyznę, który mógłby być moim krajanem. Czarne, kędzierzawe włosy sięgają mu do ramion, twarz jest opalona na głęboki oliwkowy brąz, a oczy są tak ciemne, że trudno dostrzec granicę pomiędzy źrenicą i tęczówką. Ma złote kolczyki w uszach i nierówno przystrzyżoną brodę. W rękach trzyma cynowy kufel z pokrywką. Spod pokrywki snują się smużki pary. Spogląda na mnie z czujną miną, jego nieufność wzrasta, gdy zatrzymuje spojrzenie na mojej dłoni zaciśniętej na sztylecie. Siedzę nieruchomo, tylko na niego patrząc.

– Kapitan Drake kazał mi to przynieść – oznajmia obojętnym tonem, wskazując kufel. Mówi po angielsku z silnym obcym akcentem. To może być tylko Jonas, były jeniec, obecnie wyniesiony do rangi tłumacza.

– ¿*Qué es?* – pytam, wskazując kufel.

– ¿*Usted habla español?* – Jego twarz trochę się odpręża. Wchodzi do kajuty, chociaż jego spojrzenie ani na chwilę nie odrywa się od noża. Puszczam rękojeść i gestem zapraszam go do środka. Zamyka drzwi i podnosi kufel, wyjaśniając po hiszpańsku, że sporządził napar z ziół korzystnie działających na żołądek. – *Para el mareo* – dodaje z zachęcającym skinieniem. Już mam mu wyjaśnić, że nie cierpię na chorobę morską, kiedy przychodzi mi na myśl, że to z pewnością fortel Drake'a, żeby dać mi okazję do rozmowy z Hiszpanem na osobności.

– Znasz się na medycynie? – pytam po hiszpańsku.

Wzrusza ramionami.

– Moja matka była Cyganką. Nauczyła mnie leczyć ziołami. Trochę się znam na kataplazmach i wywarach. Dość, żeby się przydać ludziom na morzu. – Z nieśmiałym uśmiechem podnosi opatrzoną zawiasem pokrywkę. Z kufla bucha para o silnym aromacie fenkułu i czegoś innego – lepkosłodka woń, której nie potrafię zidentyfikować. Myślę o dwóch kubkach w kajucie Roberta Dunne'a i płynącym z nich zapachu korzeni, o jego dziwnym, szalonym zachowaniu w stanie upojenia i moja ręka zamiera w połowie drogi do kufla. Ten człowiek był w kajucie Dunne'a w noc jego śmierci, być może ostatni widział go żywego i może już wie, że Sidney i ja przeglądaliśmy rzeczy nieboszczyka. Spoglądam na jego kaftan. Guziki są wystrugane z drewna i wszystkie na swoich miejscach. Mimo to, myślę, może lepiej nie pić tego, co zawiera kufel.

Uśmiecham się i biorę naczynie z wyciągniętej ręki, wdychając parę.

– Dobre – mówi, widząc moje wahanie. – Możesz mi wierzyć, panie, każdy mnie o to prosi, gdy jesteśmy na morzu. Jestem Jonas – dodaje z lekkim ukłonem.

– Giordano Bruno z Noli.

– Wiem. – Jego spojrzenie błądzi po szerokim stole za moimi plecami, gdzie na widoku leży manuskrypt i rozrzucone notatki. – Tłumaczysz książkę?

Śledzę kierunek jego spojrzenia.

– Tak. Skąd pochodzisz?

– Z Kadyksu, ale nie byłem tam od dzieciństwa. – Milknie na chwilę z tym samym półuśmiechem. – Na suchym lądzie nigdy nie czułem się jak u siebie w domu.

– Ale czujesz się jak u siebie na angielskim okręcie?

Nie umyka mu sceptyczny ton i jego rysy natychmiast twardnieją. Zakwestionowałem jego lojalność wobec ojczyzny albo do Drake'a, albo do jednego i drugiego, więc czuje się urażony.

– A ty?

– Nie powiedziałbym, że czuję się jak w domu na jakimkolwiek okręcie. Na razie nie mam wyboru.

– Ani ja – mówi znacząco. Wzdycha i splata ramiona na piersi. – Wiem, co myślisz. Wszyscy myślą to samo. El Draque zajął mój statek, znieważył moją ojczyznę, wszystko ukradł. Dlaczego z nim zostałem, skoro jestem Hiszpanem, jeśli nie po to, żeby go zdradzić? Widzę, jak na mnie patrzą. Uważają, że szpieguję dla mojego kraju, dla króla Filipa. Ty myślisz to samo. Ale coś ci powiem, Włochu. – Odwraca się w stronę okna, jakby było mu wszystko jedno. – Jeśli ktoś szpieguje na tym okręcie, to nie ja.

Nie umyka mi osobliwość tej uwagi.

– W tej flocie jest dość ludzi, którzy znają plany kapitana Drake'a dotyczące hiszpańskiej domeny – podejmuje wątek na nowo. Wskazuje przez okno na miasto. – W Plymouth roi się od kupców i handlarzy z Europy, w porcie cumuje wiele ich statków. A jednak jeśli jakieś listy trafiają w ręce Hiszpanów, wszystkie oczy kierują się na mnie. – Wciąż wygląda przez okno, gdy mówi cichym głosem. – Cudzoziemiec wśród Anglików zawsze jest czemuś winien. Samo przestępstwo nie ma znaczenia. Rozumiesz to może?

Kiwam głową, wspominając ubiegłoroczny zatarg z angielskim prawem.

– W Londynie nie ma dnia, żeby ktoś nie nazwał mnie parszywym hiszpańskim psem – przyznaję.

Jonas śmieje się.

– Uznaj za komplement, przyjacielu, że biorą cię za Hiszpana.

– W takim razie dlaczego z nim zostałeś? – pytam, wyczuwając, że trochę się rozluźnił.

– Podczas tej pierwszej wyprawy, kiedy El Draque zajął *Santa Marię*, zatrzymał mnie przy sobie, ponieważ znam wody domeny i umiem tłumaczyć. Jestem mu potrzebny do negocjacji z Hiszpanami.

– Słyszałem, że negocjuje rapierem.

Zbywa tę uwagę.

– To historie opowiadane przez Hiszpanów. Lubimy przesadzać. Podobnie jak wy, Włosi, co wynika z mojego doświadczenia.

Uśmiechem potwierdzam prawdę jego słów.

– El Draque jest uprzejmy, choć rozgłaszanie, że jest inaczej, odpowiada moim rodakom. Kiedy zdobył mój statek, pozwolił ludziom zająć miejsca w szalupach i odpłynąć, bez wyrządzania im krzywdy.

– Z wyjątkiem księdza – przypominam mu, myśląc o braciach Doughty, przeszywających rapierami przerażonego młodego jezuitę.

– To nie była wina kapitana Drake'a – mówi Jonas z pewną zaciekłością. – Hiszpanie twierdzą, że odcina ręce jeńcom. Nigdy nie widziałem niczego takiego. W czasie tej podróży traktował mnie lepiej niż którykolwiek z hiszpańskich kapitanów przez wszystkie lata mojej służby na morzu. Weź pod uwagę, że byłem jeńcem, a jednak po skończonej wyprawie zapłacił mi jak każdemu członkowi swojej załogi. – Wzrusza ramionami. – Zostałem w Anglii. W Hiszpanii nic mi już nie zostało.

Drake zapłacił ci za przejście na drugą stronę pieniędzmi ukradzionymi z hiszpańskich statków, myślę ze smutkiem, patrząc na niego. Wcale się nie dziwię, że nie mogłeś wrócić. Ale nie mogę przestać się zastanawiać, jak głęboko sięga jego lojalność. Jonas ma w sobie coś, co porusza we mnie czułą strunę. Rozpoznaję w nim siebie, i to nie tylko dlatego, że jesteśmy podobni z wyglądu. W jego oczach widzę ten sam niepokój, zaszczute spojrzenie uchodźcy, człowieka świadomego, że nigdzie nie znajdzie miejsca, które mógłby nazwać swoim prawdziwym domem. Może na razie związał swój los z Drakiem, ale dobrze wiem, jak często pozory mylą. Próbuję wymyślić, jak bez wzbudzania podejrzeń poruszyć temat Roberta Dunne'a, gdy Jonas rozplata ramiona i wskazuje kufel.

– Trzeba wypić, póki gorące. W przeciwnym razie nie zadziała.

– Wolę zaczekać, aż trochę ostygnie.

Patrzy na mnie w milczeniu i nagle parska śmiechem.

– Nie ufasz mi, co? Nawet ty… Myślisz sobie: „Co też każe mi wypić ten Hiszpan? Może chce nas wytruć jednego po drugim, dla króla Filipa?". – Kręci głową, wciąż drwiąc ze mnie, ale w jego śmiechu brzmi gorycz. – Gdybym zamierzał otruć wszystkich dla Hiszpanii, czy nie zacząłbym od El Draque? To za jego głowę wyznaczono nagrodę dwudziestu tysięcy dukatów, nie za twoją.

Bierze kufel z moich rąk i pociąga długi łyk parującej mikstury, po czym spokojnie go oddaje i rękawem ociera usta. Kiedy widzę, że przełknął, czuję, że nie mam innego wyboru, jak wziąć z niego przykład. Smakuje drewnem, a później dziwną słodyczą, co sprawia, że się krzywię.

– Widzisz? Nikt nie umarł. – Szczerzy zęby w uśmiechu. – Jeszcze nie.

– Przepraszam. Nie chciałem cię urazić. Kolejna śmierć na pokładzie tego okrętu z pewnością zostałaby odebrana jako zły omen. Obrzuca mnie ostrym spojrzeniem.

– Zły omen? Tak, właśnie tak o tym mówią. Biedny Robert. Pokój jego duszy.

– Byliście przyjaciółmi?

Znowu to kose spojrzenie, jakby wiedział, że mam ukryty motyw.

– Żeglowaliśmy razem prawie trzy lata, opływając świat dokoła. Był dobrym człowiekiem. Nie spodziewasz się… – Wyrzuca ręce w górę w nagłym, dzikim geście. Czuję, że w grę wchodzą emocje, które stara się ukryć, choć pod tym względem brak mu doświadczenia Anglików.

– Rozmawiałeś z nim przed śmiercią?

– Dlaczego chcesz to wiedzieć? – Jego oczy zwężają się w ciemne szczeliny. Podczas gdy Gilbert Crosse nie mógł się doczekać, żeby wyrazić swoje podejrzenia, ten człowiek jest nadzwyczaj wyczulony na natarczywe pytania.

– Tylko dlatego, że odkąd przybyliśmy, wszyscy o tym mówią. – Silę się na lekki ton.

– A co mówią?

– Każdy uważa jego samobójstwo za niespodziewane.

– Tak. Było zaskakujące. – Gorycz, może sarkazm, barwi jego głos.

– Ponieważ nie wyglądał na człowieka, który chce odebrać sobie życie?

– Nie ująłbym tego w ten sposób. Ale kto wie, jakie myśli chodzą komuś po głowie. Powinieneś dopić – radzi, wskazując kufel. – Mówią, że wieczorem zerwie się wiatr, będzie porządnie kołysać. Wtedy mi podziękujesz. Chociaż co nam po wietrze, skoro nie możemy wypłynąć na pełne morze.

Niechętnie wypijam mały haust pod jego czujnym wzrokiem i podejmuję kolejną próbę.

– Słyszałem, że Robert Dunne był bardzo pijany w noc śmierci. Niekiedy po pijaku człowieka ogarnia melancholia. Może po prostu coś w nim pękło.

Robi krok do przodu, oczy mu niebezpiecznie błyszczą, ale panuje nad głosem, gdy mówi:

– Nic o tym nie wiesz. Nie sądź człowieka, którego nie znałeś, na podstawie tego, coś usłyszał od innych, bo niektórzy marynarze plotkują jak praczki.

– Wybacz. Chciałem tylko…

Wypuszcza ustami powietrze i wraz z nim swój gniew. Trudno powiedzieć, co go rozzłościło: moje pytania, bo są impertynenckie, czy ogólnie rozmowa na ten temat.

– Tak, widziałem go tamtej nocy. Thomas Drake mnie znalazł i poprosił, żebym sporządził coś dla Roberta. Powiedział, że spił się na umór i nie panuje nad sobą. Zabrałem wywar przeczyszczający do jego kajuty. Nie odpowiedział na pukanie.

– Był…?

– Nie. Nie wtedy. Drzwi nie były zamknięte na klucz, więc wszedłem. Leżał twarzą w dół na łóżku, zupełnie nieprzytomny. Nie chciałem go budzić, więc zabrałem kubek i wyszedłem. Nie powinienem był go zostawiać. – Zaciska usta i wbija oczy w podłogę.

Hiszpan wygląda na człowieka cierpiącego z powodu nagłej śmierci przyjaciela, ale nie mogę się pozbyć wrażenia, że nie wszystko mi mówi. To zrozumiałe; przecież dopiero się poznaliśmy, a to, że rozmawiam z nim w jego ojczystej mowie, jeszcze nie wystarcza, żeby mi zaufał. Jednak jego wersja wydarzeń nie pokrywa się z tą opowiedzianą przez Gilberta. Wystarczyłaby chwila, by zobaczyć, że Dunne jest nieprzytomny, i wyjść z kajuty, ale Gilbert powiedział, że Hiszpan spędził tam jakiś czas. Jeden z nich kłamie.

– Nie mogłeś wiedzieć, że coś złego się stanie. – Staram się mówić współczującym tonem. – Musiał zbudzić się w nocy i pod wpływem impulsu powziąć decyzję.

– Zastanawianie się nad tym nic nie da – oznajmia z ożywieniem. – Odszedł, a my musimy myśleć o przyszłości. – Cień przemyka przez jego twarz. – Zbliża się wojna. Tylko głupiec mógłby to ignorować. Cokolwiek zrobimy podczas tej wyprawy, zostanie uznane przez króla Filipa za akt agresji. Lepiej dopilnujmy, żeby wszystko poszło jak trzeba. – Ma zaciśnięte pięści i napięte mięśnie szczęki. My – podkreślił.

– Będziesz walczyć po stronie Anglii?

Przekrzywia podbródek i obrzuca mnie długim spojrzeniem.

– Trudno ci w to uwierzyć? Pozwól, że o coś spytam. Dlaczego ty nie czujesz się jak w domu w swoim własnym kraju, Giordano Bruno?

– Obecnie nie jestem tam mile widziany.

– Aha. Powinieneś zatem rozumieć, że czasami lojalność to skomplikowana sprawa. Czy teraz uważasz się za Anglika? Kogo wybrałbyś, gdybyś musiał, angielską królową czy swoich rodaków?

– Anglia nie prowadzi wojny z Italią.

– Jest w stanie wojny z papieżem.

– Pewnie powiedziałbym, że wróg mojego wroga staje się moim przyjacielem.

Kiwa głową.

– Otóż to. Człowiek uczy się kochać kraj, który nie jest jego ojczyzną, jeśli ojczyzna go odrzuca.

Mam ochotę spytać, dlaczego uważa, że Hiszpania go odrzuca, ale nie czynię tego z obawy, że jeśli posunę się za daleko, zamknie się w sobie.

– Nie cierpię tej pogody – mówię, patrząc przez okno na wały chmur.

Uśmiecha się: niespodziewany błysk bieli na tle opalonej twarzy. W przeciwieństwie do większości marynarzy ma prawie wszystkie zęby.

– Prawda. Ja też nigdy nie pokocham angielskiego deszczu. Ale już niedługo, Bóg da, poczujemy hiszpańskie słońce na plecach. – Kiwa ręką w stronę stołu. – Więc co mówi?

– Kto?

– Manuskrypt, rzecz jasna. Ta księga została zabrana z *Santa Marii*, kiedy na niej żeglowałem, czyż nie? Księga, w obronie której zginął ojciec Bartolomeo. – Jego ton, gdy mówi o zmarłym księdzu, wyraża szacunek, ale ciekawość płonie mu w oczach.

– Czy mówił ci coś o niej?

Jonas kręci głową.

– Nie wiedzieliśmy, że miał ją na pokładzie, dopóki nie został zabity. Ale był dziwny. Ksiądz, który zachowywał się tak, jakby wszystkie psy piekła deptały mu po piętach.

– Kapitan Drake powiedział, że po zdobyciu statku słyszano, jak wołał do Boga o wybaczenie – mówię, starając się zachować ostrożność.

– Czy nie robi tego każdy, kto się obawia rychłej śmierci?

– Drake powiedział, że błagał o wybaczenie za ściągnięcie gniewu bożego na okręt – naciskam. – Czy chodziło mu o księgę?

Jonas nie odpowiada, tylko patrzy na mnie, jakby próbował rozszyfrować wyraz mojej twarzy. W końcu krzywi usta w chytrym uśmiechu.

– Ty mi powiedz. Nikt do tej pory nie umiał jej przeczytać. – Kiedy się nie odzywam, jego uśmiech gaśnie. – Jest cenna, prawda?

– Nie wiem – odpowiadam obojętnym głosem. – Kapitan Drake mi powiedział, że Robert Dunne próbował go namówić do sprzedaży księgi. Jego znajomy księgarz chciał ją nabyć.

Coś przemyka po jego twarzy, ale szybko bierze się w garść i wzrusza ramionami.

– Nie wiem, o czym rozmawiali na osobności. Nawet nie wiedziałem, że kapitan Drake miał ją z sobą na okręcie. – Spogląda na księgę z odnowionym zainteresowaniem. Mam ochotę wziąć ją w ramiona i chronić, chociaż wiem, że Jonas nie zdołałby jej przeczytać.

– Powinienem wrócić do pracy – oznajmiam. – Dziękuję ci za to. – Oddaję kufel. Hiszpan ma zawiedzioną minę, gdy spostrzega, jak mało wypiłem.

– Podziękuj kapitanowi Drake'owi. To był jego pomysł. Zrobiłem, co kazał.

– Gdzie przechowujesz swoje zioła? – pytam, gdyż pewna myśl wpada mi do głowy.

Ściąga brwi.

– W mojej kwaterze. Dlaczego pytasz?

– Zamykasz ją na klucz?

– A co, zamierzasz mnie okraść? – Śmieje się, ale milknie, widząc moją minę. – Tak, trzymam je w skrzyni z zamkiem pod koją. Sądzę, że są tam całkiem bezpieczne. Co komu po pękach suszonych ziół, jeśli nie wie, jak i do czego ich używać? Spytam cię znowu, dlaczego chcesz wiedzieć?

Czy ktoś na tym okręcie umie rozpoznawać zioła i zna ich zastosowanie? Robert Dunne pił z kimś wino w swojej kajucie w noc śmierci. Później, jak mówiono, był tak pijany, że miał omamy. Czy ten ktoś dodał mu coś do wina, zanim opuścił pokład – jakąś substancję, która miała zapewnić, że nie będzie w stanie obronić się przed zabójcą? Nie mówię tego głośno, ponieważ najbardziej podejrzany jest sam Jonas.

– Tylko się zastanawiałem… czy te wywary mogą być niebezpieczne? To znaczy, spożyte w niewłaściwej ilości?

– Każde lekarstwo może być niebezpieczne, jeśli się je zażywa w niewłaściwej ilości. Ale skoro pytasz, czy człowiek mógłby sobie zaszkodzić, pijąc moje ziółka, przypuszczam, że odpowiedź brzmi twierdząco. To dziwne pytanie, Bruno. Myślę, że wciąż wierzysz, że chciałem kogoś otruć. – Mówi to z półuśmiechem, ale patrzy na mnie przenikliwie, kamiennym wzrokiem.

– Chodziło mi bardziej o to, czy ktoś mógł użyć twoich ziół, żeby zaszkodzić innym osobom – wyjaśniam spokojnie.

– Jak mówiłem, tylko ktoś, kto wie, co robi – odpowiada z równą uprzejmością. – Ale skąd ci to przyszło na myśl?

– Po prostu byłem ciekaw. – Wzruszam ramionami i uśmiecham się niewinnie. Krążymy wokół siebie niczym szermierze, czekając, żeby ten drugi zrobił wypad. Nie mogę go o nic oskarżyć i nie mam prawa zadawać bardziej dociekliwych pytań. Zresztą gdybym to zrobił, poczułby się zagrożony, a przecież Drake nas przestrzegł, żebyśmy nie budzili podejrzliwości wśród ludzi. Jonas już jest drażliwy, czujny na insynuacje, tak przeczulony, że można by niemal pomyśleć, iż ma coś do ukrycia.

Szczęknęła klamka i Jonas podskakuje, jakby został przyłapany na niecnym uczynku. Drake staje w drzwiach, barczysty i bezceremonialny, zacierając duże ręce, jakby czekał na widowisko.

– Ach, Jonasie, zacny chłopcze – mówi. – Widzę, że zająłeś się chorobą morską doktora Bruna. – Podchwytuje moje spojrzenie nad głową Hiszpana i odczuwam ulgę. Cokolwiek wypiłem, rzeczywiście zostało sporządzone na jego polecenie.

– Teraz przetrwa każdą burzę – zapewnia Hiszpan z gładkim ukłonem.

– Dobrze, dobrze. Miejmy nadzieję, że przynajmniej dzisiaj do niej nie dojdzie. A teraz nas zostaw. Może będę cię potrzebował po kolacji.

Jonas ponownie się kłania i wychodzi, rzucając ostatnie spojrzenie na leżącą na stole księgę.

– Jakieś korzyści? – pyta Drake, gdy drzwi się zamykają.

– Z naparu czy rozmowy?

– Z obu. Słyszałem ludzi ręczących za jego mikstury na wzburzonym morzu. Miał coś do powiedzenia o Robercie Dunnie?

– Mówił, że Dunne leżał nieprzytomny, kiedy w noc śmierci poszedł do jego kajuty, i dlatego nie podał mu lekarstwa. Czy nie trapi cię, panie, że Jonas trzyma te wszystkie zioła i leki na pokładzie statku? Mówi, że niektóre są potencjalnie zabójcze, jeśli się wie, jak ich używać. I zważywszy na okoliczności, to znaczy... ile jesteś, panie... – Zawieszam głos, szukając dyplomatycznego sposobu na wyrażenie myśli.

– Zważywszy na to, ile jestem wart po śmierci? – Wydaje się rozbawiony. – Nie jesteś odosobniony w swoich troskach, Bruno. Kiedy zabraliśmy Jonasa z *Santa Marii*, mój brat chciał, żeby go związać i przez całą drogę dawać mu racje jeńca, a inni poparli ten zamiar. Wytłumaczyłem im, że nie jest to sposób na pozyskanie człowieka dla sprawy. Tym razem Jonas płynie z nami z własnej woli, jako płatny członek załogi, ale niejeden dobry marynarz odmawia żeglowania z Hiszpanem na okręcie. Ze strachu, jak mniemam, że się zbuntuje i zaatakuje nas w pojedynkę. – Pociera się po karku.

– Nie miałby takiej potrzeby – mówię cicho. – Gdyby znalazł sposób, żeby się ciebie pozbyć, sir Francisie, cała wyprawa stanęłaby pod znakiem zapytania. Człowiekowi o jego wiedzy nietrudno byłoby doprawić zabójczą miksturą twoje jedzenie czy picie, panie.

Drake patrzy na mnie spod ściągniętych brwi, po czym wybucha śmiechem i klepie mnie po ramieniu.

– Na litość boską, Bruno, od tego mam żonę, by się o mnie martwiła. Nie wspominając o Thomasie. Sądziłem, że już ustaliłeś, jakoby to Dunne chciał mnie zabić, a teraz niepokoi cię Jonas. To w końcu który?

– Za dwadzieścia tysięcy dukatów to mógłby być każdy.

Znów się śmieje, ale w jego śmiechu wykrywam napięcie.

– Każę próbować przygotowane dania przed każdym posiłkiem. Jem tylko ze wspólnego kotła. Śpię z uzbrojoną strażą pod drzwiami. Bruno, podejmuję wszelkie środki ostrożności, jakie może przedsięwziąć człowiek, którego życie warte jest dwadzieścia tysięcy dukatów. Jonas Solon okazał się godnym zaufania marynarzem i tak go będę traktować. Z pewnością nie zasługuje ani na mniejsze, ani na większe zaufanie niż każdy inny członek załogi tylko dlatego, że jest Hiszpanem. Kto jak kto, ale ty powinieneś to rozumieć, Bruno.

Kiwam głową, lecz nie mówię ani słowa. Drake najwyraźniej wyszedł z tego samego założenia co Jonas: nie powinienem myśleć źle o Hiszpanie, ponieważ obaj jesteśmy cudzoziemcami, braćmi na wygnaniu. To, że go jednak podejrzewam, sir Francis traktuje najwyraźniej jako naruszenie solidarności uchodźców.

– A teraz chcę usłyszeć, co ci wiadomo o tym manuskrypcie. Chodź tu i spocznij obok mnie, Bruno. – Otwiera szafkę i wyjmuje stamtąd dwa kryształowe kielichy i karafkę, z której nalewa szczodrze czerwonego wina. Nic na to nie poradzę, że patrzę na nie podejrzliwie przed pociągnięciem łyka. Im więcej się dowiaduję o potencjalnych zagrożeniach dla życia Drake'a, tym bardziej wszystko na tym okręcie wydaje mi się potencjalną morderczą bronią, która tylko czeka na użycie. – Pij bez obawy, przyjacielu, trzymam je w zamknięciu. To wyborne reńskie wino – mówi z mrugnięciem, widząc, jak je wącham, ociągając się. Przysuwa krzesło i gestem każe mi usiąść naprzeciwko siebie przy dużym stole, na którym leżą moje notatki i tłumaczenie.

Chociaż nie jest teologiem ani uczonym, z uwagą słucha moich wyjaśnień dotyczących rękopisu, wspierając podbródek na zaciśniętej pięści. Marszczy brwi, gdy wyjaśniam kontekst historii opowiedzianej przez autora, który twierdzi, że jest Judaszem Iskariotą. Zadaje inteligentne pytania, na które staram się odpowiadać w tym samym duchu, i z zadumą kiwa głową, pociągając się za brodę i trąc palcem pod dolną wargą, gdy próbuje pojąć wszystkie konsekwencje ujawnienia treści leżącej pomiędzy nami księgi o porwanych, zniszczonych przez sól, ale wciąż w znacznej mierze czytelnych stronicach.

Wiruje resztką wina w kielichu.

– Co mówi o zmartwychwstaniu?

– Nie miało miejsca. Nie według Judasza. – Stukam w pergamin. – On też się ukrył. Pisze, że za sprawą Chrystusa miał widzenie swojej przyszłości. Judasz wiedział, że po ukrzyżowaniu Jezusa inni apostołowie skażą go na śmierć, żeby nie rozpowiedział, co mu wiadomo. Wiedział, że jest mu pisane zostać kozłem ofiarnym, ale z zadowoleniem pogodził się z losem, ponieważ tylko on znał prawdę.

– Myślałem, że powiesił się zaraz po ukrzyżowaniu? Kiedy znalazł czas, żeby to napisać?

– Wers z *Ewangelii Mateusza*, ten z anonimowego listu, jest jedynym źródłem informacji, że Judasz sam się powiesił, ale uznano, że tak wyglądała prawda. W pozostałych trzech Ewangeliach nie ma wzmianki o jego śmierci. Według zapisu niniejszej księgi Judasz ukrył się po ukrzyżowaniu ze strachu przed odwetem innych uczniów i w tajemnicy spisał swoją wersję wydarzeń.

Drake odsuwa krzesło i podchodzi do szafki po karafkę.

– Według mnie to dyrdymały.

– Możliwe, chociaż to samo można powiedzieć o każdej z ewangelii.

Odwraca się i wbija we mnie wzrok, jego twarz na chwilę zastyga w wyrazie szoku. Zaraz potem wybucha szczekliwym śmiechem.

– Prawda, prawda. Każą nam wiele przyjmować na wiarę. Dziewice rodzące dzieci, ślepcy odzyskujący wzrok, zmarli wstający z grobu. Niepojęte dla naszego rozumu. Jednak powiadano, że człowiek nie może opłynąć Ziemi i przeżyć. – Błyska triumfalnym uśmiechem i unosi kielich, jakby w toaście na swoją cześć. – Dalej, nakarmienie pięciu tysięcy ludzi pięcioma bochenkami i dwiema rybami... Trudno w to uwierzyć, gdy człowiek wie to i owo o racjach żywności. – Śmieje się ze swojego żartu, nalewa sobie wina, podnosi karafkę w moim kierunku, pytająco unosząc brwi. Kiwam głową i podsuwam mój kielich. – Choć niewielu wystarczyłoby śmiałości, żeby to powiedzieć na głos – dodaje. Jego twarz poważnieje i oskarżycielsko wskazuje palcem manuskrypt. – Co powinno się z tym zrobić, jak sądzisz, doktorze Bruno?

– Należałoby ten manuskrypt poddać dalszym badaniom. Ale... – Waham się, niepewny, jak zostanie odebrana moja sugestia. – Może będzie najlepiej, jeśli jak najprędzej oddamy go królowej. Może się przydać do negocjacji z Watykanem. Będą chcieli odzyskać księgę, możesz być tego pewien, panie. Ale gdyby zaginęła na morzu... – Nie kończę zdania.

Rozważa mój pomysł.

– Tak, myślałem o tym. Raz opłynęła świat i przetrwała, może nie powinniśmy kusić losu. Ale komu miałbym zaufać, żeby ją zabrał do Londynu? Równie dobrze mogłaby zaginąć w drodze, zwłaszcza jeśli ten księgarz jest tak pozbawiony skrupułów, jak mówisz.

– Ja mógłbym to zrobić, sir Francisie. Sidney ma czterech zbrojnych w drodze do Plymouth, żeby bezpiecznie odprowadzić Dom Antonia na dwór królowej. Mógłbym wyruszyć w tę podróż z nimi.

Pomysł nabiera kształtów, gdy mówię; może z listami polecającymi od Drake'a zdołam przekonać królową, że jestem człowiekiem odpowiednim do studiowania manuskryptu? Z pewnością chciałaby, żeby ktoś zbadał i zrozumiał taki intrygujący dokument, a w Anglii jest niewielu ludzi z wiedzą i doświadczeniem pozwalającym na zgłębienie jego tajemnic. Oczywiście żaden z półgłówków, których poznałem w Oksfordzie, nie dorasta do tego zadania. Może przynajmniej to da mi powód, żeby zostać w Londynie, i możliwość pokazania królowej, że potrzebuje moich umiejętności. I coś takiego byłoby uzasadnionym powodem do wyjazdu z Plymouth.

Drake mruży oczy, ale widzę, że powstrzymuje się od uśmiechu.

– Mój brat nie wyrazi na to zgody, jak się obawiam, gdyż wie, jak cenna jest księga. Już uważa mnie za głupca, ponieważ zostawiłem cię z nią samego. Poza tym sir Philip chce się zaokrętować i pożeglować z nami do Nowego Świata. Będzie gorzko rozczarowany, jeśli go porzucisz.

– Zawsze może mi przywieźć pamiątkę.

Drake się śmieje i dopija drugi kielich.

– Co nie znaczy, że w ogóle dokąd ruszymy, jeśli nie zostanie zamknięta sprawa Dunne'a. Jutro wdowa przybędzie do Plymouth – dodaje tym samym ciężkim tonem, spoglądając w okno. – Sprzeciwi się orzeczeniu samobójstwa, a koroner może się poczuć zobligowany do rozważenia jej zastrzeżeń.

Naszą rozmowę przerywa pukanie do drzwi. Drake jednym szybkim ruchem zgarnia manuskrypt i chowa go do szafki, którą zamyka kluczem wyjętym zza pasa. Drzwi się otwierają i wchodzi Gilbert. Kłaniam się na powitanie, on zaś odpowiada nieśmiałym uśmiechem i zwraca się do Drake'a:

– Kapitanowie przybyli na kolację. Mam ich wprowadzić?

Drake przytakuje, po czym wskazuje moje notatki wciąż rozrzucone po stole.

– Zbierz je, Bruno. Czy mam je przechować tutaj pod kluczem?

Składam papiery.

– Lepiej zabiorę je do siebie, sir Francisie. W ten sposób będą dwie kopie, na wypadek gdyby coś się stało z jedną.

– Możesz bezpiecznie je przechować, panie? – Patrzy na mnie z powątpiewaniem.

– Raczej tak. Poza tym nikt z wyjątkiem nas nie wie, że sporządziłem kopię. – Nikt z wyjątkiem Jonasa, myślę, chowając kartki do skórzanej torby.

9

Wiatr się nasilił i statek kołysze się mocniej. Światło dogasa, gromadzące się na horyzoncie ciężkie chmury przysłaniają zachodzące słońce. Tego wieczoru spora grupa z *Elizabeth* wybiera się do Plymouth: Sidney i Savile czekają na pokładzie wraz z Gilbertem Crosse'em, Jonasem, Thomasem Drakiem i kapelanem Pettiferem.

– Planujecie hulaszczą noc w mieście, ojcze? – pyta Savile, puszczając oko.

Duchowny powoli mruga i wpatruje się w niego bez uśmiechu.

– Zamierzam się pomodlić, sir Williamie – mówi. – Moja dusza odczuwa potrzebę wsparcia w naszych obecnych kłopotach.

– Wcale ci się nie dziwię, ojcze. Po przebywaniu w takim nieokrzesanym towarzystwie… – Savile macha kciukiem w stronę głównego pokładu. – Moglibyśmy wszystko robić z odrobiną wzniosłości.

– A gdzie ty będziesz szukać pociechy? – mówi Sidney czarująco jak zawsze, ale jego ton jest kąśliwy. Chyba nie spędzili nazbyt harmonijnego popołudnia.

Savile unosi brew.

– W Plymouth jest tylko jedno miejsce godne dżentelmena, sir Philipie. Każdy szuka świętego płomienia.

Pettifer głośno cmoka, zniesmaczony, i odwraca twarz. Podchwytuję spojrzenie Sidneya, gdy nagle coś mi świta.

– Chodzi wam o Dom Westy? – dopytuję Savile'a. – To burdel, prawda? Ma w szyldzie święty płomień?

Savile patrzy na mnie z góry i przekrzywia głowę.

– Wtajemniczeni nie muszą zadawać takich pytań, przyjacielu. – Uśmiecha się protekcjonalnie.

– Z pewnością wielki uczony skupia się na sprawach wyższego rzędu – mówi ze śmiechem Jonas. Wyczuwam, że próbuje złagodzić napięcie.

– W takim razie nie znasz uczonych – rzecze Savile oschłym tonem. – Każdy jeden, którego spotkałem, ciągnie tam jak bezpański pies. I każdy ksiądz – dodaje, kiwając głową do Pettifera, który patrzy nań gniewnie i prycha, jakby jego cierpliwość została wystawiona na próbę. – Czyż nie, Gilbercie? – Savile trąca łokciem młodego skrybę. – Z pewnością cała ta gadka o nabożeństwie wieczornym jest tylko przykrywką?

Gilbert patrzy na niego trwożnie i oblewa się rumieńcem.

– Nie wiem, o co ci chodzi, sir Williamie – duka.

– Daj spokój, dokąd później ma pójść taki ładny chłopak jak ty, jeśli nie do domu rozpusty?

Gilbert wygląda na zrozpaczonego samym pomysłem. Sidney klepie go po ramieniu.

– On tylko się z tobą droczy, panie Crosse. Nie zwracaj na niego uwagi. Nie zaszkodziłoby mu kilka godzin w kościele – dodaje, zerkając na Savile'a.

– Jak nam wszystkim, sir Philipie – powiada Savile ze smutnym uśmiechem. – Chociaż ty, jak się obawiam, nie masz na to czasu... Czyż nie zostałeś wyznaczony do bawienia lady Drake i jej kuzynki podczas ich pobytu? – Zadaje pytanie dość niewinnie, ale widzę, że rysy Sidneya twardnieją.

– Łódź czeka, panowie – mówi cicho Jonas, wskazując sznurową drabinkę. Przerzuca nogę przez reling i zaczyna schodzić. Kolejno idziemy za nim.

Morze jest wzburzone nawet w zatoce. Jeden z wioślarzy dokłada starań, żeby łódź nie odbiła od burty *Elizabeth*, gdy schodzę z Pettiferem nad głową. Mocno trzyma linę drabinki, gdy fale usiłują ponieść okręt i szalupę w przeciwnych kierunkach. Drabinka się kołysze i muszę na wpół się obrócić i skoczyć do łodzi, która miota się jak szalona. Fale mocno uderzają nią o burtę i fontanna wody opryskuje nam twarze. Cieszę się, że mamy przed sobą tylko krótką przeprawę, choć na końcu z pewnością wszyscy będziemy przemoczeni. Dmie silny wiatr i twarze wioślarzy obrzmiewają z wysiłku, gdy walczą z grzywaczami.

– Spakowałeś rzeczy Roberta Dunne'a dla wdowy, sir Philipie? – Gilbert Crosse pochyla się w stronę Sidneya i przekrzykuje bryzę morską. Pettifer i Jonas patrzą na nas z zainteresowaniem.

– Owszem. Przybywa jutro, jak się zdaje. Biedna kobieta.

– Znaleźliście coś? – dopytuje Gilbert. – To znaczy, coś, co mogłoby wyjaśnić, dlaczego targnął się na życie? – Konspiracyjne spojrzenie, którym mnie obrzuca, jest tak pozbawione subtelności, że równie dobrze mógłby występować w teatrze.

– Ani listu, ani żadnego wyjaśnienia, jeśli o to chodzi – mówię. – Poza tym coś takiego z pewnością już wcześniej zostałoby znalezione. My tylko zebraliśmy jego rzeczy i sprawdziliśmy, czy nic nie zostało. Była to przysługa, jaką sir Philip chciał wyświadczyć staremu przyjacielowi. – Zerkam na Sidneya, który z powagą kiwa głową.

– Przypomnij mi, sir Philipie, jak się poznaliście – prosi Savile lekkim tonem – bo nigdy nie słyszałem, żebyś o nim mówił.

– Koligacje – odpowiada Sidney z gestem, który sugeruje różnorakie możliwości. Savile nie drąży tematu, tylko patrzy na niego z porozumiewawczym rozbawieniem. Zaczynam podejrzewać, że Savile jest znacznie przebieglejszy, niż wskazuje na to jego wizerunek publiczny, i że powinienem mieć na niego oko.

– Być może nigdy się nie dowiemy, co pchnęło człowieka do popełnienia tak strasznego grzechu – zauważa Pettifer z odpowiednio świątobliwą miną. Jonas patrzy na niego gniewnie, lecz kapłan chyba tego nie zauważa.

– Jeśli ktoś znał stan jego ducha, to z pewnością ty, ojcze – mówi Savile.

Kapelan trzepocze powiekami, ma czujne oczy.

– Jak mam to rozumieć, sir Williamie?

– Czy nie odwiedziłeś go później w noc śmierci? Byłem niespokojny i postanowiłem zaczerpnąć świeżego powietrza na pokładzie.

Jestem pewien, że widziałem cię wychodzącego z kajuty... po północy, jak sądzę.

– No tak, w istocie, poszedłem zobaczyć, jak się miewa. Chciałem sprawdzić, czy mu się polepszyło, zważywszy na to, w jakim wcześniej był stanie.

– I co? – pyta Sidney.

– Wyglądał trochę lepiej. Zostałem, żeby się z nim pomodlić.

– Pomodlić? – Sidney zrobił sceptyczną minę. – Więc oprzytomniał?

– Tak, sir Philipie, oczywiście. – Chociaż Pettifer z początku wyglądał na zaskoczonego z powodu tych kłopotliwych indagacji, to szybko odzyskał rezon. – Odczuwał potrzebę duchowej pociechy. Człowiek nie może się powstrzymać od rozważań o kruchości ciała, gdy wypływa na pełne morze, i przypomina sobie, że zdaje się na miłosierdzie boskie. Stwierdziłem, że wielu żeglarzy chce otworzyć duszę i oczyścić sumienie przed swoim Stwórcą, kiedy się zbliża początek dalekiej podróży.

– Oczyścić sumienie? Chcesz, ojcze, powiedzieć, że się wyspowiadał? – pytam trochę zbyt szybko.

– Nie wysłuchałem spowiedzi, doktorze Bruno, to sakrament Kościoła katolickiego. – Ściąga usta i karci mnie spojrzeniem.

– Oczywiście – mówię z uśmiechem. Muszę z nim porozmawiać na osobności, gdy tylko nadarzy się okazja. Człowiek zwierzający się duchownemu, ponieważ boi się śmierci, dokonuje spowiedzi, jakkolwiek Pettifer chce tańczyć wokół tego słowa. Co takiego miał do wyznania Robert Dunne? Podchwytuję spojrzenie Sidneya, gdy wiatr odgarnia włosy z jego twarzy. Marszczy czoło, a ja nieznacznie kręcę głową. Nie znam odpowiedzi; ogarniam wzrokiem ludzi skulonych na wietrze i zastanawiam się, który z nich kłamie. Dziób się wznosi, żeby przeciąć falę, i opada z plaśnięciem, po czym na powrót się wznosi. Rozpylona woda bezlitośnie siecze nasze twarze, Sidney i Savile klną głośno, szukając śladów soli na swoich atłasach i aksamitach.

– Zaraz mi podziękujesz – mówi po hiszpańsku Jonas, podnosząc głos w szumie wiatru. Z szerokim uśmiechem wskazuje swój brzuch, gdy łódź się podnosi na następnej fali. – Masz mdłości, doktorze Bruno?

– Jeszcze nie. – Uśmiecham się, niechętnie przyznając mu rację.

– Obiecuję – kontynuuje Jonas, wyraźnie zadowolony z siebie – pij codziennie po trosze, panie, a będziesz się czuć w wodzie jak syrena.

– Syrena? O Boże, czy kazał ci wypić swoje remedium na chorobę morską? – pyta Savile, słysząc naszą rozmowę. Kiedy przytakuję, udaje, że wsuwa palce do gardła. – To błąd, jaki tylko raz można popełnić. Żaden sztorm tak bardzo nie przyśpieszy pożegnania z kolacją, jak mikstura, którą ją doprawił. Co, Jonasie? – mówi, mrugając do Hiszpana.

– Zaczekaj, sir Williamie, dopóki nie wypłyniemy na Atlantyk – odrzeka Jonas tym razem po angielsku, odchylając się do tyłu i wyciągając nogi. – Będziesz mnie błagać o kubek, panie.

– Zakład o sto koron, że nie będę.

Wioślarze zawijają do Sutton Pool i wszyscy pasażerowie oddychają z ulgą, gdy płyniemy po spokojnej wodzie. Sidney jest lekko zielony i nietypowo milczący. To sprawia mi szelmowską radość: jeśli stwierdzi, że nie ma żołądka stworzonego do morskich podróży, może zmieni zdanie co do tej eskapady. Gdy zbliżamy się do drewnianego pomostu, widzę, że dokłada starań, by nad sobą zapanować. Bierze głęboki wdech i wstaje, już jak zwykle dobrej myśli. Trzyma rękę na ramieniu Gilberta, wodząc wzrokiem po porcie z zadowoloną miną, jakby był wracającym do domu bohaterem. Trzeba czegoś więcej niż ataku choroby morskiej, żeby go odwieść od raz powziętego zamiaru, uświadamiam sobie z westchnieniem. Echo kościelnych dzwonów niesie się nad portem: gdzieś niedaleko odbywa się pogrzeb w gasnącym świetle dnia.

Na pomost prowadzi drewniana drabina. Staję za Gilbertem Crosse'em, czekając na swoją kolej, gdy nagle wysiadający przed nim mężczyzna za mocno się odpycha, niewielka łódź gwałtownie chybocze i wpadamy jeden na drugiego. Gilbert traci równowagę i o mało nie upada. Chwytam go w pasie, żeby mu pomóc, a on się wyrywa niemal odruchowo, jakbym go uraził w jakieś bolesne miejsce.

– Wybacz, nie chciałem sprawić ci bólu – mówię, pomagając mu odzyskać równowagę. Odsuwa się ode mnie i poprawia ubranie.

– Nie, nie, nic mi nie jest. Dziękuję. – Wygładza kaftan i szybko wchodzi na drabinę. Patrzę, jak przystaje na pomoście, by po raz kolejny zadbać o ubranie. Pewnie się obawia, że nasz nieplanowany uścisk wyrwał mu koszulę z pludrów, i teraz dokłada starań, aby ją utknąć z powrotem. Gdy się prostuje, spostrzega, że na niego patrzę. Posyła mi nerwowy, zakłopotany uśmiech, po czym śpieszy na brzeg.

Pettifer i ja ostatni wysiadamy z łodzi. Staram się nie spuszczać Sidneya z oka, ale obracam głowę i widzę, że Pettifer się ociąga, jakby chciał ze mną pomówić na osobności. Odgadłszy jego zamiary, zwalniam kroku. Kiedy osądza, że pozostali są poza zasięgiem słuchu, kładzie rękę na moim ramieniu.

– Mogę cię o coś spytać, doktorze Bruno? – Podejmuje wysiłek, żeby mówić uprzejmie, co samo w sobie rozbudza moje zainteresowanie.

Przystaję i odwracam się w jego stronę.

– Naturalnie.

Waha się, jakby niepewny, jak sformułować pytanie.

– Na *Elizabeth* chodzą słuchy, że kapitan Drake sprowadził cię tutaj, żebyś rozwikłał tajemnice księgi jezuity. Tej, którą zabrał z *Santa Marii*. – Spogląda na mnie z niespokojną miną, czekając na potwierdzenie.

– Sprowadził mnie tu sir Philip Sidney, dla towarzystwa. Do wczoraj nie znałem sir Francisa. – Patrzę mu w oczy, użyczając powagi moim słowom, zastanawiając się, kto rozpuścił tę pogłoskę. Poza Drakiem i jego bratem tylko Jonas zna powód mojej obecności w kwaterze kapitana.

– Ale nie zaprzeczysz, panie, że dowódca kazał ci przetłumaczyć księgę, którą trzyma zamkniętą w swojej kajucie. Starożytną księgę...

– Może byłoby lepiej, ojcze, gdybyś sam zapytał sir Francisa o jego książki – mówię z uśmiechem, żeby złagodzić wymijającą wypowiedź. – Jako kapelan z pewnością cieszysz się jego zaufaniem.

– Jesteś wielce zajęty bieżącymi sprawami – mówi dalej Pettifer, stykając czubki palców i przyciskając je do dolnej wargi. – A kiedy na pokładzie statku zaczynają krążyć plotki... – Jego twarz wyraźnie prosi o zrozumienie. – Z pewnością jesteś świadom, że jako kapelan sprawuję opiekę nad ludzkimi duszami. – Bez słowa unoszę brew i czekam na wyjaśnienie, jaki związek z ludzkimi duszami ma to, czego chce ode mnie usłyszeć. – Żeglarze w większości są prostymi ludźmi – kontynuuje, wciąż przyciskając palce do ust. – Niewykształconymi, w przeciwieństwie do ciebie czy do mnie. Nie mam wątpliwości, że oddają cześć Bogu zgodnie z wymogami angielskiego Kościoła, lecz ich zabobony nadal pozostają żywe. Na morzu, dni i tygodnie żeglugi od lądu, wielu szuka pociechy w wyznaniu odziedziczonym po przodkach. Kiedy fale wdzierają się na pokład albo strzelają działa hiszpańskiej pinasy, jak powiedzieć człowiekowi, że nie wolno mu wołać o ratunek do Matki Boskiej Morskiej albo świętego Brendana Żeglarza, jesteśmy bowiem Anglikami i nasza królowa tego zakazuje?

– Przypuszczam, że wiele razy byłeś, ojcze, w takich sytuacjach?

– Tak, mówię na podstawie własnego doświadczenia. – Kiwa głową na potwierdzenie swojej prawdomówności. – Pytasz, czy słucham spowiedzi... prawda jest taka, że wysłucham wielu. Nie mogę udzielić rozgrzeszenia, ale nie ma to większego znaczenia. Częstokroć widziałem, jak człowiek w lęku przed śmiercią chce po prostu uwolnić się od ciężaru grzechów, bez względu na to, jak sam to nazywa. Widzisz zatem, że muszę jak linoskoczek stąpać po cienkiej linie, ostrożnie balansując między autorytetem anglikańskiej władzy duchowej a często ostatnim duchowym pocieszeniem.

– Rozumiem. Ale dlaczego mi o tym mówisz, ojcze?

Wzdycha, jakby zmęczony tym całym wysiłkiem nazywania rzeczy po imieniu.

– Ludzie sądzą – podejmuje z rozwagą – że księga, którą kapitan Drake trzyma zamkniętą w kajucie, jest heretycka. Niektórzy powiadają, że zawiera zaklęcia, jak przywołać diabła. Inni mówią, że przeklina imię Chrystusa.

Parskam śmiechem. Wiatr unosi w przestrzeń zwielokrotniony dźwięk.

– Czyżby zatem ci prości marynarze czytali tę księgę? Znają koptyjski na tyle, żeby pojąć jej treść?

– Koptyjski? Więc to ta sama księga – szepcze, a ja w duchu przeklinam się za głupotę.

– Zabobony są żywe, sam tak rzekłeś, ojcze Pettifer.

– Z powodu tej księgi zamordowano księdza, doktorze Bruno, i samo to jest złym znakiem dla żeglarza. – Znów chwyta mnie za rękę. – Powiedz mi tylko, czy to dzieło heretyckie? Albowiem, Bóg świadkiem, nie jestem przesądnym marynarzem pokładowym... Wiedz, że studiowałem w Cambridge, lecz jako duchowny nie mogę przestać się zastanawiać, dlaczego kapitan Drake zajmuje się takimi sprawami.

– Może uważa tę księgę za kuriozum – mówię, śledząc wzrokiem resztę grupy, gdy idą wzdłuż muru portowego ku miastu. – W każdym razie herezja jednego człowieka może być ewangelią dla drugiego.

– Ewangelią... – wymawia to słowo szeptem, jakby je smakował, i kiwa głową. – A ty, doktorze Bruno? Przecież złożyłeś niegdyś śluby kapłańskie, nie pytasz samego siebie, czy słuszne jest ujawnianie heretyckiego tekstu? Księgi, która może wstrząsnąć posadami wiary w zbawienie?

– Dlaczego przypuszczasz, ojcze, że jej treść dotyczy takich spraw, skoro jeszcze nikt jej nie przeczytał?

– Jak godzisz taką pracę ze swoim sumieniem? – pyta, jakbym się wcale nie odezwał.

– Moje sumienie zajmuje się głównie postępem wiedzy.

– Wiedzy. – Zaciska usta i kiwa głową, jakby spodziewał się takiej odpowiedzi. – Spotykałem już takich księży jak ty, doktorze Bruno, na uniwersytetach. Przedkładali ambicje intelektualne nad pokorne posłuszeństwo prawom boskim. Bez wątpienia będziesz dowodzić, że ludzka wiedza nie powinna mieć granic, lecz za jaką cenę? Czy wziąłeś to pod rozwagę? – Zaciska palce na moim rękawie, a jego głos brzmi tak złowieszczo, że jestem zmuszony odwrócić głowę i na niego spojrzeć. Delikatnie się uwalniam od jego uścisku i żwawym krokiem ruszam za innymi, więc Pettifer nie ma innego wyboru, jak zrobić to samo.

– Czy ja w zamian mogę ci zadać pytanie, ojcze Pettifer? – mówię, nie patrząc na niego, gdy drepcze obok mnie. Zaczyna padać mżawka, niesiona przez podmuchy wiatru. Łodzie w porcie się zderzają, szczęk łańcuchów płynie nad wodą jak głosy osamotnionych duchów.

– Jeśli wolno mi odpowiedzieć w ten sam wymijający sposób, jaki lubisz, doktorze Bruno – odpowiada z lekkim śmiechem.

– Na więcej nie zasługuję, jak mniemam. – Odwzajemniam uśmiech w nadziei, że go ułagodzi.

– Słucham.

– Kiedy Robert Dunne otworzył przed tobą duszę w noc swojej śmierci, czy odniosłeś wrażenie, że… – Milknę, zastanawiając się, jak najlepiej to ująć. – Że widział swoją rychłą śmierć?

– Oczywiście, że nie. – Staje jak wryty i oburzony przewraca oczami. – W przeciwnym razie coś bym zrobił. Myślisz, iż zostawiłbym człowieka, gdybym żywił obawy, że nosi się z takim zamiarem?!

– Nie sugeruję, że jesteś winien temu, co się potem stało, ojcze. – Unoszę rękę na znak, że nie chciałem go obrazić. Przyjął postawę obronną, to jasne, ale jakiego się bał oskarżenia? – Czy jednak nie dziwi cię, że niedługo później targnął się na życie? Mówiłeś, że chciał się wyspowiadać…

– Jak to, czyżby ktoś sugerował, że jestem czemuś winien? – Kiedy nie odpowiadam, powoli kiwa głową i krzywi usta w półuśmiechu. – Cóż, stawiasz mnie, panie, w bardzo niezręcznej sytuacji. Jeśli powiem, że nie mam wątpliwości, iż odebrał sobie życie, będzie to równoznaczne z przyznaniem, że porzuciłem go zdjętego rozpaczą, albowiem, jak się zdaje, to ja rozmawiałem z nim ostatni. Jeśli zaś powiem, że nie wyglądał na samobójcę, rzucę wątpliwości na naturę jego śmierci i podejrzenie na całą załogę. – Pozwala, żeby jego słowa zawisły w powietrzu. Kręci głową. – Lepiej już nic nie mówić. Szczególnie nieznajomemu – dodaje.

– Nad czym rozpaczał? – pytam ściszonym głosem.

Parska protekcjonalnym śmiechem.

– Może nie udzielam sakramentu rozgrzeszenia, panie, ale wciąż szanuję świętość ostatniej spowiedzi. Jeśli tak chcesz to nazwać, doktorze Bruno.

– Myślisz, ojcze, że zdawał sobie sprawę z tego, że to jego ostatnia spowiedź?

Pettifer niecierpliwie kląska językiem, jakby uważał, że posuwam się za daleko.

– Dunne był strapiony. Wielu żeglarzy martwi się w przeddzień takiej długiej podróży. Wiedzą, że powierzają życie w ręce Boga, i naturalnie to prowadzi ich do rozmyślania o tym, jak będą wyglądać, jeśli przed Nim staną. Nie odniosłem wrażenia, że Robert jest o krok od popełnienia tak ciężkiego grzechu, ale z pewnością coś mu ciążyło na sumieniu… – Waha się, nerwowo skubiąc ucho. Czuję, że nie jest to cała historia.

– Czy tamtej nocy trapiło go coś w szczególności?

Odpowiada z nikłym uśmiechem.

– Prosiłeś o jedno pytanie, Bruno. Już znacznie przekroczyłeś limit.

Przyznaję mu rację. Ruszamy w dalszą drogę. Zraził się do mnie z powodu księgi Judasza, chociaż nie mam pojęcia, skąd tyle wie o jej treści. I jest przewrażliwiony na punkcie sprawy Roberta Dunne'a; może się boi, że zostanie oskarżony o to, że zawiódł w swoich obowiązkach duszpasterskich, a może jest w tym coś więcej, ponieważ wygląda na to, iż był ostatnią osobą, która widziała Dunne'a żywego.

– Jeszcze jedno pytanie – naciskam. – W zamian, kiedy przeczytam księgę kapitana Drake'a, powiem ci, ojcze, czy stanowi zagrożenie dla czyjejś duszy.

Z błyskiem chciwości w oczach kiwa głową.

– Uczciwa wymiana. Słucham.

– Kiedy do niego wróciłeś, czy wciąż był pod wpływem trunku? I czy zachowywał się tak, jak można się tego spodziewać po pijanym człowieku?

– To dwa pytania wedle mej rachuby. – Przeciąga ręką po wysokim czole i wzdycha. – Kiedy znalazłem go na ulicy, był zupełnie pijany. Naturalnie dosyć często widuje się pijanych marynarzy w porcie, ale w przypadku Dunne'a to było niezwykle... Jeszcze nie widziałem, żeby się doprowadził do takiego stanu. – Wodzi językiem po wargach. – Kiedy zapukałem, wciąż był na wpół zamroczony, ale mówił całkiem sensownie. Może zdążył przespać najgorsze. – Przekrzywia głowę i obrzuca mnie długim spojrzeniem. – Ale omówiłem to wszystko z sir Francisem. Nie znałeś Dunne'a, jak się zdaje, doktorze Bruno.

– Nie. Obawiam się, że cierpię na nieuleczalną ciekawość. – Zerkam w deszcz i widzę, że pozostali zniknęli za węgłem domu na jednej z krętych ulic wiodących do barbakanu.

– Tak, to zawsze jest przekleństwem. Niepohamowany głód wiedzy spowodował upadek naszego praojca w ogrodzie rajskim.

– Tak było – przyznaję z cierpkim uśmiechem.

Przed nami Sidney wyłania się z bocznej ulicy i staje z ramionami splecionymi na piersi.

– Na miłość boską, Bruno, dlaczego tak się guzdrzesz?! Towarzystwo na nas czeka.

Pettifer spogląda na mnie.

– Przypuszczam, że chodzi mu o wizytę w tym domu rozpusty – mówi ściszonym głosem. No jasne, Pettifer już nas osądził.

Obracam się ku niemu.

– Sir Philip jest żonaty, ojcze.

– Dla większości mężczyzn to żadna przeszkoda. – Prycha. – Nie moja sprawa, ale mógłbyś mu, doktorze Bruno, poradzić, żeby się trzymał od tego przybytku z daleka. Bez względu na to, co mówi sir William, nie jest to miejsce dla przyzwoitego człowieka. I niebezpieczne, jak słyszałem.

– Pod jakim względem?

– Poza tym zwyczajnym? – Krzywi nos. – Rzezimieszki – szepcze, poklepując swój pas.

Sidney znów woła. Odwracam się, żeby odejść.

– Dysputa była wielce interesująca, doktorze Bruno. Będę z niecierpliwością wyczekiwać kolejnej, jak obiecałeś – powiada Pettifer takim tonem, jakby wierzył, że wygrał.

Oglądam się; spojrzenie, jakim mnie obrzuca, jest pełne niewypowiedzianego znaczenia.

– O czym z nim rozmawiałeś? – pyta Sidney, gdy bezpiecznie znikamy za rogiem.

– O sprawie Roberta Dunne'a, a o czymże innym?

– Nabrał podejrzeń?

– Niepodobna rozmawiać o człowieku bez wzbudzenia czyjejś podejrzliwości. Ale kapelan się broni. Wiesz, w noc śmierci wysłuchał spowiedzi Dunne'a. Przynajmniej tak mówi.

– Słyszałem, jak na łodzi wspomniałeś o spowiedzi, ale nie wyłowiłem, co odrzekł. Myślisz, że kłamie?

Rozkładam ręce.

– Ktoś z nich z pewnością kłamie. Jonas powiadał, że Dunne był zupełnie zamroczony, kiedy zaszedł do jego kajuty. Pettifer zaś mówił, że modlił się z nim ponad godzinę.

– To nie jest niemożliwe. Może Dunne ocknął się w pijackim poczuciu winy i potrzebował duchowego wsparcia. – Powtarza mój gest. – Chociaż muszę wyznać, że na jego miejscu nie zwróciłbym się do tego mdłego jegomościa.

– Posłuchaj, ktokolwiek zabił Dunne'a, musiał to zrobić wtedy, gdy ten był nieprzytomny, żeby uniknąć szamotaniny. Pettifer stwierdził, że Dunne tej nocy wydawał się strapiony. Mógł tak powiedzieć, żeby uwiarygodnić wersję samobójstwa.

– Więc on może być sprawcą. A może Jonas zaprawił napar czymś, co zadziałało dopiero po jakimś czasie. Mógł wrócić później, po wyjściu Pettifera, wiedząc, że Dunne stracił przytomność. – Sidney wzdycha. – Nadal nie wiemy, z jakiego powodu któryś z nich mógłby pragnąć jego śmierci.

– Może Dunne coś wiedział. Może miał coś, na czym komuś zależało. Na przykład pieniądze ukryte w tej książce. – Przegarniam włosy palcami. – Ktoś mógł ich szukać.

– Na pokładzie jest osiemdziesięciu ludzi – zaznacza, unosząc ręce w geście wyrażającym bezradność.

– Ale ilu z nich mogłoby niepostrzeżenie wejść do kajuty Dunne'a? Na zatłoczonym okręcie zawsze gdzieś ktoś jest. A prosty majtek w pobliżu oficerskiej kajuty z pewnością zwróciłby uwagę.

– Może nie w środku nocy. I Dunne nie zamknął drzwi na klucz. Wystarczy chwila, żeby się wślizgnąć do środka.

Kręcę głową.

– Kapelan wie więcej, niż jest skłonny wyjawić, tyle jest pewne. Podobnie jak Hiszpan Jonas.

– Hm. – Kładzie rękę na moim ramieniu. – Na razie przestańmy się o to martwić. Dwie piękne damy spodziewają się nas Pod Gwiazdą. Tak się składa, że wiem, iż jedna z nich jest wielce chętna cieszyć się twoim towarzystwem podczas naszego pobytu w Plymouth.

– Obawiam się, że będziesz musiał przekazać damom moje przeprosiny. – Zwalniam i Sidney się zatrzymuje, unosząc brwi.

– Dlaczego? Dokąd się wybierasz?

– Do kościoła.

– Co?!

Ruszam na wzgórze, tylko raz oglądając się przez ramię. Bawi mnie jego mina.

◆　◆　◆

Deszcz słabnie, pomarańczowe smugi przezierają przez chmury nad zatoką. Minęła siódma, ale na ulicach wciąż jest tłoczno, ludzie z wózkami i koszami idą z portu na wzgórze, a z przeciwnej strony, z morza albo ze wsi, napływają nowi przybysze, głównie mężczyźni, grupami zmierzający do tawern i burdeli. Śpiewają i przeklinają, przepełnieni żądzą i agresją; wiatr rwie na strzępy ich chrapliwe głosy, świszcząc w wąskich uliczkach i szukając morza. Mokre kocie łby są śliskie; widzę, jak przede mną jakiś człowiek, już pijany, traci równowagę i rycząc ze śmiechu, czepia się swojego kompana. To wieczorne odgłosy miasta portowego, nic niezwykłego. Mimo to trzymam rękę blisko noża u pasa; wyczułem na tych ulicach napięcie, które wieczorem wydaje się bardziej skoncentrowane, jakby narastało ku jakiemuś punktowi kulminacyjnemu. Może jest tylko skutkiem obecności tak wielu ludzi, żeglarzy i żołnierzy zmuszonych tu tkwić, sfrustrowanych, chętnych się stąd wyrwać, rozładować nadmiar energii nagromadzonej przy naciąganiu lin, szorowaniu pokładów, zabijaniu Hiszpanów – energii, która grozi wyzwoleniem w karczemnych burdach i ulicznych bijatykach. Nic dziwnego, że mieszkańcy Plymouth mają za złe obecność floty bezczynnie kotwiczącej dzień po dniu, każdej nocy przysyłającej na brzeg łodzie pełne mężczyzn z apetytami, których nie sposób zaspokoić. W taką noc lepiej siedzieć w domu, za porządnie zaryglowanymi drzwiami, zwłaszcza gdy jest się fircykiem takim jak ja, wystrojonym w jedwabie i koronki niczym dziecięca lalka. Przyśpieszam kroku, czujny na każdy ruch w cieniach bocznych uliczek i wnęk drzwiowych.

Nad dachami na zachodzie wznosi się zwieńczona blankami kwadratowa wieża kościoła, największa budowla w ciasnych uliczkach wokół portu. Duże zachodnie drzwi są już zamknięte i dzwony umilkły.

Wślizguję się do kościoła, zawiasy poskrzypują, gdy zamykam za sobą wielkie skrzydło. Kilka osób odwraca głowy, słysząc dźwięk, ale znikam z widoku w cieniach grubego kamiennego filara. Wzdłuż szerokiej nawy aleja kolumn i ostrych łuków wiedzie do ołtarza. Powietrze pachnie pleśnią, tym zapachem starego kamienia, który pod nieobecność kadzidła zawsze sprawia, że angielskie kościoły wydają się bezduszne. Opadają mnie dojmujące nieproszone wspomnienia z krypty katedry w Canterbury i otrząśnięcie się z nich wymaga sporego wysiłku. Choć po obu stronach są wysokie okna, w kościele panuje mrok, palą się tylko świece w prezbiterium. To mi odpowiada; z tego punktu obserwacyjnego widzę wiernych, mój wzrok prześlizguje się po czepkach i koafiurach, po potylicach niespokojnych głów. Nie dostrzegam Pettifera. Co prawda, nie powiedział, dokąd idzie się modlić, lecz to największy kościół w Plymouth, a Pettifer nie zrobił na mnie wrażenia chrześcijanina, który woli skromną kapliczkę od miejsca, w którym większa część mieszkańców zobaczy go podczas modłów i skorzysta z okazji, żeby zapytać o flotę. Zatem czy kłamał, mówiąc, jak zamierza spędzić wieczór na brzegu? Jakiś instynkt kazał mi go śledzić, coś w jego ostentacyjnej pobożności miało fałszywy wydźwięk. Postanawiam, że w przyszłości będę miał na niego oko.

Z zaskoczeniem dostrzegam Gilberta Crosse'a siedzącego w tylnej ławce na prawo ode mnie. Zdjął kapelusz i siedzi zgarbiony, mocno obejmując pierś, jakby próbował stać się niewidzialny. Przez długą chwilę się nie porusza, tylko siedzi ze spuszczoną głową, z dłońmi zaciśniętymi na ramionach. Zastanawiam się, o co się modli. Jest dziwnym młodzieńcem, bystrym i cenionym przez Walsinghama za umiejętności, jednak brakuje mu pewności siebie. Jednakże pod tą nieśmiałością wykrywam niepohamowaną ambicję.

Jak najciszej przestępuję z nogi na nogę; w kościele panuje ziąb. Wątłe głosy chóru nie zagłuszają deszczu tłukącego w dach przy każdym porywie wiatru: brzmi to tak, jakby ktoś rzucał garściami żwiru w szybę. Znowu sobie przypominam, jaką obojętność wzbudzały we mnie angielskie kościoły, choć tu się na ogół przyjmuje, że skoro jestem wrogiem inkwizycji, to muszę być wobec tego protestantem. Pomimo całej hipokryzji Kościoła rzymskiego doceniam w tej liturgii nastrój wielkiego wydarzenia. Msza katolicka przypomina misterium; tutejsze nabożeństwa są natomiast zimne i bezduszne i nigdy nie mogę się pozbyć przeświadczenia, że te cechy odnoszą się również do ich uczestników.

Kiedy w końcu wierni wstają i przesuwają się do ołtarza, żeby przyjąć eucharystię, mężczyzna na drugim końcu ławki Gilberta wstaje chyłkiem i znika w cieniu bocznych drzwi. Obserwuję go od niechcenia; przypuszczam, że chce uniknąć komunii. Wielu Anglików, choć chodzą do kościoła zgodnie z wymogami prawa, w duchu uważa angielską eucharystię za bluźnierczą i szuka pretekstów, żeby jej nie przyjmować. Gilbert siedzi, najwyraźniej pogrążony w głębokiej modlitwie. Staram się chować za filarem – nie chcę, by pomyślał, że go szpieguję – gdy nagle prostuje plecy, spogląda w kierunku głównych drzwi i oczywiście mnie dostrzega. Musi mrużyć oczy, żeby uzyskać pewność, ale jest za późno, żebym mógł cokolwiek zrobić poza uniesieniem ręki na powitanie. Wstaje i podchodzi do mnie z zaskoczoną, chociaż nie niezadowoloną miną.

– Doktorze Bruno, nie zdawałem sobie sprawy, że uczęszczasz do angielskiego kościoła. Szczerze mówiąc – mówi szeptem – nie jestem pewien twoich poglądów religijnych.

– Nie jesteś w tym odosobniony – odpowiadam z uśmiechem. Sam często nie jestem pewien. Nic dziwnego, że ludzie wokół mnie są zdezorientowani. – Oddaję cześć zgodnie z rozkazami Jej Królewskiej Mości – dodaję. To pozbawione znaczenia zdanie w rodzaju tych, jakie ludzie spodziewają się usłyszeć.

Kiwa głową. Przesuwa spojrzenie na drzwi.

– Nie przyjmujesz eucharystii? – pytam.

Zerka na kolejkę wiernych przy ołtarzu i poczucie winy na chwilę przyciemnia jego twarz.

– Czasami – szepcze, spuszczając wzrok. – Chociaż... Mogę wyznać coś strasznego?

– Proszę. – Przypatruję mu się, zaintrygowany.

– Gdy tylko pomyślę, że... wszyscy ci ludzie piją z tego samego kielicha, a ich ślina miesza się z winem... na samą myśl robi mi się niedobrze. Patrzę, jak ślina wiruje, i nie mogę się zmusić, żeby przyłożyć kielich do ust. To straszny grzech? – Patrzy na mnie niespokojnie.

– Jestem pewien, że Bóg cię rozumie. Osobiście nigdy nie mogłem pojąć, dlaczego w wyznaniu protestanckim znalazło się miejsce na eucharystię, skoro nie ma w nim cudu przeistoczenia. Jaki w tym sens? – mówię niefrasobliwie. Zastanawiam się, jak długo ten porządniś będzie kręcić nosem w cuchnących kajutach *Elizabeth* podczas wielomiesięcznej wyprawy.

Stojący w pobliżu zakrystian każe nam się uciszyć. Gilbert z pytającym spojrzeniem wskazuje głową drzwi i wychodzę za nim z kościoła.

– Codziennie chodzisz do kościoła? – pytam, gdy idziemy ścieżką do bramy cmentarnej.

– Staram się. Stwierdziłem, że to mi pomaga uporządkować myśli. I częste odmawianie modlitw przed taką podróżą na pewno nie zaszkodzi, prawda? Będziemy potrzebować pomocy boskiej przeciwko Hiszpanom.

– Nigdy wcześniej nie żeglowałeś?

– Odbywałem krótkie podróże. Wzdłuż północnego wybrzeża Francji i Niderlandów. Na kupieckich statkach wokół Anglii. To będzie coś zupełnie innego. – Mówi z niespodziewaną śmiałością, unosząc twarz w mżawce.

– Masz wielkie nadzieje związane z tymi mapami? – pytam. Obraca głowę, oczy mu płoną.

– Czy człowiek nie powinien ambitnie podchodzić do swojej pracy, doktorze Bruno? Czy ty nie jesteś ambitny, pisząc swoje książki? Cóż. – Uśmiecha się z zakłopotaniem. – Wiem, że pycha jest grzechem, ale moje ambicje nie dotyczą mnie… a raczej nie mnie samego. Wykreślenie dokładnej mapy świata… proszę pomyśleć, co to będzie oznaczać dla przyszłości ludzkich dążeń! Jeszcze tego nie uczyniono, nie, nawet Merkator tego nie dokonał. I jak na naród, który chełpi się najświetniejszymi żeglarzami i statkami na świecie, Anglia jest żałośnie uboga pod względem sztuki nawigacji. Zadowalamy się relacjami z drugiej ręki, od Francuzów i Hiszpanów, którzy rozwijali tę naukę już pół wieku temu. – Kręci głową, jakby się czuł osobiście upokorzony. – Pomyśleć, że sir Francis Drake jest pierwszym człowiekiem, który opłynął kulę ziemską, a wciąż nie mamy angielskiego kartografa o równie wielkiej renomie.

– Zamierzasz to zmienić? – Uśmiecham się. Trudno mi nie podziwiać kogoś, kto dąży do przekraczania granic wiedzy, kto ma dokładnie takie ambicje, jakie wcześniej zarzucił mi ojciec Pettifer. I wiem lepiej od większości moich krytyków, jak wielkiej trzeba determinacji, żeby spróbować zmienić ludzki sposób postrzegania świata czy wszechświata.

Gilbert się rumieni.

– Tak. Zamierzam. Widziałeś, panie, *Theatrum orbis terrarum* Abrahama Orteliusa? – pyta, gdy skręcamy w dół wzgórza na Nutt Street.

Przytakuję.

– Mój przyjaciel John Dee ma egzemplarz w swojej bibliotece. To niezwykłe dzieło, podobno najdroższa książka, jaka kiedykolwiek powstała.

– I pierwszy zbiór map wykreślonych przez jednego kartografa – uzupełnia entuzjastycznie Gilbert. – Tak, chciałbym sporządzić własny atlas. Pierwszą angielską księgę map ze szczegółowym odwzorowaniem wszystkich kontynentów... tak, nawet Terra Australis, pewnego dnia. To będzie dzieło mojego życia. Zamierzam towarzyszyć sir Francisowi w jego podróżach, pracować z pilotami i nawigatorami i stworzyć najpiękniejsze, najlepsze opisanie naszego świata. Jakby się patrzyło na Ziemię z niebios.

– Kupiłbym egzemplarz – mówię, a on wygląda na zadowolonego. – Wielka szkoda, że sir Francis nie ma żadnych map ze swojej wyprawy dokoła świata – dodaję, gdy docieramy do drzwi gospody Pod Gwiazdą.

Gilbert zerka na mnie z tajemniczym uśmiechem.

– Nie ma opublikowanych map na rozkaz królowej – szepcze. – To nie znaczy, że żadne mapy nie powstały.

Gwiżdżę cicho.

– Hiszpanie drogo by zapłacili, żeby je obejrzeć.

Szczerzy zęby w uśmiechu.

– W istocie. Ale nie będą mieli okazji. – Jego mina zmienia się na trwożną. – Nie wspominaj o tym nikomu, panie, błagam. Ani o mapach, które kreślę dla Walsinghama. Na pokładzie statku są ludzie, którym nie wolno ufać – dodaje ponuro.

– Mnie możesz zaufać.

– Wiem. – Przeszywa mnie poważnym spojrzeniem. – Kapitan Drake mi powiedział. Wprawdzie czasami się martwię, że jego wiara jest zbyt ślepa, gdy chodzi o najbliższe mu osoby, co do was z pewnością ma rację.

– To mi pochlebia. – Chcę go zapytać, komu nie ufa, skoro sam uczynił taką aluzję, ale akurat w tej chwili grupa roześmianych mężczyzn przepycha się obok nas do drzwi i zaskoczony widzę, że Gilbert wchodzi za nimi.

– Przyszedłeś dołączyć do innych w szynku? – pytam, wchodząc do sieni.

– Nie. – Sam pomysł budzi w nim przerażenie. – Zaglądam tu codziennie po kościele, żeby sprawdzić, czy przyszły jakieś listy do

sir Francisa. Korespondencja trafia tutaj, gdy jego statek stoi na kotwicy. Później zwykle znajduję jakąś tańszą tawernę, żeby zjeść gorący posiłek przed powrotem na *Elizabeth*.

– Sam?

– Tak. – Robi obronną minę. – Wolę swoje własne towarzystwo,
doktorze Bruno. Po wyjściu w morze będę miał niewiele okazji, żeby
się nim nacieszyć. Chociaż, gdybyś… – Patrzy na mnie z nadzieją. –
To znaczy, byłbym wdzięczny za rozmowę z człowiekiem uczonym,
jeśli jeszcze nie jadłeś, panie?

Waham się, rozważając zaproszenie, po czym grzecznie odmawiam, tłumacząc się wcześniejszym zobowiązaniem. Odnoszę wrażenie, że Gilbert ma więcej interesujących informacji i że nie musiałbym się wcale mocno natrudzić, by je z niego wydobyć, lecz jestem
zmęczony i nie kusi mnie perspektywa dyskutowania o południ-
kach i obliczaniu loksodrom z tym pełnym zapału, mrugającym
chłopakiem. Mając wybór, wolałbym tego wieczoru patrzeć w oczy
lady Arden znad krawędzi kielicha. A jednak, gdy idę po schodach
do naszego pokoju, rozmyślam nad słowami Gilberta. Powiedział,
że Drake za bardzo ufa najbliższym mu osobom. Już dał mi do zrozumienia, że ma wątpliwości co do postawy Jonasa, ale jego dobór
słów sprawił, że się zastanawiam, czy przypadkiem nie zamierzał
skierować mojej uwagi na inną osobę. Kto bowiem w tej flocie jest
bliższy sir Francisowi Drake'owi, jeśli nie jego rodzony brat?

10

Otwieram drzwi i nikogo nie zastaję w pokoju. Rozpinam pas
i rzucam go wraz ze sztyletem na łóżko. Sidney z pewnością jest
u lady Drake, bez wątpienia bawiąc panie jakimś sonetem, choć
zostawił przygaszony ogień w kominku. Obok stoi srebrna taca
z otwartą butelką wina i kielichem, niezwykle życzliwy gest z jego
strony. Moje ubrania wiszą na parawanie kominkowym. Mnę materiał w palcach. Jest sztywny od wody morskiej, pocętkowany bia-
łymi śladami soli i wciąż trochę wilgotny, przesycony charaktery-
stycznym zapachem portu, ale dochodzę do wniosku, że z czasem
wszystko to zniknie. Zrywam z siebie kaftan Sidneya, w pośpiechu
szarpiąc guziki, i rozwiązuję pludry, kiedy słyszę za sobą dyskretne
kaszlnięcie. Okręcam się na pięcie, świadom, że nie mam przy sobie
noża, i widzę w cieniach postać i błysk światła.

Mimowolnie klnę po włosku, gdy moje serce wali jak kowalski
młot, zanim znowu spowalnia. Lady Arden wychodzi z kąta pokoju
z kielichem w ręce. Uśmiecha się i sączy wino.

– Wybacz mi… nie chciałam cię przestraszyć. Sir Philip powiedział, że niebawem wrócisz, i uznałam, że sprawienie ci niespo-
dzianki będzie przednim żartem.

– Nie mógłbym być bardziej rozbawiony.

– Ojej, jesteś na mnie zły. Niezbyt dobry początek.

– Czego? – Słyszę opryskliwość we własnym głosie i staram się
pohamować emocje. Ona nic nie wie o ludziach ukrytych w cieniu,

o niewidzialnym mężczyźnie w czerni. Jestem bardziej zły na siebie za brak ostrożności. Skoro ona może bez mojej wiedzy czekać na mnie w moim pokoju, kto inny może zrobić to samo.

Wygląda na trochę urażoną moim tonem, ale odgarnia z oczu zbłąkany kosmyk włosów i z determinacją unosi podbródek. Ma zarumienione policzki.

– Pozwoliłam sobie poprosić, żeby przysłali wino tu na górę. Obawiam się, że napoczęłam je bez ciebie. Sir Philip powiedział, że poszedłeś do kościoła... – Unosi starannie wyskubaną brew. – Nie zrobiłeś na mnie wrażenia pobożnego.

– Od czasu do czasu ulegam religijnej potrzebie. Gdzie jest Sidney?

– Sądzę, że gra w karty z lady Drake. – Unosi kielich do ust i błyska zza niego kokieteryjnym uśmiechem, jakby zachęcała mnie do wyciągnięcia własnych wniosków, po czym spuszcza oczy.

– Gra w karty? – Czy Sidney nigdy się nie nauczy? Nie dość, że pisze niezliczone poematy do ukochanej z dzieciństwa, Penelope Devereux, które puszcza w obieg na dworze, więc jej mąż, lord Rich, nie może o nich nie wiedzieć, to teraz na domiar złego publicznie umizguje się do żony kolejnego potężnego człowieka tuż pod jego nosem... człowieka, od którego protekcji jest zależny. Gdyby mój los nie był związany z losem Sidneya i gdyby mi na nim nie zależało jako na przyjacielu, mógłbym się śmiać z jego czelności. Ryzykuje poważne konsekwencje, z których nie najmniejsze to zszarganie honoru i reputacji lady Drake w mieście, gdzie jest dobrze znana. Sznuruję pantalony i ruszam do drzwi.

– Zaczekaj, Bruno. – Lady Arden podchodzi z wyciągniętą ręką. – Jesteś stróżem sir Philipa? – Blask ognia tańczy na jej twarzy, podkreślając delikatne kości policzkowe i skórę o barwie kości słoniowej. Niezaprzeczalnie jest piękną kobietą.

– Prawie – mówię, kładąc rękę na klamce.

Jej głos łagodnieje.

– Ale czy naprawdę go potrzebuje? Jest przecież dorosłym mężczyzną. Lady Drake także jest zdolna do samodzielnego podejmowania decyzji. Nie jesteś ich przyzwoitką, Bruno, choć to wzruszające, że chcesz tę rolę odgrywać.

– A jak poczułby się sir Francis? Co będzie, gdy usłyszy, że połowa Plymouth widziała mężczyznę odwiedzającego jego żonę? Ciekawe, czy jest równie tolerancyjny jak ty.

Śmieje się beztrosko; dźwięczne brzmienie sugeruje, że mnie gani.

– Doprawdy, niewielu jest mężczyzn takich jak ty. Na końcu korytarza przy naszym pokoju są tylne schody. Nikt nie zobaczy sir Philipa wchodzącego czy wychodzącego, jeśli o to się martwisz. Poza tym podajesz w wątpliwość honor swojego przyjaciela i mój. Co w tym złego, jeśli tylko grają w karty i rozmawiają?

– Co złego... – Milknę, przegarniając włosy ręką. – Ludzie doszukują się zła we wszystkim, co widzą. Z pewnością ty, pani, jako kobieta, potrafisz to zrozumieć?

– Na litość boską, Bruno, mówisz jak jedna z tych starych bab na dworze. „Jako kobieta"? – Unosi brew, nalewa wina do drugiego kielicha. Podchodzi i wyciąga go ku mnie, lecz tuż za moim zasięgiem, jak człowiek wabiący psa obietnicą smakołyku. Na przekór zdrowemu rozsądkowi puszczam klamkę i robię krok w jej stronę.

– Nie chciałbym, żeby mój przyjaciel znalazł się na niewłaściwym końcu rapiera kapitana Drake'a – mówię, biorąc kielich. – Jeśli tylko grają w karty, dlaczego do nich nie dołączyłaś, lady Arden?

– Nie chciałam, żebyś czuł się samotny. – Tym razem patrzy mi w oczy i nie odwraca wzroku. Wspominam wcześniejsze dosadne stwierdzenie Sidneya, że będę ją miał, zanim opuścimy Plymouth. Założyłem, że się usunęła, wyświadczając przysługę Sidneyowi i lady Drake, ale może to oni wierzą, że robią jej przysługę.

– Nie musisz się tym przejmować, pani. Mam doświadczenie w przebywaniu we własnym towarzystwie. Posiadam ogromne wewnętrzne zasoby. – Ale czuję, że moje postanowienie słabnie, i ona też to zgaduje.

– Nie wątpię. – Uśmiecha się.

Zapada cisza. Pociągam łyk wina, wpatrując się w jej oczy. Powinienem wyjść i ratować Sidneya przed jego własną głupotą. Ale nie jestem jego stróżem, jak mówi lady Arden. Niech sam odpowiada za swoje poczynania. Jest mi wszystko jedno, czy Drake odmówi zabrania go w podróż. Inna sprawa, czy Drake nie zabije go w pojedynku, dowodzi głos rozsądku. Ale przecież Drake nie będzie z nim walczyć... czy będzie? Jeśli nawet...

Lady Arden podchodzi krok bliżej. Powoli odsuwam kielich od ust i doznaję zdradzieckiego drgnienia w kroczu. Może moje serce jest mocno – bezsensownie – przywiązane do kobiety, która dawno temu wyjechała do Francji, lecz ciało może być zdrajcą serca. Taka okazja rzadko się zdarza, a jeszcze rzadziej spotyka się mężczyznę, który ją odrzuca z powodu jakiejś źle pojętej lojalności. I co więcej, lojalności wobec kogoś, kto w zamian nie dał niczego prócz zdrady. Rozpala się we mnie gniew na to wspomnienie; krew napływa mi do twarzy. Jakby w odpowiedzi stawiam kielich na stole i robię krok ku lady Arden, która wyczekująco unosi głowę. Wtedy słyszę charakterystyczne skrzypnięcie deski za drzwiami.

Otwiera usta, żeby spytać, o co chodzi, ale unoszę dłoń, żeby ją uciszyć. Stoję w napięciu, wytężając słuch. Gestem wysyłam lady Arden w drugi koniec pokoju i przyskakuję do łóżka po nóż. Znowu słyszę skrzypnięcie i ciche szuranie. W szczelinie pod drzwiami widzę mignięcie cienia. Wyciągam sztylet z pochwy, jak najciszej naciskam klamkę i jednym nagłym ruchem pociągam drzwi. Widzę służącą, którą poznałem rano, z ręką uniesioną do zapukania. Dziewczyna przeraźliwie wrzeszczy i uświadamiam sobie, że zobaczyła nóż. Ostrożnie kładę go na podłodze i pokazuję jej puste dłonie, próbując ją uciszyć. Gdy mija pierwszy szok, przestaje krzyczeć i stoi, wlepiając we mnie oczy, z kartką papieru szeleszczącą w drżących rękach.

– Wybacz, panie, nie podsłuchiwałam, ale się przestraszyłam – mamrocze. – Ten nóż...

– Hetty, czyż nie? Nie chciałem cię przestraszyć. Myślałem, że to ktoś inny. Czego chcesz?

Z powątpiewaniem patrzy na nóż leżący na podłodze.

– Przyszłam to przekazać. – Podaje mi kartkę i dostrzegam czerwoną woskową pieczęć. – Tylko nie byłam pewna, czy nie masz, panie, towarzystwa, i nie chciałam przeszkadzać...

– Nie, jestem sam – mówię, stając w drzwiach, gdy ona wyciąga

szyję, a jej ciekawskie oczy śmigają po zaciemnionym wnętrzu. –
Kto ci to dał?

– Jakiś dżentelmen zostawił to wcześniej. Bo widzisz, panie,
zdaje mi się, że słyszałam głosy...

– Czytałem na głos. – Przechylam list, żeby obejrzeć pieczęć.
Widzę odciśnięte płytkie naczynie z językiem płomienia, jak na że-
tonie znalezionym pod koją Roberta Dunne'a. Puls mi przyśpiesza.
Święty płomień. – Kim był ten człowiek?

– Nie podał nazwiska. Może jest w liście. – Kaszle lekko. – Bo
gospodyni Judith nie pozwala, żeby dżentelmeni sprowadzali tu sobie towarzystwo, jeśli wiesz, panie, o co mi chodzi – tłumaczy, stanowczo kiwając głową na znak, że popiera jej stanowisko. – Mówi,
że gospoda Pod Gwiazdą nie jest tego rodzaju przybytkiem. Zdarzało się, że za coś takiego wypraszała gości.

– Pochodzisz z Plymouth, Hetty?

– Ze Stonehouse, panie. Z sąsiedniej wioski, za cyplem.

– Słyszałaś o miejscu zwanym Domem Westy?

Patrzy na mnie z uśmiechem wyższości.

– Każdy o nim słyszał. Ale nie chcesz tam pójść, panie, jeśli ce-
nisz swoją sakiewkę. – Łączy kciuk i palec wskazujący.

– Czyżby? A co takiego kosztownego oferują?

– Dziewczęta – mówi tak, jakby to było oczywiste.

– Wobec tego z pewnością można je znaleźć w całym Plymouth
za niższą cenę?

Wzrusza ramionami.

– Dom Westy jest dla tych, którzy mają pieniądze do stracenia.
Tamtejsze dziewczyny są młode. Czyste, jeśli rozumiesz, panie, o co
mi chodzi. Powiadają, że to jedyne miejsce w Plymouth, gdzie można być pewnym, że męskie przyrodzenie nie odpadnie po tygodniu
od wizyty. Proszę o wybaczenie. – Zakrywa usta rękami i chichocze. – Dlatego chodzą tam tylko prawdziwi dżentelmeni. Ci, którzy
są chętni zapłacić za komfort i bezpieczeństwo. Pozostali muszą sobie radzić pod murem portowym i ryzykują. – Prycha.

– Warto wiedzieć. A gdzie jest Dom Westy? – Oglądam list, gdy
pytam. Obracam go na drugą stronę i patrzę na pieczęć tak, jakbym

od miesięcy nie widział niczego ciekawszego. Moja udawana nonszalancja słusznie skłania ją do szyderczego śmiechu.

– Ano, panie, dokładnie nie wiem. To tajemnica. – Przekrzywia głowę, co sugeruje, że tajemnica może być dostępna dla zainteresowanych, ale nie za darmo.

– Zaczekaj tutaj. – Przymykam drzwi i biorę z łóżka sakiewkę. Lady Arden śle mi uśmiech współwinowajcy z kąta, w którym się ukrywa, poza polem widzenia z progu. Kiwam ręką, żeby tam została.

– Proszę. – Wyjmuję groata i służąca patrzy na monetę z lekkim rozczarowaniem. – To wszystko, co mam.

– Słyszałam, że wejście jest kawałek od Looe Street. Trzeba szukać szyldu aptekarza.

– Dziękuję – mówię, przymykając drzwi. – Dobrej nocy.

– Nie można tam wejść prosto z ulicy – kontynuuje Hetty, chowając monetę w fałdach spódnicy. – Trzeba mieć zaproszenie. Znać kogoś. Poza tym to daleka droga o tej porze nocy. – Przez chwilę milczy. – Gospodyni Judith to rozumie. Nie lubi myśleć, że dżentelmeni są samotni wieczorami.

Przystaję przy na wpół zamkniętych drzwiach.

– Gospodyni Judith jest prawdziwą chrześcijanką.

– Jeśli pragniesz, panie, towarzystwa, może to załatwić. Mam z nią pomówić?

– Aha. Więc ma zastrzeżenia nie tyle do braku moralności, ile do utraty zysku?

– Że co?

– Nieważne. Jeszcze raz dziękuję.

Delikatnie zamykam drzwi przed jej nosem i czekam, słuchając kroków oddalających się w głąb korytarza. Lady Arden patrzy na mnie znad krawędzi kielicha z figlarnym błyskiem w oku.

– Bruno, wszyscy się martwią, że jesteś dzisiaj samotny.

– Tak, jestem tym doprawdy wzruszony.

– Jak sądzisz, czy ona udziela się towarzysko? – Ruchem głowy wskazuje drzwi. – Wygląda tak, jakby robiła to za szklankę portera. Chociaż nie poręczyłabym za jej czystość.

Odpowiadam przelotnym roztargnionym uśmiechem, skupiając uwagę na liście. *Fra Giordano Bruno*. Odkąd wyrzekłem się święceń kapłańskich, nikt nie zwracał się do mnie per „brat zakonny". Zerkam na drzwi i z wrażenia dostaję gęsiej skórki na przedramionach. Nie jest tajemnicą, że kiedyś byłem zakonnikiem, ale kto w Plymouth o tym wie, żeby zwracać się do mnie w ten sposób? Tylko ludzie, których poznałem na pokładzie *Elizabeth*. Obracam list i łamię czerwoną pieczęć. Jest tylko schludna linijka tekstu, wypisana czarnymi dużymi literami.

Czytam ją dwa razy, gładzę ręką podbródek, mrugam i czytam jeszcze raz dla pewności, czy dobrze zrozumiałem. Następnie chwytam mój czarny wełniany kaftan z parawanu przed kominkiem, otrzepuję go z soli i otwieram drzwi.

– Zaczekaj... dokąd idziesz?! – krzyczy lady Arden, gdy wybiegam w pośpiechu, niemal się poślizgując na gołych deskach. – Czy to złe wieści?!

– Wybacz! – rzucam przez ramię w drodze do tylnych schodów. – Coś pilnego. Nie czekaj na mnie, pani!

Piętro niżej wpadam bez pukania do pokoju. Jak przypuszczałem, Sidney kuje żelazo, póki gorące: wygięte plecy, wypięta pierś, ręce gestykulujące dla efektu dramatycznego. Lady Drake siedzi na stołku przy ogniu z dłońmi skromnie złożonymi na podołku, patrząc na deklamującego Sidneya z miną wyrażającą coś pośredniego między podziwem i znudzeniem. Mój przyjaciel przerywa w połowie sonetu i obrzuca mnie spojrzeniem, które obiecuje, że później mnie zabije.

– Bruno! Człowieku, co ty sobie myślisz... Nie masz na tyle przyzwoitości, żeby zapukać?!

– Muszę z tobą pomówić. Teraz. Chodź ze mną. Wybacz, że przeszkadzam, pani.

Elizabeth Drake ze spokojem przyjmuje moje nagłe wtargnięcie. Rozbawiony uśmiech igra w kącikach jej ust.

– Sir Philip właśnie deklamował swoje wiersze – powiada, choć wyjaśnienie raczej nie jest potrzebne. – Obawiam się, że niezupełnie skończył.

– Lady Drake była uprzejma, żeby mnie o to poprosić – mówi Sidney obronnym tonem.

– W tym cyklu jest sto osiem sonetów, pani – powiadam. – Mogę zaoszczędzić ci trudu słuchania: Stella go odtrąca i zostaje z mężem, Astrophel jest smutny, koniec.

Śmieje się.

– To wszystko? Nikt nie umiera?

– Może jeszcze umrzeć – cedzi Sidney przez zaciśnięte zęby, piorunując mnie wzrokiem. Mimo to się nie opiera, gdy wlokę go za drzwi, gdzie zderzamy się z lady Arden. W przelocie kiwam głową, Sidney przystaje, żeby złożyć dworny ukłon. Lady Arden nic nie mówi, tylko obrzuca mnie zranionym spojrzeniem, zamykając za sobą drzwi pokoju.

– Lepiej, Bruno, żebyś miał dobre powody – warczy mój przyjaciel, gdy zbiegamy po schodach piętro niżej. – Ona była...

– Jaka? – Przystaję na zakręcie i obracam się ku niemu. – Gotowa rzucić się w twoje ramiona? Czy taki był twój zamysł? Skoro tak, dobra robota, Philipie, żeby pisać poematy o swojej nieodwzajemnionej miłości do żony jednego mężczyzny, a potem je wykorzystywać, by uwieść żonę drugiego.

– Ciszej! Na litość boską, Bruno, twoje moralizowanie zaczyna mnie nużyć... ktoś mógłby pomyśleć, że nadal jesteś mnichem.

– Gdybym wciąż był mnichem, nie miałbym żadnych skrupułów – ripostuję, ale mnie nie słucha.

– Uwieść to ohydne słowo – kontynuuje z oczami płonącymi gniewem. – Nie wiesz nic o dwornych manierach, skąd miałbyś wiedzieć? Zalecanie się do pięknej kobiety to nie uwodzenie, to honorowa tradycja pochodząca z czasów króla Artura...

– Tak, tak. Ale mamy rok tysiąc pięćset osiemdziesiąty piąty, a ty nie jesteś sir Galahadem. Mamy ważniejsze sprawy na głowie. Spójrz, przed chwilą służąca mi to przyniosła.

Pokazuję mu list. Czyta i patrzy na mnie. Piętro niżej ludzie kręcą się w sieni, zmierzając do szynku. Wodzę po nich wzrokiem, wypatrując mężczyzny w czarnym kapeluszu.

– Nie rozumiem – mówi Sidney, odwracając kartkę papieru, jakby to miało mu pomóc.

– To łacina.

Przewraca oczami.

– Tak, umiem przeczytać słowa, ale nie pojmuję ich sensu. Kto ci to przysłał? I dlaczego?

– Spójrz na pieczęć.

Składa połówki i marszczy brwi.

– Taki sam symbol jak ten, który znaleźliśmy w kajucie Dunne'a. Co to jest?

– Pamiętasz, co Savile powiedział w łodzi, kiedy go zapytałeś, dokąd się wybrać w Plymouth? Nawiązał do świętego płomienia, a chodziło mu o Dom Westy. Założę się o wszystko, że to ich tajny znak. Mówiłeś, że podobno Dunne był tam częstym gościem.

– Święty ogień bogini. – Kiwa głową, przeciągając palcem po pieczęci. – Ale to wciąż nie wyjaśnia sensu wiadomości.

Wzdycham i schodzę po schodach.

– Chodź. Wyjaśnię ci po drodze.

– Chcesz iść tam teraz? – Przystaje i wybucha śmiechem. – Jesteś nadzwyczajny, Bruno. Karcisz mnie za czytanie wierszy damie w jej komnacie, a zaraz potem radośnie ciągniesz mnie do burdelu?

– Ciszej, chcesz, żeby cała gospoda wiedziała, dokąd się wybieramy?

Burczy z irytacją i schodzi za mną, przy każdym kroku jedwab jego pludrów szemrze niczym westchnienie poetów.

– Dziwny obrót wydarzeń. Jak sądzisz, kto przesłał ten list?

– Nie wiem. Ale istnieje oczywiste powiązanie z Robertem Dunne'em i ktoś chce zwrócić na nie naszą uwagę. Masz z sobą tamten żeton?

– W sakiewce. – Poklepuje wybrzuszenie pod kieszenią. – Zdajesz sobie sprawę, że to prawdopodobnie pułapka?

– Bardzo możliwe. Ale jeśli tak, trzeba znaleźć odpowiedzi. Będziemy musieli mieć się na baczności, to wszystko.

Z irytacją wypuszcza powietrze i przepycha się przez drzwi frontowe, wychodząc w nocne powietrze. Obracam się, sprawdzając ulicę w obu kierunkach, chociaż widzę tylko zwarty tłum mężczyzn śpiewających szanty, którzy idą z rękami zarzuconymi na ramiona kompanów. Ale jestem pewien, że czyjeś oczy obserwują nas z cienia.

Wiatr wciąż jest silny, wokół nas przepływa rzadka mgła mżawki, osiadając jak srebrny welon na włosach i ubraniach. Chmury ściągają ku morzu, muśnięcia ołowianej szarości na tle ciemniejącego nieba.

– Ten list – mówi Sidney, gdy ruszamy pomiędzy bielonymi wapnem domami na wzgórze. – Jaki ma związek z Dunne'em?

– Rozpoznajesz cytat?

– *Vexilla regis prodeunt Inferni* – cytuje jedyną linijkę anonimowego listu, wyraźnie akcentując każdą sylabę, jakby to mogło pomóc wyjaśnić intencje autora. – Ukazują się sztandary króla piekieł. – Zastanawia się przez chwilę, krzywiąc twarz, gdy przetrząsa szuflady dobrze uporządkowanej pamięci.

– Daj spokój, Philipie, podobno znasz się na literaturze. W każdym razie jesteś jednym z niewielu Anglików, którzy twierdzą, że znają poezję mojej ojczyzny.

Odwraca się w moją stronę, światło zapala się w jego oczach.

– Dante, prawda?

– Właśnie. Ale czy pamiętasz, skąd pochodzi cytat?

Kręci głową, skonsternowany.

– Z *Piekła*, choć nie mogę ci podać numeru pieśni.

– To początek pieśni trzydziestej czwartej – mówię, gdy dochodzimy do rozstajów. – Szukamy Looe Street. W którą to stronę?

– Nie mam pojęcia. – Woła do dwóch pijanych jak bela mężczyzn, którzy zmierzają ku nam chwiejnym, acz idealnie zgranym krokiem. – Panowie, którędy do Looe Street?

W odpowiedzi słyszymy chóralny rechot i widzimy wulgarne gesty wykonywane pięściami.

– Panowie! – skrzeczy jeden. Jego kompan robi gest, który, jak zgaduję, ma symbolizować kopulację. Ale pierwszy udziela nam szczegółowych i co najważniejsze, zrozumiałych wskazówek, podczas gdy drugi szacującym wzrokiem obrzuca piękny strój Sidneya. Prawie na pewno jego otumaniony mózg kalkuluje, ile człowiek w takim odzieniu może mieć w sakiewce. Sidney wyraźnie też to wyczuwa, ponieważ jego dłoń zbliża się do rękojeści rapiera. Mężczyzna robi chwiejny krok do tyłu, gdy ruszamy dalej ulicą prowadzącą w lewo. Idziemy, od czasu do czasu oglądając się przez ramię. – Życzę szczęścia, kolego! – krzyczy jeden z nich, kiedy nikniemy z pola widzenia. – Będzie ci potrzebne.

– Bruno, nie mogę powiedzieć, że to mi się podoba – powiada Sidney cichym głosem, gdy cienie pomiędzy domami gęstnieją. – O co mu chodziło?

– O nic, chciał nas nastraszyć – mówię, zdecydowany nie dać się odwieść od powziętego zamiaru.

Na tej bocznej ulicy jest mniej ludzi; gdy skręca w prawo, wydaje się prawie pusta, choć dźwięk głosów i szczekanie psów niosą się w wilgotnym powietrzu. Idziemy środkiem, na wypadek gdyby ktoś czyhał w cieniu wnęk albo w przejściach między budynkami. Sidney trzyma rękę na rapierze. Strumyczki brudnej wody spływają rynsztokami po obu stronach. Słony wiatr nie wywiewa smrodu odpadków i gnijących warzyw.

– Wyjaśnij, o co chodzi w tym wierszu.

– W pieśni trzydziestej czwartej Dante opisuje, jak dociera do samego środka piekła. To krąg zdrajców, zarezerwowany dla największych grzeszników w dziejach. I kogo tam znajduje?

– Judasza Iskariotę – szepcze Sidney, szeroko otwierając oczy, gdy spływa nań zrozumienie. – Ale dlaczego…?

– Nie wiem. Ktokolwiek przysyła te listy, pokpiwa sobie z nas… najpierw z Drake'a, teraz ze mnie, z powodu księgi Judasza. To musi być ten sam człowiek.

– Ale kto zawracałby sobie głowę, żeby się z tobą drażnić? Chyba że jest to ktoś, kto cię zna i podejrzewa, że możesz mieć coś wspólnego z księgą.

– Co nas prowadzi z powrotem do Rowlanda Jenkesa. Przysyła mi cytat z dzieła włoskiego poety tylko po to, żeby dać mi do zrozumienia, że mnie zna. Jest tutaj, jestem tego pewien, i nas obserwuje. Bodajby sczezł!

Sidney ostrzegawczo kładzie rękę na moim ramieniu, bo mimo woli podniosłem głos. Rozglądam się, ale nikogo nie ma w zasięgu słuchu.

– Jeszcze niczego nie jesteśmy pewni, z wyjątkiem tego, że wyciągnąłeś mnie z ciepłego pokoju i dobrego towarzystwa. – Poprawia kapelusz i po raz kolejny zerka przez ramię. – Co więc proponujesz? Wmaszerujemy tam jakby nigdy nic i zapytamy, kto przysyła anonimowe listy?

– Proponuję nieco więcej przebiegłości. Dziewczęta mogą coś wiedzieć. Jeśli Dunne był stałym klientem, może miał faworytkę. Mężczyźni czasami szepczą swoje sekrety w poduszkę, kiedy przestają się mieć na baczności.

Sidney spogląda na mnie z półuśmiechem.

– Co ty o tym możesz wiedzieć? Nie wierzę, Bruno, żebyś kiedykolwiek przestał się mieć na baczności, nawet w chwilach namiętnego uniesienia.

Myli się, ale nic nie mówię.

– Czy zdajesz sobie sprawę, że będziemy musieli zapłacić? – narzeka, sięgając do sakiewki. – Nie możesz się spodziewać, że dziwka poświęci ci czas za darmo, żeby odpowiadać na pytania, jeśli nawet spojrzysz tymi swoimi wielkimi melancholijnymi oczami zbłąkanego psa.

– Zbłąkanego psa? – powtarzam, ale wskazuję na czteropiętrowy drewniany dom. Każde piętro jest wysunięte nad to dolne i dom wygląda tak, jakby miał się przewrócić pod własnym ciężarem. Nad drzwiami na dwóch szczękających łańcuchach kołysze się szyld wyobrażający laskę Asklepiosa, ulubiony znak aptekarzy. Apteka na dole jest zamknięta, grube okiennice strzegą wejścia i okien. Zadzieram głowę, żeby spojrzeć na górne piętra. Światło prześwituje przez szczeliny w zasłoniętych oknach. Obok drzwi aptekarza jest brama, a za nią ciemne sklepione przejście. Sidney podchodzi bliżej i ogląda słupki po obu stronach.

– Patrz! To musi być tutaj – szepcze, wskazując niewielki obrazek wycięty w drewnie. Przedstawia pochodnię z językiem płomienia, identycznym jak na pieczęci.

Idę za nim w głąb przejścia. Nawet ja muszę się zgarbić; to stary dom, zbudowany w czasach, kiedy ludzie byli niżsi albo garbaci. Sidney zgina się niemal we dwoje, klnąc za każdym razem, gdy uderza głową w belkę. Gdzieś nad nami wybucha nagłe *staccato* śmiechu.

Na szczycie trzech wytartych schodków są drzwi z zakratowanym okienkiem na wysokości głowy i żelazną kołatką osadzoną nad klamką. Sidney sięga ku niej.

– Chwileczkę. – Odsuwam się od okienka, rozpinając pas.

– Opanuj się, Bruno, zaczekaj przynajmniej, aż znajdziemy się w środku.

Ignoruję jego uwagę. Wyjmuję nóż z pochwy i wsuwam do buta, po czym zapinam pas. Wskazuję jego sztylet.

– Ukryj go, jeśli możesz. Zabiorą ci rapier przy drzwiach, ale się nas spodziewają, więc powinniśmy być przygotowani.

– To był jej pomysł, żeby wyjść – mówi, gdy bierze ze mnie przykład i chowa krótki sztylet w cholewie buta, zostawiając przypięty rapier. – Chodzi mi o Nell Arden. Ona zaproponowała, że będzie czekać na ciebie w naszym pokoju. Nie ja to wymyśliłem.

– I nie wpadło ci do głowy, żeby jej uzmysłowić, jak to będzie wyglądało? Jak my wszyscy będziemy wyglądać?

– Myślałem, że może będziesz wdzięczny za okazję. Minęło trochę czasu, zanim się pojawiłeś. – Podnosi żelazny pierścień na drzwiach i uderza trzy razy, uśmiechając się do mnie złośliwie.

– Co ty powiesz?! Nie wyobrażaj sobie, że jesteś wtajemniczany w każdą sferę mojego życia. – Przegarniam ręką włosy.

– W porządku, nie musisz kąsać. Ale czy nie mam racji? O ile mi wiadomo, od jej wyjazdu nie związałeś się z żadną inną kobietą, a sam mówisz, że nie bywasz w burdelach, więc nie potrafię sobie wyobrazić, gdzie...

– Może nic o tym nie wiesz. Może przynajmniej ja uważam pewne sprawy za prywatne. – Słyszę rozdrażnienie w swoim głosie. Jestem drażliwy, bo Sidney ma rację, ale nie chcę się do tego przyznać. Chociaż jego uśmiech sugeruje, że już to wie.

Przerywa odpowiedź, gdy klapka za kratą zostaje odciągnięta i w otworze ukazuje się twarz kobiety.

– W czym mogę pomóc, panowie? – Głos ma niespodziewanie

wytworny. Sidney natychmiast zrywa kapelusz i gnie się w dystyngowanym ukłonie.

– Dobry wieczór, pani. Mieliśmy nadzieję na trunek i dobre towarzystwo.

Kobieta wydaje się nieporuszona.

– Może opacznie wzięliście ten dom za jakąś gospodę, panie. Prowadzę dom dla osieroconych dziewcząt.

Sidney się śmieje.

– Doprawdy? Nie sądzę, żebym się mylił. Czy jesteś może Vestalium Maxima? Najwyższą kapłanką westalek? – Prezentuje kolejny pełen wdzięku uśmiech, a ona go odwzajemnia, przyznając mu słuszność.

– Czy ja cię znam, panie?

– Jeszcze nie. – Promiennie się uśmiecha, wyjmuje z sakiewki srebrny żeton i podnosi go do światła.

Kobieta kiwa głową.

– Skąd to macie?

– Od przyjaciela. Powiedział, że powinniśmy...

– Od którego przyjaciela? – Jej bystre spojrzenie przeskakuje z Sidneya na mnie i z powrotem, szacując nasze stroje, twarze, prawdopodobną wielkość sakiewek.

– Roberta Dunne'a – mówię, zanim Sidney ma szansę udzielić odpowiedzi.

Wyraz jej twarzy się zmienia, choć nie jest jasne, czy moja zagrywka spełniła swoje zadanie.

– Rozumiem. – Zaciska usta. Krata dzieli jej twarz na części; trudno wyrobić sobie zdanie na temat całości. – Mówiliście, że jak się nazywacie?

– Jestem Giordano Bruno – przedstawiam się, starannie wymawiając imię i nazwisko, wypatrując w jej oku błysku rozpoznania. Przygląda mi się obojętnie, po czym z ostrym trzaskiem zasuwa okienko.

Sidney mieli przekleństwo w zębach, ale po krótkiej chwili słyszymy grzechot zasuwy i drzwi się otwierają. Widzimy wysoką kobietę elegancko ubraną w zieloną atłasową suknię, która wprawdzie ma za sobą lata świetności, ale kiedyś musiała przykuwać spojrzenia, podobnie jak jej właścicielka. Kobieta muska palcami sznur pereł na szyi.

– No dobrze. Wejdźcie. Proszę o wyjęcie broni i odłożenie jej tutaj. Będzie tu całkiem bezpieczna.

– Ale czy my będziemy? – mówi Sidney, siląc się na żart. Kobieta ucisza go lodowatym spojrzeniem, a on już bez słowa potulnie odpina rapier. Wskazuję ręką pusty pas, lecz widzę, że jej wprawne oczy wędrują po moim ciele, zatrzymując się na nogach. Przez chwilę myślę, że każe mnie przeszukać, lecz po długiej lustracji kiwa głową.

– Możecie oddać mi żeton. I zapłatę bierzemy z góry – uprzedza, wyciągając wypielęgnowaną dłoń z uśmiechem, który nie ogarnia oczu. – Złotego suwerena, jeśli łaska.

– Złotego suwerena? – Sidney gapi się na nią z otwartymi ustami, czekając, żeby się roześmiała i podała mu prawdziwą cenę.

Kobieta stoi z wyciągniętą dłonią, z uśmiechem zamrożonym na twarzy.

– Czyli dwadzieścia szylingów? – powtarza Sidney wciąż z nadzieją, że się przesłyszał.

Właścicielka burdelu przenosi na mnie spojrzenie.

– Od każdego.

– Chryste Panie i wszyscy święci… Co za to dostanę?

– Przedsmak nieba.

– Przedsmak? Za suwerena* spodziewałbym się uczty z pięcioma daniami.

– Z całym szacunkiem, panie – mówi tym samym jedwabistym tonem. – Jak z wieloma rzeczami w życiu, dostajesz tyle, za ile płacisz. Jeśli nie podoba ci się nasza cena, jest mnóstwo miejsc, gdzie można zapłacić o wiele mniej. Z tym że tutaj wiesz, co kupujesz. – Wydyma usta w cieniu uśmiechu. Moglibyśmy rozmawiać o jakiej-

---

* Suweren – angielska moneta złota o wartości 1 funta (20 szylingów), bita w latach: 1489–1604, 1816–1932, 1957–1982 i od 2000 roku. Pierwotnie suweren zawierał ½ uncji (ok. 15,5 g) czystego złota, monety były próby 23-karatowej.

kolwiek transakcji, wszystko jest tak starannie sformułowane w języku handlu.

– Nie chciałem cię obrazić, pani – powiada Sidney, znów przedzierzgnąwszy się w uosobienie galanterii. Wyjmuje kilka monet z sakiewki, patrząc na mnie gniewnie. Jeśli nie znajdziemy tu niczego użytecznego, nieprędko pozwoli mi zapomnieć, że stracił dwa suwereny. Kobieta zerka na pieniądze i na nas z tą samą enigmatyczną miną, zanim w końcu zaprezentuje pełen rezerwy uśmiech i kiwnie głową w stronę drzwi.

– Proszę za mną.

Obserwuję ją z ciekawością, gdy prowadzi nas do przegrzanego saloniku, gdzie powietrze jest gęste od zapachu porządnych woskowych świec. Nosi się godnie, jakby była damą wysokiego rodu. Może kiedyś nią była. Oceniam, że jest bliżej czterdziestki niż trzydziestki, choć ma figurę młodszej kobiety i chroni cerę przed słońcem i wiatrem. Chciałbym wiedzieć, jak kobieta najwyraźniej dobrze wychowana trafiła do tej profesji, ale jej postawa nie zachęca do zadawania pytań. Sidney pada na fotel z wyświechtanymi ze starości aksamitnymi poduszkami i łagodnie się z nich ześlizguje, jego długie nogi suną po spłowiałym tureckim dywanie. Staję przy kominku, gdzie zapomniany ogień trzaska i dymi w palenisku.

– Zatem co lubicie, dżentelmeni? – Madame przekrzywia głowę i bacznie się nam przygląda. Pytanie brzmi tak, jakby chodziło o przyrządzenie mięsa. – Powiedzcie mi, jakie są wasze wymagania, a ja zobaczę, czy możemy im sprostać.

– Robert Dunne poradził, żeby pytać o jego faworytkę – mówię, zanim Sidney ma szansę się odezwać. Zerka na mnie.

– Doprawdy? – Unosi pomalowane brwi; jest niemal zainteresowana. – A co dokładnie powiedział?

Staram się przybrać nonszalancką minę.

– Tylko tyle, że nie będę rozczarowany.

Przekrzywia głowę.

– Zobaczę, co da się zrobić. Proszę tu zaczekać. – Bocznymi drzwiami wychodzi z salonu i słyszymy kroki na schodach. Natychmiast po jej wyjściu czuję, że strach ściska mi trzewia.

– Domyśliła się, że kłamię – szepczę, zyskawszy pewność, że madame jest poza zasięgiem słuchu.

– Niekoniecznie. – Sidney obraca kapelusz w rękach i przygląda się ozdobnemu pióru. – Myślisz, że wie cokolwiek o liście?

Wzruszam ramionami.

– Wątpię. Odcisk na pieczęci pochodzi z jednego z tych srebrnych żetonów. Mógł się nim posłużyć każdy z jej ekskluzywnej klienteli. Ale ktokolwiek to był, chciał nas tu zwabić, co do tego nie może być wątpliwości. Musimy postępować ostrożnie i mieć nadzieję na odkrycie, dlaczego to zrobił. To wszystko.

– I mieć nadzieję, że celem nie jest przeszycie cię rapierem. – Sidney zakłada nogę na nogę, prostuje się i skupia uwagę na luźnej perle na rękawie. – Jak sądzisz, jakie upodobania miał Dunne? A jeśli należał do tych, którzy lubią być dręczeni? Wiązani i chłostani, coś w tym rodzaju. Są też tacy, którzy lubią gorący wosk ze świecy na…

– Nie zbliży się do mnie nikt ze świecą, nie ma obawy. – Ogień wypluwa duży węgielek na dywan. Następuję nań i gaszę podeszwą buta. – Dziewczyna zapewne będzie czuła taką ulgę, iż chcę z nią tylko porozmawiać, że będzie bardziej niż chętna do pomocy.

– Miejmy nadzieję. A co ja mam robić, gdy ty będziesz czarował tę dziewiczą westalkę, żeby wyjawiła ci sekrety Dunne'a?

– Może znajdziesz sobie kogoś do rozmowy. Zadasz kilka pytań.

– Jeśli nie, to będą pieniądze wyrzucone w błoto. – Uśmiecha się cierpko. Przynajmniej perspektywa rozrywki stanowi pewną rekompensatę za odciągnięcie go od lady Drake. – Ona mnie intryguje – mówi *sotto voce*, wskazując sufit, gdzie słychać poskrzypywanie drewna i kroki. – Dom Westy, w istocie. Ciekawe, czy sama nazwała to miejsce. Jeśli tak, musi być wykształcona. I wysławia się jak urodzona dama.

– Westalki – dumam na głos, wspominając historię Rzymu. – Szlachetnie urodzone dziewczęta, ślubujące żyć w czystości w służbie bogini. Karą za zhańbienie kapłanki Westy była śmierć, czyż nie? Trzeba podziwiać jej ironiczne poczucie humoru.

- Dlaczego sądzisz, że ironiczne? – Obaj aż podskakujemy, bo madame pojawia się w innych drzwiach, bezszelestnie jak kot, z błyskiem w oczach. – Nie obawiaj się, panie, tylko się droczę. Zapraszam. – Wskazuje na mnie. – Chodź ze mną. A do ciebie jeszcze wrócę, panie – mówi do Sidneya. – Tymczasem każę przynieść karafkę z winem.

– Posłuchaj, nie ruszaj się stąd beze mnie – proszę Philipa, odwracając się w jego stronę. – Zaczekaj na mnie tutaj, aż... – Nie kończę zdania i wzruszam ramionami. Coś w spojrzeniu tej kobiety sprawia, że czuję niepokój, choć może tylko ponosi mnie rozgorączkowana wyobraźnia.

– Zaczekam. Idź i weź tyle, za ile zapłaciłem. – Odgrywa pantomimę, która, jak mogę się tylko domyślać, ma ilustrować reakcję mężczyzny zaskoczonego przez gorący wosk na częściach intymnych. Pio'runuję go wzrokiem i odwracam ku madame, która obdarza mnie mdłym uśmiechem i wskazuje drugie drzwi.

Podkasuje spódnice i rozmyślnie kołysze wąskimi biodrami, prowadząc mnie po schodach na podest. Zza jednych drzwi płynie dudnienie męskich głosów i śmiech; dwóch albo trzech mężczyzn, osądzam. Nagły wybuch przekleństw i radosnych okrzyków sugeruje, że być może grają w karty. Rozglądam się, gimnastykując palce prawej ręki, gotów chwycić nóż w razie potrzeby. Jeszcze nie widziałem uzbrojonych mężczyzn, ale gdzieś tu są, czyhają w cieniu, dość blisko, żeby na jej znak rzucić się na każdego, kto zagrozi spowodowaniem kłopotów. W każdym burdelu są tacy. Zaczynam kwestionować sensowność mojej decyzji.

– Znasz zatem historię rzymską, panie – rzuca kobieta przez ramię z nienagannym akcentem osoby dobrze urodzonej, gdy prowadzi mnie po kolejnych schodach. Z pokoju, który właśnie minęliśmy, dochodzi kolejne *staccato* śmiechu. – Może jesteś uczonym? – Uwaga jest dość niewinna, ale nie zamierzam niczego wyjawiać.

– Zajmowałem się wieloma dziedzinami.

– Nie wątpię. W każdym razie nie jesteś, panie, żeglarzem. Nie mam co do tego wątpliwości.

– Skąd wiesz?

– Jesteś zbyt dworny. Brak ci, panie, szorstkości, którą przyswajają sobie nawet dżentelmeni, przebywając długie miesiące w towarzystwie samych mężczyzn.

Skłaniam głowę z uśmiechem, który, jak mam nadzieję, jest enigmatyczny. Śmieje się.

– Co cię, panie, sprowadza do Plymouth?

– Interesy.

– I tu spotkałeś Roberta Dunne'a? – pyta lekkim tonem. Napotykam jej spojrzenie i odwracam wzrok. Żadne z nas nie wspomina o jego śmierci. Zastanawiam się, czy czeka, żebym poruszył ten temat.

– Tak. – Nie dodaję nic więcej.

Spuszcza oczy i kiwa głową.

– Biedny Robert – mówi. – Oczywiście słyszeliśmy wieści.

– Dobrze go znałaś, madame?

– Tak dobrze jak każdego z naszych gości – odpowiada spokojnie, patrząc na mnie kątem oka. Odpowiedź polityka; nie doceniłem jej, jeśli myślałem, że zdołam pociągnąć ją za język. Właścicielka burdelu, zwłaszcza taka, która ma wśród klientów wpływowych mężczyzn, musi być wyćwiczona w sztuce dyskrecji jak dyplomata albo szpieg. W Southwark jest kilka burdelmam opłacanych przez Walsinghama; zaskakujące, ile ciekawych rzeczy może wyjawić mężczyzna, gdy ma opuszczone spodnie i gardę.

– Byliście bliskimi przyjaciółmi? – pyta, gdy docieramy do drugiego podestu.

– Dość bliskimi. – Jak ona, wolę udzielać wymijających odpowiedzi na pytania o Dunne'a.

Dotyka pereł na szyi, odwraca się i kieruje na mnie spokojne spojrzenie.

– A jednak dał ci, panie, swój żeton. Goście zwykle przychodzą do nas na osobiste zaproszenie. Szczycimy się... – udaje, że szuka słowa – ekskluzywnością.

Uśmiecham się smutno, patrząc jej w oczy.

– Dał go mojemu przyjacielowi. Może miał inne sprawy na głowie. Ale jestem pewien, że stwierdzisz, iż nasze pieniądze są równie dobre, jak każdego innego wytwornego klienta, madame... – Pytająco unoszę brew.

– Grace. – Składa lekki dyg, choć nie jestem pewien, czy ze mnie nie kpi. – Zwą mnie madame Grace. Cóż, mam nadzieję, doktorze Bruno, że będziesz zadowolony. Każę podać wino.

Na tym podeście jest troje drzwi. Wskazuje te na tyłach domu, naciska klamkę i staje z boku. Patrzy na mnie chwilę dłużej, jakby rozważała, czy dodać coś więcej, ale w końcu tylko kiwa głową i zawraca ku schodom. Robię wdech i otwieram drzwi. Wrażenie niepokoju, które mi ściska żołądek, nagle się nasila, chociaż niezupełnie mogę określić przyczynę.

Pokój jest mały i mroczny; pewnie został wydzielony z większego pomieszczenia. Przez cienką ścianę słychać charakterystyczne serie jęków i poskrzypywania. Dwie świeczki płoną w kinkiecie i jedna w lichtarzu na stole. Na łóżku siedzi zgnębiona chudzina, ubrana w bawełnianą koszulę. Ma ręce zaciśnięte na podołku i zwieszoną głowę, proste włosy zasłaniają twarz. Nie mogę powstrzymać myśli, że gdybym był prawdziwym klientem, chciałbym zobaczyć trochę miłej zachęty, a nie zachowanie zbitego psa.

– Witaj – mówię jak najłagodniej.

Unosi głowę i z nagłym szokiem pojmuję. Przede mną siedzi chłopak, może trzynasto- lub czternastoletni, wciąż z dziecięcym puszkiem na policzkach, choć martwe spojrzenie jego oczu należy do kogoś, kto żył już zbyt długo.

– Ach – szepczę, starając się ukryć moją reakcję za obojętną miną. Wracam pod drzwi, rozglądając się po pokoju w poszukiwaniu kryjówek i ewentualnych napastników. Albo to pułapka, albo Robert Dunne miał więcej sekretów, niż dotąd odkryliśmy.

– Chcesz mnie, panie, jako chłopca czy dziewczynę? – Głos dziecka jest zupełnie wyprany z emocji. Kiedy nie odpowiadam, wstaje z łóżka i podciąga do góry koszulę, odsłaniając chude uda. Siniaki ciemnieją na tle bladej skóry. – Mam kobiece ubrania, które mogę włożyć, jeśli taka twoja wola. Jak chcesz, panie. – Wzrusza ramionami na znak, że się podporządkuje.

– No tak. – Chcę usiąść, ale nie ma krzesła. Opieram się o drzwi i obsuwam plecami w dół, aż siadam na podłodze. – Chętnie bym się napił. Jak masz na imię?

Chłopiec odchyla głowę do tyłu i patrzy spod włosów, szacując mnie wzrokiem.

– A jakie wolisz, panie?

– Prawdziwe.

Przez jego twarz przemyka coś, czego początkowo nie pojmuję; chłopiec się kuli i zerka na drzwi, jakby liczył na jakąś pomoc. Wtedy uprzytamniam sobie, że się boi. I nie bez powodu, bo wedle angielskiego prawa homoseksualizm jest karany śmiercią przez powieszenie, a to odnosi się zarówno do tych, którzy stręczą, jak i tych, co kupczą własnym ciałem. Nic dziwnego, że nie chce zdradzić swojej tożsamości.

– W takim razie podaj mi imię, jakie chcesz – mówię, zaniepokojony, że obudziłem jego czujność.

Nieco się rozluźnia.

– Możesz zwać mnie Toby, panie.

– Dobrze, Toby… – Zastanawiam się, od czego zacząć, kiedy rozlega się pukanie do drzwi. Skaczę na równe nogi i otwieram, gotów sięgnąć po nóż, ale za progiem stoi blada dziewczyna w sukni z głębokim dekoltem. Podaje mi dwa duże cynowe kufle bez podnoszenia na mnie wzroku. Jest ładna i bardzo młoda – może rówieśnica chłopaka. Gdy tylko biorę kufle, odwraca się na pięcie i bezgłośnie odchodzi. Zamykam drzwi. Toby biernie siedzi na łóżku.

– Wina?

Chłopiec kiwa głową, obserwując mnie w milczeniu. Podciąga kolana pod koszulę i przytula je do piersi. To dziwnie wzruszające zachowanie powoduje, że tym bardziej sprawia wrażenie dziecka. Może coś wie; mam kłopot, jak zdobyć jego zaufanie bez wzbudzania w nim lęku.

Podchodzę powoli, jak do płochliwego zwierzątka, wyciągając kufle przed siebie. Bierze ode mnie jeden z nich, duże brązowe oczy patrzą na mnie bez szczególnego wyrazu, a przynajmniej ja nie jestem w stanie nic w nich odczytać. Siadam obok niego na łóżku, chociaż dość daleko, by nie uznał, że stanowię zagrożenie. Mam napięte nerwy, zmysły wyczulone na najlżejszy nawet ruch za drzwiami. Chłopiec odwraca głowę i patrzy na mnie wyczekująco.

– Zaczynamy, panie? – Drobnymi palcami szarpie kołnierz koszuli. – Powiedz mi, czego sobie życzysz, a ja...

– Toby. – Zmieniam pozycję, wsuwając nogę pod siebie, i wypijam haust wina, niezbyt duży, bo przecież muszę zachować jasność umysłu. Bywałem w życiu w różnych dziwnych sytuacjach, lecz żadna nie umywała się do tej obecnej. Gdy się poruszam, czuję krawędź wbijającą mi się w udo. Podnoszę prześcieradło i wyciągam książkę oprawioną w cielęcą skórę, nową i z wyglądu bardzo drogą. Chłopak się rzuca, żeby mi ją odebrać, ale jestem dla niego za szybki. Skaczę na równe nogi i unoszę ją wysoko, żeby nie mógł dosięgnąć. W końcu z powrotem opada na łóżko i patrzy na mnie spode łba. Otwieram książkę na frontyspisie. To *Baśnie* Owidiusza*. Zauważam znak drukarni. Książka została wydana zaledwie w ubiegłym roku. Przednia wyklejka została wydarta.

– Twoja?

Chłopiec ma przerażoną minę.

– Dostałem. Od pewnego pana. Nie ukradłem. – Wyciąga rękę, jakkolwiek bez przekonania.

– Hojny dar – mówię, wertując stronice. – Taka książka, nowa, jest warta dużo pieniędzy. Szkoda tyko, że ma wydartą kartkę, to może obniżyć jej wartość.

Strzela na mnie oczami pełnymi winy. Postanawiam spróbować innej taktyki.

– Lubisz bajki?

Twarz mu się rozjaśnia.

– O, tak. Jak Perseusz pokonał potwora morskiego, i o Narcyzie, który zakochał się sam w sobie.

– Umiesz czytać?

Spuszcza wzrok.

– Niezupełnie. On mi czasami czytał. Obiecał nauczyć mnie liter, jeśli będę grzeczny.

---

* Ovid's *Fables* – chodzi o angielskie tłumaczenie *Metamorfoz* Owidiusza.

– Czy byłeś grzeczny i robiłeś, co kazał?

Nie odpowiada, tylko przygryza dolną wargę. Kiedy unosi głowę, ma minę dziecka zmuszonego do wyznania, że łasowało w spiżarni.

– Nie powiesz, panie, madame Grace? Ona mi ją zabierze. A on będzie zły.

– Nie pisnę słowa. – Oddaję mu książkę, a on natychmiast chowa ją pod materacem i na niej siada. – Co powiesz, Toby – mówię, odchylając się do tyłu – na krótką rozmowę?

– Na rozmowę? – Marszczy czoło i spogląda na drzwi, jakby szukał zgody na taką nieprawdopodobną propozycję. – Po co?

Wzruszam ramionami i pociągam następny łyk. Ciepłe, aromatyczne wino przywodzi mi na myśl Boże Narodzenie. Czuję, jak krąży w mojej krwi i łagodnie koi mi nerwy.

– Jestem tu obcy i brakuje mi kogoś do rozmowy. Mój przyjaciel, Robert Dunne, mówił, że byłeś dobrym słuchaczem.

Podejmuję ryzyko, wiem o tym jeszcze przed podaniem nazwiska. Nikt ze skłonnościami do zakazanych uciech nie dzieli się takimi informacjami. Chłopiec z konsternacją marszy brwi i znowu zerka ku drzwiom.

– Robert Dunne?

– Ten sam. Pochlebnie o tobie mówił.

Chłopiec spuszcza wzrok na ręce, wykręcone na kolanach, i mruczy coś niewyraźnie.

Może obrałem złą taktykę. Może Robert Dunne był brutalnym zboczeńcem, chłopiec się go bał i teraz jest rad, że nie żyje. A może nigdy w życiu nie widział Roberta Dunne'a. Próbuję jeszcze raz.

– Słyszałeś, co mu się stało, jak sądzę?

Podrywa głowę i jego oczy na chwilę spotykają się z moimi. Wykrywam w nich strach.

– Co? – szepcze.

– Nie żyje. Nie wiedziałeś?

Zmieszanie przemyka przez jego twarz.

– Ja... – Drapie się po karku, potem kładzie rękę na moim udzie. – Panie, chcesz, żeby cię rozebrać?

– Nie! – odmawiam gwałtownie z mimowolną trwogą, zrywając się z łóżka. Specjalnie podchodzę do okna, na wypadek gdyby znów chciał mnie dotknąć. Uderzane przez wiatr okiennice cicho postukują w szyby. – Jeszcze nie. Porozmawiajmy.

– Muszę? Jestem pewien, że nie przyszedłeś tu, panie, żeby gadać. – Pociąga na wpół rozwiązane sznurki koszuli. Perspektywa kontynuowania rozmowy jest dla niego bardziej nieprzyjemna, niż myśl o tym, po co tu przyszedłem.

– Nie, naprawdę... nie trzeba. Wybacz mi, Toby, jestem dziś w dziwnym nastroju. Przypuszczam, że z żalu po moim przyjacielu, Robercie. Rozumiesz?

Kiwa głową.

– Też go opłakujesz?

Wzrusza ramionami, unikając mojego spojrzenia.

– Często cię odwiedzał?

– Dlaczego tak o niego wypytujesz, panie?

– Kiedy umiera ktoś, kto był ci bliski, rozmowa o nim jest formą sprowadzenia go z powrotem. Sprawia, jakby nadal był tutaj. Nie sądzisz? Nigdy nie straciłeś kogoś, na kim ci zależało?

– Rodziców. – Nie podnosi głowy.

– Dlatego się tu znalazłeś? – pytam łagodnie. Unosi oczy i patrzy tak, jakby mnie widział po raz pierwszy. Kiedy się odzywa, szept płynie tak cicho, że ledwie go słyszę.

– Madame Grace mnie przygarnęła, żebym pracował w kuchni. Teraz terminuję u aptekarza na dole, ale wciąż daje mi pokój.

– I każe ci pracować jak dziewczętom?

Znów uparte milczenie i mocno zaciśnięte usta. Nie chce spojrzeć mi w oczy. Światło świec migocze i tańczy. Z początku myślę, że to przeciąg, ale gdy obserwuję płomienie, sama ściana zaczyna się ruszać, jakby rozchodziły się po niej fale. Toby na mnie spogląda i widzę, że jego nieszczęśliwa twarz się podwaja: dwa blade owale, jeden obok drugiego, rozmyte w miejscu spotkania. Robię krok w jego stronę i przeklinam swoją bezmyślność; powinienem zauważyć, że chłopiec nie tknął wina. Biorę miskę z szafki nocnej i jednocześnie wciskam palec do gardła, krztusząc się żółcią z żołądka.

Mam wrażenie, że jestem na pokładzie statku; ściany pulsują w takt z moją głową, ale nie ustępuję. Zginam się we dwoje, gdy ostry smak śliny wypełnia moje usta. Żołądek się kurczy jeden raz, drugi, zanim w końcu udaje mi się wywołać torsje. Wymiociny wpadają do miski i bryzgają na gołe deski podłogi.

Posapuję, ocieram usta rękawem i opieram się o ścianę. Toby obserwuje mnie bez ruchu, choć ze strachem w oczach.

– Co dodali? – pytam.

Prawie go nie słyszę.

– Gałkę muszkatołową.

– Dlaczego?

– Ona czasami to robi. To znaczy, że ci nie ufa. Dlatego przyprowadziła cię tutaj.

Pocieram czoło. Wciąż mam zawroty głowy i jestem wytrącony z równowagi. Czuję, jak gorąco rozchodzi się po moim ciele, choć myślę, że zorientowałem się w porę, żeby zapobiec gorszym skutkom. Nagle w moim mętnym umyśle błyska iskierka jasności: madame Grace zwróciła się do mnie „doktorze Bruno". Przecież nie podałem jej tytułu, z czego wynika, że już przedtem wiedziała, kim jestem. Czekała na mnie. Czyżby to zatem ona napisała list? Ale skąd może mnie znać i dlaczego mnie tu przyprowadziła?

– Czy Robert Dunne… – zaczynam powoli i z rozwagą, słysząc mój głos, jakby płynął z oddali – przychodził do ciebie jako klient? Byłeś jego faworytem?

Kręci głową. Jego sylwetka wciąż jest rozmyta, ale widzę, że rzuca kolejne nerwowe spojrzenie na drzwi.

– W takim razie dlaczego mnie tu przyprowadziła? Co zamierzają zrobić?

Kiedy nie odpowiada, robię krok do przodu z wyciągniętą ręką. Chłopiec skowyczy, jakby się spodziewał, że go uderzę. Podnoszę dzbanek i wylewam z niego wodę na swoją twarz, potem potrząsam głową jak pies, rozpryskując krople.

– Nie wiem, panie! – piszczy. – Robię tylko to, co mi każą!

– Kto przysłał list? – Ocieram oczy z wody i robię kolejny krok, starając się odciąć mu drogę ucieczki, gdy cofa się przede mną z jękiem.

– Nic nie wiem o żadnym liście, panie! Nigdy nie rozmawiałem z Robertem Dunne'em. Nie przychodził tu dla mnie. – Przywiera plecami do ściany, próbując zrobić się mniejszy. – Musisz pogadać z Eve. Ona była jego wybranką. Ja nic nie wiem!

– A gdzie jest Eve?

– Odeszła.

– Dokąd? Gdzie mogę ją znaleźć? – Klękam na łóżku i chwytam go za ramię. – Powiedz mi… a może mam wspomnieć madame Grace o książce?

– Nie! – Przygryza wargę. – Odsyła je, kiedy zachodzą w ciążę. Wtedy nie ma z nich żadnego pożytku.

– Ale dokąd?

– Nie wiem! – Głos ma piskliwy ze strachu, jego oczy uciekają w stronę drzwi akurat w tej chwili, gdy się gwałtownie otwierają, i przestrzeń zapełnia postać mężczyzny w czerni.

Zamieram na jedno uderzenie serca. Toby wykorzystuje moją konsternację, żeby się uwolnić, i śmiga do wyjścia, mijając mężczyznę, który trzepie go po głowie. Drzwi zatrzaskują się za nim. Wciąż trudno mi się skoncentrować; widzę jak przez mgłę, że wysoki brodacz chowa coś za plecami.

Podnoszę się, staję naprzeciwko niego i mrużę oczy, żeby go lepiej widzieć. Czuję, że przejaśnia mi się w głowie, choć serce galopuje pod żebrami.

– Więc to ty jesteś ten sławny Giordano Bruno? – mówi, rozglądając się po pokoju. Ma kulturalny głos, jak Sidney, ale dziwnie sepleni. – Wiesz, że w tym kraju kupowanie chłopców jest wbrew prawu? Również wbrew prawu boskiemu, chyba nie muszę dodawać.

– Kim jesteś? – Przez jedno przerażające uderzenie serca boję się, że został nasłany przez władze, żeby przyłapać mnie z chłopakiem. Ale to nie miałoby sensu; właścicielka burdelu i jej cały interes zostałyby skazane na zagładę wraz ze mną.

Uśmiecha się porozumiewawczo. Widzę, że brakuje mu większości zębów.

– Nie znasz mnie, choć przypuszczam, że słyszałeś moje nazwisko. Ale mam przyjaciela, który pragnie cię poznać. Odnowić znajomość, winienem rzec.

Strach ściska mi gardło.

– Ty przysłałeś list?

– Prędzej mój przyjaciel. Już nie piszę zbyt dobrze. Nie po tym, co mi zrobili. – Podnosi prawą dłoń. Zwisa z nadgarstka wykręcona pod dziwnym kątem. Najwyraźniej ścięgna zostały uszkodzone w nieodwracalny sposób. Widziałem to wcześniej u człowieka, który przez kilka godzin wisiał za ręce podczas nieoficjalnego przesłuchania. To jedna z ulubionych metod stosowanych przez Tajną Radę Królewską w Tower. Zaczyna na mnie spływać lodowate zrozumienie.

– Ty jesteś John Doughty. – Mój głos jest chrapliwym skrzekiem.

Z uśmiechem przekrzywia głowę, jakby sugerując, że to trafny domysł. Jednocześnie wysuwa rękę zza pleców, żeby pokazać trzymany w niej nóż. Zmuszam się do zachowania spokoju. Sądzi, że jestem nieuzbrojony, że ma nade mną przewagę. Będę miał tylko jedną szansę, by go zaskoczyć, i muszę dobrze wybrać odpowiednią chwilę.

– Czego ode mnie chcesz? – Staram się, żeby odwaga dźwięczała w moim głosie, ale wciąż mówię bełkotliwie.

– Dlaczego wypytujesz o Roberta Dunne'a?

Patrzę na niego.

– A jak myślisz?

Uśmiech znika.

– Mogę tylko założyć, iż Drake nie wierzy, że Dunne zginął z własnej ręki. Mam rację?

– Ty mi powiedz.

– Ach. – Kiwa głową, zaciskając usta. – Interesujące. Ha, wszyscy chyba szukamy odpowiedzi. Na razie chcę, żebyś poszedł ze mną. Mój przyjaciel pragnie cię widzieć. Ma parę pytań.

– A jeśli odmówię?

Podnosi nóż w taki sposób, że światło świec pełga po krawędzi ostrza.

– Byłoby to dość głupie z twojej strony.

Nic nie mówię. Ręce i nogi wciąż wydają się ciężkie, ale w głowie mi się przejaśnia. Czekam. Kiedy dochodzi do wniosku, że nie zamierzam zareagować, przekrzywia głowę, jakby mówiąc „niech i tak będzie", i rusza ku mnie z wymierzonym nożem. W jednej chwili robię unik, wyciągam sztylet z cholewy buta, rzucam się na niego i dźgam w górną część ramienia. Krzyczy i upuszcza broń, próbując złapać mnie za kaftan. Popycham go mocno w pierś, wypadam na korytarz i na wpół zbiegam, na wpół spadam ze schodów. Nawołuję Sidneya, gdy potykam się na pierwszym podeście. Skręcam na następne schody i słyszę z góry tupot stóp. Dwoje drzwi się uchyla i widzę twarze patrzące z cienia, choć nikt się nie rusza, żeby interweniować. Ze schodów powyżej płyną przekleństwa, gdy kroki przyśpieszają w pościgu. Biegnę, chociaż mam wrażenie, że brodzę w gęstej mazi. Rzucam szybkie spojrzenie przez ramię. Doughty dociera do podnóża schodów. Coś krzyczy, chociaż sens słów mi umyka. Gwałtownie otwieram pierwsze drzwi, które widzę, i przedzieram się przez sypialnię. Dziewczyna o białej skórze siedzi okrakiem na mężczyźnie, zaplątana w prześcieradła, i ujeżdża go w miarowym rytmie. Nie widzę ich twarzy, choć słyszę protesty, i po włosku przepraszam za wtargnięcie. Po drugiej stronie pokoju jest okno. Odpycham okiennice, otwieram okno i wytaczam się na zewnątrz, gdy Doughty staje w drzwiach.

Gdy zimne wieczorne powietrze uderza mnie w twarz, w ułamku sekundy dociera do mojej świadomości, że znajduję się nie na parterze, jak przypuszczałem, tylko na pierwszym piętrze, i że spadam, a stan otumanienia wcale nie jest taki nieprzyjemny.

11

Uderzam żebrami w twardy kant, ześlizguję się i znowu spadam, aż w końcu gwałtownie ląduję w czymś grząskim. Wyciągam rękę, która zapada się z mlaśnięciem w jakiejś mazi, a wokół mnie rozchodzi się potworny smród. Spojrzawszy w górę, dostrzegam daszek na parterze, w który musiałem uderzyć w drodze na dół, a ponad nim otwarte okno, z którego śpiesznie znika męska głowa. Spadłem, jak się zdaje, na wysypisko odpadków za Domem Westy; to odrażająca kupa nieczystości, ale może uchroniła mnie przed połamaniem kości, naturalnym skutkiem takiego upadku. Z domu płyną echa krzyków, lada chwila zjawi się tu John Doughty. Podnoszę się ze sterty zgniłych warzyw i Bóg jeden wie, czego więcej. Chwiejnym krokiem idę w stronę muru, który otacza podwórze. Jeszcze nie czuję bólu w boku ani w nogach, ale jestem wyczerpany, dzika panika otumania mi zmysły i serce wciąż bije jak szalone. W murze przede mną dostrzegam bramę, niestety zamknięto ją. Oddychając szybko i urywanie, wlokę się w daleki kąt podwórza, gdzie rośnie sękate drzewo, niektóre gałęzie sięgają nad murem, jakby wskazywały mi drogę. Moje nogi zachowują się nieprzewidywalnie i zmuszam się do stawiania każdego kroku. Patrząc w kierunku domu, widzę postać w prostokącie światła z otwartych drzwi. Wciągam się na dolne gałęzie i gramolę wyżej. Gdy przerzucam ciężar ciała na drugą stronę muru, słyszę głośny krzyk. Dopiero gdy hałas nagle cichnie w chwili mojego zderzenia z ziemią, uświadamiam sobie, że wrzask wydostał się z mojego gardła.

Podpieram się na łokciu i rozglądam. Chyba wylądowałem w uliczce za rzędem domów. Światło na niebie prawie całkiem zgasło i zaułek biegnący pomiędzy wysokimi budynkami spowija głęboki mrok. Słyszę tupot biegnących stóp. Kilka jardów przede mną przysadzisty mężczyzna kuca ze sztywno wyciągniętymi rękami. Cofam się ze zduszonym krzykiem trwogi, dopóki sobie nie uświadamiam, że człowiek ten wciąż tkwi w bezruchu. Przyglądam mu się podejrzliwie, próbując przeszyć ciemność wzrokiem, i ostrożnie podchodzę bliżej. W końcu widzę, że to okryty płótnem workowym ręczny wózek, jakiego można używać do przewożenia warzyw na targ. Kroki moich prześladowców słychać coraz bliżej. Zerkam w głąb uliczki, ale widzę tylko ruchliwe, niewyraźne kształty wyłaniające się z ciemności. Gramolę się więc na wózek i okrywam płachtą. Zwinięty w kłębek, akurat się mieszczę. Drewno cuchnie gnojem. Kulę się i z przerażeniem stwierdzam, że nie jestem sam: tuż przy uchu słyszę szmer wytężonego, rwącego się oddechu. Już mam wyskoczyć, kiedy zdaję sobie sprawę, że to przecież mój oddech, a dziki łoskot bębna wojennego jest niczym więcej jak biciem mojego serca.

Tupot biegnących stóp cichnie w pewnej odległości od wózka. Głosy niosą się w ciemności.

– Nie uciekł daleko, nie w takim stanie.

– Mówiłeś coś o rzyganiu.

– Chłopak powiedział, że wypił połowę kufla, zanim się zmusił do wymiotów. Musiało zadziałać.

Drugi mężczyzna klnie.

– W takim razie dlaczego nie poszło z nim łatwiej?! Przecież trzymałeś go już za kołnierz, bodaj cię diabli! Czyżbym cię przed nim nie ostrzegał?

– Miał nóż, chociaż powiedziała, że zabrała im broń.

– Sam widzisz. Mówiłem, że nie wolno go lekceważyć, to przebiegły pies. Co jeszcze słyszałeś?

– Dopytywał o Roberta Dunne'a. Tylko o tym chciał rozmawiać.

Skulony na wózku pod workami niezupełnie słyszę ciąg dalszy prowadzonej ściszonym głosem rozmowy. Sięgam prawą ręką do buta i zalewa mnie fala ulgi. Odruchowo schowałem nóż do cholewy, zanim wyskoczyłem przez okno, choć tego nie pamiętam. Przynajmniej będę miał coś do obrony, jeśli mnie znajdą. Z ulicy dobiega kaszlnięcie i odgłos kroków. Chwytam rękami boki wózka i koncentruję się na spowolnieniu oddechu. Policzki mam mokre.

– Lepiej byłoby zasadzić się na niego i poczekać na stosowną okazję – mówi pierwszy mężczyzn. Przysiągłbym, że znam ten głos, chociaż nie śmiem wyjrzeć, by potwierdzić to przypuszczenie. Ujmujący głos, jeśli nie widzi się twarzy; kulturalny, z mrocznym tembrem. Głos, którego nie słyszałem od czasu pobytu w Oksfordzie dwa lata temu. – Wiemy przecież, gdzie go szukać.

– Ale jeśli odkryje...

– Spokojnie, John! Znajdziemy lepszy sposób. Mam pomysł.

Pierwszy protestuje, ale po chwili ich kroki cichną. Leżę pod workiem, niepewny, czy naprawdę odeszli. Z ulicy za domami dobiegają krzyki i fragmenty pijackich śpiewek, ale te dwa głosy jakby zniknęły. Czekam kilka minut dłużej, po czym ostrożnie wyglądam z wózka.

Dalsza część uliczki jest pogrążona w mroku, ale wydaje się pusta. Nie bez wysiłku przerzucam sztywną nogę nad krawędzią wózka, przerzucam ciężar ciała i spadam bezwładnie na ziemię. Wstaję, żeby ocenić szkody. Prawy bok pali mnie z bólu przy każdym oddechu; podejrzewam, że mam pęknięte żebra. Nogi są posiniaczone i obolałe, ale mogę w miarę normalnie chodzić, i przemija otumanienie spowodowane przez gałkę muszkatołową. Nocne powietrze chłodzi mi twarz. Gdy stoję, oddychając płytko, żeby nie wytężać klatki piersiowej, wspominam młodego nowicjusza w San Domenico, który twierdził, że ma cudowne i straszne zarazem wizje aniołów i demonów, po których często padał jakby w śmiertelnym omdleniu. Inni młodziankowie byli zafascynowani jego opowieściami, a zakonnicy, bardziej uczeni ode mnie, deklarowali, że został dotknięty przez Boga, i poświęcali wiele czasu na interpretowanie jego wizji. Tak było, dopóki mistrz nowicjatu, człowiek o ograniczonej wyobraźni, ale też niezrównanym zdrowym rozsądku, nie odkrył, że chłopak wykrada gałkę muszkatołową z kuchni i ją zjada, zmieloną, w ogromnych ilościach. Z moich ust wyrywa się mimowolny okrzyk i klepię się ręką w czoło, zdumiony, że wcześniej o tym nie pomyślałem – wino w kajucie Dunne'a, które pachniało korzeniami, z pewnością musiało zawierać dużą dawkę gałki. To mogło wyjaśnić dziwny charakter jego odurzenia, halucynacje, irracjonalny strach. Ktokolwiek podał mu zaprawione wino, prawdopodobnie chciał, żeby zadziałało w nocy, czyniąc go zdezorientowanym i otumanionym, niezdolnym do obrony przed napastnikiem, tak jak planowała względem mnie madame Grace. Cóż za zbieg okoliczności – czy kompan Dunne'a od kieliszka nauczył się tej sztuczki w Domu Westy? Jeśli tak, wtedy wystarczy ustalić, kto z oficerów statku był częstym gościem w tym ekskluzywnym burdelu. Natychmiast przyszedł mi na myśl Savile z jego uśmieszkiem wyższości, kiedy mówił o świętym płomieniu.

Wychodzę z zaułka na brukowaną ulicę z wysokimi domami o wysuniętych piętrach. Jest już zupełnie ciemno, chociaż tu i ówdzie w oknie pali się świeczka i od czasu do czasu sierp księżyca wyziera zza chmur. Mam dość światła, żeby widzieć krzywiznę prowadzącej w dół ulicy. Jeśli nią pójdę, w końcu doprowadzi mnie na nabrzeże i stamtąd trafię Pod Gwiazdę. Przystaję, żeby się obejrzeć, i myślę o Sidneyu. Raczej nie mogę zaryzykować powrotu po niego do Domu Westy. Nie jestem w stanie walczyć, nawet gdybym miał się mierzyć tylko z samym Doughtym, a madame Grace z pewnością ma do dyspozycji więcej uzbrojonych ludzi.

Klnę i kuśtykam dalej, trzymając się blisko budynków po lewej stronie, nie widząc ani nie dbając o to, że wlokę się rynsztokiem. Powrót na poszukiwanie Sidneya jest nie do pomyślenia. Dławi mnie strach, że przeze mnie mogło go spotkać coś złego. Jeśli też został odurzony i zaatakowany, to z mojej winy, ponieważ myślałem, że przechytrzę tego, który ewidentnie zastawił na mnie pułapkę. Co przez to zyskałem? Kilka siniaków, złamane żebra i potwierdzenie, że John Doughty przebywa w Plymouth, a także prawie całkowitą pewność, że człowiek, z którym rozmawiał, gdy się ukrywałem w zaułku, ów „przyjaciel" chcący odnowić ze mną znajomość, to nikt inny, tylko księgarz Rowland Jenkes.

◆ ◆ ◆

W końcu docieram do gospody. Przemykam przez dziedziniec, trzymając się cienia. Trzy strony budynku wznoszą się w mroku, ze stajni płynie delikatne stąpanie i parskanie śpiących koni. Po omacku wymacuję drogę do drzwi sieni. Okazują się zamknięte. Po krótkim wahaniu decyduję, że chętnie narażę się służbie, byle tylko wziąć kąpiel i paść na łóżko. Łomoczę w drzwi i krzyczę. Gdy nie doczekuję się żadnego odzewu, wołam znowu i gdzieś na górze otwiera się okno. Ktoś grzecznie prosi, żebym, jebał mnie pies, przestał hałasować, bo ludzie chcą spać. Walę w drzwi i cofam się nieco, zachodząc w głowę, czy będę miał odwagę wytłuc szybę i wejść przez okno. Kiedy znowu podnoszę głos, zaskakuje mnie nagły głośny bluzg za plecami. Smród atakuje mój nos i poznaję, że z okna chluśnięto zawartość nocnika. Na szczęście ten, kto to zrobił, nie zdołał dobrze wycelować i chybił, choć tylko o kilka stóp. Następnym razem mogę nie mieć takiego szczęścia. Opieram się o drzwi, próbując zebrać wolę, żeby znaleźć jakąś szopę albo pustą stajnię, gdzie będę mógł zlec na sianie i przespać parę godzin, dopóki słudzy się nie zbudzą. Nagle słyszę szczęk zamka i drzwi się uchylają. Hetty staje na progu w workowatej koszuli nocnej, a blask świecy pełga po jej bladej twarzy. W milczeniu przygląda się moim siniakom. Obrzuca mnie porozumiewawczym spojrzeniem i rozciąga usta w jawnie złośliwym uśmiechu.

– A, doktor Bruno. Miałeś przyjemny wieczór w Domu Westy, panie?

– Trochę zbyt ekscytujący jak na mój gust. – Nie jestem w nastroju, by żartem odpowiadać na jej prowokacje, ale uznaję, że wypada okazać trochę pokory, skoro to ja jestem w gorszej sytuacji. – Przepraszam, że cię zbudziłem.

Czeka, aż prawie przestępuję próg.

– Wygląda na to, że te dziewice wiedzą, jak przyłożyć dżentelmenowi.

Idealnie wybiera chwilę na rzucenie tej uwagi i nie mogę się powstrzymać od śmiechu.

– Wiesz, Hetty, najbardziej mi zależy na gorącej wodzie – mówię, odwracając się. – Tyle ile można. Dasz radę to załatwić?

– Będziesz musiał zaczekać do rana. Za dodatkową opłatą. O ile zostały ci jakieś pieniądze, panie.

– Dopisz do mojego rachunku – mówię. Biedny Sidney. Będzie mu potrzebna pełna ładownia hiszpańskich skarbów, żeby uregulować należności, jakie tu przez nas narastają.

Patrzy na mnie spod zmrużonych powiek i podaje mi ogarek.

– Postaraj się, panie, nie zbudzić innych gości, dobrze? Z samego rana przyniosę wodę. I proszę, pilnuj, żeby nie zakrwawić prześcieradeł, bo gospodyni Judith dostanie apopleksji.

– Zrobię, co w mojej mocy. Dziękuję za współczucie. – Ostrożnie dotykam palcem skaleczenia nad okiem. Już przestało krwawić. Hetty prycha; oczywiście myśli, że sam jestem sobie winien. Prawdopodobnie ma rację. – Nie potrzebujesz światła, żeby wrócić do łóżka?

– Nie martw się, panie, znam gospodę w nocy lepiej niż myszy – mówi i jakby na dowód znika w ciemnościach, zostawiając mnie samego u stóp schodów. Nie wiedzieć czemu myśl, że bezgłośnie pomyka po ciemnych korytarzach, wydaje mi się niepokojąca.

Dwa razy źle skręcam, zanim rozpoznaję właściwy korytarz. Mam wrażenie, że każde skrzypnięcie deski niesie się echem po całym budynku. Wchodzę po cichu do pokoju. Kotary są rozsunięte, milczące cienie kładą się na ścianach. Ściągam buty i cuchnące ubranie, zostawiam je na podłodze, padam na łóżko i pogrążam się w nieświadomości.

◆　◆　◆

Kroki kogoś wchodzącego do pokoju wyrywają mnie z głębokiego snu. Próbuję usiąść, ale ręce i nogi wydają się bezwładne i nie reagują. Mija długa chwila, zanim sobie przypominam, gdzie jestem. Wspomnienia nocnych wydarzeń kłębią się w moim otumanionym przez sen mózgu, a w ciele narasta sztywność i ból. Ktoś cicho porusza się po pokoju. Serce mi łomocze; jestem bezbronny, nagi, niezdolny się ruszyć. Kroki się zbliżają i cichną. Po chwili ktoś rozsuwa zasłony łóżka i krzyczę, a intruz też wrzeszczy z zaskoczenia.

– Rany boskie! Bruno, chcesz, żebym skonał ze strachu?! – Sidney szarpie zasłonę, odciągając ją do końca, i równie szybko się odwraca. – Wciągnij koszulę, dobrze? Nie mam ochoty oglądać twoich wystawionych na widok publiczny klejnotów.

Nie bez wysiłku sięgam po prześcieradło i zasłaniam nim dolną część ciała. Moja głowa z ulgą opada na poduszkę.

– Dzięki Bogu, wróciłeś. Martwiłem się o ciebie – chrypię.

– Martwiłeś się o mnie? Odrobinę na to za późno. Czekałem na ciebie przez pół cholernej nocy. W końcu zjawiła się jakaś dziewczyna z wiadomością od ciebie, że mam wracać do domu sam. Muszę powiedzieć, że mógłbyś dać mi znać trochę wcześniej. – Rzuca kaftan na krzesło i podchodzi do okna.

– Nie wysłałem żadnej wiadomości – zaczynam, gdy szeroko otwiera okiennice i blade światło brzasku wyławia kontury mebli. Sidney się odwraca i aż zasysa policzkami powietrze, wyraźnie wstrząśnięty.

– Co ci się stało? – Wskazuje mój tors. Patrzę w dół na kolorową mapę zadrapań i siniaków.

– Musiałem wyskoczyć przez okno. Myślałem, że to parter, ale się pomyliłem.

Zasłania usta ręką.

– Wybacz, wcale się nie śmieję. Poważnie. – Ziewa, prężąc długie ręce nad głową, i staje przede mną. Patrzy na obrażenia, obejmując podbródek gestem medyka. – Przynajmniej możesz chodzić. Więc to rzeczywiście była pułapka. Obrabowali cię? Powiedz mi, co się stało.

Podnoszę się na łokciach i krzywię, bo towarzyszą temu niezliczone strzyknięcia i ukłucia bólu. Sidney przysiada na końcu łóżka, gdy zdaję relację z nocnych wypadków. Chichocze, gdy mówię o Tobym, ale kiedy wspominam o winie, na znak irytacji klepie mnie po nodze, najbliższej części mojego ciała, której może dosięgnąć.

– Nigdy nie pije się wina w burdelu, Bruno, a już na pewno nie podczas pierwszej wizyty... Naprawdę jesteś taki zielony? To najstarsza sztuczka, jaką stosują. Masz przeklęte szczęście, że nie zabrali ci sakiewki.

– Teraz to rozumiem – rzucam z rozdrażnieniem. – I nie musisz mi robić kolejnych siniaków. Wino było zaprawione gałką muszkatołową. Założę się, że właśnie to Dunne wypił w noc morderstwa. Objawy są takie same. Dezorientacja, halucynacje, paniczny strach.

Sidney drapie się po podbródku.

– Nawet nie wiedziałem, że gałka muszkatołowa ma takie właściwości. To powszechna wiedza?

– Powiedziałbym, że dla każdego, kto zna się na ziołach.

Milkniemy, myśląc o Jonasie.

– Ale słuchaj – mówię – to nie jest najważniejsza wiadomość.

Szeroko otwiera oczy, gdy opowiadam o Johnie Doughtym.

– Niesamowite. Drake powiedział, że Doughty nie ośmieli się postawić nogi w pobliżu Plymouth. Co świadczy, że nie zawsze ma słuszność. – Najwyraźniej ta myśl sprawia mu satysfakcję. – Ale dlaczego Doughty znalazł się w Domu Westy?

– Był żeglarzem. Na pewno go tam znają. Właścicielka burdelu najwyraźniej mu pomagała. Zaprowadziła mnie do chłopca, przysłała korzenne wino...

– Dlaczego do chłopca? – pyta, marszcząc brwi. – Żeby sprawdzić, czy mówiłeś prawdę o znajomości z Dunne'em?

– Całkiem możliwe. Albo podejrzewała, że przyszedłem tylko po to, żeby zadawać niewygodne pytania, i chciała poznać ich naturę.

– Tak czy owak, ponad wszelką wątpliwość to miejsce ma jakiś związek ze śmiercią Dunne'a. Jeśli tak, dlaczego rozmyślnie cię tam zwabili?

– Doughty myślał, że wyprowadzi mnie stamtąd na ostrzu noża dokądś, gdzie czekał jego tajemniczy przyjaciel.

– Którym, jak sądzisz, jest Rowland Jenkes.

– Sugerujesz, że nie mam racji?

Przeciąga ręką po zarośniętej szczęce, wstaje i znów się przeciąga.

– Powiem tylko, że dodajesz dwa do dwóch i wychodzi ci pięć, odkąd zobaczyłeś tego mężczyznę w czerni i stwierdziłeś, że cię obserwował.

– Bo obserwował. – Podejmuję próbę podniesienia się do pozycji siedzącej. – Wiemy, że księgarz bez uszu od miesięcy był zainteresowany księgą Judasza i korzystał z pośrednictwa Dunne'a. Czy jest ktoś inny, kto mógłby pasować do tego rysopisu i jednocześnie znać mnie na tyle dobrze, żeby mówić o mnie po nazwisku? Poza tym słyszałem jego głos.

– Minęły dwa lata, odkąd go ostatnio widziałeś, poza tym znajdowałeś się pod wpływem substancji powodującej halucynacje. – Dostrzega moją minę i wzdycha. – Zapewne masz rację. Po prostu nie potrafię sobie wyobrazić, co Rowland Jenkes porabia z Johnem Doughtym.

– Nie bardziej niż ja.

Idzie przez pokój do drugiego okna i otwiera okiennice. Światło rozlewa się po podłodze.

– Aleś nabałaganił. Mam nadzieję, że po sobie posprzątasz.

Kładę się na wznak.

– Przykro mi z powodu ubrań. Znowu będą musieli je wyprać.

– Nie mówię o ubraniach. Chodzi mi o twój sakwojaż. Wszędzie leżą porozrzucane rzeczy.

– Co?! – Zrywam się na równe nogi, ignorując włócznię bólu, która przeszywa mój prawy bok. Sidney wskazuje w kąt pokoju, gdzie leży otwarty sakwojaż. Moje nieliczne czyste koszule walają się po podłodze. Zwlekam się z łóżka, okręcam prześcieradłem w pasie i klękam.

– Nie zostawiłem tego w ten sposób. Ktoś przetrząsnął moje rzeczy.

– Coś zabrał?

Zbieram rozrzucone ubrania i przeszukuję sakwojaż. Książki są na miejscu, ale brakuje pliku notatek, które z sobą zabrałem, żeby nad nimi popracować. O ile pamiętam, nie było w nich niczego obciążającego, tylko kilka obliczeń i szkic przyszłej książki... Nagle pewna myśl wpada mi do głowy i gęsia skórka pokrywa moje gołe ramiona. Zaglądam pod łóżko, szukając skórzanej torby, którą ubiegłej nocy przywiozłem z *Elizabeth*. Wyjmuję ją. Jest pusta.

– Moje tłumaczenie księgi Judasza... zniknęło.

Sidney wyrzuca ręce w górę i cedzi przekleństwo.

– Wczoraj wieczorem zostawiłeś otwarty pokój. Ja miałem klucz. Psiamać! – Spogląda na swój kufer, bezpiecznie zamknięty na kłódkę. – Chwała Bogu, nie zabrali niczego cenniejszego.

– Sądzisz, że zaginiona ewangelia nie jest cenna? – Kręcę głową. – Drake będzie wściekły. Zapewniłem go, że przekład będzie u mnie bezpieczny.

– W takim razie nie powinieneś lecieć do cholernego burdelu, nie zamknąwszy przedtem pokoju! – warczy.

– Teraz to wiem. – Gniewnie mierzymy się wzrokiem. Tłukę pięścią w dłoń. – A niech to szlag trafi! List był fortelem, żeby nas wywabić z gospody, tak by ktoś mógł przetrząsnąć pokój w poszukiwaniu tych zapisków.

– Ale kto wiedział, że miałeś je tutaj? – Spogląda na mnie. – Nie, nie mów... Rowland Jenkes.

– Masz lepsze wyjaśnienie?

Już ma coś odpowiedzieć, ale rezygnuje na dźwięk głośnego pukania do drzwi. Sidney otwiera i widzimy Hetty, zaróżowioną z wysiłku dźwigania po schodach dwóch wiader gorącej wody, której większość, jak się zdaje, została na podłodze, znacząc jej szlak. Sidney bierze od niej jeden kubeł, a ona stawia drugi. Wyciera ręce w fartuch, podaje mu płócienny ręcznik, który miała na ramieniu, i staje w drzwiach, patrząc to na mnie, to na niego. Wskazuję, że nie mam na sobie niczego poza prześcieradłem. Jej spojrzenie prześlizguje się po siniakach i zadrapaniach na mojej piersi i niemal słyszę jej myśli: A nie mówiłam? Sidney niechętnie sięga po sakiewkę.

– Możesz zabrać to na dół do prania, skoro już tu jesteś – mówi, podając jej monetę i wskazując stos moich brudnych ubrań. Hetty spogląda na nie z niesmakiem i dopiero potem podnosi, krzywiąc się, gdy czuje zapach gnoju. Spodziewam się kolejnego złośliwego komentarza o tym, gdzie spędziłem noc, ale chyba onieśmiela ją obecność Sidneya, więc mimo woli okazuje mi szacunek.

– Hetty, masz oczy i uszy otwarte, prawda? – pytam, gdy odwraca się do wyjścia.

– O ile to warte mojego zachodu – zaznacza.

– Tak, rozumiem. Widziałaś, żeby ktoś tu wchodził albo stąd wychodził po tym, jak przyniosłaś mi list?

– Poza tamtą kobietą? – odpowiada bez namysłu. Krzywi usta w znaczącym uśmiechu, zadowolona, że trafiła w sedno.

Rozprasza mnie myśl, że lady Arden była sama w tym pokoju, gdy wybiegłem na poszukiwanie Sidneya. Ona też wiedziała, że pracuję nad tajemniczą księgą Drake'a. Jaki pożytek mogłaby mieć z na wpół ukończonego przekładu? Pomysł jest niedorzeczny, ale bezwiednie zaciskam pięści u boków. Kiedyś zostałem wyprowadzony w pole przez kobietę, która mnie okradła, gdy przestałem się mieć na baczności.

– Nikt inny? – pyta Sidney, żeby przerwać krępującą ciszę.

– Ano, nie patrolowałam korytarza przez całą noc – prycha Hetty, przekładając tobołek rzeczy do prania z jednego biodra na drugie.

– Jednakże... – Sidney zmusza się do uśmiechu – jeśli sobie przypomnisz, że widziałaś kogoś w pobliżu tego pokoju, to będzie korzystne dla obu stron. – Jego ręka błądzi przy sakiewce. Hetty śmiga za nią wzrokiem jak kot obserwujący ptaka. – Na przykład mężczyznę w czerni?

Udaje, że się namyśla.

– Sama nie wiem. Ale w przyszłości lepiej dopilnować, żeby zamykać drzwi na klucz. – Kiwa głową, jakby to było ostateczne słowo, i zdecydowanym krokiem odchodzi w głąb korytarza.

– Ucieleśnienie wdzięku – zauważa Sidney, zamykając drzwi. – Ona nie kosztowałaby cię dwudziestu szylingów, to pewne.

– Mam nadzieję, że ty dostałeś tyle, za ile zapłaciłeś? – pytam, użądlony, bo nie umyka mi zawoalowany wyrzut.

– Ja? – Rzuca mi ręcznik i podchodzi do okna, gdy klękam, żeby

zmyć brud ze skóry. – To była twoja przygoda, Bruno. Ja tylko czekałem, aż skończysz swoje sprawy.

– Długo czekałeś. Słońce prawie wzeszło.

Cień uśmiechu przemyka po jego wargach.

– Widzisz, jaki jestem pełen poświęcenia.

Godzę się z tym unikiem. Jeśli skorzystał z gościnności Domu
Westy, nie będzie o tym ze mną rozmawiać, a ja powinienem być
mądrzejszy i nie zadawać pytań.

– Mogłem skręcić kark – użalam się nad sobą jak nadąsane
dziecko. Wykręcam się i próbuję przemyć zadrapania na plecach.
Skowyczę, gdy biały ból przeszywa mi klatkę piersiową.

– Idiota – burczy Philip, ale z uczuciem. – Daj mi to. – Podchodzi, bierze szmatkę z moich rąk i ociera obolałe miejsca pomiędzy
łopatkami delikatniej, niż zrobiłby to samarytanin.

12

Zostawiam Sidneya, żeby odpoczął, i schodzę do szynku na poszukiwanie czegoś do zjedzenia. Gdy łapczywie pochłaniam chleb, zimną jajecznicę i piwo, unikając spojrzeń kilku innych gości, którzy wcześnie wstali, podchodzi gospodyni Judith, wyraźnie przejęta, z dzbankami w obu rękach.

– Rada jestem, że cię znalazłam, panie. Sir Francis Drake właśnie przybył i szuka cię. Czeka w salonie od frontu.

Śpieszy w kierunku sieni bez dalszych wyjaśnień. Idę za nią i widzę uzbrojonych ludzi stojących przed drzwiami naprzeciwko schodów. Rozpoznaję ich jako strażników Drake'a z okrętu; rozstępują się, żeby mnie przepuścić. Wewnątrz znajduję osobliwy żywy obraz. Pośrodku na krześle z wysokim oparciem przy zimnym kominku siedzi około trzydziestoletnia kobieta w żałobnej czerni, z woalem odrzuconym na włosy. Nie jest może piękna, ale też i niebrzydka; gdybym miał opisać jej szczupłą twarz jednym słowem, powiedziałbym, że wygląda na rezolutną. Ma minę osoby, która się nauczyła nie ufać pierwszemu wrażeniu. Jej blade oczy mnie mierzą, gdy wchodzę, chociaż nieruchome usta nie ujawniają, czy ocena wypadła na moją korzyść. Za nią stoi starsza niewiasta w skromnej szarej sukni i białym czepcu służącej, z ręką wspartą na oparciu krzesła. Kapelan Pettifer pochyla się nad siedzącą kobietą jak zatroskany kamerdyner. Drake stoi przed nią, z rękami skromnie wsuniętymi za pas, jakby była władczynią, której musi okazać uszanowanie.

Odwraca się, gdy wchodzę, ulga w jego spojrzeniu szybko ustępuje dezaprobacie i krótkiemu uniesieniu brwi, gdy widzi moją sponiewieraną powierzchowność, ale jest zbyt uprzejmy, żeby to skomentować. Wcześniejsze oględziny w poczętkowanym ze starości lustrze opartym na półce kominka w naszym pokoju ujawniło, że po zmyciu zaschniętej krwi z twarzy obrażenia nie są tak poważne, jak mogło się wydawać. Paraduję ze świeżym siniakiem na czole i paskudnym, ale niezbyt głębokim skaleczeniem w poprzek prawej brwi, lecz moje rysy są mniej więcej nienaruszone. Mimo to wyglądam trochę jak karczemny rozrabiaka.

Thomas Drake, jak zawsze obecny cień brata, opiera się o ramę okna z ramionami splecionymi na piersi. Patrzy na mnie z niesmakiem. Na niskiej ławie naprzeciwko okna siedzą lady Drake i lady Arden – obie wydają się tu niepotrzebne. Lady Drake trzyma na kolanach kota. Lady Arden przez chwilę patrzy na mnie kamiennym wzrokiem, po czym ostentacyjnie odwraca oczy. Akurat w chwili, gdy atmosfera staje się trudna do zniesienia, Drake chrząka i zwraca się do siedzącej kobiety:

– Pani Dunne, chciałbym przedstawić doktora Giordana Bruna z Noli. To człowiek, o którym właśnie mówiłem. – Wyciąga rękę w moją stronę. Odruchowo kłaniam się w stronę jej krzesła, krzywiąc się, gdyż ten ruch miażdży mi pęknięte żebra.

Pani Dunne patrzy na mnie bez dostrzegalnych emocji, gdy się prostuję z wymuszonym uśmiechem.

– On ma wytrząsnąć z nich prawdę?

– Wczoraj doktor Bruno uratował tonącego chłopca – wtrąca lady Arden rzeczowym tonem. – Gdyby nie on, dziecko by zmarło. Ale... fala rzuciła go na mur, gdy próbował wydostać się z wody.

Jej głos brzmi nienaturalnie głośno w ciszy salonu. Wszyscy się obracają, żeby na nią popatrzeć. Potem spojrzenia wracają ku mnie. Mam wrażenie, że twarz pani Dunne łagodnieje.

– Wyrazy ubolewania z powodu śmierci męża – mówię, spuszczając oczy. – A jak się miewa pani ojciec?

W zmieszaniu, a może z irytacji ściąga brwi.

– Wybacz, panie, ale nie sądzę, żebyś poznał mojego ojca. – Prostuje się, stosownie do lekko wyniosłego tonu. Przypuszczam, że złamałem jakieś zasady angielskiej etykiety, lecz wcale to mnie nie trapi. Chcę tylko usłyszeć jej odpowiedź.

– Nie, nie miałem zaszczytu go poznać, ale doszły mnie słuchy, że niedomaga.

Służąca za jej plecami wciąga powietrze ze słyszalnym potępieniem mojej zuchwałości. Pani Dunne przymruża oczy, po czym spogląda na Drake'a, jakby się namyślając, czy jest zobowiązana do udzielenia odpowiedzi.

– Zatem choć raz pogłoski mówią prawdę... Ostatnio poważnie podupadł na zdrowiu – mówi spokojnym tonem. – Medyk się obawia, że niedługo skona.

Na tę wieść reszta towarzystwa pomrukuje współczująco. Patrzę na panią Dunne, gdy jej twarz przybiera stosowny wyraz osoby, która spodziewa się nowej rozpaczy nałożonej na tę obecną.

– Pozwolę sobie powtórzyć, że jest mi niezmiernie przykro.

Akceptuje tę pustą uprzejmość lekkim skinieniem głowy. Nie spuszcza ze mnie oczu, wciąż podejrzliwa.

Drake pokasłuje, pragnąc przejść do rzeczy.

– Naturalnie to trudny czas dla pani Dunne i jej rodziny – zaczyna, splatając palce swoich dużych dłoni. – Pani Dunne wyraziła pewne obawy. – Milknie, jakby niepewny, jak w odpowiedni sposób wyrazić to, co chce powiedzieć. Przychodzi mi na myśl, że po raz pierwszy widzę go w sytuacji, z której nie umie wybrnąć, i dręczy go to. Przedłuża milczenie jakby w nadziei, że zdanie dokończy się samo. Przenoszę spojrzenie z niego na nią, czekając na dalsze wyjaśnienia.

– O moim świętej pamięci mężu można powiedzieć wiele rzeczy, doktorze Bruno... – Pani Dunne urywa i patrzy na mnie, przekrzywiając głowę. – Jesteś, panie, medykiem?

– Doktorem teologii.

– Rozumiem. – Prycha lekceważąco.

Drake robi krok do przodu.

– Doktor Bruno, jak wspomniałem, posiada niezwykły dar do rozwiązywania trudnych spraw tego rodzaju – mówi szybko, jakby ktoś próbował temu zaprzeczyć.

Milczę. Mam przeczucie, do czego zmierza. To mi się wcale nie podoba.

– Mój świętej pamięci mąż miał wiele przywar – zaczyna na nowo pani Dunne, zwracając się do mnie tym samym spokojnym tonem – lecz nie uwierzę, żeby należała do nich chęć odebrania sobie życia.

Zerkam na Drake'a; oczami nagli mnie do czegoś, ale nie mam pojęcia, o co mu chodzi.

– Czy mówisz to, pani, z jakiegoś konkretnego powodu?

– Był tchórzem – wygarnia prosto z mostu, przeszywając mnie spojrzeniem, które prowokuje, żebym się jej sprzeciwił. Pettifer otwiera usta, by zabrać głos, ale po chwili wahania z powrotem je zamyka.

– Obawiam się, że nie nadążam...

– Odebranie sobie życia, jeśli ktoś czuje, że stał się nieznośnym ciężarem dla siebie i innych... Taki akt wymaga pewnej odwagi, nie sądzicie? – pyta z tym samym twardym spojrzeniem.

– Można by dowodzić, że jest wręcz przeciwnie – powiadam. – Wzięcie brzemienia na swoje barki, przyjęcie odpowiedzialności za swoje porażki... Czyż nie to jest aktem odwagi?

Pettifer nie może dłużej się pohamować.

– Samobójstwo jest ciężkim grzechem, pani Dunne, pogwałceniem szóstego przykazania. Kościół stawia sprawę jasno. Człowiek jest *imago dei*, toteż decydowanie o swoim końcu jest uzurpowaniem prerogatywy Boga, który jako jedyny zna liczbę naszych dni. – Kręci głową jakby dla rozgrzeszenia jej z takiego heretyckiego pomysłu. – Pomyślcie o Judaszu Iskariocie, który odbiera sobie życie w poczuciu winy i skruchy po tym, jak zdradził naszego Pana... Czy nazwalibyście go wzorem odwagi?

Pani Dunne obraca się ku niemu z gasnącym uśmiechem.

– Może każdy z nas ma własną definicję odwagi, ojcze. Mam jednak nadzieję, że nie czynicie porównania między nimi?

Podenerwowany Pettifer uprzytamnia sobie, że wpadł we własne sidła. Jego okrągła twarz czerwienieje z wysiłku, gdy myśli, jak zapewnić, że nie chciał dopuścić się zniewagi. Patrzę na niego, zastanawiając się, co go skłoniło do podania akurat tego przykładu.

– Pani Dunne wątpi w trafność mojego osądu dotyczącego sposobu śmierci jej męża – mówi Drake, ucinając spanikowane przeprosiny Pettifera.

– Jestem pewna, że kapitan Drake zrobił, co w jego mocy, w tej bardzo przygnębiającej sytuacji. – Pani Dunne zwraca się do mnie, znowu z uprzejmym uśmiechem. – Ale się obawiam, że może wyciągnął pochopne wnioski, nie znając pewnych faktów.

Zapada pełna napięcia cisza. Przenoszę spojrzenie z niej na Drake'a i z powrotem.

– Wybacz, pani, niezupełnie...

– Samobójstwo, jak mówi nam ojciec Pettifer, jest straszną plamą na duszy – kontynuuje pani Dunne. Głos ma stanowczy, ale zauważam, że jej palce pracowicie skubią tkaninę spódnicy, co oznacza, że pod tą spokojną powierzchnią wrą jakieś gwałtowne emocje. – Nie wspominając o reputacji człowieka i o losie jego rodziny. Nie mogę pogodzić się z tym, że mój mąż własną ręką odebrał sobie życie. Zamierzam prosić koronera o przeprowadzenie dochodzenia w sprawie jego śmierci w nadziei, że orzeczenie wypadnie po mojej myśli, dzięki czemu Robert przynajmniej będzie miał chrześcijański pochówek.

Przy tym ostatnim zdaniu traci opanowanie i przyciska rękę do ust. Służąca podsuwa haftowaną chusteczkę, ale pani Dunne macha ręką, nie przyjmując jej, gdy walczy o odzyskanie kontroli nad uczuciami. A może tylko sprawia takie wrażenie. Podrywanie autorytetu sir Francisa Drake'a byłoby dużym wyzwaniem dla każdej kobiety, jednak w jej zachowaniu jest coś, co budzi pewne wątpliwości. To prawda, Anglicy potrafią tak głęboko skrywać uczucia, że śmiało można wybaczyć Włochowi przekonanie, iż nigdy nie doświadczają namiętności wykraczających nad umiarkowane rozdrażnienie z powodu złej pogody, lecz nie mogę się pozbyć wrażenia, że pani Dunne tylko gra swoją rolę, w dodatku niezbyt przekonująco. Lekkie załamanie się głosu, ręka przyciśnięta do ust: wszystko to wygląda tak, jakby się nauczyła stosownego okazywania rozpaczy z jakiegoś podręcznika. A jeśli ją krzywdzę? Być może dobrze urodzona dama tylko w ten sposób okazuje emocje.

Znowu przenoszę spojrzenie z niej na Drake'a i z powrotem. Nie chciałbym się zakładać, które z nich ustąpi pierwsze.

– W świetle tych wątpliwości – mówi Drake, zaciskając ręce za plecami i krążąc po pokoju, jakby referował sprawę w sądzie – przekonałem panią Dunne do tymczasowego kompromisu. Przed oficjalnym zbadaniem przyczyny zgonu przyjrzymy się bliżej okolicznościom śmierci jej męża, z całą dyskrecją, jakiej wymaga natura tej sprawy. Jeśli sami niczego nie odkryjemy, pani Dunne zgłosi formalny sprzeciw wobec orzeczenia *felo de se* i zwróci się do koronera o kontynuowanie dochodzenia. – Patrzy na panią Dunne, prosząc o potwierdzenie, a ona oschle kiwa głową. – Powiedziałem, że jesteś człowiekiem odpowiednim do zbadania takiej sprawy, doktorze Bruno – kontynuuje Drake teraz z większą śmiałością – i pani Dunne się zgodziła, że obaj powinniśmy zrobić, co w ludzkiej mocy, by określić, jak umarł Robert.

Każda para oczu w pokoju wpatruje się we mnie – z wyjątkiem oczu lady Arden, która skupia uwagę na kocie. Uświadamiam sobie, że powinienem coś powiedzieć.

– Ależ termin dochodzenia został wyznaczony na jutro – mówię na wpół pytająco, mając nadzieję, że ktoś mi zaprzeczy. Nikt tego jednak nie robi.

– Toteż musisz działać szybko – odpowiada pani Dunne ze zdawkowym uśmiechem, przez chwilę odsłaniając zęby.

– Zatem wierzysz, pani, że twój mąż padł ofiarą umyślnego zabójstwa?

– Jeśli sam nie odebrał sobie życia, a już powiedziałam, że to niemożliwe, w takim razie musiał to zrobić ktoś inny – mówi i niecierpliwość zastępuje drżenie w jej głosie.

– Wybacz mi, pani – zaczynam z nerwowym uśmiechem, żeby złagodzić cios – ale czy sugerujesz, że ktoś na pokładzie statku sir Francisa zabił twojego męża? – Zerkam na Drake'a, który zasłania ręką usta i podbródek, żeby ukryć reakcję.

– Właśnie tego się pragnę dowiedzieć, doktorze Bruno. – Wzdycha, jakby ten szczegół ją nużył. – Nie znałeś Roberta, ale miał wyjątkowy talent do robienia sobie wrogów. Zważywszy na jego pasję, można by rzec, że należało się tego spodziewać. Z pewnością wszyscy znacie jego reputację. – Wstaje, wygładza spódnice i powoli się obraca ku reszcie towarzystwa z lekkim uśmiechem na dowód, że plotki o mężu nie przynoszą jej wstydu. Służąca robi krok do przodu, wyciągając rękę. Pani Dunne zwinnie ją omija i gestem każe jej trzymać się z daleka. Ponownie mam wrażenie, że doskonale sobie radzi bez niczyjej pomocy.

– Ale czy masz powód wierzyć, że ci wrogowie znajdują się w załodze kapitana Drake'a? – naciskam.

– Nie! – Przeczenie jest natychmiastowe; pani Dunne się rumieni, najwidoczniej zaszokowana sugestią. – Nic takiego nie powiedziałam. Ja tylko…

Idzie przez pokój i staje wprost przede mną. Jest wysoka jak na kobietę, prawie dorównuje mi wzrostem.

– Widziałeś, panie, Plymouth, jak sądzę? – Wskazuje ręką za okno. – Pełne najemników, żołnierzy, marynarzy, cudzoziemców… za przeproszeniem. Nie brakuje tu takich, którzy z wielką chęcią pozbędą się człowieka za określoną sumę. Jeśli wrogowie mojego męża chcieli jego śmierci, nie zabrakłoby chętnych rąk. I dokładnie wiedzieliby, gdzie go szukać.

– Po raz kolejny zapewniam, pani, że żaden zabójca nie mógłby wejść na pokład *Elizabeth*, ani tamtej nocy, ani żadnej innej – oznajmia Drake. Zdaje się, że ta konwersacja wystawia na próbę jego dyplomatyczne umiejętności. – Mam niejeden powód, żeby skrupulatnie dbać o bezpieczeństwo mojego okrętu. Nikt nie zdołałby niepostrzeżenie przemknąć obok moich strażników.

– Sir Francisie, skoro uznałeś, że nie doszło do morderstwa, nasza umowa jest zbędna. – Jej uśmiech daje do zrozumienia, że na wpół żartuje, ale oczy mówią coś zupełnie innego. Chyba odgaduję tok rozumowania Drake'a: jestem kimś spoza jego kręgu, więc wyznaczając mnie na swojego przedstawiciela w prowadzeniu śledztwa, na którym zależy pani Dunne, będzie mógł się ode mnie odciąć, jeżeli zawiodę. Z drugiej strony, jestem obcy w tym mieście;

być może dzięki temu zdołam wtopić się w tłum, zadawać pytania i niepostrzeżenie wślizgiwać się tam, gdzie słynny sir Francis Drake od razu przyciągnąłby uwagę.

Drake skłania głowę.

– Masz rację, pani. Dołożę wszelkich starań, żeby zachować otwarty umysł.

– Mam taką nadzieję, sir Francisie. Wiele spoczywa na szali, dla nas obojga. Chcę tylko mieć pewność, że prawda wyjdzie na jaw. – Wysuwa podbródek i przez chwilę patrzy na Drake'a, dając mu do zrozumienia, że nie jest osobą, którą można okpić. – Chodź tu, Agnes. – Kiwa ręką na służącą, która do niej podbiega. Pani Dunne staje przy mnie. – Zamierzam zjeść śniadanie, doktorze Bruno, a później obejrzeć ciało męża. Może zechcesz mi towarzyszyć?

– Czy to rozsądne? – wtrąca Drake.

– Skoro ma się zająć sprawą śmierci mojego męża, czy obejrzenie zwłok nie ma sensu? Może to całe teologiczne wykształcenie pomoże mu wykryć coś, co umknęło waszej uwagi – dodaje uszczypliwie, zasłaniając twarz woalem.

– Chodziło mi o ciebie, pani. Czy to rozsądne z twojej strony... – Drake skubie koniec brody. – Robert nie żyje od trzech dni, a nawet jeszcze ciepły nie stanowił widoku odpowiedniego dla damy.

Zauważam, że pani Drake lekko się wzdryga, słysząc, jakich słów dobiera jej mąż; sława i bogactwo nie nauczyły go delikatności w wysławianiu się. Trudno się więc dziwić, że kilka sonetów robi na niej wrażenie. Próbuję podchwycić spojrzenie lady Arden, ale wciąż siedzi z głową odwróconą ku oknu.

– Wychowałam się na wsi, sir Francisie – odpowiada pani Dunne, wyciągając rękę wnętrzem dłoni w górę. Służąca kładzie na niej rękawiczki z koźlęcej skóry. – Widziałam braci i siostrę w trumnach, a jeden z braci został kopnięty w głowę przez konia... nie był to ładny widok, zapewniam. Nie zemdleję na widok nieboszczyka. Moim zdaniem wypada zobaczyć go przed pochówkiem... jakikolwiek by on był. – Starannie wkłada rękawiczki, prężąc smukłe palce.

– Jesteś zatem pani jedynym żyjącym potomkiem w rodzinie? – pytam.

Obrzuca mnie ostrożnym spojrzeniem.

– Owszem. Skąd to pytanie?

Kręcę głową.

– Myślałem tylko, że ciężko będzie znieść kolejną stratę. – Przybieram współczujący wyraz twarzy. Pani Dunne mruży oczy.

– Mimo to, pani – wtrąca Drake, pocierając brodę – obawiam się, że widok może sprawić ci ból.

– Sprawia mi ból, sir Francisie… – pani Dunne wyraźnie i precyzyjnie wymawia każde słowo – myśl, że mój mąż może niesłusznie zostać uznany za samobójcę, podczas gdy morderca uniknie sprawiedliwości. – To rzekłszy, prostuje ramiona i wychodzi z pokoju, ze służącą podążającą za nią. W drzwiach się odwraca i mówi do mnie: – Proszę się spotkać ze mną w sieni za pół godziny.

Wygląda na to, że Pettifer chce pójść z nią.

– Chciałabyś, pani, żebym się z tobą pomodlił, zanim przystąpisz do tego smutnego zadania? – Błagalnie splata palce, okrągłe policzki ma zarumienione. Jak zauważyłem, księża nigdy nie czują się bardziej przekonani o swojej ważności niż przy konających i pogrążonej w boleści rodzinie zmarłego.

Grymas irytacji wykrzywia twarz pani Dunne, ale się opanowuje.

– Dziękuję, ojcze, to miłe… może po powrocie będę miała większą potrzebę szukania pocieszenia.

– Jak sobie życzysz, pani. Przyślij po mnie, jestem do twojej dyspozycji. – Kapelan skłania głowę i wychodzi za nią.

Drake zamyka drzwi i wzdycha z ulgą.

– Elizabeth, powiedziałem pani Dunne, że ty i lady Arden zjecie z nią dzisiaj kolację. Musimy jej okazać chrześcijańskie współczucie i może będzie rada z damskiego towarzystwa. – Przegarnia włosy rękami i podchodzi do okna.

– Nie wygląda na osobę zainteresowaną czymkolwiek towarzystwem. – Lady Drake trzyma protestującego kota, który chce się wyrwać na wolność. – Zachowała się grubiańsko, gdy przedstawiłeś mnie i moją kuzynkę. Ledwie zwróciła na nas uwagę.

– Musisz jej wybaczyć, moja droga, przeżyła szok i jest pogrążona w rozpaczy – mówi Drake, wciąż patrząc na ulicę. – Być może w tej chwili niezupełnie jest sobą.

– Może też chciałabym się powiesić, gdyby była moją żoną. – Lady Arden rzuca tę uwagę w przestrzeń. Drake i jego brat się odwracają i wlepiają w nią oczy. Podchwytuję jej spojrzenie i śmieję się, a ona pozwala sobie na przelotny uśmiech, który szybko zasłania ręką. Może jednak mi wybaczyła.

Kobiety wstają i dyskretnie się przeciągają, kot korzysta z okazji i pierzcha pod ławę. Wychodząc, lady Arden zerka na mnie przez ramię, ale znika, zanim mogę wyrazić cokolwiek samymi oczami.

– Bruno, proszę na słowo. – Drake gestem przywołuje mnie do okna. Patrzymy na ulicę przez małe romby szybek, widok jest zniekształcony przez skazy i bąbelki. Kładzie rękę na moim ramieniu. – Przepraszam za tę przykrą niespodziankę. Zwłaszcza że... – Wskazuje moje obrażenia. – Co się stało?

Waham się.

– Byłem w nocy w Domu Westy.

– Aha. – Z niezadowoleniem marszczy czoło. – Ktoś powinien cię ostrzec. Z reguły nie są mili dla nieznajomych, którzy przybywają bez zapowiedzi.

– To skomplikowane. Nie zjawiłem się bez zapowiedzi, zostałem tam zwabiony przez anonimowy list, który nawiązywał do *Ewangelii Judasza*. Jestem przekonany, że przysłał go Rowland Jenkes, bezuchy księgarz, do którego zabrał cię, panie, Robert Dunne.

Drake jest jeszcze bardziej zdeprymowany.

– Co on ma wspólnego z Domem Westy?

– Nie wiem, ale Dunne często tam bywał. Przyszło mi na myśl, że może ktoś coś pamięta, lecz kiedy zacząłem o niego rozpytywać, zostałem przyparty do muru przez człowieka, którym, czego jestem pewien, był John Doughty.

– Dobry Boże... – Drake pociera skroń, przyswajając te informacje. – Więc jednak wrócił do Plymouth. Czego chciał od ciebie?

Kręcę głową.

– Nie zostałem, żeby się dowiedzieć. – Wskazuję skaleczenie

na twarzy. – Wyskoczyłem przez okno. Niestety, przez to na pierwszym piętrze.

Drake się uśmiecha na przekór sobie.

– Wiem, że na mnie czekali. Właścicielka burdelu maczała w tym palce, zaprowadziła mnie prosto w pułapkę, żeby Doughty mógł mnie dopaść. Może warto byłoby ją wypytać, gdybyś chciał go znaleźć, sir Francisie.

Drake powoli kiwa głową. Twarz ma ponurą.

– Rozpytam się dyskretnie. Kłopot z Domem Westy, Bruno, polega na tym, że nie jest to zwyczajny burdel. Kierują się tam zasadami dyskrecji i ekskluzywności. Klienci przychodzą jedynie na zaproszenie. Właścicielka zatrudnia tylko bardzo młode dziewczyny, żeby klienci mieli pewność, że są czyste. Niektóre mają ledwie jedenaście lat i nie znajdzie się ani jednej, która miałaby więcej niż piętnaście. Powiadają, że to jedyne miejsce w Plymouth, gdzie nie złapiesz francy, i nie brakuje takich, którzy są chętni drogo zapłacić za spokój umysłu.

– Przyciąga więc najbogatszych mężczyzn w okolicy – mówię, zaczynając pojmować.

– Dom stał się miejscem spotkań wpływowych ludzi w mieście. Chodzą tam na kolacje, ale też by palić, grać w karty, rozmawiać o interesach, nie tylko dla dziewcząt. Każdy ambitny mężczyzna chce należeć do tego towarzystwa i korzyści przeważają nad względami natury moralnej. To bardzo utrudnia zbadanie albo zamknięcie tego przybytku, o czym się przekonałem, kiedy byłem burmistrzem. – Zaciska szczękę na to wspomnienie.

– I dlatego ta kobieta, madame Grace, jest przekonana, że stoi ponad prawem? – kończę za niego myśl. – Trzyma większość tych wpływowych ludzi w mieście za jaja.

– Powiadają, że w Domu Westy można dostać to, co się chce, bez żadnych pytań, jeśli tylko się płaci. – Znacząco kiwa głową.

Zastanawiam się, czy mu powiedzieć o Tobym, i dochodzę do wniosku, że lepiej tego nie robić. Jeśli Drake nakłoni władze do przeprowadzenia śledztwa, to właśnie chłopiec zostanie ukarany za swoje grzechy, a nie ludzie, którzy go do nich zmusili.

– Jednakże – podejmuje z większym ożywieniem – można wywrzeć nacisk. Jeśli właścicielka burdelu ukrywa Johna Doughty'ego, chciałbym o tym wiedzieć.

Odwracam się do wyjścia, ale Drake kładzie dłoń na moim rękawie.

– Jeszcze jedno, Bruno. Czy podczas swoich nocnych wędrówek widziałeś może Jonasa?

– Wczorajszej nocy? Nie, nie po zejściu na brzeg.

– Hm. – Bierze głęboki wdech. Ma podkrążone oczy i wygląda na niewyspanego. – Jonas nie wrócił na statek. Nikt go dotychczas nie widział. W Plymouth roi się od łotrów gotowych napaść na człowieka tylko dlatego, że im się nie spodoba odcień jego skóry, i zrobią to w przekonaniu, że w ten sposób ochronią Anglię przed szpiegami. – Krzywi się. – Mam nadzieję, że Jonasa to nie spotkało.

Zdejmuje rękę z mojego ramienia i patrzy przez okno, jakby mógł zobaczyć odpowiedź, jeśli zaczeka dość długo.

– Mam nadzieję, że nie – mówię, choć przychodzi mi na myśl inne wyjaśnienie. – Na pewno się zjawi. Może za dużo wypił i spędził noc w ramionach jakiejś tutejszej dziewicy.

– Miałby prawdziwe szczęście, znajdując dziewicę w Plymouth, zwłaszcza w Domu Westy. – Drake próbuje przywołać uśmiech. – Przypuszczam, że po zejściu na brzeg Jonas bawił się jak każdy marynarz, ale nigdy dotąd nie zaniedbał obowiązków. Miał objąć wachtę po północy. Nie jest to coś, o czym by zapomniał. Pokładam w Bogu nadzieję, że wróci do jutra, bo ma być głównym świadkiem podczas dochodzenia. To on znalazł powieszonego Dunne'a.

Może Jonas miał dobre powody, żeby się ulotnić przed dochodzeniem, myślę. A może jest ktoś, kto nie chce, żeby zeznawał.

– Lady Drake mi wspomniała, że pani Dunne jest dziedziczką majątku ojca. Robert powiedział Gilbertowi, że spodziewa się szybko wzbogacić. Zastanawiam się, czy mogło mu chodzić o spadek żony.

Kiwa głową, rozumiejąc.

– Dobra myśl. Z drugiej strony, raczej by nie pozwoliła, żeby mąż hazardzista położył ręce na spuściźnie po ojcu.

– W istocie – mruczy Thomas – trudno sobie wyobrazić, kto miałby większy powód niż ona, żeby pragnąć śmierci Roberta.

Zapada cisza, gdy wszyscy to rozważamy.

– Mimo wszystko nie rozumiem, jak mogłaby zaplanować to w ten sposób – mówię w końcu. – Zakładając, że chciała jego śmierci, łatwiej byłoby zatruć mu jedzenie w domu albo namówić kogoś, żeby go napadł na gościńcu. Śmierć, która wygląda na samobójstwo, nie przynosi jej korzyści, wręcz odwrotnie.

– I bardzo się stara dać to do zrozumienia – zaznacza Drake. – Musimy znaleźć zabójcę przed dochodzeniem. Oczywiście dopilnuję, żebyś został sowicie wynagrodzony – dodaje, widząc moją minę. – To nie ulega żadnej wątpliwości.

– To nadzwyczaj wspaniałomyślny gest, sir Francisie, ale...

Jego czoło ciemnieje.

– Ale co?

– Tylko się zastanawiam... Dlaczego ja?

– Ach... – Podchodzi bliżej i szepcze: – Sir Philip opowiedział mi trochę więcej o twojej pracy, doktorze Bruno...

Patrzę na niego z konsternacją, myśląc, że chodzi mu o moje książki.

– ...dla Walsinghama – dodaje dla jasności. – Człowiek, który zdobył zaufanie i szacunek sekretarza stanu, zasługuje na to samo z mojej strony. Obaj z bratem byliśmy pod wielkim wrażeniem, nieprawdaż, Thomasie?

Thomas Drake chrząka, co może oznaczać cokolwiek, i składa ramiona na piersi. Rzadko widziałem kogoś, kto byłby pod mniejszym wrażeniem.

Pokasłuję cicho i robię skromną minę.

– Mogę potrzebować pieniędzy, sir Francisie. Informacje nie są tanie w tym mieście. Ludzie mają oczy i uszy otwarte, ale czasami potrzebują zachęty.

Drake kiwa głową i mruczy na zgodę.

– Dostaniesz sakiewkę po powrocie z wycieczki z panią Dunne. – Przystaje przy drzwiach. – Miej na nią oko, Bruno. Jest zdecydowana narobić kłopotów. Może mnie zrujnować.

Kusi mnie, by zauważyć, że jeśli orzeczenie wypadnie po jego myśli, to sir Francis może zrujnować ją, ale skoro ma mi płacić, powstrzymuję się od komentarza.

– Co z księgą? – pytam, wychodząc.

– Przypuszczam, że będzie musiała zaczekać. – Z ponurą miną pociera brodę. – Za tę pracę też cię wynagrodzę, Bruno, nie ma obawy.

– Ale gdzie się znajduje?

– Bezpieczna pod kluczem w mojej kajucie na pokładzie *Elizabeth*. – Wodzi wzrokiem po pokoju, jakby mógł ją gdzieś tutaj nieopatrznie zostawić.

Zastanawiam się, czy wspomnieć o kartkach skradzionych z mojego pokoju, ale dochodzę do przekonania, że podkopanie jego wiary we mnie w niczym nie pomoże. Może znajdę złodzieja bez konieczności informowania Drake'a o mojej głupocie.

– Na twoim miejscu, panie, trzymałbym ją przy sobie.

– Dlaczego? Przecież statek jest bezpiecznym miejscem, czyż nie? – Marszczy czoło i spogląda na Thomasa.

Tak właśnie myślał Robert Dunne. Jednak wolę nie mówić tego głośno.

◆　◆　◆

W sieni zastaję kręcącego się tu sir Williama Savile'a. Na podłodze leży jego skórzany sakwojaż.

– Ach, Bruno! – woła z niespodziewanym ożywieniem. – Słyszałeś o przysiędze? Piekielna impertynencja, jeśli się mnie spytasz. Nie jestem też pewien, czy podoba mi się precedens. Instynkt mi podpowiada, że to wbrew naturalnemu porządkowi rzeczy. Co mówi sir Philip? Przypuszczam, że chętnie przysięgnie, rozpaczliwie pragnąc się zaokrętować.

Czekam, aż przerwie dla zaczerpnięcia tchu.

– Jaka przysięga?

– Kapelan Pettifer ma zamiar dziś rano z wielka pompą i ceremoniałem oznajmić, że każdy, kto zamierza żeglować z flotą, musi przed wyjściem w morze złożyć przysięgę wierności królowej i kapitanowi Drake'owi jako najwyższemu dowódcy wyprawy.

– Czy to jakiś problem? – Zastanawiam się, skąd ten pomysł: czy Drake wykrył pierwsze oznaki zaniepokojenia wśród załogi, czy może to zabieg mający na celu wykurzenie zabójcy?

– Teoretycznie nie, ale... – rozgląda się i pochyla w moją stronę – to upoważnia go do podjęcia takich działań, jakie mu wpadną do głowy, nie sądzisz? Odbiera każdemu możliwość sprzeciwienia mu się na morzu. Wystarczy, że powie: „Przecież przysięgliście, panowie, a złamanie przysięgi równa się zdradzie". Załodze to wyjdzie na dobre, ale dla szlachetnie urodzonego... – Patrzy na mnie z góry. – Dlatego jestem ciekaw, co na to sir Philip.

– Spytaj go, panie, bo mnie o niczym nie wspominał. – Lubię Savile'a coraz mniej za każdym razem, kiedy z nim rozmawiam. Spoglądam na guziki jego jedwabnego kaftana; niestety, są płaskie, srebrne i wszystkie obecne. – Wybierasz się dokąd, sir Williamie? – pytam, wskazując sakwojaż.

– Postanowiłem wynająć tu pokój, dopóki nie wypłyniemy – mówi, stukając w niego nogą. – Doszedłem do przekonania, że po wyjściu w morze dość czasu spędzę w tej ciasnej kajucie, a skoro w chwili obecnej nikt nie zna dnia ani godziny, dlaczego nie miałbym spać na piernacie?

– Już cię dopadła, panie, gorączka kabinowa? – pytam. Mruży oczy, może zastanawiając się nad odpowiedzią, gdy słyszę kroki za plecami i niski, kulturalny kobiecy głos:

– Tu jesteś, doktorze Bruno. Czy teraz się tym zajmiemy?

Odwracam się i widzę panią Dunne wkładającą rękawiczki. Jej służąca o granitowej twarzy patrzy gniewnie. Wdowa po Dunne spogląda ponad moim ramieniem, z wyraźną irytacją wbijając oczy w Savile'a. Prawdopodobnie taką reakcję Savile wywołuje u wielu ludzi, ale jestem zaskoczony, ponieważ nie miałem pojęcia, że się znają.

Savile robi dwa kroki i zrywa z głowy kapelusz, zginając się w niskim ukłonie.

– Sir William Savile, pani Dunne. Może mnie nie pamiętasz, pani, spotkaliśmy się kiedyś na dworze, jak mniemam. Proszę przyjąć najszczersze wyrazy ubolewania. – Unosi oczy ze stosownie współczującą miną. Przynajmniej ma dość przyzwoitości, żeby nie wspomnieć o pieniądzach, które Dunne był mu winien, myślę sobie. W każdym razie jeszcze nie.

– Na dworze. Tak, tak sądzę – mówi pani Dunne z roztargnieniem, skupiając uwagę na rękawiczkach. – Dziękuję. Proszę nam wybaczyć. Wybieram się obejrzeć ciało męża. – Unosi wzrok i Savile jakby się wzdryga.

– Bolesne zadanie, pani. Niech Bóg ma cię w opiece – dodaje z wahaniem, jakby niepewny zasad etykiety.

– Będę miała przy sobie doktora Bruna, a jego opieka jest druga po boskiej – odpowiada cierpkim głosem. – Nigdy nie wiadomo, kiedy człowiek może potrzebować teologa. Miło było ponownie cię spotkać, sir Williamie.

Savile wciąż coś mamrocze o smutnych okolicznościach, gdy pani Dunne już przestępuje próg, choć zauważam, że tuż przed wyjściem obrzuca go spojrzeniem, i wcale nie przyjaznym. Nie trzeba wielkiego geniuszu, by poznać, iż to spotkanie miało inną naturę, niż mogłoby się wydawać. Nawet złośliwy charakter Savile'a nie może usprawiedliwiać tak jawnej wrogości pani Dunne. Zastanawiam się, jaka historia się za tym kryje, gdy kuśtykam, żeby dogonić ją przed gospodą.

– Ściślej mówiąc, pani, nie jestem teologiem – odzywam się niepytany, gdyż dama raczej nie ma ochoty zaczynać rozmowy. Idziemy wąską ulicą ku centrum miasta. Dzisiaj niebo jest czystsze, zamglone słońce wędruje za wyświechtaną gazą białych chmur usianą łatami błękitu, bladego i kruchego jak skorupki jajka. Powietrze wciąż jest chłodne i ostry wiatr dmie od morza, kąsając skaleczenie na mojej twarzy. Nocny deszcz leży w kałużach pomiędzy kocimi łbami.

– Ściślej mówiąc, niezupełnie jestem zainteresowana. – Idąc, patrzy prosto przed siebie. Stawia długie kroki jak na kobietę i bolą mnie posiniaczone nogi, gdy próbuję nie zostawać w tyle. – Oboje wiemy, że to nic więcej niż gest, żeby mnie ułagodzić. Ale do dochodzenia będziemy udawać, że się zgadzamy. Drake bez wątpienia dobrze ci płaci, żeby zakończyć sprawę w sposób jak najlepszy dla jego interesów.

Milczę. Po kilku jardach obraca głowę i wzdycha niecierpliwie.

– Kim wobec tego jesteś, Bruno?

– Jestem... – Waham się. Właściwie kim jestem na tym etapie życia? Tego sierpniowego poranka 1585 roku, w wieku trzydziestu siedmiu lat, jak mam się przedstawić jej albo komukolwiek innemu? Czasami jestem heretykiem, byłym dominikaninem, filozofem, szpiegiem, poetą, nauczycielem, uchodźcą. Kochankiem – niegdyś, chociaż to wydaje mi się teraz odległym wspomnieniem. Nekromantą, jeśli wierzyć moim krytykom w Paryżu. Zdrajcą, jeśli spytać barona de Châteauneuf. Łowcą morderców, jeśli zwrócić się o wyjaśnienie do Walsinghama. Zmieniam się jak Proteusz, w zależności od potrzeby, i robię to tak często, że grozi mi utrata pierwotnej tożsamości.

– Jestem filozofem, jeśli wolisz, pani. Piszę książki.

Zerka na mnie spod woalki, chcąc mi się lepiej przyjrzeć.

– Wygląda na to, że filozofia jest niebezpieczną rozrywką.

– Tylko sposób, w jaki ją uprawiam.

Idziemy w milczeniu wąskimi ulicami, które powoli zaczynam rozpoznawać. Tuż za moim ramieniem słyszę rytmiczny, wytężony oddech służącej pani Dunne: sapie jak miech kowalski.

– Znasz więc, pani, sir Williama Savile'a? – pytam po jakimś czasie. Wydaje się rozdrażniona przerwaniem milczenia.

– Trudno tu mówić o znajomości. Poznaliśmy go z mężem na dworze. Ledwie pamiętam, ale nikt nie chce wychodzić na gbura. Poznaje się tyle osób. – Wycisza głos, roztargniona.

– Często bywasz na dworze, pani? – Mówię lekkim tonem, jakby tylko dla podtrzymania rozmowy, ale wyczuwam jej nieufność wobec moich pytań.

– Nie ostatnio, nie. – Zaciska usta, jej twarz pod woalem niczego nie zdradza. – Kiedyś bywaliśmy – dodaje łagodniej w chwili, gdy już myślę, że nie będzie omawiać ze mną tej kwestii. – Kiedy sir Francis wrócił z wojaży dokoła świata, on i towarzyszący mu dżentelmeni cieszyli się wielką sławą. To wtenczas poślubiłam Roberta. Wrócił do domu jako bogaty człowiek, a Jej Królewska Mość przez jakiś czas lubiła się otaczać dzielnymi żeglarzami szlachetnego rodu. Ale – lekko kręci głową i kciukiem pociera czoło przez woalkę – wszystko się zmienia. Przypuszczam, że taka jest natura życia, nieprawdaż? I nasze zadanie polega na spokojnym godzeniu się z losem. – Jej ton sugeruje, że gardzi taką koncepcją.

– Co się zmieniło? – pytam łagodnie.

– Och, nie wątpię, że o tym usłyszysz, panie. – Głos znów ma rześki i przyśpiesza kroku. – Robert zrobił się niespokojny. Powtarzał, że tęskni za przygodą. – Parska krótkim, gorzkim śmiechem. – Jacy wy, mężczyźni, jesteście dziwni. Kobieta ryzykuje codziennie, samo rodzenie dzieci jest grą w kości z Opatrznością. Ale nie, wy musicie szukać niebezpieczeństw, opływając Ziemię w drewnianej balii. Albo ryzykujecie wszystko, co macie, uzależniając to od rozdania kart. – Ton, ostry jak nóż, zdradza jej wściekłość na męża. – Po jakimś czasie zaczął unikać dworu. Zbyt wielu wierzycieli. Wróciliśmy do Devonshire, wydzierżawiliśmy dwór w pobliżu Dartington, ale nawet wtedy rzadko bywał w domu. Większość czasu spędzał w Plymouth, gdzie wciąż mógł wykorzystywać reputację członka słynnej załogi Drake'a. Ale ile razy ludzie postawią ci wino i umorzą długi w zamian za opowieść o Cieśninie Magellana? Ponownie zaczęły się piętrzyć listy od wierzycieli, a ten przeklęty głupiec wciąż wierzył, że spłaci wszystkie długi dzięki jednej szczęśliwej nocy przy karcianym stoliku. Jednak dla ludzi takich jak Robert nigdy nie ma szczęśliwej nocy. – Zatrzymuje się i obraca w moją stronę tak nagle, że służąca wpada mi na plecy. – Niewątpliwie masz mnie za nikczemną żonę, doktorze Bruno, skoro źle mówię o człowieku, którego niespełna trzy dni temu spotkała okrutna śmierć.

– Nie widzę niczego bardziej naturalnego niż złość, kiedy człowiek, na którym komuś zależy, na przekór wszelkim radom z rozmyślnym uporem niszczy siebie i najbliższe mu osoby.

– Otóż to! – mówi podniesionym głosem. – Robert nie był złym człowiekiem, ale na pewno nieszczęśliwym. Od powrotu z pierwszej podróży z Drakiem coś go dręczyło, kęs po kęsie pożerało dobrą stronę jego charakteru. Gdybyśmy mieli dzieci, może byłoby inaczej. Ale… – Odwraca głowę, poprawiając woal.

Pozwalam, żeby ten komentarz zniknął w ulicznych odgłosach,

wrzaskliwe przekupki i mewy konkurują, żeby się wzajemnie zagłuszyć. Tak więc nie mieli dzieci; ciekawe, z czyjej winy. Gdy pani Dunne odziedziczy pokaźny spadek po ojcu, stanie się atrakcyjną partią dla nowych zalotników, którzy mogą dać jej potomstwo. Przychodzą mi na myśl słowa Sidneya o bogatych wdowach.

Wychodzimy na rynek ze stojącym pośrodku krzyżem. O tej porze pełno tu handlarzy i przekupniów przywołujących klientów do towarów wyłożonych pod kolorowymi płóciennymi zadaszeniami, które trzaskają na wietrze jak żagle. Ogorzałe kobiety z wielkimi koszami na biodrach zachwalają chleb, ryby, truskawki, świeżo nacięte sitowie i pierogi; inne w tanich jaskrawych sukniach krążą w tłumie, zachwalając siebie. W tym mieście na handel nigdy nie jest za wcześnie. W tłumie ganiają małe obdartusy, ze śmiechem unikając pięści i kopniaków, gdy ich bystre oczy omiatają ziemię w poszukiwaniu upuszczonego jedzenia, żeby je capnąć przed psami. Pani Dunne unosi spódnice, żeby nie powalać brzegów sukni świeżym końskim łajnem, i z ustani zaciśniętymi w stanowczą linię zmierza w kierunku starego ratusza, który góruje nad placem, pochylony i wsparty na rzędzie drewnianych kolumn jak dziad na kosturze.

– Więc ci wierzyciele ścigający Roberta – mówię, przyśpieszając, żeby dotrzymać jej kroku – są wrogami, o których mówiłaś, pani?

Ściąga usta.

– Z pewnością nie są przyjaciółmi, ujmę to w ten sposób, chociaż kiedyś byli. Ale nie ich miałam na myśli, to byli zwyczajni, codzienni wrogowie. Nie oni budzili w nim przerażenie.

– Zatem kto?

Rozgląda się i ścisza głos:

– Mój mąż był w coś zamieszany... Wolałabym...

– Panie! – Ktoś szarpie mnie za rękaw. Mały Sam przeskakuje z nogi na nogę, oczy jaśnieją mu z radości, że znowu mnie spotkał.

– Dzień dobry, Samie. – Kłaniam się lekko i cała jego buzia marszczy mu się ze śmiechu. – Co tu porabiasz?

– Szukam czegoś do jedzenia. – Przeciąga ręką pod nosem.

– Znalazłeś coś?

Kręci głową i wysuwa dolną wargę.

– Znalazłem kawałek chleba, ale brat mi go zabrał.

Jest wychudzony; zastanawiam się, czy ktoś go karmi w domu.

– Niech ci będzie. – Wsuwam dłoń do sakiewki i wyłuskuję pensa. Wskazuję stojącą w pobliżu dziewczynę z tacą świeżych pierogów.

– Kup sobie pieroga i dopilnuj, żeby go schować przed bratem.

Szeroko otwiera poważne oczy i patrzy na monetę tak, jakby właśnie był świadkiem cudu.

– Idę poszukać kogoś z biura koronera, doktorze Bruno – oznajmia pani Dunne, z lekceważeniem patrząc na chłopca. – Możesz zostać tutaj. – Gestem każe służącej, by poszła za nią, prostuje ramiona i znika we frontowych drzwiach ratusza. Sam stoi blisko mnie, obracając miedziaka w palcach, jakby się bał, że zniknie. Gdy patrzę na czubek jego głowy, w mojej rodzi się pewien pomysł.

– Sam, ty i twoi koledzy na pewno znacie wszystkich w Plymouth. – Przykucam, żeby patrzeć mu prosto w oczy.

Przygryza wargę, rozdarty pomiędzy chęcią, by mówić szczerze, i strachem, że sprawi mi zawód.

– Nie wszystkich, którzy schodzą ze statków. Ale znam większość miastowych.

– To dobrze. Muszę kogoś odnaleźć. Dziewczynę. Wiem tylko, że ma na imię Eve i zapewne pracuje… – Waham się, widząc jego przejętą minę. Ile rozumieją dzieci w jego wieku? – Może być jedną z dziewczyn, które szukają zarobku w porcie. Jedną z pań, które się malują.

– Kurwą? – pyta mnie radośnie. Ile ma, sześć, siedem lat? Zastanawiam się, czy ma pojęcie, co robi kurwa. Przypuszczam, że dla dziecka wychowującego się przy dokach widok dziwek jest równie powszedni, jak rybaków czy mew.

– Chyba tak. Do niedawna pracowała w miejscu zwanym Domem Westy. Muszę się dowiedzieć, gdzie przebywa teraz. To ważne – dodaję szeptem. Klepię się po kaftanie, gdzie, jak wie, chowam sakiewkę. – Może mógłbyś rozpytać znajomych. Od razu, jeśli możesz.

Robi niepewną minę.

– Mogę najsampierw zjeść pieroga?

Śmieję się.

– Jasne.

– Mogę się podzielić z moim psem?

Rozglądam się. Widać tylko parszywe bezpańskie kundle.

– Możesz się podzielić, z kim tylko chcesz. Tylko nie pozwól, żeby ktoś ci go zabrał.

Szczerzy zęby w uśmiechu i pędzi lekkim krokiem, żeby zniknąć za beczkami i wirami jaskrawych spódnic. Odwracam się i znów widzę panią Dunne, która podchodzi z wymizerowanym młodym mężczyzną w szatach gryzipiórka.

◆ ◆ ◆

Skręcamy za róg i mam przed sobą cmentarną bramę, przez którą przechodziłem wczorajszego wieczoru. Słońce chowa się za chmurą. Z drzwi kościoła wychodzi pulchny zakrystian w czarnej sutannie. Zamienia na osobności kilka słów ze skrybą i wita panią Dunne poważnymi pomrukami kondolencji, choć na jego twarzy z obfitym podbródkiem wyraźnie maluje się niesmak. Trzyma niezapaloną latarnię.

– Koroner poprosił, żeby przechować ciało w krypcie, dopóki… – waha się, szukając odpowiednich słów – nie zostanie ustalony sposób pochówku. To najzimniejsze miejsce, rozumiecie. Mamy szczęście, że jak na sierpień panuje względny chłód, bo inaczej ciało byłoby w znacznie gorszym stanie. – Mimowolnie marszczy nos. Jest jasne, że wolałby, aby nieboszczyk, domniemany samobójca, nie skaził trupią toksyną jego kościoła. Sprawia wrażenie, że gdyby tylko mógł, z przyjemnością wywlókłby zwłoki na rozstaje i sam przebił kołkiem serce.

Pani Dunne się prostuje, podnosi woal i patrzy mu prosto w oczy.

– Mój mąż będzie miał chrześcijański pochówek, gdy tylko skończy się jutrzejsze dochodzenie – oznajmia tonem niedopuszczającym sprzeciwu. – Agnes! – Pstryka palcami na służącą. – Dopilnuj, żeby wynagrodzić tego dżentelmena za fatygę.

Agnes posłusznie sięga w fałdy spódnicy i wyciąga sakiewkę. Jestem pod wrażeniem opanowania pani Dunne w obliczu dezaprobaty sługi Kościoła. Bez względu na to, co czuła do zmarłego męża, będzie zdecydowanie bronić jego imienia po śmierci.

Zakrystian natychmiast staje się bardziej wyrozumiały.

– Jesteś ogromnie wielkoduszna, pani. Jeśli pójdziesz ze mną... – Kieruje na mnie małe oczy i patrzy z zaciekawieniem, próbując określić moje powiązania z wdową. Prowadzi nas wąską ścieżką wokół północnego transeptu kościoła do niskich drzwi, które otwiera kluczem wyjętym zza pasa. Odwraca się w naszą stronę.

– Jesteś pewna, pani, że tego chcesz? Widok może być... dla damy... – Lekko wydyma wargi.

– Oczywiście, że chcę, w tym celu przyjechałam z Dartington. Nie spodziewam się, że widok będzie przyjemny, lecz to mój obowiązek. – Pani Dunne znów prostuje ramiona i zakrystian się kuli pod wpływem jej spojrzenia. Zostawia otwarte drzwi.

– Wybaczcie mi, że tu zostanę... palimy kadzidło, ale... – Nie musi wchodzić w szczegóły. Pani Dunne wyjmuje z rękawa chusteczkę, przykłada ją do nosa i ust. Ja zasłaniam dół twarzy rękawem. Zakrystian zapala latarnię i podaje ją skrybie, mamrocząc kilka słów. Skryba kiwa głową, ze światłem uniesionym wysoko wchodzi do małej sieni i niemal zaraz za progiem skręca na prowadzące w dół kamienne schody. Na dole otwiera drzwi, zza których płynie gęsty jak mgła odór rozkładu. Słyszę, że się krztusi, chociaż idzie dalej, mały krąg światła kołysze się przed nami.

Niskie sklepienie krypty wspiera się na kamiennych filarach. Rzeczywiście, powietrze jest tu wilgotne i zimne, ale najwyraźniej nie na tyle, żeby zapobiegło rozkładowi. Przepełnia je smród pomimo kadzielnic ustawionych w niszach. Dostaję skurczów żołądka i serce mi wali jak szalone; odór zabiera mnie z powrotem do Canterbury, gdzie ubiegłego lata dokonałem makabrycznego odkrycia w podziemnym grobowcu. Co gorsza, odzywa się mój stary strach przed zamkniętymi pomieszczeniami. Staram się oddychać przez usta, ale powietrze ma metaliczny smak i jest obrzydliwie słodkie. Przystaję i opieram się o filar, dopóki nie zyskuję pewności, że nie zemdleję. Pani Dunne idzie dalej ze zdecydowanym wyrazem twarzy; jeśli jest wstrząśnięta, nikt tego nie pozna. W chwiejnym blasku latarni widzę, że skryba lekko zzieleniał.

W głębi krypty stoją prowizoryczne mary z desek ułożonych na kozłach. Na marach leży bezkształtny kopiec okryty całunem. Zapach rozkładu nasila się z każdym krokiem. Skryba podnosi latarnię i wskazuje zwłoki, chowając twarz w zgięciu łokcia. Pani Dunne spogląda na mnie. Wydaje się, że nie ma innych chętnych, więc robię krok do przodu, żeby odchylić całun i spojrzeć.

Słyszę stłumiony przez chusteczkę krzyk. Pani Dunne chwyta ramię służącej, żeby nie stracić równowagi. Wcale się jej nie dziwię; nie podjęto żadnego wysiłku, żeby godnie wystawić zwłoki. Oczy osadzone w czerniejącej twarzy oglądają jakiś niepojęty koszmar na sklepieniu, widoczny tylko dla zmarłych; żuchwa nie została podwiązana i usta są rozdziawione w okropnym grymasie, widać zęby i wysunięty język. Strużki lśniącej cieczy sączą się z nozdrzy i kącików oczu. Skryba z zielonego robi się szary i lekko się chwieje, stożek światła latarni pomyka po ścianach.

– Na miłość boską, człowieku, nie mogliście go trochę przygotować, wiedząc, że przybędzie wdowa?! Przynajmniej trzeba było podwiązać szczękę i zamknąć powieki! – mówię, zły nie tyko dlatego, że pani Dunne nie powinna oglądać zwłok męża w takim stanie, ale również z powodu braku ludzkich uczuć czy szacunku dla bliźniego. Pani Dunne patrzy na mnie zaskoczona.

– Koroner przykazał, żeby nie ruszać ciała – mamrocze skryba obronnym tonem, ledwie otwierając usta.

– Zaszkodziłoby należyte przygotowanie go do pochówku? Młodzieniec drwiąco krzywi wargi.

– Pochówek, jaki go czeka...

– Kwestia pochówku mojego męża jeszcze nie została rozstrzygnięta – oświadcza dobitnie pani Dunne, przywołując swoje poczucie godności. – Racz nas zostawić. Chciałabym pożegnać zmarłego.

– Nie zostawię zwłok bez nadzoru – mówi skryba, próbując oddychać przez usta.

– Bo co, myślisz, że te panie wywloką je stąd i uciekną? – Jego postawa zaczyna mnie drażnić.

– Możesz sobie żartować, panie, ale nie byłyby to pierwsze wykradzione zwłoki – oznajmia pompatycznie.

– W takim razie nie będziesz miał nic przeciwko, gdy z bliska przyjrzę się ciału? Zechciej podejść ze światłem.

Po chwili wahania skryba robi krok do przodu i podnosi latarnię. Biorę się w garść, okręcam palce rogiem całunu i podnoszę opuszczoną żuchwę. Z ust trupa wypada blada gruba larwa. Pani Dunne krzyczy. Skryba charczy, jakby wymiotował, i pędzi do drzwi, upuszczając po drodze latarnię. Agnes ją chwyta z wielką przytomnością umysłu; na szczęście szkło tylko pękło, nie wypadło, i płomień nie gaśnie. Słyszymy płynące z zewnątrz odgłosy gwałtownego wymiotowania.

Pani Dunne się odwróciła, ale nie straciła godnego podziwu opanowania. Pal diabli koronera, myślę; mocno chwytam całun, oddzieram długi pas i obwiązuję głowę nieboszczyka, żeby usta już nie były tak strasznie rozdziawione. Żołądek podchodzi mi do gardła jak na silnej fali oceanicznej, gdy dotykam cienkich włosów, ale kiedy zawiązuję węzeł, biedak wygląda trochę przyzwoiciej. Zastanawiam się, czy nie zamknąć tych strasznie wytrzeszczonych oczu, ale rezygnuję na samą myśl o tym, co spływa z oczodołów. Mam zbyt wrażliwy żołądek, by wyświadczyć mu tę ostatnią uprzejmość. Patrzę na niego w blasku świecy. Robert Dunne miał szeroką twarz o niskim czole, silną, kanciastą szczękę i długie, ale przerzedzone włosy. Choć twarz jest plamista i rozdęta, mam jakie takie pojęcie, jak wyglądał za życia. Stał się człowiekiem jak ja, jak każdy inny, zamiast być tylko kłopotem.

– Jeśli postawią na swoim – mówi pani Dunne głosem stłumionym przez chusteczkę – zostanie pogrzebany w tej płachcie, wrzucony do bezimiennej mogiły na rozstajach za miastem, z kołkiem w sercu.

– Karanie człowieka, który już wymierzył sobie najwyższą karę, wydaje mi się okrucieństwem – mruczę. Trudno mi uważać samobójstwo za grzech tej samej wagi co morderstwo; często pytam, dlaczego w ogóle miałoby być grzechem. Jeśli człowiek z natury jest melancholikiem, czy tak naprawdę można go winić, jeśli melancholia przejmie nad nim władzę? Nieraz w moim życiu, szczególnie na uchodźstwie, poznałem czarny błysk rozpaczy i aż nazbyt dobrze zrozumiałem powab zapomnienia, obietnicę końca ciągłej bitwy istnienia. Oczywiście, Pismo Święte nam mówi, że wcale nie ma końca, jest tylko początek, ale na ten temat mam własny pogląd i tylko wiara, że jeszcze nie dałem światu wszystkiego, co mam do zaofiarowania, powstrzymuje moją rękę. Może to arogancja, ale spełnia swoją rolę.

– Mój mąż sam się nie zabił, doktorze Bruno – oświadcza stanowczo przez chusteczkę. – Miej to na uwadze. Chociaż zasadniczo się z tobą zgadzam. I jeszcze gorsze jest karanie osieroconych bliskich. – Ruchem głowy wskazuje ciało. – Możesz coś powiedzieć na podstawie wyglądu ciała?

Zerkam na nią. To rzeczywiście inteligentna kobieta; przynajmniej tyle mogę dla niej zrobić, że nie pozwolę jej traktować jak dziecka.

– Gdy człowiek kona wskutek powolnego duszenia, jak podczas wieszania za szyję – mówię, wskazując twarz Dunne'a – nacisk powoduje, że pękają żyły w twarzy i oczach, wskutek czego widać szkarłatne znaki na skórze. Oczy są bardziej wytrzeszczone, język bardziej wysunięty.

Z zadumą kiwa głową.

– Tak, kiedyś widziałam powieszoną za czary kobietę, której nie było stać, żeby zapłacić komuś za pociągnięcie jej za nogi. A jeśli zmarł w jakiś inny sposób... nie można tego poznać? – Jej oczy niespokojnie wracają do zwłok męża.

– Najpewniej można by to określić zaraz po znalezieniu ciała. Po dwóch lub trzech dniach krew spływa do najniżej położonych części i skóra zaczyna ciemnieć. *Rigor mortis* już minął i pani mąż przeszedł na drugą stronę, twarz zaczyna tracić kształt, jaki miała za życia. – Kręcę głową. – Niepodobna nic stwierdzić na pewno. Medyk może go otworzyć, szukając śladów trucizny, choć nawet to może być trudne na tym etapie rozkładu.

W milczeniu wpatruje się w zwłoki. Chusteczka, którą wciąż trzyma na ustach i nosie, uniemożliwia odczytanie jej wyrazu twarzy.

– Powiadają, że gdy ktoś zostaje zamordowany, obraz mordercy utrwala się w oczach ofiary – odzywa się niespodziewanie służąca Agnes i oboje aż podskakujemy z wrażenia. – Chociaż nie jestem pewna, jak by to było w przypadku samobójstwa.

Pani Dunne się obraca i patrzy na nią z nieskrywaną pogardą.

– Śmiało, Agnes, możesz się przyjrzeć z bliska. Byłoby łatwiej dla nas wszystkich, gdybyś mogła nam powiedzieć, kogo zobaczyłaś.

Agnes się kuli, może żałując, że nie zachowała swoich mądrości dla siebie. Zapada cisza, zmącona tylko przez senne brzęczenie much. Staram się nie myśleć, skąd pochodzą.

– Czy mam odejść, pani, żebyś się mogła pożegnać ze zmarłym? – pytam, kiedy nie mogę wytrzymać tu dłużej. Ciało Roberta Dunne'a nie ma mi nic do powiedzenia i pilnie potrzebuję świeżego powietrza.

Pani Dunne jakby się budzi z zadumy. Lekko się wstrząsa i obraca w moją stronę.

– Nie. Odejdźmy stąd. – Rzuca na męża ostatnie spojrzenie. – Biedny Robert – mówi i w jej tonie nie brakuje litości. – Nie wierzę, że zmarł z własnej ręki, doktorze Bruno, ale też nie wątpię, że zabiegał o śmierć. W ten czy inny sposób, sam stał się jej narzędziem.

Wychodzimy na przykościelny cmentarz. Wciągam słone powietrze do płuc z takim zapałem, aż kręci mi się w głowie i muszę przytrzymać się muru. Skryba krąży przy drzwiach krypty, zawstydzony, w butach zbryzganych wymiocinami. Czując ich woń, znów zaczynam się krztusić. Dopiero gdy oddajemy latarnię i zostawiamy skrybę, żeby zamknął drzwi, pani Dunne odejmuje chusteczkę od twarzy i oddycha niepewnie, jakby nie ufała powietrzu. Jest blada i po kilku chwiejnych krokach się potyka. Chwytam ją za ramię i prowadzę do płaskiego nagrobka, gdzie siada z wdzięcznością.

– Zabiegał o swoją śmierć? – pytam, gdy widzę, że nieco koloru wróciło na jej policzki. – Jeśli mam pomóc, muszę wiedzieć, w co był zamieszany.

Obrzuca mnie długim spojrzeniem i bawi się woalem.

– Znasz historię Thomasa Doughty'ego, jak sądzę?

– Znam nagie fakty.

Mruży oczy.

– To znaczy, że znasz wersję sir Francisa Drake'a. Wyznaczył Roberta na jednego z przysięgłych, którzy uznali Thomasa Doughty'ego za winnego zdrady. Robert miał wyrzuty sumienia z powodu swojej roli w procesie. – Ścisza głos. – Powiedział, że w zasadzie nikt z obecnych, z wyjątkiem najbliższych popleczników Drake'a, tak naprawdę nie wierzył, że Drake miał prawo stracić Doughty'ego, który pochodził ze szlachetnego rodu. Wielu z nich, nawet sędziowie przysięgli, uważało, że jego śmierć była równoznaczna z morderstwem, ale za bardzo się bali wystąpić przeciwko Drake'owi na drugim końcu świata. John, brat Doughty'ego, o mało nie stracił zmysłów, jak mówił Robert, i rzucił klątwy na wyprawę i każdego człowieka, którego obwiniał o śmierć Thomasa.

– Ale twój mąż, pani, bezpiecznie powrócił do Anglii, co świadczy przeciwko mocy klątwy Johna Doughty'ego – zaznaczam.

Ściąga usta.

– Powiedz to żeglarzowi. Inne okręty przepadły. Po naszym ślubie i przeprowadzce do Dartington John Doughty zaczął pisać do mojego męża. W tym czasie przebywał w więzieniu. Nie wiem, co zawierały te listy, ale Robert był nimi poważnie zatroskany.

– Groźby, jak sądzisz?

– Nie chciał mi powiedzieć, chociaż jestem przekonana, że tak. Robert był przesądnym człowiekiem. Wezwał prezbitera, by pobłogosławił dom, ale też wysłał Agnes do kabalarki i obwiesił dom talizmanami przeciwko czarom.

– Podobno John Doughty je praktykował.

Kiwa głową.

– Tak, wiem. W tym roku mój mąż otrzymał wieści, że dwóch członków rady przysięgłych zmarło przedwczesną śmiercią. Później się dowiedział, że miało to miejsce po zwolnieniu Johna Doughty'ego z więzienia. Opętała go myśl, że Doughty ich zabił za pomocą magii. W kwietniu zostaliśmy zaproszeni na dwór i spędziliśmy kilka tygodni w Londynie. Tam dwóch mężczyzn złożyło nam niezapowiedzianą wizytę. Robert wyszedł z nimi na kolację, choć poznałam, że czyni to wbrew własnej woli. Jednym z nich był John Doughty.

– A drugi... niech zgadnę, mężczyzna bez uszu?

Szeroko otwiera oczy.

– Znasz go, Bruno?

– Blizny po ospie i nadzwyczaj niebieskie oczy?

Kiwa głową, wciąż zdumiona.

– Tak sądzę. Nazywa się Rowland Jenkes.

– Podał Robertowi francuskie nazwisko, choć dla mnie nie za bardzo wyglądał na Francuza. Mąż mi nie powiedział, co zaszło na tym spotkaniu, ale nazajutrz zastałam go podczas pakowania sakwojaży. Powiedział, że musi jechać w interesach do Plymouth. Więcej go nie widziałam. – Milknie, patrzy na dłonie w rękawiczkach złożone na podołku. Służąca Agnes pokasłuje. – To znaczy... – Pani Dunne gwałtownie unosi głowę, nagle zakłopotana – przyjeżdżał od czasu do czasu, zaglądał z wizytą. Ostatni raz był w domu może trzy miesiące temu. – Powiedziała to ze szczególnym naciskiem, jakby została przyłapana na kłamstwie. Staram się nie pokazać, że to zauważyłem.

– Ale prawie na stałe mieszkał w Plymouth?

– Najął tu kwaterę. Napisał w liście, że znalazł sposób na wyjście z długów, że zamierza dołączyć do sir Francisa i ruszyć na kolejną wyprawę do Nowego Świata, skąd powróci jako majętny człowiek.

– Ani słowa o Doughtym i fałszywym Francuzie bez uszu?

– Nie wspomniał o nich więcej. Ale od dawna nie patrzył w przyszłość z takim optymizmem. Byłam przekonana, że podróż mu wyjdzie na dobre. Zawsze lepiej się czuł na morzu.

– Nie obawiałaś się o jego życie, pani, podczas kolejnej wyprawy? Nie czułaś, że będzie ci go brakować?

Jej rysy tężeją.

– Jak wcześniej, pokładałam ufność w Bogu, że bezpiecznie sprowadzi mojego męża do domu, jeśli taka będzie Jego wola. Co do tęsknoty... – Milknie, zastanawiając się nad odpowiedzią. – Wyraźnie jesteś bystrym człowiekiem, doktorze Bruno, i wątpię, czy umknęło waszej uwagi, że nie szaleję z rozpaczy. Poślubiłam Roberta zbyt szybko po naszym poznaniu, więc Bóg dał mi potem dużo czasu, bym tego pożałowała. Nie miałam nic przeciwko długotrwałej nieobecności, zwłaszcza że w jej następstwie mój mąż miał uregulować długi.

Gdy patrzę na jej surowy profil, precyzyjny przedziałek i włosy uczesane w kok pod woalem, trudno mi sobie wyobrazić, że robi jakiś nieprzemyślany czy impulsywny gest.

– Nie masz pojęcia, jak to było, gdy jego majątek i mój posag niczym woda przeciekały mu przez palce. Gdy służący odchodzili jeden po drugim, aż została mi tylko Agnes, z lojalności, a nie dlatego, że mogę jej płacić tyle, na ile zasługuje. Gdy musiałam odrzucać zaproszenia, udając chorą, bo nie było stać mnie na odpowiednią suknię. – Jej głos stał się napięty; po raz pierwszy widzę, że jest bliska łez. – Ponieważ mój mąż – nieomalże wypluwa ostatnie słowo – postawił wszystko na rzut kości. Ale to wcale nie oznacza – patrzy mi w oczy, spokojna i poważna, jakby stała na miejscu dla świadków – że rada jestem z jego śmierci. Zwłaszcza takiej. – Milknie, ponownie przyciskając do ust zwiniętą chusteczkę.

Takiej? Czy chodzi jej o to, że dla niej niewygodnej?

Waham się przed zabraniem głosu, niepewny, czy mądrze robię, wyjawiając, co wiem. Postanawiam być szczery w nadziei, że się zrewanżuje.

– Jestem przekonany, że John Doughty przebywa tutaj, w Plymouth.

Obraca się powoli, żeby na mnie spojrzeć, opuszczając chusteczkę.

– Jeśli to prawda, zatem nie może być wątpliwości, że mój mąż został zamordowany.

– Sir Francis mówi, że nikt nie mógłby niepostrzeżenie dostać się na jego statek.

Prycha lekceważąco.

– Sir Francis powie wszystko, co jest mu na rękę. Doughty mógł mieć wspólnika na pokładzie. Proponuję skierować dochodzenie w tym kierunku. – Poprawia woal. – Sądzę, że odzyskałam siły na tyle, żebyśmy mogli wrócić. Idziemy?

Oferuję jej ramię, ale mnie ignoruje. Idziemy ku krzyżowi na rynku w milczeniu, pogrążeni we własnych myślach, z pełną dezaprobaty Agnes za plecami. Gdy schodzimy ze wzgórza na cieplejsze ulice, które wiodą na nabrzeże, zwracam się do pani Dunne:

– Gdzie jest kwatera, którą twój mąż, pani, najął w Plymouth?

– Nie wiem. Nie bywałam tutaj. Coś taniego, jak sądzę. Nie było go stać na ekstrawagancje. Dlaczego... Uważasz, że można tam coś znaleźć?

– Nie wiem. Na pokładzie miał niewiele rzeczy osobistych. Może zostawił jakąś wskazówkę w kwaterze.

– Sir Francis przekazał mi to, co znaleziono w jego kajucie. Kilka ciekawych przedmiotów... – Skubie koźlęcą skórkę rękawiczek na czubkach palców. – Na przykład, bogato zdobiony modlitewnik.

– Widziałem. Piękny egzemplarz.

– Nie należał do Roberta. Podobnie, jak przypuszczam, ukryta w nim sakiewka.

– Skąd ta pewność?

– Gdyby mój mąż posiadał taką cenną książkę, dawno temu sprzedałby ją za żywą gotówkę albo oddał w zastaw. – Porywisty wiatr grozi, że zerwie jej woal. Unosi ręce, żeby go poprawić. – Co zaś się tyczy pięciu złotych aniołów... Robert nigdy dłużej niż przez jeden dzień nie utrzymał takich pieniędzy w ręce.

– Mógł je wygrać?

Parska cynicznym śmiechem.

– Może gdyby piekło zamarzło.

– Może to zapłata?

Wygląda na to, że ta sama myśl wpadła jej do głowy.

– Nie wiem. Obawiam się, że mój mąż został przymuszony do konszachtów z Johnem Doughtym i jego kompanem bez uszu, poza tym uważam, że było to coś sprzecznego z prawem. Wydawał się poważnie strapiony przy tych kilku okazjach, kiedy się widzieliśmy po jego wyjeździe do Plymouth.

– Ale nie na tyle strapiony, żeby się targnąć na życie. Tego, pani, jesteś pewna.

Patrzy na mnie z ukosa.

– Nie. Nie aż tak strapiony.

– Podobno John Doughty zamierza zabić Drake'a i ubiegać się o nagrodę wyznaczoną przez króla Hiszpanii. Nie dopuszczasz myśli...? – Pozwalam, żeby w duchu dopowiedziała resztę. Przystaje i unosi woal, żeby na mnie spojrzeć.

– Robert? Myślisz, panie, że był w to zamieszany? – Kręci głową, jakby sama siła tego ruchu mogła zadać kłam tym słowom. – Nie. To niemożliwe. Wielbił sir Francisa. Oddałby życie, by włos nie spadł mu z głowy.

– Może właśnie to zrobił.

Gdy podchodzimy do drzwi frontowych gospody Pod Gwiazdą, niewielka sylwetka odrywa się od muru i z krzykiem rzuca w naszą stronę.

Sam zatrzymuje się z poślizgiem, jego twarz jaśnieje z zadowolenia.

– Panie! Znalazłem kurwę, której szukałeś!

– Ach... dziękuję, Samie. Szybko się uwinąłeś. – Obracam się ku pani Dunne, która patrzy na mnie rozbawiona. Przez chwilę rozważam zaoferowanie wyjaśnień, ale nie ma takich, które nie obejmowałyby wyjawienia, że jej świętej pamięci mąż był częstym gościem w burdelu. Może już wie, ale mówienie jej o tym w kilka minut po ostatnim pożegnaniu z nieboszczykiem świadczyłoby o mojej bezduszności. Dlatego tylko wzruszam ramionami i uśmiecham się do niej bezradnie.

– Mogę do niej zaprowadzić, jeśli ci, panie, śpieszno – proponuje Sam, zaciskając rękę na moim nadgarstku. Jego twarz czerwienieje z wysiłku, gdy próbuje pociągnąć mnie za sobą. Jak na takiego malca wcale nie jest słabeuszem.

– Nie zwlekaj, panie, z mojego powodu – mówi lekkim tonem pani Dunne. Słyszę, jak Agnes głośno cmoka za moimi plecami.

– To nie to, na co wygląda... – zaczynam, ale przerywa mi lekceważącym gestem.

– Nie pragnę się wtrącać w twoje sprawy, doktorze Bruno. Dziękuję za towarzystwo. Spodziewam się spotkania przy kolacji. – Nie może się powstrzymać od złośliwego uśmiechu, gdy składam jej lekki ukłon.

– Idealnie wybrałeś chwilę, Samie – mówię pod nosem, pozwalając mu się pociągnąć, gdy kobiety otwierają drzwi.

– To twoja żona, panie? – Smarkacz puszcza do mnie oko.

– Moja żona? Boże uchowaj! – przeczę z większym naciskiem, niż potrzeba.

– To dobrze. Wygląda jak każda z nich, najpierw cała w uśmiechach, a potem… Bum! Ni z tego, ni z owego trzepie cię po uszach – mówi, mądrze kiwając głową, jakby to znał z doświadczenia.

– Może masz rację. Ale powinieneś być miły, Samie, ta pani niedawno straciła męża. Jest w żałobie.

– Nie wygląda na zasmuconą – oznajmia z szelmowskim uśmiechem. Dzieciak nie jest głupi.

13

Po drugiej stronie Sutton Pool, na krańcu portu, ciemne, wąskie uliczki cuchną nędzą i zaniedbaniem. Stojące wzdłuż nich rudery opierają się jedna o drugą jak krzywe, spróchniałe zęby. W oknach zamiast szyb jest płótno workowe w melancholijnym rytmie łopoczące na wietrze. Sam zwinnie śmiga po zrytym koleinami gruncie; kilka razy mu przykazuję, żeby zwolnił, gdyż muszę starannie wybierać drogę, by nie wpaść w breję wylewającą się z rynsztoków. Jestem świadom, że niezliczone oczy obserwują mnie z progów domostw i wylotów zaułków, z mroku zrujnowanych budynków. Dzikie puste oczy w wygłodniałych twarzach śledzą każdy krok, jakby mogły przepalić mój kaftan i zobaczyć ukrytą pod nim sakiewkę. We Włoszech tacy ludzie wbiliby nóż w plecy za pół bochenka chleba, co dopiero dla sakiewki, która nakarmiłaby całą rodzinę albo pozwoliła nurzać się w pijaństwie przez miesiąc. Wciąż trzymam dłoń na rękojeści noża, ale ku mojemu zaskoczeniu nikt nie wyskakuje z cienia, broń nie błyska w mroku – ledwie się poruszają, gdy przechodzę, nieruchomi z wyjątkiem błysku czujnych oczu. Może brak im woli, żeby zdobyć się na wysiłek, jakiego wymagałaby walka. Tutaj nawet mewy krzyczą jak gdyby z rezygnacją.

– Nie chciałbyś przyjść tu sam, panie! – krzyczy Sam przez ramię ze znajomością tematu. Może chroni mnie jego obecność.

– Dobra rada – mówię, omijając wielki stos świeżego łajna, może byłą własność jednego z depczących po ulicy wychudzonych psów, a może nie.

– Mieszka tu mnóstwo kurew – powiada radośnie. – Nie można się od nich opędzić, jak mówi mój wujo. Tutaj przychodzą marynarze, gdy są spłukani do ostatniego miedziaka. Zabierają z sobą więcej, niż zapłacili, mawia mój wujo. Już niedaleko, panie.

Przystaje przed niskimi drzwiami i je popycha. Za nimi widać cuchnącą uryną i piwem obskurną izdebkę. Ściany wyglądają tak, jakby cierpiały na skrofulozę, łaty wilgotnego tynku wybrzuszają się i łuszczą, odsłaniając końskie włosie i gruz utknięty w zagłębieniach. Kilku mężczyzn garbi się na stołkach wokół stołu, śpiąc po pijaństwie, a na ich ramionach wiszą kobiety o martwych oczach, z piersiami wyciągniętymi ze staników brudnych sukien. Jedna z tych nieszczęśnic się budzi, gdy wchodzimy, i podejmuje żałosną próbę wygładzenia spódnicy.

– To ty, Sam? Co cię sprowadza, skarbie?

Staram się nie okazać obrzydzenia na jej widok, ale jej powierzchowność wzbudziłaby grozę i litość w każdym, kto ma w sobie bodaj odrobinę ludzkich uczuć. Jest chuda jak szczapa, na jej twarzy i klatce piersiowej widać czerwone wrzody, które obwieszczają światu, że choruje na kiłę. Włosy zwisają w strąkach, a gołe placki w miejscach, gdzie zostały wyrwane albo same wypadły, są pokryte strupami. Czy naprawdę mam przed sobą dziewkę, która niedawno była wybranką Roberta Dunne'a? To niemożliwe. Obrzucam Sama ostrym spojrzeniem. Może mnie nabrał, może zwabił do tych zdesperowanych ludzi, wiedząc, że mam pieniądze.

– Eve? – pytam niepewnie.

– Jak tylko chcesz – mówi odruchowo, z trudem skupiając na mnie wzrok. – Skąd przypłynąłeś, skarbie? – mamrocze, ospale zmieniając pozycję. Piersi ma pomarszczone i bezkształtne z niedożywienia. – A zresztą… wezmę, ile masz. Chcesz tutaj czy na ulicy?

Znowu patrzę na Sama, tym razem z większą niecierpliwością. Chłopiec szczerzy zęby.

– Ten dżentelmen chce się dowiedzieć, co z Eve – wyjaśnia, trzymając mnie za rękaw.

Dziewczyna nieco szerzej otwiera oczy i zdaje się, że dopiero teraz naprawdę mnie widzi.

– Czego chcesz od Eve? – Wsuwa strąk włosów za ucho i w tym geście jest jakiś ślad kokieterii. – Obiecuję, skarbie, że nie da ci więcej niż ja. – Parska chrapliwym śmiechem. – Nie mam racji? – Kopie najbliższego mężczyznę w kostkę, a on podnosi głowę ze stołu, coś mamrocze i zaraz potem znowu zasypia.

Nie wątpię w jej słowa. Ta kobieta wygląda tak, jakby mogła dać ci wszystko pod słońcem, myślę, starając się omijać wzrokiem wrzody na jej twarzy.

– Chcę informacji – odpowiadam. Mruga i siada wyprostowana, w skupieniu marszcząc brwi. – Gdzie ją znajdę?

– Eve... Pewnie została wysłana do gospodyni Mullen – mówi zaskakująco trzeźwo. – Tam je posyła, gdy są na tyle głupie, że pozwalają, żeby im rosły brzuchy. Jeszcze wtedy może z nich wycisnąć kilka pensów. – Unosi rękę i pociera kciuk i palec wskazujący w uniwersalnym geście chciwości.

– Ona? Chodzi ci o madame Grace?

Znowu rechocze, a jej śmiech kończy się suchym kaszlem.

– Madame Grace. Jest dla nas wszystkich jak matka. – Wypluwa flegmę na podłogę. – Co nie znaczy, że pamiętam własną matkę. Ale nie mogłaby być lepsza.

– Byłaś jedną z... – Jedną z dziewiczych westalek, zamierzałem powiedzieć. Wydaje się to niemal obraźliwe. Nie mógłbym określić wieku tej dziewczyny – może mieć od szesnastu lat do czterdziestu – ale przypuszczam, że ledwie pamięta swoje dziewictwo.

– Jedną z jej dziewczyn, jej dziewiczych westalek. Tak, panie. I spójrzcie na mnie teraz, czy nie jestem uosobieniem czystości? – Podnosi końce włosów, okręca je wokół palców w parodii kokieterii, potem pozwala, żeby jej ręka bezwładnie opadła.

– Co cię spotkało? – pytam delikatniej. – Miałaś dziecko?

– Nie, panie. Miałam innego pecha, takiego bez żadnej nagrody. – Wskazuje na twarz. – Dostałam to od jakiegoś hojnego dżentelmena. Nie miałam niczego na sprzedaż. – Wzrusza ramionami. – Jeśli nie możesz zarobić na utrzymanie, nie ma tam dla ciebie miejsca. Musiałam znaleźć nowy dom, jak widzisz. – Gestem ogarnia izbę.

– Co to znaczy, że nie miałaś niczego na sprzedaż? – pytam, próbując ją zrozumieć.

Przewraca oczami.

– To, co powiedziałam. Jeśli jakaś dziewczyna zachodzi w ciążę, ona wysyła ją do gospodyni Mullen, gdy już widać brzuch. Jest niańką, która za pieniądze trzyma język za zębami. Czekają do połogu, a potem, jeśli dziecko urodzi się zdrowe, madame Grace znajduje mu dom. Nie z dobroci serca. – Znowu pociera palce.

– Handluje dziećmi?

– Byłbyś zaskoczony, panie, ile pożytku mają ludzie ze zdrowego oseska – mówi dziewczyna, pochylając się, jakby dopuszczała mnie do konfidencji. – Weź dobrze urodzone kobiety, które nie mogą mieć potomstwa. Interes ubija się z góry, więc dama może wypychać suknię poduszkami i zniknąć na czas połogu, jeśli chce, żeby dziecko uchodziło za jej własne. Ale one zwykle chcą chłopców.

– A jeśli się zdarzy dziewczynka?

– Madame Grace opłaca ludzi, którzy będą ją wychowywać, dopóki nie stanie się przydatna. Naturalnie dla zysku.

– Dopóki nie będzie mogła pracować w burdelu? – Kręcę głową. Myślałem, że widziałem większość zepsucia znanego rodzajowi ludzkiemu, ale to coś nowego. – Hoduje własną stajnię. *Dio porco.* Musi od dawna uprawiać ten proceder. W jakim wieku zaczynają pracować?

Dziewczyna wzrusza ramionami.

– Gdy tylko zaczynają im rosnąć piersi. Jedenaście, dwanaście lat. Wielu klientów chciałoby młodsze, ale madame Grace mówi, że wtedy za prędko się zużywają.

– Uosobienie współczucia. – Wyobrażam sobie bezpłodną damę wypychającą suknie poduszkami, gdy czeka na zakup bękarta dziwki. Skojarzenie sprawia, że moje myśli przeskakują na panią Dunne, gdy ze smutkiem w głosie wspomniała, że nie doczekała się potomstwa. – A Eve? Czy to ją spotkało?

– Ach, Eve… była słodka. – Jej oczy robią się szkliste i opada na łokcie. Już myślę, że o mnie zapomniała, pogrążywszy się w zadumie, gdy nagle błyska szczerbatym uśmiechem. Brakuje jej większości zębów. – Miała coś, co można nazwać wrodzoną skromnością. Nietrudno było uwierzyć, że jest wstydliwą dziewicą. Sama prawie w to wierzyłam, chociaż wiedziałam, co robi każdej nocy. Panowie kochali małą Eve. – Znowu się śmieje i wypluwa coś, co jej podeszło do gardła. – Ale przypuszczam, że nawet jej szczęście się skończyło – dodaje ponuro.

– Gdzie znajdę gospodynię Mullen?

Siada prosto, z niepokojącą nagłością skupiając na mnie spojrzenie.

– Nie przyjmie cię. Trzyma dziewczyny poza zasięgiem wzroku. To, co robi, nie jest zgodne z prawem, ale władze przymykają oko. Ile to dla mnie warte? – Wyciąga brudną rękę. Dłoń jest pokryta pęcherzami kiły. Jej obwisłe piersi spoczywają na stole.

Sięgam do sakiewki i rzucam pensa na stół. W okamgnieniu zamyka monetę w garści i chowa w zanadrzu swoich łachmanów.

– Gdzie? – pytam ponownie.

– Za miastem, w Stonehouse. Przy nabrzeżu, biały dom na końcu wsi. Jak powiadam, zaczekaj, dopóki nie wyjdzie. Ma sługę, który pilnuje drzwi od frontu. Niektóre dziewczyny próbują stamtąd uciec, wiadomo. Ale na tyłach jest podwórko, gdzie mogą zażywać świeżego powietrza. Może tam zobaczysz Eve.

Dziękuję jej i kiwam ręką na Sama, który przez całą rozmowę stał cierpliwie oparty o ścianę, patrząc na nieprzytomnych mężczyzn z taką samą fascynacją, z jaką można obserwować rzadkie zwierzęta w menażerii.

– Nie chcesz ode mnie niczego innego, skarbie, dopóki tu jesteś? – pyta dziewczyna bez entuzjazmu, wysuwając biodro i kładąc na nim rękę, jakby chciała popisać się figurą, którą może kiedyś miała. – To znaczy, jeśli zapłacisz. – Śmieje się głucho, bo bardzo dobrze wie, jak wygląda. Zerkam na pijaków śpiących pokotem na stole. Czy mężczyźni wciąż jej płacą? Może w ciemności nie widać, czym się stała, biedne stworzenie.

Uśmiecham się.

– Nie, weź sobie dzisiaj wolne.

– Dziękuję, panie… Spędzę dzień na modlitwie. – Szczerzy zęby w uśmiechu i przysiada w lekkim dygu.

Wsuwam rękę w zanadrze i wyławiam groata.

– I kup sobie gorącą strawę… Jak masz na imię?

– To raczej nieważne, co nie? Nie sądzę, żeby ktoś zamierzał je wyryć na moim nagrobku. – Przyskakuje i chwyta monetę, a ja się wzdrygam, czując jej oddech. – Podobasz mi się, skarbie. Dałabym ci za darmo, tylko za ładny uśmiech. Nie zawsze byłam taka, wiesz – dodaje z niespodziewaną siłą. – Gdybyś mnie widział, kiedy byłam coś warta… – Patrzy na monetę, ramiona jej opadają.

– Jeszcze jedno – mówię przy drzwiach. – Czy w Domu Westy poznałaś niejakiego Roberta Dunne'a? Albo Johna Doughty'ego?

– Zapewne – chrypi i zanosi się śmiechem, który znowu przechodzi w kaszel. – Pewnie obu naraz. Nigdy nie podają prawdziwych nazwisk, chyba że są głupi i wierzą, że się zakochali.

– Oczywiście. – Zdaję sobie sprawę, że palnąłem głupstwo. Nawet jeśli znajdę tę Eve, skąd będę miał pewność, że powie mi cokolwiek o Robercie Dunnie? Może nie znała go pod tym nazwiskiem, a mnie trudno go będzie opisać, bo przecież widziałem tylko mężczyznę martwego od trzech dni.

Gdy wychodzę, mówi:

– Pozdrów Eve ode mnie, dobrze?

Odwracam się.

– Nadal nie znam twojego imienia.

Przystaje, spuszcza oczy.

– Sara. Pod takim imieniem mnie znała.

– Dobrze, Saro. – Kiwam głową. – Wiesz, to słowo znaczy „księżniczka".

– Naprawdę? – Zastanawia się nad tym przez chwilę. – Czyż nie jestem, kurwa, piękną księżniczką? – Ze szczerbatym uśmiechem lekko podnosi spódnicę, przypada w dygnięciu i posyła mi całusa. Przynajmniej umie się jeszcze uśmiechać. Znam skutki zarażenia kiłą; najlepsze, na co może mieć nadzieję, to szybkie pogrążenie się w obłędzie.

Rzadko czułem większą radość z wyjścia na powietrze, którym można oddychać; nawet uliczki wokół czynszówek wydają się lepsze po smrodzie tej nory. W moich nozdrzach zalega odór tak gęsty, iż jestem gotów uwierzyć, że zaraziłem się bez dotykania dziewczyny. Stoimy z Samem na nabrzeżu, czując wiatr na twarzach, pozwalając mu unieść ohydny fetor. Jestem cały obolały i ciążą mi powieki; niczego bardziej nie pragnę, niż wrócić Pod Gwiazdę i paść na łóżko. Chciałbym również wiedzieć, czy Jonas już się pokazał, bo jego zniknięcie budzi we mnie niepokój. Ale słońce stoi wysoko nad głową, choć wciąż zasnute chmurami, i zbliża się południe, a ja ani o krok nie zbliżyłem się do rozwiązania zagadki. Jeśli do jutra mam się dowiedzieć czegoś pożytecznego, muszę sprawdzić każdy trop, jakkolwiek nikły. Niczym świnia szukająca trufli, jak poetycko ujął to Sidney. Zastanawiam się, czy go nie poprosić, żeby poszedł ze mną na poszukiwanie domu gospodyni Mullen, która hoduje młode dziewczęta jak klacze. Dochodzę do wniosku, że muszę się tam dostać ukradkiem, co będzie łatwiejsze do wykonania na własną rękę.

– Idziemy do Stonehouse? – pyta Sam, jakby czytając z moich myślach.

– Czy twoja matka na ciebie nie czeka?

Kręci głową.

– Nie ma jej.

– Kto zatem daje ci jeść?

Marszczy brwi, jakby nie zrozumiał pytania.

– Szukamy tego, co spada ze straganów.

Uśmiecham się.

– Dużo spada?

– Tak, gdy ludzie na nie wpadają. To nie kradzież – dodaje zapalczywie – jak się potrąci kram przez przypadek. W każdym razie nie znasz, panie, drogi do Stonehouse. Ja wiem, gdzie stoi dom, o którym mowa. Jestem potrzebny, żeby wskazać drogę. – Wsuwa małą rękę pod moje ramię, jakbyśmy dobili targu. Uświadamiam sobie, że jestem dla niego kimś w rodzaju Anioła Stróża, który spadł z nieba z bezdenną sakiewką. Ale co więcej, dzięki mnie czuje się potrzebny, a to z kolei sprawia, że czuje się ważny. Patronat w mikroskali, myślę, obejmując jego chude ramiona; odzwierciedlenie moich obecnych relacji z sir Francisem Drakiem.

– W takim razie idziemy – mówię. – Pokaż mi drogę do Stonehouse. Ale najpierw wstąpimy do jakiejś przyzwoitej tawerny na gorący posiłek.

Unosi rozświetlone oczy, nie posiadając się ze zdumienia.

– Z mięsem?

– Z mięsem. I nie będziemy przez przypadek strącać niczego ze stołów. Zgoda?

Malec promienieje – ktoś mógłby pomyśleć, że obiecałem mu fajerwerki i cukrowy zamek.

– Zgoda, panie. – Z powagą kładzie rękę na sercu. – Nawet gdyby coś leżało bardzo blisko brzegu.

14

Ponury wał chmur nadciągnął znad zatoki i przysłania słońce, gdy kuśtykamy do Stonehouse, małej wioski z przysadzistymi domkami wokół wzniesienia po drugiej stronie przylądka. Przez większą część drogi Sam przywierał do moich pleców jak małpka, otaczając moją szyję chudymi ramionami. Nie skarżył się, lecz odgadłem, że bolą go stopy okręcone szmatami, więc zaproponowałem, że przeniosę go przez kamienisty odcinek drogi. Kiedy pytam o buty, twierdzi, że nigdy żadnych nie miał, i patrzy na mnie tak, jakbym chciał wiedzieć, czy posiada własny powóz. Chłopiec waży nie więcej niż moja sakwa, ale przy każdym kroku jego kolana obijają się o moje posiniaczone żebra. Po przejściu mili żałuję, że wybrałem się do Stonehouse.

Zimny wiatr omiata klify, chmury sprawiają, że wszystko wokół nas jest szarozielonobrązowe.

– To nazywacie latem? – zagaduję Sama. – Tam, skąd pochodzę, w połowie zimy jest cieplej niż tu teraz. – Chcąc podnieść nas obu na duchu, opowiadam mu o italskim lecie, o feerii kolorów wokół Zatoki Neapolitańskiej: szokujący błękit morza i nieba, jasne słońce, białe domki i kościoły obrośnięte czerwoną i fioletową obfitością bugenwilli, zachody słońca tak dzikie i niesamowicie kolorowe, aż strach patrzeć, bo morze wygląda, jakby stanęło w płomieniach, jak w dzień końca świata. Dorodne cytryny wiszące na drzewach, ciemne lśniące winogrona, które można jeść prosto z pędów. Potem opowiadam mu historię Pliniusza Młodszego o chłopcu, który zaprzyjaźnił się z delfinem i pływał na jego grzbiecie w zatoce. Kiedy Sam pyta, czy też to kiedyś robiłem, daję się ponieść fantazji i mówię, że neapolitańscy chłopcy jeżdżą na delfinach do szkoły, a syreny kiwają do nich rękami, splatając swe złote włosy w warkocze.

– Też je mamy – mówi, wcale nieporuszony.

– Co, syreny?

– Tak. Wylegują się na skałach, gdy jest słonecznie. Nasze nie mają złotych włosów. Mają wąsy. Są bardziej podobne do psów.

– To foki. Italskie syreny są najpiękniejszymi dziewczętami na świecie. Nie mogą żyć w angielskich wodach, bo są za zimne.

– To dlaczego tu przybyłeś, panie? – Macha ręką, wskazując leżące przed nami posępne estuarium, gdy droga schodzi w kierunku skupiska domów.

– Pewni ludzie chcą mnie zabić – odpowiadam. Okłamywanie dziecka nie ma sensu.

– Aha. – Rozmyśla nad tym. – Dlaczego?

– Prowokuję ludzi. Czasami rozmyślnie. Kiedyś nawet nie zdawałem sobie sprawy, że to robię. Coś z moją twarzą musi być nie w porządku.

Poważnie kiwa głową.

– Czasem wujo daje mi klapsa za nic. Tak po prostu.

– Wobec tego rozumiesz.

– Kiedy dorosnę, będę miał statek jak sir Francis Drake – oznajmia – i będę walczyć z Hiszpanami, i przywiozę skarby do domu, i wtenczas wujo nie ośmieli się więcej mnie trzepnąć, a mój brat nie zepchnie mnie do wody ani nie będzie we mnie strzelał kamieniami z procy.

– Słusznie. Wtedy wszyscy będą cię tytułować kapitanem. A teraz znajdźmy ten dom.

Śmieje się i mocniej obejmuje mnie za szyję. Idziemy jeszcze kilka jardów. Na obrzeżach wioski stawiam go na ziemi, posapując z bólu, który kłuje mnie w boku.

Rozpoznaję miejsce opisane przez Sarę: pobielony dom stojący z dala od innych przy końcu ulicy od strony ujścia. Spłacheć drogiego przesianego piasku ciągnie się od drogi do wody o barwie błota. Mewy patrolują plażę, pełnią wartę na przewróconych do góry dnem łodziach rybackich. Przyglądam się domowi. Wszystkie okiennice są zamknięte.

– Teraz chyba będziemy czekać, aż gospodyni wyjdzie – mówię, wodząc wzrokiem dokoła w poszukiwaniu odpowiedniej kryjówki. Kilka jardów dalej na plaży leży niewielka łódź, która się nam przysłuży.

– Może Eve już tu nie ma – zauważa Sam.

– Dziś jesteś bystrzejszy ode mnie. Jak się dowiemy?

Zastanawia się.

– Mogę zapukać do drzwi i o nią zapytać.

– A jeśli otworzy gospodyni Mullen?

– Powiem, że mam wiadomość dla Jem. A jak powie, że tu nie ma żadnej Jem, odejdę i wrócimy później.

– Brawo. Zasługujesz na dzisiejszy wikt, Samie. Czekaj, aż się ukryję w tej łodzi. Jeśli będzie w domu, odejdź, żeby nie nabrała podejrzeń.

Truchta, a ja się chowam w łodzi, obserwując drzwi. W końcu otwiera je niska, gruba kobieta w fartuchu, z włosami schowanymi pod białym czepcem. Kręci głową i wskazuje w głąb ulicy, po czym zatrzaskuje drzwi Samowi przed nosem. Chłopiec wolnym krokiem idzie w kierunku cypla, przeskakuje nad niskim falochronem i sadowi się na piasku, żeby czekać. Ja spędzam czas na próbie uporządkowania faktów dotyczących śmierci Dunne'a wedle systemu zapamiętywania, który opracowałem dla króla Henryka w Paryżu, ale informacje nie chcą się ułożyć w schludne koncentryczne kręgi, tylko wzlatują i rozpraszają się niczym stado szpaków. Guano mewy rozbryzguje się na deskach łodzi o cal od mojego ramienia. Wzdrygam się i ten ruch sprawia, że drżenie bólu przenika moje żebra. Powieki mi ciążą; pozwalam im opaść i wyobrażam sobie Zatokę Neapolitańską, błękitną i srebrną, rozmigotane ogony delfinów i syren wznoszące się nad powierzchnię wody.

Chwilę później gwałtownie otwieram oczy. Sam stoi nade mną i trąca mnie w ramię.

– Spałeś, panie – mówi z umiarkowaną przyganą.

– Wcale nie. Rozmyślałem. Co się stało?

Wskazuje uliczkę przed nami; krępa kobieta w szalu na ramionach człapie ku wiosce z dużym trzcinowym koszem w zgięciu ręki. Kiedy skręca i znika z pola widzenia, pędzimy po mokrym piasku do domu.

Ścieżka wiedzie na tyły, wzdłuż ogrodu otoczonego murem niewiele wyższym niż człowiek. Na tyłach jest drewniana furtka, ale zamknięta. Zza muru płyną przyciszone kobiece głosy. W ogrodzie rosną drzewa, gałęzie wystają za mur.

– Wdrap się i zorientuj się, czy można kogoś zobaczyć – mówię do Sama, wskazując jabłoń. – Jeśli jakiś mężczyzna pilnuje dziewczyn, od razu zeskakuj na ziemię. Jeśli nie, spróbuj przyciągnąć ich uwagę. Szukamy tej, która zwie się Eve.

Podnoszę go na ramionach, a on chwyta najniższą gałąź i podciąga się, zwinny jak kot. Przełazi po gałęzi i siada w rozwidleniu, już w ogrodzie, kołysząc chudymi nogami.

– Za wcześnie na podkradanie jabłek, chłopcze! – Z dołu płynie dziewczęcy okrzyk.

– Nie kradnę! – odkrzykuje Sam. – Szukam dziewczyny!

Odpowiadają mu frywolne chichoty.

– Wróć za dziesięć lat, skarbie, kiedy będziesz miał pieniądze w garści – mówi jedna z dziewczyn.

– Mój pan ma pieniądze. – Sam nonszalancko macha nogami. – Szuka dziewczyny o imieniu Eve. Chce z nią pogadać.

Mój pan, myślę. Jest w tym coś dziwnie poruszającego.

– Twój pan? – pyta druga dziewczyna z niepokojem w głosie. – Jest żeglarzem?

– Jest z okrętu kapitana Drake'a.

Kobiety wdają się w rozmowę, z której nie mogę nic ułowić, gdyż słowa padają w krótkich, podekscytowanych wybuchach.

– Mnie wołają Eve – oznajmia jedna z dziewczyn. – Kiedy mogę go zobaczyć? – pyta bez tchu, a ja już wiem, że będzie srodze zawiedziona.

– Teraz – mówi Sam, wskazując w dół. – Jest tutaj.

– Powiedz mu, że jestem w zamknięciu, nie możemy wychodzić. Będzie musiał się wspiąć tam gdzie ty.

Klnę w duchu. Sam posłusznie sunie po gałęzi drzewa i przysiada na murze, kiwając do mnie, że mam do niego dołączyć. Chwytam oburącz wierzchołek muru i podskakuję, rozgrzane do białości igły bólu przeszywają mój prawy bok. Gdy się podciągam, trzymając gałęzi, dziewczyna głosem pełnym nadziei szepcze:

– Robert?

W dole widzę schludnie utrzymany ogród, dalej sad, a od strony domu żywopłoty i grządki, na których rosną zioła. Ogród jest na tyle duży, że tutaj, w dzikszym końcu, nie podsłucha nas nikt z domu. Spod ściągniętych brwi patrzy na mnie dziewczyna o okrągłej ładnej twarzy, z włosami ukrytymi pod białym czepkiem. Ma szary fartuch, który bezkształtnie opada z chudych ramion. Choć słońce chowa się za chmurami, ocienia ręką oczy i patrzy na mnie twardo. Zgodnie z moimi przewidywaniami, jest zawiedziona.

– Kim jesteś?

– Mam na imię Giordano.

– Jak?

– Nieważne. Ty jesteś Eve?

Kiwa głową, po czym rzuca nerwowe spojrzenie na dom. Puste okna wychodzą na ogród. Niedaleko za Eve kręci się druga dziewczyna, nieco starsza, odziana w podobny strój.

– Czy ktoś cię obserwuje?

Wskazuje kciukiem na dom.

– On śpi za tylnymi drzwiami, może się ocknąć. W kuchni jest służąca, ale po naszej stronie. Tylko jeśli gospodyni się dowie, że z tobą rozmawiałyśmy, wszystkie zostaniemy ukarane.

– Jak was ukarze? – pytam. Moja wyobraźnia rodzi obrazy brzemiennych młodych dziewczyn brutalnie bitych za to, że wściubiłem tu nos.

– Zamknie nas w naszych pokojach – mówi z lekkim wzruszeniem ramionami. – To wszystko, co mogą tu zrobić. Nie może nas tknąć palcem, żeby przypadkiem nie uszkodzić dziecka, rozumiesz. – Jej dłoń w ochronnym geście osłania brzuch. Sama jest nie więcej niż dzieckiem.

– Wypadnie, jeśli cię pobije? – pyta Sam z lubością, kopiąc piętami ceglany mur jak widz w przerwie dramatu.

– Sam... jesteś mi potrzebny, żeby obserwować dom od frontu. Powiesz nam, gdy zobaczysz wracającą gospodynię. Pośpiesz się.

Kiwa głową, chętny wykonać rozkazy, zeskakuje na ziemię i pędzi ścieżką na ulicę. Eve się odwraca i szepcze coś do przyjaciółki. Dziewczyna idzie bliżej domu, najwyraźniej pełnić wartę z tej strony.

– Robert cię przysłał, panie? – pyta Eve z tym samym pełnym nadziei uśmiechem, kiedy oboje są poza zasięgiem słuchu. – Sam nie może przyjść? Czekam od wielu dni i nie mam od niego żadnej wiadomości.

Przyglądam się jej uważnie, rozważając, jaka odpowiedź przysłuży się moim celom.

– Czekałaś na Roberta?

Niecierpliwie kląska językiem.

– Oczywiście. Powiedział, że gdy tylko poczyni przygotowania... – Chmura podejrzliwości przyciemnia jej twarz. – A o co chodzi?

– Wiedziałaś, że zamierzał lada dzień wypłynąć do Hiszpanii z sir Francisem Drakiem?

W zmieszaniu ściąga brwi.

– Ale to było wcześniej. Powiedział...

– Wcześniej?

Napina materiał sukni, żeby pokazać niewielką wypukłość brzucha. Z nabożeństwem gładzi ją ręką.

– Przed tym.

– Eve – mówię i ton mojego głosu sprawia, że krew odpływa z jej twarzy. – Robert więcej do ciebie nie przyjdzie.

Kręci głową, robi krok do tyłu, jakby nie chcąc dopuścić do świadomości złych wieści. Widzę, że łzy wzbierają w jej oczach.

– Łżesz – syczy, ale na jej twarzy maluje się strach.

– Posłuchaj, Eve... – Przesuwam się po gałęzi do rozwidlenia, w którym siedział Sam. Jestem teraz bliżej niej; nie mam odwagi zeskoczyć do ogrodu, bo przecież może się zjawić ten strażnik, ale też nie chcę wykrzykiwać do niej z wysoka, jak posłaniec bogów w sztuce wystawianej na dziedzińcu gospody. Dziewczyna się odsuwa.

– Jeśli zejdziesz, narobię wrzasku i ten łajdak przybiegnie z kuszą – uprzedza. Z trwogą zerkam na dom, niepewny, czy blefuje. – Dlaczego miałabym ci wierzyć? Co możesz o tym wiedzieć? – Nie czekając na odpowiedź, obejmuje klatkę piersiową chudymi ramionami i wydyma usta. – Robert po mnie przyjdzie. Wiem, że to zrobi.

– Eve, musisz mi zaufać. Muszę z tobą pomówić, bez grożenia mi wrzaskiem czy kuszami, i to szybko, zanim wróci gospodyni. – Eve się krzywi na wzmiankę o opiekunce. – Aha, o mało bym zapomniał – dodaję. – Masz pozdrowienia od Sary.

– Od Sary? Gdzie ona jest? – Wodzi wzrokiem po murze, jakby myślała, że przyprowadziłem dziewczynę z sobą. – Znasz ją?

– Widzieliśmy się dziś rano. To ona mi powiedziała, gdzie cię szukać.

– Aha. I jak się miewa? – Spuszcza oczy i skręca w palcach tkaninę sukni, bojąc się odpowiedzi.

– Tak jak się spodziewasz. – Równie dobrze mogę jej mówić prawdę o wszystkim.

Kiwa głową.

– Umrze, prawda?

– W końcu tak. Ale to nieprzewidywalna choroba, może się rozwijać szybko lub powoli.

– Chciałabym ją jeszcze zobaczyć. – Westchnienie wstrząsa nią od stóp do głów. Jej ręka jakby sama powraca na brzuch. Po długim milczeniu podchodzi bliżej drzewa. – Przekażesz jej to, gdy ją jeszcze zobaczysz? Zawsze była dla mnie miła. Biedna Sara.

– Przekażę. – Czekam. Przeciera oczy nasadą dłoni. W końcu unosi głowę.

– Powiedz mi więc, gdzie jest Robert.

Próbuję przepędzić wspomnienia Roberta Dunne'a leżącego w całunie i smrodu rozkładu w krypcie.

– Robert Dunne nie żyje. Przykro mi.

– Nie! – krzyczy, ręką zaciska usta i osuwa się na ziemię, spódnica rozlewa się wokół niej jak kałuża. Dziewczyna stojąca przy żywopłocie gwałtownie unosi głowę i odnoszę wrażenie, że chce do nas podejść. Ostrzegawczo unoszę rękę i opuszczam się z drzewa na miękką trawę. Odległość wynosi nie więcej niż sześć stóp, ale zeskok wstrząsa wszystkimi siniakami i muszę się powstrzymać od krzyku. Klękam obok Eve i podsuwam jej chusteczkę. Mnie ją w garści i przyciska do ust. – Kto go zabił? – chrypi ledwie słyszalnie.

– Dlaczego myślisz, że został zabity?

Patrzy na mnie, mrugając.

– Bo się bał.

– Kogo? Czy ktoś chciał jego śmierci?

Potężny szloch wzbiera w jej piersi i wybucha bezgłośnie. Eve chowa twarz w dłoniach i drży na całym ciele. Krzepiąco kładę rękę na jej ramieniu i czekam, choć nie bez zniecierpliwienia, aż przeminie fala rozpaczy.

– Madame Grace – mówi, odrywając dłonie i pokazując czarne załzawione oczy. – Albo jego żona, jak sądzę, chociaż nie wiedziała, że Robert planuje uciec. Nie widział jej od miesięcy, odkąd przybył do Plymouth na wiosnę. W każdym razie jest śmiertelnie chora i niebawem umrze, jak mówi Robert, więc wątpię, żeby to była ona.

Nie wyglądała na umierającą, przynajmniej wtedy, gdy ostatnio ją widziałem, myślę sobie. Robert Dunne najwyraźniej wiedział, jak sprawić przyjemność swojej młodej kochance.

– Powiedz mi o waszym planie – proszę łagodnie. – To może pomóc.

– Nie miał zamiaru płynąć z kapitanem Drakiem – mówi cicho, szlochając. – Powiedział, że musi zakończyć jakieś interesy z flotą, a potem się wzbogaci i mnie stąd zabierze, i razem wychowamy dziecko. Gdzieś daleko od Plymouth – dodaje z pasją. – A kiedy jego żona spocznie w grobie, weźmiemy ślub.

Patrzę na nią: zaciśnięte pięści, zarumienione policzki, determinacja. Czy naprawdę wierzyła, że tak się stanie?

– Madame Grace wiedziała o tym planie?

– Nie, ale… – Wierzchem dłoni pociera mokry policzek. – Komuś się zwierzyłam. W Domu Westy. Może wymusiła na nim prawdę. Umie to zrobić.

– Powiedziałaś Toby'emu?

Patrzy na mnie zaskoczona.

– Znasz go? – Przymruża oczy. – Nigdy cię tam nie widziałam. Czy pozwoliła ci wziąć Toby'ego? Myślałam, że to… – Gryzie się w język.

– Nie – zapewniam szybko. – Tylko raz z nim rozmawiałem. Więc myślisz, że madame Grace odkryła wasze plany i próbowała je pokrzyżować?

– Gdyby wiedziała, zrobiłaby wszystko, żeby nam przeszkodzić – mówi dziewczyna, jeszcze bardziej ściszając głos. – Chce zabrać dziecko, rozumiesz, panie. Zabiera wszystkie nasze dzieci. Myśli, że o tym nie wiemy, ale dziewczyny gadają. – Wskazuje na dom. – Robert obiecał, że do tego nie dopuści. – Urywa, z trudem przełyka ślinę i łamie się nad nią nowa fala szlochu. – Co ja mam teraz począć?

– Eve, posłuchaj mnie. – Powaga w moim głosie sprawia, że przestaje płakać i prostuje plecy. – Coś można dla ciebie zrobić, ale musisz mi pomóc się dowiedzieć, co spotkało Roberta. Rozumiesz?

W milczeniu kiwa głową, twarz ma opuchniętą od płaczu.

– Grzeczna dziewczyna. Robert zmarł w swojej kajucie na *Elizabeth Bonaventure*, okręcie kapitana Drake'a. Nawet gdyby madame Grace albo jego żona miały powody, żeby pragnąć jego śmierci, musiałyby mieć wspólnika, kogoś na pokładzie. Czy wspomniał o jakimś członku załogi, który źle mu życzył?

Mruga, żeby przepędzić łzy, i rozważa pytanie.

– Nie lubił brata kapitana Drake'a. Mówił, że się panoszy, jakby był najwyższym dowódcą. Mówił, że szanuje kapitana Drake'a, ale nie jego brata, bo traktuje szlachetnie urodzonych, jakby był od nich lepszy, a jest tylko synem rolnika.

Tłumię uśmiech; już słyszałem podobną uwagę.

– Ale nie wiesz o żadnym konkretnym zatargu?

– Był jeszcze inny mężczyzna, Sorrell, Sewell, jakoś tak. Robert był mu winien pieniądze. Powiedział, że się boi, iż ten człowiek kogoś naśle, by odebrał dług, zanim zdąży zakończyć swoje sprawy w Plymouth.

– Może to był Savile?

– Możliwe. Zawsze się na kogoś skarżył. Czuł, że nie dostaje od życia tego, co mu się należy. Tak mi powiedział. Mówił, że nie ma nikogo innego, z kim mógłby szczerze porozmawiać. Jego żona nigdy go nie słuchała.

One nigdy nie słuchają, znaczy, te żony...

– Czy wspomniał kiedyś o niejakim Johnie Doughtym?

Obrzuca mnie lekko zdziwionym spojrzeniem.

– Nie. Ale jakiś pan Doughty od kilku miesięcy przychodził do Domu Westy. Słyszałam, jak madame Grace się do niego zwróciła, gdy wiodła go do prywatnych pokoi. Raz nawet przyszedł do mnie – dodaje z nutką żalu.

Zapada cisza, zakłócana przez wrzask mew.

– Eve – mówię w końcu – biorąc pod uwagę, że byłaś... – Urywam, zastanawiając się, jak delikatnie to ująć. – Biorąc pod uwagę, że w Domu Westy zabawiałaś wielu mężczyzn, skąd możesz być pewna, że to dziecko Roberta Dunne'a?

Patrzy na mnie jak na głupiego.

– Ponieważ Robert był jedynym, którego kochałam – oświadcza stanowczo. – Przecież musi być miłość, żeby począć dziecko. – Wyraźnie wierzy w to bez zastrzeżeń. Zastanawiam się, kto zaszczepił jej w głowie takie fantazje i jak je karmiła, widząc przeciwne dowody, których musiało dostarczać życie w burdelu. Postanawiam zmienić taktykę.

– Czy Robert kiedyś powiedział, jakie to sprawy musi zakończyć w Plymouth?

– Nie. Tylko... – Waha się i milknie, skręcając w palcach chusteczkę.

– Eve, proszę. Wszystko, co ci powiedział, może pomóc w odkryciu, kto go zamordował. – Zniżam głos. – Jeśli się tego nie dowiemy, zostanie pochowany jako samobójca i cały jego majątek ulegnie konfiskacie. Jeśli do tego dojdzie, nigdy się nie dowiemy, czy wyposażył dziecko w swojej ostatniej woli.

Nadzieja migocze w jej oczach.

– Myślisz, że to zrobił?

– To możliwe, skoro zamierzał się tobą zaopiekować. – Czuję się podle, gdy ją zwodzę, chociaż nie kłamię bardziej, niż robił to sam Dunne. – Ale ochrona jego sekretów, jeśli jakieś miał, teraz nie da mu nic dobrego. – Zachęcająco kiwam głową.

Dziewczyna rozkłada chusteczkę i wygładza ją na kolanach, gdy się namyśla.

– Od kilku tygodni był wielce zatroskany – mówi. – Trafiłam tu ledwie dwie niedziele temu, kiedy madame Grace dowiedziała się o dziecku. Brałam świńską krew z kuchni i udawałam, że wciąż mam krwawienia, ale mnie przyłapała.

– Pomysłowa jesteś.

– To stara sztuczka. – Prycha z pogardą. – Zanim to się stało, Robert przychodził do Domu Westy tak często, jak tylko mógł. Wiele mówił o Bogu i piekle. Pytał mnie, czy ktoś może mieć prawo do odebrania życia.

– Doprawdy? I co odpowiedziałaś? – Staram się mówić jak najłagodniejszym głosem. Czuję, że zbliżam się do czegoś ważnego. Muszę zachować ostrożność, jakbym podchodził łanię na polowaniu, cicho, lekko, żeby się nie spłoszyła i nie uciekła.

– Powiedziałam, że na wojnie, gdy ktoś próbuje cię zabić, z pewnością Bóg nie ukarze człowieka, który zabił w obronnie siebie albo swoich bliskich.

– A co Robert na to?

– Wydawał się zadowolony. Myślę, że to chciał usłyszeć.

Powoli kiwam głową i czekam. Musi być coś więcej.

– Kiedy indziej – mówi dalej z zadumą – zapytał, czy myślę, że człowiekowi można wybaczyć zdradę przyjaciela, jeśli uczynił to w obronie życia. Odparłam, że nie rozumiem, jak mogłoby dojść do takiej sytuacji, a on na to, że zapewne mam rację.

– Nie dodał nic więcej?

– Nie. – Ociera nos chusteczką. – Ale często mnie pytał, jak według mnie jest w piekle. Czy są tam gorące płomienie, czy morze lodu? Bo jedni mówią to, a drudzy co innego. Powtarzałam, żeby nie myślał o takich rzeczach, a on odpowiadał, że się boi, iż jego dusza już jest przeklęta. – Drży. – Nienawidziłam, kiedy o tym mówił. Starałam się zmieniać temat, nakłonić go do mówienia o domu, w którym po ślubie zamieszkamy z dzieckiem, a on mówił, że to musi być daleko od Anglii.

Mam więcej pytań, ale przerywa nam skrobanie po drugiej stronie muru. Czupryna Sama pojawia się nad wierzchołkiem.

– Idzie stara! – krzyczy z taką natarczywością, jakby oznajmiał, że zobaczył hiszpańską armadę nieopodal brzegu. – Jest na początku ulicy!

Podrywam się z ziemi, syczę z bólu i otrzepuję pludry ubrudzone trawą.

– Jeszcze jedno, Eve. Robert miał kwaterę w mieście. Czy wiesz gdzie?

Zaciska usta.

– Rag Street, powiedział. Pod Niedźwiedziem. Nigdy tam nie byłam. – Wyciąga do mnie chusteczkę.

– Zatrzymaj ją.

Kręci głową.

– Nie mogę, panie. Pozna, że to nie moja.

– W takim razie weź to. – Znajduję pensa w sakiewce pod kaftanem. Nieważne, ile bym wyłożył, Drake mi to zwróci. Ruszam do drzewa.

– Jeszcze jedno, panie… właśnie sobie przypomniałam.

– Tak? – Czekam z ręką na pniu.

– Kiedy widziałam go po raz ostatni, zanim tu trafiłam, był z czegoś bardzo zadowolony. Miało to związek z okrętem *Elizabeth*. – Wstaje, otrząsa spódnicę. – Powiedział, że się dowiedział czegoś o kimś, kto miał z nim żeglować.

– I…? – Staram się nie okazać zniecierpliwienia.

– Powiedział, że się dowiedział, że ktoś na okręcie ma haniebną tajemnicę, taką, za którą drogo zapłaci. I tak zacierał ręce. – Pokazuje, wyglądając jak uosobienie Chciwości w moralitecie.

Myślę o sakiewce ukrytej w modlitewniku, pękatej od pięciu złotych aniołów. Czyżby Dunne szantażował kogoś z załogi?

– Podał ci nazwisko? – pytam. Włoski na grzbietach moich przedramion się podnoszą, gdy czekam z zapartym tchem. – Albo jakieś szczegóły?

Marszczy brwi.

– Próbuję sobie przypomnieć.

Nagle słyszę krzyk dziewczyny pełniącej straż przed domem. Gwałtownie unoszę głowę i widzę, że tylne drzwi się otwierają i staje w nich zwalista postać.

– Szybko! – syczę, już łapiąc najniższą gałąź i podciągając się na nią.

Z drugiej strony ogrodu dobiega wulgarne angielskie przekleństwo. Eve krzyczy, słyszę ostry świst i łupnięcie, gdy bełt grzęźnie w pniu drzewa, tam gdzie chwilę wcześniej była moja noga. Jak najszybciej gramolę się po gałęzi na mur i rzucam okiem za siebie. Mężczyzna idzie ku nam zamaszystym krokiem, zakładając nowy bełt. Wrzeszczę do Sama, żeby zeskakiwał. Przerzucam ciężar ciała na drugą stronę; słyszę chrobot żelaza na cegle, gdy drugi bełt chybia o włos, uderzając w szczyt muru i zasypując nas kawałkami zaprawy.

Sam już biegnie w kierunku ulicy. Wołam go z powrotem i wlokę na skarpę za domami w kępę karłowatych drzew.

– Będzie nas ścigać, jeśli pobiegniemy ulicą, a tam nie ma żadnej osłony – wyjaśniam. Bez słowa sprzeciwu wsuwa dłoń w moją rękę i pozwala mi się prowadzić przez zaniedbane ogrody i po nieznajomych dróżkach. Na każdym zakręcie zerkam przez ramię, aż zyskuję pewność, że człowiek z kuszą zrezygnował z pościgu.

– Możesz nas stąd wydostać? – pytam, kiedy w końcu przystajemy przy poidle dla zwierząt u zbiegu trzech ulic. Z tej wysokości roztacza się widok na zatokę i ujście rzeki; w dali wielkie statki wznoszą się dostojnie niczym zamki. Sam przytakuje i razem brniemy do Plymouth, zmęczeni, z obolałymi stopami. W drodze patrzę na niego i zastanawiam się, jak by to było mieć syna; trudno, taki jest mój wniosek. Jego drobna ręka w mojej dłoni budzi tkliwość, ale jest też coś przerażającego w ogromie dziecięcej ufności, wiary w naszą moc w naprawienie świata. Odkąd uciekłem z San Domenico – a nawet jeszcze wcześniej – musiałem się pilnować, żeby nie wpaść w tarapaty. Odpowiedzialność za drugą osobę chyba przekracza moje możliwości. Jednak każdy mężczyzna z pewnością ma podobne odczucia, dopóki nie zostanie ojcem. Nie znaczy to, że ojcostwo jest dla mnie najpilniejszym problemem; nie mam środków, żeby wychować dziecko, ani kobiety, żeby je urodziła.

Zagubiony w tych myślach nie zwracam uwagi na paplaninę Sama. Idziemy ścieżką wzdłuż przylądka, a on wskazuje na morze, poszczekując wokół moich stóp niczym psiak. Mówi coś o tunelach.

– Jakie tunele?

– W urwiskach – mówi, wciąż wyciągając rękę. Śledzę wzrokiem kierunek wskazywany przez jego palec i nad szarą wodą widzę niewielką skalistą wysepkę, która tkwi pośrodku zatoki jak strażnik. – Ludzie gadają, że teraz to Wyspa Drake'a – oznajmia z dumą. – Mój wujo mówi, że w urwiskach są stare tunele, lata temu wykute na kryjówki.

– Najwidoczniej przez przemytników. – Patrzę na wysepkę. Wygląda na idealne miejsce, żeby zostawiać tam kontrabandę dostarczoną przez większe statki, ukrywać ją w tunelach i pod osłoną ciemności przerzucać na ląd. – Fort ma załogę?

Sam nie wie. Przyglądam się uważniej, ale z tej odległości niepodobna powiedzieć, czy są tam jacyś ludzie. Często myślałem, że byłoby cudownie, gdyby ktoś wynalazł soczewki, jakich starzy ludzie używają do czytania drobnego druku, tyle że służące do oglądania dalekich obiektów. Mój przyjaciel, John Dee, pracował nad takim przyrządem, wypróbowując różne ustawienia wypukłych i wklęsłych soczewek, lecz bez większego rezultatu. Jestem przekonany, że Arabowie wynaleźli niegdyś taki instrument; może zachowałyby się jakieś zapiski, gdyby świat chrześcijański nie był tak arogancko ślepy na wiedzę ludów muzułmańskich i nie zniszczył większej części ich wielkiego dorobku naukowego. Zastanawiam się, czy w całych swoich dziejach Kościół chrześcijański kiedykolwiek dał światu coś poza sporami i rozlewem krwi zarówno swoich wyznawców, jak i tych, którzy go odrzucali. Ta myśl prowadzi mnie do starego manuskryptu zamkniętego w kajucie Drake'a.

– Zobaczymy się dziś jeszcze z jakimiś kurwami? – pyta Sam z nadzieją, przywołując mnie do zajęcia się bardziej prozaicznymi sprawami, gdy docieramy do Castle Street.

– Nie, Samie, jestem wykończony.

– Dokąd więc pójdziemy, panie? – naciska, dzielnie próbując ukryć własne zmęczenie.

– Ja idę Pod Gwiazdę, żeby odpocząć. Ty powinieneś wrócić do domu, do matki. Służyłeś mi dzisiaj wielką pomocą. Proszę, to dla ciebie. – Wyławiam pensa, na którego czekał. Mimo wszystko ma zawiedzioną minę, że tak go odprawiam, i nie odstępuje mnie na krok, aż dochodzę do drzwi gospody.

– Mógłbym pomóc więcej, panie – mówi z promiennym uśmiechem. – Znam całe Plymouth.

– Nie wątpię, ale dziś już nie potrzebuję pomocy.

– Więc jutro? – nie poddaje się łatwo, muszę mu to przyznać.

– Może. Jest jedna rzecz, Samie, jaką mógłbyś dla mnie zrobić.

– Tak, panie?

– Wypatruj człowieka, który chodzi ubrany na czarno. Bezuchy, ma dziobatą twarz i bardzo niebieskie oczy. Z pewnością będzie nosić kapelusz, żeby ukryć brak uszu, ale może okażesz się dość bystry, żeby go zauważyć.

– Chcesz go zabić? – pyta z zainteresowaniem.

– Oczywiście, że nie, chyba że on spróbuje zabić mnie. Chcę tylko wiedzieć, gdzie się zatrzymał. – Przypominam sobie, co mi powiedziała Eve o pytaniach prześladujących Roberta Dunne'a: czy człowiek może być potępiony, jeśli zabije drugiego, by ratować swoje życie? Dla własnego dobra muszę mieć nadzieję, że odpowiedź brzmi przecząco. Chociaż, jak lubi podkreślać Sidney, oskarżenia przeciwko mojej duszy i tak już sporo ważą; kolejne morderstwo nie zmieni układu szal.

W sieni Pod Gwiazdą jak zawsze panuje duży ruch. Kręcą się tam goście w pięknych strojach, czekając, aż zostaną obsłużeni, podczas gdy tragarze dźwigają kufry i sakwojaże do korytarzy dla służby. Gospodyni Judith żegluje między jednymi i drugimi niczym potężna barka, witając gości słodkim jak miód głosem i rycząc na służbę niczym potępieniec, często na jednym oddechu. U stóp szerokich schodów stoi grupka pań, których nie mogę uniknąć, lady Drake, lady Arden i pani Dunne, z zarumienionym, wyraźnie przejętym kapelanem Pettiferem do towarzystwa. Lady Arden rzuca w moim kierunku długie, chłodne spojrzenie, lecz jej twarz niczego nie zdradza. Błysk rozbawienia w oczach łagodzi zwykle poważną minę pani Dunne.

– Pożytecznie spędziłeś dzień, panie? – Odwraca się ku pozostałym damom. – Doktor Bruno od pory obiadu odwiedzał ladacznice.

– Słyszałam, że to jedna z jego ulubionych rozrywek – komentuje oschle lady Arden – choć wnosząc z jego stanu, nie sądzę, żeby wychodziło mu to na zdrowie. Masz rozdarty rękaw, doktorze Bruno.

A więc dlatego jest dzisiaj taka lodowata; słyszała o mojej nocnej eskapadzie. Ale od kogo? Służąca przemyka obok nas z dużym dzbanem wody i natychmiast przychodzi mi na myśl bystra Hetty. W tej gospodzie człowiek nie ma ani krztyny prywatności. Z cichym przekleństwem spoglądam na rękaw, rozdarty na długości kilkunastu cali wzdłuż szwu.

– Może w moim wieku powinienem zrezygnować ze wspinania się na jabłonie – powiadam, wtykając palec w rozdarcie. Lady Arden kręci głową i odwraca się, żeby ukryć uśmiech.

– Sir Philip ucieszy się na twój widok, panie – mówi lady Drake. Wykrywam ciepło w tonie jej głosu, gdy wypowiada jego imię. Im prędzej sprowadzę Sidneya z drogi pokusy, tym będzie bezpieczniejszy. – Krążył tu od godziny, szukając cię. Zdaje się, że poszedł czekać do szynku.

– Może lepiej go znajdę – powiadam, kłaniając się w drodze do wyjścia.

– Wszyscy jesteśmy wielce podekscytowani – ciągnie lady Drake, po czym się opamiętuje i rzuca niespokojne spojrzenie na panią Dunne. – Wybacz mi dobór słów, pani. Sir Francis otrzymał wiadomość, że Dom Antonio podróżuje na francuskim statku kupieckim, który niebawem zawinie do portu, i będzie z nami przed zachodem słońca. Mój mąż wyda uroczystą kolację na jego powitanie.

Pani Dunne chrząka pogardliwie. Lady Drake się odwraca, policzki ma zaróżowione.

– Pani, wszyscy bardzo ci współczujemy z powodu poniesionej straty – mówi tonem świadczącym, że mija się z prawdą. – Jednakże Dom Antonio z Portugalii jest królewskim gościem, oczekiwanym od kilku tygodni, i Jej Królewska Mość się spodziewa, że zgotujemy mu należne przyjęcie.

Pani Dunne odwraca wzrok, zaciskając usta.

– Spytam cię, pani, jak ty byś się czuła, gdyby twój mąż został zamordowany, a jego oficerowie wybierali się na hulankę, gdy jeszcze nie spoczął w grobie?

– Czy mój mąż ma zaniedbać obowiązki tylko dlatego, że twój zarzucił linę na swoją szyję? Czy nie sądzisz, że jego śmierć już sprawiła dość kłopotów mojemu mężowi?

Lady Drake podniosła głos bardziej, niż zamierzała. Inni goście przystanęli, żeby się przysłuchiwać. Lady Arden kładzie rękę na ramieniu kuzynki, żeby ją pohamować. Pani Dunne blednie i zaciska usta tak mocno, że przemieniają się w surową białą linię. Przez moment myślę, że spoliczkuje lady Drake, ale w następnej chwili nogi się pod nią uginają i macha ręką, szukając oparcia. Służąca Agnes bezgłośnie wychodzi z cienia i prowadzi ją do ławy pod ścianą. Przestrzeń wokół nich pustoszeje. Zapada głucha cisza i wtedy z szynku wychodzi Savile, pogwizdując jakąś melodię.

– Skąd to zamieszanie? – pyta, patrząc na towarzystwo z radosnym szerokim uśmiechem. Nikt mu nie odpowiada. Spostrzega panią Dunne, bezwładną jak szmaciana lalka, z krzątającą się przy niej Agnes. Jednym wielkim susem zjawia się przy nich.

– Co ci dolega, pani? Chcesz wody? Wezwać medyka?

Pani Dunne opędza się od niego, najwyraźniej ma za złe jego zabiegi.

– Nic mi nie jest, panie, dziękuję. – Wspiera się na Agnes i z pewnym wysiłkiem podnosi z ławy. – Jestem tylko trochę zmęczona, to wszystko. Mam za sobą ciężki dzień i niezupełnie doszłam do siebie po podróży. Może nerwy odmówiły mi posłuszeństwa. – Obrzuca wściekłym spojrzeniem lady Drake. – Chyba pójdę do siebie, jeśli mi wybaczycie. – Wciąż podtrzymywana przez służącą, chwiejnym krokiem idzie ku schodom.

Savile ma taką minę, jakby chciał ruszyć za nimi, ale zmienia zdanie. Odprowadza je wzrokiem, po czym obraca się ku mnie, zdegustowany.

– Kobiety, hę? Okazujesz im dworność, a nic sobie z tego nie robią. Jeśli nie zaproponujesz pomocy, będą narzekać, że na świecie nie ma już prawdziwych dżentelmenów. Nie wygrasz. Sądzisz, że nic jej nie jest? – Ruchem głowy wskazuje schody, za których zakrętem dopiero co zniknęła pani Dunne. Wygląda na szczerze przejętego.

– Pomyślałbym, że jest zmęczona, jak mówi. – Rozglądam się i podchwytuję spojrzenie lady Arden, która łagodnieje i śle mi półuśmiech. Zastanawiam się, czy mogę skorzystać z okazji i wyjaśnić, co robiłem ubiegłej nocy, ale lady Drake, wstrząśnięta swoim wybuchem, coś do niej szepcze. Lady Arden kiwa głową, ujmuje kuzynkę pod rękę i prowadzi ją do salonu, choć w drodze przystaje, żeby zerknąć na mnie przez ramię. Savile chrząka i wychodzi drzwiami frontowymi, zatrzaskując je za sobą.

– Doktorze Bruno, czy mogę z tobą pomówić? – Pettifer wyrasta przy moim łokciu, splatając palce, jego gładka różowa twarz marszczy się z zatroskania. – Pani Dunne mi mówi, że towarzyszyliście jej dziś rano, gdy poszła pożegnać męża. Modliłem się z nią tego popołudnia.

– Jestem pewien, że dzięki ojcu doznała wielkiej ulgi i pocieszenia.

Mruży oczy, niepewny, czy z niego nie pokpiwam.

– Pocieszanie strapionych należy do moich obowiązków. – Sprawia wrażenie niespokojnego. – Choć w niniejszych okolicznościach to trudne. Nie mogę zapewnić biednej wdowy, że dusza jej męża jest z Bogiem, skoro nie wiemy tego na pewno.

– Powinniśmy zaczekać do jutra, kiedy koroner zadecyduje, dokąd poszła jego dusza.

– Widzę, doktorze Bruno, że postawiłeś sobie za cel okazywanie braku powagi. Przypuszczam, że właśnie tego należy się spodziewać po kimś, kto odszedł od prawdziwej wiary. – Wydaje się bardziej zawiedziony, niż mnie oskarża. – Chciałem tylko spytać, czy zauważyłeś na ciele nieboszczyka coś, co może się przydać podczas dochodzenia.

– Dla rozstrzygnięcia przyczyny zgonu? – Wolałbym, żeby przestał się tak wiercić; gdyby był księdzem w moim kraju, przynajmniej miałby różaniec do zabawy. – Przecież to ty, ojcze, widziałeś go krótko po śmierci. Modliłeś się przy nim, nieprawdaż? – Skinieniem przyznaje mi rację. – Jeśli ty i inni wtenczas niczego nie zauważyliście, mało prawdopodobne, żebym ja miał wyraźniejszy obraz po trzech dniach od zgonu.

– Prawda, prawda. Tylko się zastanawiałem. Miałem nadzieję, że może cechuje was wnikliwość, jakiej nam brakuje. Powiadają, że posiadasz dużą wiedzę o tych sprawach, jakkolwiek to dziwne u teologa. – Unosi brew na znak, że niezupełnie mi ufa.

– Staram się jak najbardziej poszerzać zakres mojej wiedzy. Nigdy nie wiadomo, co i kiedy może się przydać. Skoro mowa o teologii, ojcze, czy mogę ci zadać pytanie?

Składa ręce i przybiera świątobliwą minę, ale jego małe oczy robią się czujne.

– Oczywiście.

– Czy Robert Dunne rozmawiał z tobą o piekle? O sądzie ostatecznym? Czy odniosłeś wrażenie, że coś trapi jego sumienie w tym względzie?

– Jego sumienie? – Kapelan marszczy brwi. – Wydawał się zatroskany, jak już wspominałem, i nazywał siebie grzesznikiem, ale czy wszyscy nie jesteśmy grzeszni? Nie powiedział nic konkretnego, o ile pamiętam.

Wyczuwam wahanie w jego odpowiedzi, jakby mu się nie podobał kierunek, w którym zmierza rozmowa. Gładzę palcem zarośniętą szczękę.

– Nie pytał, czy człowiek będzie na zawsze potępiony za odebranie komuś życia, nawet jeśli to czyni dla ocalenia swojego?

– Nie! – Pettifer ma przerażoną minę. – Nie, naprawdę. Nigdy nie zadał mi takiego pytania. Do licha, skąd ci to przyszło do głowy, doktorze Bruno? – Jego język śmiga nerwowo, gdy oblizuje suche wargi.

– Wdowa o tym wspomniała. Jestem pewien, że to nic ważnego. Przecież gdyby mu doskwierały jakieś duchowe rozterki, to z kim miałby się nimi podzielić, jak nie z tobą, ojcze?

– Niewątpliwie taką miałbym nadzieję. – Uśmiecha się, choć z napięciem w kącikach ust. – Cóż, jego dusza jest teraz w rękach Boga, a ciało w rękach koronera. Czy będziemy się cieszyć twoim towarzystwem podczas dzisiejszej uroczystej kolacji z Dom Antoniem?

– Jeszcze nie zostałem formalnie zaproszony. Ale jestem pewien, że sir Philip będzie obecny.

– W istocie. – Lekko się kłania i odwraca do wyjścia. – Dom Antonio. Były przeor Crato, jak zapewne ci wiadomo, panie. Kolejny człowiek, który zamienił religię na politykę, i co mu to dało?

– Bóg Wszechmogący musi odczuwać wielką ulgę, wiedząc, że może liczyć na takie wierne sługi jak ty. Na ludzi obojętnych na sprawy doczesne. – Uśmiecham się uprzejmie. – Powiedz mi, ojcze, czy mówiłeś, że odbyłeś studia w Cambridge?

Przystaje w połowie drogi do drzwi.

– Tak. Dlaczego pytasz, Bruno?

– Po prostu z ciekawości. Powinienem odwiedzić tamtejszy uniwersytet.

Trzepocze powiekami. Jest dla mnie jasne, że moje pytania go zirytowały, choć uprzejmość go zobowiązuje, żeby tego nie okazać. W zakamarku mojego umysłu pewien pomysł zaczyna się rozwijać jak ciasno stulony pączek. Zwracam ukłon i zostawiam go, gdy tak na mnie patrzy, splatając i rozplatając palce, jakby w ten sposób rozładowywał wewnętrzne napięcie.

15

Sidneya nie ma w szynku. Znajduję go w naszym pokoju piszącego list do żony.

– Do diabla, gdzieś ty się podziewał?! – krzyczy, podrywając się z krzesła. – Szukała cię tutaj twoja nowa sympatia.

– Sam?

– A kto to jest Sam? – Strzela wzrokiem dokoła, szukając fajki. – Syn rybaka? Nie, chodzi mi o tę pulchną dziewczynę, która lubi wtykać nos w nie swoje sprawy. Wyjątkowo jej zależało, żeby cię znaleźć, jak się zdaje. Obawiam się, że potraktowałem ją zbyt obcesowo. – Upycha w główce fajki liść tytoniu. – To przez to, że lady Drake odnosiła się do mnie dość chłodno. Założę się, że dziewczyna jej wygadała, dokąd się wybraliśmy zeszłej nocy. Możesz mi wierzyć, kobiety nie przyjmują z uśmiechem wiadomości, że dżentelmen przedkłada spotkanie z dziwką nad ich towarzystwo. Nie podoba im się sama myśl o dziwkach. W imię przyzwoitości wszyscy powinniśmy się zmówić i udawać, że ta profesja nie istnieje.

– Nie wiem, dlaczego się tym zadręczają. Wszyscy się sprzedajemy w taki czy inny sposób.

Wzdycha i krzesze iskrę.

– To niekoniecznie prawda. Teraz mi powiedz, jakie postępy dzisiaj poczyniłeś.

Gdy rozpiera się na krześle, wyciągając długie nogi i wydmuchując obłoczki niebieskiego dymu w powietrze, relacjonuję mu moje wrażenia z oględzin zwłok Roberta Dunne'a, a także to, czego się dowiedziałem od Sama i Eve.

– Sprzedaje dzieci? – Sidney patrzy na mnie w osłupieniu.

Wzruszam ramionami.

– Trudno to nazwać nowym procederem. Dzieci są towarem jak wszystko inne, dopóki jedni mają ich zbyt wiele, a drudzy wcale. Rzecz w tym, że jeśli madame Grace naprawdę była przekonana, iż Dunne zamierza uciec z dziewczyną, miałaby powód, by się go pozbyć. Co więcej, ona ma powiązania z Johnem Doughtym.

Sidney wyjmuje fajkę z ust i z namysłem przygląda się główce.

– Kto byłby na tyle głupi, żeby wierzyć dziwce, która mówi, że nosi jego dziecko? Przecież nie mógł na serio planować ucieczki z tą dziewczyną. Nie wtedy, gdy żona lada dzień ma objąć spadek po ojcu.

– Prawdopodobnie tak jej mówił, żeby była dla niego miła. Dziewczyna widocznie uwierzyła, i to na tyle mocno, że madame Grace doszła do przekonania, iż to zagraża jej interesom.

– Więc znów wracamy do pytania, kto powiesił Roberta Dunne'a.

Podchodzę do okna i opieram łokcie na parapecie, wsuwając palce we włosy.

– Chyba powinienem pomówić z wachtowymi na *Elizabeth*. Wiem, przysięgli Drake'owi, że nikt nie wszedł na pokład owej nocy, ale oczywiście tak właśnie by powiedzieli, gdyby zostali przekupieni. – W dole na dziedzińcu gospody widzę chłopca stajennego zakładającego sakwy na grzbiet konia. Niebo wciąż jest pochmurne, choć gdzieniegdzie przeszyte włóczniami złotego światła. – Wszystko wskazuje na to, że John Doughty miał na pokładzie wspólnika.

Sidney wstaje i wystukuje popiół o kominek.

– Tak, ale kogo?

Unoszę ręce.

– Ha, gdybym to wiedział... – Spostrzegam jego minę. – Mów śmiało, jaki masz pomysł?

– Wiesz, że Hiszpan jeszcze nie wrócił?

– Uznajesz jego zniknięcie za przyznanie się do winy?

– A ty nie? To ma sens. Wie, że tamtej nocy widziano go w kajucie Dunne'a. Zna się na ziołach, mógł podać Dunne'owi gałkę muszkatołową. Może się bał, że śledztwo za szybko wskaże na niego, i postanowił zwiać.

– Ale dlaczego miałby zamordować Dunne'a? Jaki mógł mieć motyw?

– Czy to nie oczywiste?

– Nie dla mnie – odpowiadam, ale już wiem, co zaraz usłyszę, i zaciskam zęby.

– Ten człowiek jest Hiszpanem – mówi wprost. – Naszym wrogiem z urodzenia. Byłoby wbrew naturze, gdyby przysiągł wierność Drake'owi, zwłaszcza że celem wyprawy jest złupienie hiszpańskich portów. Tylko pomyśl, Bruno, przecież Jonas mógł wysyłać informacje do swoich rodaków. Założę się, że Dunne go zdemaskował i zamierzał o wszystkim zameldować Drake'owi.

– Więc każdy, kto nie urodził się Anglikiem, jest podejrzany? Nie wolno mu ufać? – Odwracam się twarzą w stronę pokoju i staję oparty o parapet z ramionami skrzyżowanymi na piersi. Ta sugestia mnie złości, chociaż od razu przypominam sobie słowa Eve o odkryciu Dunne'a, że na pokładzie przebywa ktoś z haniebną tajemnicą, za którą drogo zapłaci. Czy mógł się dowiedzieć, iż Jonas przekazuje informacje wrogom Anglii?

– Tego nie powiedziałem. Ale zastanów się, dywersja misji Drake'a, a nawet zabicie go jedną z tych mikstur, byłoby dlań paszportem do domu. Czy jest lepszy sposób, żeby zasłużyć na wdzięczność monarchy i rodaków, nie wspominając o pokaźnej nagrodzie?

– To elegancka teoria – mówię, nie mogąc zapobiec chłodnemu tonowi mego głosu. – Ale ja przedstawię ci inną. Przypuśćmy, że zniknął, ponieważ wiedział, kto zabił Dunne'a...

– Chcesz powiedzieć, że on także został zamordowany?

Wzruszam ramionami.

– Całkiem możliwe, chociaż dopóki się nie pojawi żywy albo martwy, wszelkie rozważania na ten temat uważam za bezużyteczne. Skoncentrujmy się na tym, co wiemy.

– A niby co wiemy? – Uderzam obcasem w boazerię, zły na siebie, na niego, na Roberta Dunne'a i tego, kto go zabił. – Mamy garstkę czczych hipotez, bez żadnego dowodu, wyjąwszy zeznanie przerażonej dziewki, a w zamian mnóstwo siniaków i lżejszą sakiewkę. Śmieje się.

– Biedny Bruno. Czegóż ty dla mnie nie robisz… Ale mamy w rękawie jeszcze jednego asa, o którym zapomniałeś.

– Co takiego? – Uwalniam się z jego uścisku i pocieram obolałe żebra.

– Adres kwatery Dunne'a. Powinniśmy tam pójść zaraz, by zdążyć przed kolacją, na której będą się nas spodziewać. – Krzywi się. – Po południu Drake popłynął na okręt spotkać się z Dom Antoniem. Chciał, bym mu towarzyszył, ale się wymówiłem. Powiedziałem, że muszę napisać raport dla Walsinghama. Zrobił się niespokojny i poprosił, żebym nie przekazywał mu żadnych wiadomości o naszych obecnych kłopotach.

– Próbujesz unikać Dom Antonia?

– Dopóki się nie dowiem, jakie będą losy tej wyprawy, muszę udawać, że wracamy z nim do Londynu. Nie może podjąć podróży, dopóki nie przybędą moi zbrojni, a Drake uważa, że jeśli zabójca przebywa na wolności, to Dom Antonio jest dla niego kolejnym brzemieniem. Wiesz, że Filip Hiszpański wyznaczył nagrodę również za jego głowę?

– Dom Antonia? Czuję się zlekceważony.

– Nie martw się. Jestem pewien, że gdyby papież Grzegorz mógł cię dosięgnąć, już byłbyś trupem. Gdy głowa państwa pragnie twojej śmierci, to całkiem niezłe wyróżnienie. Jedyną osobą, która chce dobrać się do mojej skóry, jest moja żona, przez większość czasu.

– Dołączy do niej królowa, kiedy się dowie, że bez jej pozwolenia wyruszyłeś do Nowego Świata.

– Ach, tak. Królowa. Wiesz… – obraca się i patrzy na mnie z ogniem w oczach – Drake zasugerował, że powinienem zabrać Dom Antonia i wraz z kobietami na kilka dni pojechać do Buckland. „Żeby wyłączyć ich z tego wszystkiego", jak to ujął. Na Boga, za kogo on mnie uważa?!

– Nie mam pojęcia… Czy Dom Antonio dysponuje może oficjalną eskortą?

Sidney wciąż rzuca gniewne spojrzenia.

– Nie dam się znowu odprawić Drake'owi. Chodźmy. Na pewno nie my jedni wiemy o kwaterze Dunne'a. Jeśli zostawił coś pożytecznego, dopilnujmy, żeby nikt inny nie znalazł tego pierwszy.

◆ ◆ ◆

Rag Street jest stromą, brukowaną uliczką prowadzącą pod górę z nabrzeża. Szyld tawerny Pod Niedźwiedziem kołysze się na trzypiętrowym budynku w połowie jego wysokości. Nie ma tam innego wejścia oprócz niskich drzwi, więc je otwieram i Sidney wchodzi za mną, chyląc głowę, żeby nie uderzyć w nadproże. Ta część miasta sprawia wrażenie, jakby kiedyś widziała lepsze czasy. Domy są okazałe, ale wyraźnie jest to okolica, gdzie można tanio kupić wikt i dach nad głową, i to bez konieczności odpowiadania na zbyt wiele pytań.

Na ławkach wokół kominka siedzi kilka grupek klientów, sądząc z wyglądu, marynarzy, z poobijanymi kuflami w rękach. Czuję, jak prześlizgują się po nas ich spojrzenia, ale szybko wracają do swoich pogawędek. Zza szynkwasu wychodzi kobieta o znękanym wyrazie twarzy, wyciera ręce w fartuch i utyka pod czepkiem zbłąkany kosmyk włosów. Idziemy prosto do niej, a ona z nieskrywanym zdumieniem patrzy na Sidneya. Zdaje się, że nie przywykła do widoku takich wytwornych strojów w tym przybytku. Sidney zrywa czapkę i kłania się.

– Pani – zaczyna z pewnością siebie, po czym się pochyla i ściszonym głosem podejmuje: – Szukamy kwatery Roberta Dunne'a. Czy tu się zatrzymał?

Jej rysy natychmiast twardnieją.

– Jesteście jego kumotrami?

– Poniekąd.

– Ano, nie widziałam go od kilku dobrych dni. Zaczęłam myśleć, że może uciekł bez uiszczenia należnej zapłaty. Zalega z czynszem od miesiąca. – Zaciska pięści na biodrach i patrzy na nas gniewnie, jakby się spodziewała, że któryś z nas ureguluje dług.

– Niestety, zacna pani, Robert Dunne nie żyje. – Sidney robi zasmuconą minę.

Kobieta wydyma policzki i wydmuchuje powietrze przez ściągnięte usta.

– Ano, to wszystko wyjaśnia. Pukałam do niego od kilku dni, ale nie doczekałam się odpowiedzi. Ktoś powiedział, że z izby snuje się jakiś smród. Jak teraz odzyskam moje pieniądze?

– Nie ma go w pokoju – mówi Sidney, obrzucając mnie zaintrygowanym spojrzeniem. – Jutro odbędzie się dochodzenie w sprawie ustalenia przyczyny zgonu. Z pewnością długi zostaną uregulowane po rozstrzygnięciu kwestii jego majętności. Przyszliśmy na prośbę wdowy przejrzeć jego rzeczy.

– Wdowy? – Unosi brwi. – Nie do wiary! Zawsze myślałam, że jest kawalerem. Nigdy nie wspominał o żonie.

– Nie jeździł do domu, żeby ją odwiedzać? – pytam.

– Ani razu, odkąd tu zamieszkał, a było to niedługo po pierwszym maja. W tym tygodniu nie było go najdłużej, dlatego pomyślałam, że coś się z nim stało. Dwa razy zajrzało tu dwóch mężczyzn, rozpytywali o niego, ale więcej się nie pojawili. Zastanawiałam się, czy nie wpadł w jakieś tarapaty.

– Jak wyglądali? – pytam.

Wzrusza ramionami.

– Ładnie mówili, obaj. Nie byli ubrani tak wykwintnie, jak wasz przyjaciel, ale wyglądali na szlachciców. Przynajmniej ten brodaty, mimo że brakowało mu wielu zębów. Ten drugi też zgrabnie gadał, ale nie był niewiniątkiem, bo nie miał uszu, chociaż próbował to ukrywać pod kapeluszem. Oczy miał niebieskie jak bławatki, szkoda, że w takiej szpetnej gębie. Nie znaczy, że strzępiliśmy tu języki po próżnicy. Nie zostali na pogawędkę.

Sidney i ja wymieniamy znaczące spojrzenie.

– Możemy obejrzeć izbę? – pytam.

– Jeśli zdołacie się wcisnąć przez dziurkę od klucza. Albo przez szczelinę pod drzwiami. Psi syn je zamknął i zabrał z sobą klucz. Chcę go odzyskać, jak i wszystko inne, zanim zostanie pochowany. Niechaj spoczywa w pokoju – dodaje na wszelki wypadek.

– Nie miałaś zapasowego klucza, dobra kobieto? – Sidney marszczy brwi.

- Pewnie gdzieś się poniewiera, ale bodaj nie, nie mogę go znaleźć. Mój mąż się tym zajmował. Ja się do tego nie wzięłam, odkąd odszedł.

- Przykro mi – mówi Sidney ze świętoszkowatą miną.

- Nie tak przykro, jak będzie temu łajdakowi, kiedy znudzi się tą swoją dziewką i spróbuje wrócić do domu! – cedzi przez zaciśnięte zęby. Sidney choć raz zapomina języka w ustach.

- Możemy wejść przez dziurkę od klucza – mówię. Kobieta na mnie spogląda.

- No to idziemy.

Prowadzi nas przez drzwi w głębi tawerny na małe, brudne podwórko, które pachnie tak, jakby wszyscy mieszkańcy opróżniali tu urynały. Wskazuje drzwi, za którymi jest sklepione przejście z drugimi drzwiami na końcu.

- To wejście od ulicy – mówi. Otwiera pierwsze drzwi w przejściu. – Drugie piętro, pokój od frontu. Jeśli dokonacie jakichś zniszczeń, wyłamując drzwi, będę chciała zapłaty.

Ku mojemu zadowoleniu nie kwapi się nam towarzyszyć. Na klatce schodowej panuje taka cisza, że niemal słychać wirujący kurz. Zza drzwi na pierwszym piętrze płynie ciche pojękiwanie.

- Ładne kwatery – mówi Sidney. – Wyobraź sobie dżentelmena przychodzącego do takiego lokum.

- Płynie z tego nauka, żeby się trzymać z dala od karcianych stolików.

- Niektórzy z nas mają większe szczęście niż inni.

- Robert Dunne prawdopodobnie kiedyś tak myślał. Pani Fortuna jest bardziej niestała niż ulicznica.

Na schodach zapach moczu staje się jeszcze silniejszy, ale dochodzi do tego jeszcze coś innego, powiew zepsucia, który się nasila, im wyżej wchodzimy. Światło przenika przez szczeliny w okiennicach; wymacujemy drogę, stąpając po deskach, które wydają się spróchniałe i kruche. Na podeście drugiego piętra wyrywamy kota z drzemki na parapecie. Zwierzak prycha na nas i śmiga pomiędzy naszymi nogami – obaj podskakujemy z okrzykiem, a potem śmiejemy się z ulgi. Odór jest coraz gorszy.

Sidney naciska klamkę i lekko potrząsa drzwiami, tak dla pewności.

– Dobry Boże, miała rację. Cuchnie, jakby ktoś tam umarł.

– Wiemy, że to nie Robert Dunne – mówię, przesuwając się na bok i klękając, żeby wsunąć szpic sztyletu do dziurki od klucza. Pracuję przez kilka minut, aż ostrze się obsuwa i kaleczy mnie w palce. Klnąc, wysysam krew i wracam do zadania.

Sidney opiera się o ścianę z ramionami splecionymi na piersi i przygląda się moim poczynaniom.

– Świetna sztuczka. Wszyscy dominikanie się jej uczą?

– Tak. Odbywając nowicjat, wraz z naukami Tomasza z Akwinu. Dzięki temu możemy wchodzić do cel zakonnic z minimalnym hałasem. Daj mi szpilkę.

– Co?

– Tę, którą jest przypięte pióro. – Unoszę głowę. – Na służbie zawsze ponosi się ofiary, Philipie.

Wzdycha i podaje mi szpilkę. Zginam ją i wsuwam do zamka wzdłuż ostrza sztyletu. Po chwili bardziej czuję, niż słyszę, szczęknięcie – to ta idealna chwila ustawienia w linii, kiedy wszystko wskakuje na swoje miejsce i trzon się obraca, odciągając rygiel.

– Nauczę cię tego pewnego dnia – obiecuję, oddając mu wygiętą szpilkę.

– Mało stosowna umiejętność dla brata hrabiny Pembroke.

– Ale bardzo przydatna dla zięcia sir Francisa Walsinghama. Proszę bardzo. – Uchylam drzwi, czując skurcz w żołądku, gdy bucha na mnie smród. – Zobaczmy, jakie sekrety zostawił po sobie Dunne.

Izba jest mroczna jak krypta i cuchnie równie paskudnie. Okiennice są zamknięte i wpadające przez szczeliny ostrza światła tną ciemność. Robię głęboki wdech i podchodzę do okna, czując, że coś rozgniatam podeszwami. Unoszę drewnianą belkę, która blokuje skrzydła okiennic, i je rozchylam. Żałosne światło sączy się przez pękniętą szybę.

– Chryste i wszyscy święci! Spójrz na to! – Sidney wskazuje na podłogę, skacząc do tyłu, jakby nastąpił na gorące węgle. W izbie

Dunne'a wiją się larwy, setki larw, pokrywające deski podłogi niczym żywy dywan. – Skąd one się biorą?

– Stamtąd. – Wskazuję leżący w kącie złachmaniony koc. Tłuste, objedzone muchy leniwie krążą wokół czegoś, co jest pod nim ukryte. Sidney krztusi się i cofa do drzwi. Po porannej wizycie w podziemiach kościoła prawie przywykłem do zapachu śmierci, choć obawiam się tego, co możemy znaleźć pod kocem. Zanim się zbieram na odwagę, żeby go podnieść, szarpię haczyk przy ramie okiennej. Stawia opór, ale potrząsam nim mocniej i w końcu pęka. Okno się otwiera, wpuszczając podmuch wiatru do cuchnącej izby. Kilka much ucieka. Robię wydech, posapując, i zasysam haust świeżego powietrza.

– Rapier – mówię, wyciągając rękę do Sidneya.

Niechętnie wyjmuje broń z pochwy i robi krok w głąb pokoju, podając mi ją zwróconą rękojeścią w moją stronę.

– Staraj się nie zabrudzić – przykazuje, gdy go biorę. – Jest bogato zdobiony. – Obrzucam go spojrzeniem i wracam do sterty łachmanów. Sztychem rapiera ostrożnie zahaczam za róg, zbieram się w sobie i odrzucam koc, lewą ręką zasłaniając usta. Przestraszone muchy ze złością wzbijają się w powietrze, gdy patrzę na to, co leży pod spodem.

Za plecami słyszę śmiech Sidneya. Brzmi histerycznie.

– Biedak – mówi. – Biedaczysko. Co oni ci zrobili?

W kącie leży na boku ścierwo psa tak oblepione muchami i robactwem, że zdaje się poruszać. Wygląda, że to jakiś terier, szczurołap. Kępki brązowo-białej sierści sterczą na rozkładającym się ciele.

– Z pewnością należał do Dunne'a – powiada Sidney, patrząc z bezpiecznej odległości. – Pewnie zdechł z głodu, gdy do niego nie wrócił.

– W trzy dni? – Kręcę głową. – Ten pies zdechł znacznie wcześniej. Ale spójrz na to wszystko. – Gestem ogarniam izbę. Nie jestem pewien, co spodziewałem się znaleźć w kwaterze Dunne'a, ale na pewno nie miniaturową aptekę.

Pokój ma kształt litery L, z krótszym ramieniem na prawo od drzwi, gdzie ustawiono siennik, oparty o ścianę. Jedynym meblem jest stół zasłany suszonymi liśćmi i kwiatami, i kartkami papieru. Stoi tam metalowa miska i trójnóg, moździerz z tłuczkiem i kilka zakorkowanych szklanych butelek. Obok nich leży para skórzanych rękawiczek.

– Wejdź, Philipie, na miłość boską, i zamknij drzwi. To tylko larwy, nie gryzą. Wiesz, co to jest?

Chowa rapier do pochwy, zamyka za sobą drzwi i znowu się krztusi. Stąpa po larwach, żeby zobaczyć, co wskazuję. Gdy chce podnieść jeden z ciemnozielonych liści, chwytam go za nadgarstek.

– Nie dotykaj. Jest tak niebezpieczny, że trucizna może zostać wchłonięta przez skórę. Najpierw paraliż ogarnia ramię, a potem zatrzymuje się serce.

– Mordownik?

– Bez wątpienia. – Wciągam rękawiczkę na prawą rękę i podnoszę wydłużony niebieski kwiat. – Jedna z najgroźniejszych toksyn znanych człowiekowi. Albo bestii – dodaję, wskazując głową psa. – Wygląda na to, że Robert Dunne miał tu własną małą destylarnię trucizn. – Spostrzegam flakonik z ciemnozielonego szkła ze srebrną zatyczką. Podnoszę go i oglądam. Jest zapełniony w trzech czwartych przejrzystą cieczą.

– Przeznaczone dla Drake'a, jak myślisz? – pyta Sidney, przyglądając się z bliska.

– Z pewnością dla kogoś ją przeznaczył. Nie sporządza się takiej mikstury na ból brzucha. Wystarczy mała dawka, coś takiego z łatwością mógł przeszmuglować na statek i wlać do kielicha z winem. Śmierć następuje prawie natychmiast. Przypuszczam, że przekonał się o tym nasz czworonożny przyjaciel.

Papiery spiętrzone na stole i walające się po podłodze stanowią oczywiste świadectwo niepokoju ducha. Prawdopodobnie Dunne pisał jak szalony i rozrzucał kartki wokół siebie. Niektóre wyglądają na receptury z podanymi miarkami liści, nasion, korzeni i *aqua vitae*, gorączkowo poprzekreślane, z demonicznymi twarzami nagryzmolonymi na marginesach. Inne są początkami nigdy niewysłanych listów; te są bardziej interesujące. Strącam larwę z kartki leżącej na podłodze i czytam głośno:

Najdroższa Martho,

błagam Cię, byś wzięła pod rozwagę, że Bóg w swej mądrości
czasami odpowiada na nasze modlitwy w okrężne sposoby,
stopniowo i w niespodziewanych przebraniach. Bóg wie, jak
długo modliliśmy się o dziecko, i oto jest rozwiązanie, aczkolwiek
może nie takie, jakiegoś wypatrywała. Ale to dziecko możemy
wychować jak własne, dziewczynę zatrzymać jako piastunkę,
i nikt się niczego nie dowie. Błagam, żono, nie odrzucaj od razu
tego pomysłu, prędzej bowiem, niż myślisz, osiągnę bogactwo,
jak tylko Bóg da, i zaczniemy życie na nowo, czego, jak wiem,
od dawna pragnęłaś. Już nie będę tym samym człowiekiem co
kiedyś.

Atrament blednie i list się kończy, niepodpisany. Gwiżdżę przeciągle. Sidney z niedowierzaniem kręci głową.

– Słyszałeś o czymś takim? Może ta dziewka wcale nie jest taka
głupia, jak się wydaje. Może to Dunne dał się zwieść. Czyżby poważnie myślał, że przekona żonę do uznania dziecka ladacznicy za
własne? I do jej przyjęcia pod swój dach?

– Zdarzały się dziwniejsze rzeczy.

– Poznałeś Marthę Dunne. Dygotałbym ze strachu, gdybym podał jej na kolację danie, które by jej nie zasmakowało, a co dopiero
zrobić coś takiego. Rzeczywiście, naiwny optymizm tego człowieka
rozciągał się daleko poza sferę hazardu.

– Ale najwyraźniej nie tam, gdzie chodziło o jego nieśmiertelną
duszę. – Rozkładam zgniecioną kartkę spod stołu. Bez znaczenia,
następna także. Wygładzam trzecią i puls mi przyśpiesza, gdy wodzę po niej wzrokiem. – Posłuchaj tego, Philipie:

Myślisz, że Twoje czyny nie wyjdą na jaw? Możesz być
pewien, że zostaną osądzone przez Boga i człowieka. Co do
sądu boskiego, zostawiam to Twojemu sumieniu, ale jeśli chcesz
uniknąć potępienia współtowarzysza, a nade wszystko swojego

kapitana, od którego dobrej woli zależy nasza fortuna, to znasz
moją cenę. Kolejnych pięć zamknie moje usta na zawsze.

– Szantaż? – Sidney na mnie patrzy, szeroko otwierając oczy. –
Do kogo jest adresowany?

Odwracam kartkę tam i z powrotem.

– Nie ma adresata. A niech to szlag! Tak więc to prawda. Ta
dziewczyna, Eve, wspomniała, że Dunne odkrył sekret któregoś
z żeglarzy i powiedział, że ten człowiek drogo za niego zapłaci. Niestety, nie mogła mi podać nazwiska. Dunne najwyraźniej mu groził,
że powiadomi Drake'a.

– To wyjaśnia pochodzenie pięciu złotych aniołów. – Podchodzi
do okna, wystawia głowę na zewnątrz i oddycha głęboko.

– Wszystko wskazuje na to, że ten jegomość zapłacił. Dunne
musiał być tak upojony sukcesem, że postanowił spróbować szantażu jeszcze raz.

– Ale jego usta rzeczywiście zostały zamknięte na zawsze –
mówi Sidney z ponurą miną.

– Nie wiemy, czy to są brudnopisy wysłanych listów, czy tylko bazgranina. Ciekawe, czy jego żona wiedziała o planie uknutym
z tą dziewczyną.

– Kolejny powód, żeby się go pozbyć – zauważa.

– A jednak za każdym razem potykamy się o fakt, że w dniu jego
śmierci pani Dunne była w odległym o dzień jazdy Dartington. Jeśli
ona zaplanowała morderstwo, to kto za nią wykonał brudną robotę?

Sidney wraca do stołu. Chrzęst larw pod podeszwami jego bu-
tów działa mi na nerwy.

– W tym smrodzie nie mogę jasno myśleć – skarży się. – Zabierzmy te papiery, przeczytamy je gdzieś indziej. Nie wytrzymam
tu ani chwili dłużej. Można się zarazić od trupa, prawda?

– Jeśli podejdziesz zbyt blisko. Tylko uważaj, żeby czegoś nie
pominąć.

Staję pośrodku pokoju i powoli błądzę spojrzeniem po wszystkich zakamarkach, od czasu do czasu machając ręką, żeby odpędzić
muchy.

– Czy sądzisz… – zaczyna Sidney, ale uciszam go ostrzegawczym gestem. Zastygam w bezruchu, czujny na nagłą zmianę w ruchu powietrza, na zakłócenie spokoju. Obracam się powoli, wytężając słuch. Drzwi, które poleciłem mu zamknąć, są tylko przymknięte, uchylone na kilka cali, i teraz to słyszę, charakterystyczne skrzypnięcie desek na zewnątrz.

– Kto tam jest?!

Nie ma odpowiedzi, tylko pełna napięcia cisza, jak wciągnięcie oddechu. Daję znak Sidneyowi; jego ręka opada ku rapierowi, kiedy słyszę cichy świst, czuję pęd powietrza szybszy niż uderzenie serca i łupnięcie ostrza w spękany tynk za moimi plecami. Sidney wrzeszczy w spóźnionej reakcji, a ja stoję bez ruchu, niepewny, w którą stronę się obrócić. Po czasie, który wydaje się wiecznością, ale w istocie trwa zaledwie jedno uderzenie serca, odwracam się ze straszną myślą, że został trafiony. Jest cały i zdrowy, chociaż biały jak płótno z powodu przeżytego szoku, i wlepia oczy w nóż tkwiący w ścianie.

W jednej chwili przystępuję do działania. Wyskakuję z izby na podest, a Sidney depcze mi po piętach. Buty dudnią na schodach już dwa piętra pod nami. Natychmiast podejmujemy pościg, niemal tracę równowagę na wytartych stopniach. Gdy docieramy na dół, podwórze jest puste, słychać tylko łomot drzwi od ulicy, gdy zatrzaskują się za naszym tajemniczym napastnikiem. Z gradem pomysłowych przekleństw otwieram je szarpnięciem i widzę sylwetkę mężczyzny skręcającego za rogiem. Rzucam się za nim, ale ból w żebrach staje się nie do zniesienia i muszę zwolnić dla złapania oddechu. Zgięty wpół opieram się o ścianę, a wtedy mija mnie zwinny i długonogi Sidney, z dłonią zaciśniętą na rękojeści rapiera. Kiedy odzyskuję dech, podejmuję pościg i skręcam w sąsiednią ulicę. Widzę, że Sidney dopędza mężczyznę i w jednym imponującym wybuchu energii rzuca mu się na plecy i powala go na ziemię. Podbiegam do nich w chwili, gdy mężczyzna dźwiga się na ręce i kolana. Sidney stoi nad nim z dobytym rapierem. Mężczyzna unosi głowę i ociera strumyczek krwi z nosa.

– Dobry Boże… – mówi Sidney, jakby wpadł na starego znajomego. – Thomas Drake.

16

Thomas wydaje się równie zdumiony na nasz widok. Wstaje powoli, otrzepuje z ubrania brud ulicy i z twarzą wypraną z kolorów przenosi spojrzenie z Sidneya na mnie.

– Myślałem… – zaczyna, ale zaraz potem tylko porusza ustami, formułując bezdźwięczne słowa. Wiem, że muszę wyglądać równie bezmyślnie jak on, ale nie mogę się zmusić do żadnej sensownej reakcji. Sidney szybciej dochodzi do siebie. Rumieńce występują mu na policzki i jest tak, jakby furia przemieszana z szokiem narosła i wybuchła jednocześnie. Przyskakuje do Thomasa, chwyta go za kaftan i przyciska do ściany domu.

– Chryste w niebiesiech… Chciałeś nas zabić! – syczy, szukając słów, żeby wyrazić niedowierzanie. – Odpowiesz za to, Thomasie Drake. Kto cię nasłał?

Brat Drake'a potrząsa głową jak niespokojny pies. Jego brawura znikła bez śladu, twarz wciąż ma białą niczym mleko i wygląda na szczerze przerażonego.

– Nikt. Tyle wam powiem, że przyszedłem z własnej woli. Nie spodziewałem się was tam zastać.

– Poważnie? – cedzi Sidney głosem ociekającym pogardą, ale puszcza Thomasa i pozwala, żeby się oparł o mur. – Czystym przypadkiem zjawiłeś się w kwaterze Dunne'a w tym samym czasie, gdy my ją przeszukiwaliśmy. Zależało ci, żebyśmy czegoś nie znaleźli? Czegoś, co mogłoby cię pogrążyć? – Grzbietem ręki ociera kropelki śliny, jest taki wściekły, że dosłownie dygocze. Drugą dłoń wciąż trzyma na głowicy rapiera. – Czy to ciebie szantażował?

– Co? – Thomas Drake poprawia koszulę i kaftan i lekko się prostuje. Teraz gdy minęło bezpośrednie niebezpieczeństwo, na jego twarz wypełza dawna wrogość. – O czym ty gadasz? Skąd miałem wiedzieć, że tam będziecie? Dopiero dziś po południu się dowiedziałem, że Dunne wynajmował izbę w tym domu. Pomyślałem... – Urywa i wlepia w Sidneya płonące z wściekłości oczy. – Jaki szantaż? Czyżbyś oskarżał mnie o morderstwo, sir Philipie?!

Sidney nie odpowiada od razu. Widzę, jak mięsień pręży się w jego policzku, gdy walczy o odzyskanie zimnej krwi.

– Nie, Thomasie Drake – powiada w końcu. – Pytałem, czy Robert Dunne cię szantażował.

– I tym samym zasugerowałeś, że mogłem mieć powody, by go uśmiercić. Na litość boską! – Przegarnia włosy ręką i rozgląda się, jakby rozważał ucieczkę w jedną albo drugą stronę ulicy. Przez chwilę stara się opanować i zwraca się do mnie, przypuszczalnie chcąc zrobić afront Sidneyowi. – Moja pozycja zależy od sukcesów brata i zdaję sobie sprawę, że dla wszystkich to oczywiste. Bez niego jestem nikim. Wiedząc, ile mam do stracenia, chyba rozumiesz, że byłbym ostatnim człowiekiem, który chciałby narazić tę wyprawę na niepowodzenie. Czy nie myślisz... – teraz zwraca się do Sidneya, podnosząc głos – że gdybym chciał się pozbyć Roberta Dunne'a, zaczekałbym z tym do wyjścia w morze i ukartował jego koniec w jakiś mądrzejszy sposób?

– Jak stracenie go za wzniecanie buntu na pokładzie? – pyta Sidney, unosząc brwi. – Dla ludzi takich jak ty okazało się to skutecznym sposobem na pozbywanie się szlachetnie urodzonych przeciwników.

– Uważaj, Philipie Sidney – powiada Thomas głosem, który mógłby przeciąć szkło. Opiera się o ścianę. – Wypowiadasz się o sprawach, o których nie masz pojęcia. Sprawa Thomasa Doughty'ego dawno została pogrzebana.

Sidney otwiera usta do odpowiedzi, po czym znów je zamyka, ale widzę, że bieleją mu knykcie zaciśniętej na rękojeści dłoni.

– Jakkolwiek niezbyt głęboko, prawda? – mówię. – Nie wierzysz w to. W klątwę, którą żyje John Doughty.

– Oczywiście, że nie. John Doughty chce zniszczyć mojego brata albo zginąć, próbując tego dokonać. – Znów zerka w obie strony ulicy, po czym kontynuuje ciszej: – Kiedy wszedłem dziś po tych schodach i usłyszałem głosy w pokoju Dunne'a, pomyślałem, że to z pewnością on. Dlatego rzuciłem nożem.

Sidney patrzy na mnie z ukosa, ciekaw, czy mu wierzę.

– Dlaczego założyłeś, że to Doughty? – Próbuję zadać pytanie lekkim tonem, ale pomimo to brzmi ono jak oskarżenie.

Thomas ulega po chwili wahania.

– Dwie niedziele temu Hiszpan Jonas mi powiedział, że widział w Plymouth Dunne'a z człowiekiem, którym, jak mu się zdawało, był John Doughty. – Milknie, wypatrując przechodniów. Widać tylko staruszkę, która zamiata frontowy schodek w głębi ulicy. – Pogadałem z Dunne'em na osobności. Zaprzeczył w bardzo ostrych słowach i przysiągł, że nie widział Doughty'ego od lat. Był wielce wzburzony, ale nic w tym dziwnego. Nie uznałem tego za dowód.

– Nie powiedziałeś o tym sir Francisowi?

Thomas się krzywi.

– Jak sami zauważyliście, mój brat już ma obsesję na punkcie Johna Doughty'ego.

– Nie bez powodu – warczę.

– Nie chciałem podsycać jego obaw, gdy był zajęty przygotowaniami do tak skomplikowanego przedsięwzięcia – mówi dalej Thomas, obrzucając mnie hardym spojrzeniem. – I wyznam szczerze, po prostu nie uwierzyłem Hiszpanowi na słowo. Zawsze próbuje przypochlebiać się mojemu bratu, skoro inni marynarze nie mają do niego zaufania. Podejrzewałem, że to kolejna sztuczka. Nikt z nas od lat nie widział Johna Doughty'ego, a Jonas w końcu przyznał, iż nie miał okazji przyjrzeć mu się z bliska. Naprawdę uznałem, że zmyślił tę historyjkę, by dodać dobie ważności albo wyrównać z Dunne'em rachunki za jakieś przykrości. Dopiero gdy opowiedziałeś, jak John

Doughty zaatakował cię w Domu Westy, zdałem sobie sprawę, że być może mówił prawdę.

– A teraz Jonas zaginął – mówi Sidney.

◆ ◆ ◆

– Nie wierzę ani jednemu jego słowu – oznajmia Philip, gdy zostaliśmy sami. Pozwolił odejść Thomasowi, choć niechętnie.

– Wiem. Ale wydawał się szczerze zaskoczony, kiedy wspomniałeś o szantażu. Nie sądzę, by to on miał jakąś tajemnicę. Przysiągłbym, że nie udawał.

– Wszyscy udają – rzecze ponuro, kiedy schodzimy w kierunku portu. – W taki czy inny sposób.

Przez chwilę idziemy w milczeniu, pogrążeni we własnych myślach.

– A jeśli to Jonas zabił Roberta Dunne'a? – odzywa się Sidney, gdy dochodzimy do drzwi gospody. – Nie, wysłuchaj mnie… A jeśli go zabił z lojalności wobec Drake'a?

– Zdecydowanie byłby to zwrot w tej sprawie. Jak to wyjaśnisz?

– Pomyśl, w jaki sposób znaleziono Dunne'a. Powieszonego za szyję. Następnie ten cytat z *Ewangelii Mateusza* przysłany Drake'owi. Załóżmy, że wysłał go Jonas, by skierować uwagę sir Francisa na to, że Dunne zmarł jak Judasz Iskariota, ucieleśnienie zdrady. A jeśli Hiszpan to zrobił, aby ocalić Drake'a? Może zobaczył, jak Dunne spiskuje z Johnem Doughtym, i obawiał się, że szykuje zamach na dowódcę, ale po rozmowie z Thomasem zdał sobie sprawę, że nikt mu nie uwierzy?

– W takim razie gdzie on jest?! – pytam, przystając w sieni, żeby na niego spojrzeć. – Dlaczego nie został, by Drake z wdzięcznością poklepał go po plecach za uratowanie mu życia? Dlaczego najpierw upozorował samobójstwo, a potem sugerował, że Dunne sam się nie zabił?

Sidney obrzuca mnie pogardliwym spojrzeniem.

– Przecież nie mógłby się spodziewać, że Drake go nagrodzi za zabicie dżentelmena wyłącznie na podstawie podejrzeń. Jestem przekonany, że uciekł, jak na wiernego sługę przystało, aby oszczędzić Drake'owi skandalu. List miał być wskazówką wiodącą do prawdy.

– Dziś rano uważałeś, że Jonas jest zdrajcą.

– Cóż, miałem trochę czasu, by jeszcze raz przemyśleć całą sprawę – oznajmia z nutką wyniosłości. – I teraz jestem przekonany, że to jedyne wiarygodne wyjaśnienie. Postawiłbym na to sto funtów.

– Lepiej nie – mówię, gdy skręca ku schodom. – Spójrz, dokąd zawiodło to Roberta Dunne'a.

Brak mi sił na dalszą dyskusję, ale jego teoria mnie nie przekonała. Wręcz przeciwnie: lęk skręca mi trzewia za każdym razem, gdy myślę o Jonasie i jego niewyjaśnionym zniknięciu.

– Gdybyśmy tylko wiedzieli, kogo szantażował Dunne. Czuję, że w tym tkwi odpowiedź. Pięć złotych aniołów to mnóstwo pieniędzy. Ilu ludzi na pokładzie *Elizabeth* byłoby stać, żeby tyle zapłacić?

– Thomasa Drake'a, po pierwsze – mówi Sidney z goryczą. Patrzy w dół na pludry wybrudzone w czasie upadku. – Spójrz tylko. Cały jestem w końskim łajnie. Muszę się przebrać przed kolacją.

Skręcamy w korytarz i pod naszymi drzwiami widzimy Hetty, która udaje, że się przykłada do zamiatania podłogi.

– Twoja sympatia wróciła – cicho komentuje Sidney, wyjmując klucz. Hetty wspiera się na miotle i patrzy na nas, gdy podchodzimy. Zastanawiam się, jak długo czekała.

– Chcesz, panie, wiedzieć, co wiem? – pyta bez wstępów.

– Skąd mam to wiedzieć, dopóki mi nie powiesz? – burczę, choć dokładam starań, żeby nie zdradzić niecierpliwości. Oczy i uszy Hetty docierają do takich miejsc w gospodzie, do jakich ja nie mam wstępu.

Wydyma usta.

– Nie ma sensu mówić, chyba że tobie warto o tym wiedzieć, panie – mówi i podejmuje swój mało entuzjastyczny pokaz zamiatania.

Sidney otwiera drzwi i puszcza do mnie oko. Znika w pokoju, zostawiając mnie z nią sam na sam.

– Może mi powiesz, a gdy ocenię wartość informacji, wynagrodzę cię stosownie do tejże? – proponuję.

Patrzy na mnie, wyraźnie zbita w tropu.

– Śmiesznie gadasz, panie. – Prycha. – Ale niech i tak będzie. Ta wdowa, ta, z którą wyszedłeś dziś rano...

– Pani Dunne?

– Tak, ona. Widziałam, jak jej służąca przekazuje wiadomość. Chcesz, panie, wiedzieć komu?

– Oczywiście.

Rozpiera ją duma z posiadanej wiedzy; wygląda tak, jakby lada moment miała pęknąć.

– Do tego dżentelmena, który przyszedł dziś rano. Wynajął pokój na górze na kilka dni.

Ściągam brwi, próbując zrozumieć, kogo ma na myśli. Hetty chrząka zniecierpliwiona.

– Znasz go, panie. Jest z kapitanem Drakiem. Łysy. Piękny strój. Piórko w kapeluszu. Mówi do wszystkich tak, jakby przykazywał psu, żeby nie srał w sieni.

– Chodzi ci o sir Williama Savile'a? – Wbijam w nią oczy.

– Tak się zwie? – Nie wygląda na zainteresowaną szczegółami. – W każdym razie to on. Rozmawiałeś z nim rano na dole, kiedy przebywał tam kapitan Drake – dodaje dla jasności.

– Tak, to on. – Kiwam głową. – I służka pani Dunne zaniosła mu wiadomość? Jesteś pewna?

– Jestem. Poszła do jego pokoju i wsunęła kartkę pod drzwiami, widziałam na własne oczy. A on jakieś pół godziny później przekazał odpowiedź. Chcesz wiedzieć, panie, co napisał?

– A skąd miałabyś to wiedzieć? – pytam, chociaż już się domyślam. Zamiast odpowiedzieć, sięga do kieszeni fartucha i wyjmuje stamtąd złożoną kartkę.

Nie mogę się powstrzymać od uśmiechu, a ona szczerzy się od ucha do ucha i wyciąga brudną dłoń. Daję za wygraną i sięgam po sakiewkę.

– To warte co najmniej pensa – mówi surowo, na wypadek gdyby przyszło mi na myśl ją oszukać.

– Dostaniesz groata. Ale jak to wpadło w twoje ręce? – pytam, szukając monety.

– Nie wiedział, że obie panie wyszły. Wsunął kartkę pod drzwi, ale niezbyt daleko. – Bierze ode mnie monetę i przygląda się jej z satysfakcją. Bez względu na to, kto inny jeszcze mógł na tym skorzystać, śmierć Roberta Dunne'a okazuje się wyjątkowo zyskowna dla Hetty.

– Dziękuję, Hetty – chwalę ją, otwierając drzwi mojego pokoju. – Spisałaś się.

– Nie zabieraj tego, panie – mówi, patrząc na mnie jak na półgłówka. – Inaczej się dowiedzą. Muszę się pośpieszyć i wsunąć list pod drzwi, zanim ktokolwiek się pozna, że zniknął. Czytanie nie zajmie nam wiele czasu, to krótka wiadomość.

Rozkładam kartkę. W istocie, wiadomość jest zwięzła.

Tutaj. Podczas kolacji.

Patrzę na Hetty.

– Co mam przez to rozumieć? Gdzie?

Spuszcza oczy i obraca miotłę pomiędzy stopami.

– Nie pytaj mnie, panie. Nie umiem czytać. Nigdy się nie uczyłam. – Wygląda na dziwnie bezbronną, kiedy to mówi, i nie chce spojrzeć mi w oczy.

Na głos więc czytam wiadomość, a ona wzrusza ramionami.

– Umówili się na schadzkę, tak myślę. „Tutaj" pewnie oznacza jej pokój. – Prycha. – Nie traci czasu, co? Mąż jeszcze dobrze nie ostygł, a ona już się zmawia z innym, żeby jej ogrzał łóżko.

– Który pokój zajmuje pani Dunne?

Obrzuca mnie chłodnym spojrzeniem spod uniesionej brwi.

– Nie jestem pewna, czy dobrze pamiętam.

– Na litość boską… – Sięgam do sakiewki po drugiego groata. – Jak sądzisz, czy to pomoże odświeżyć ci pamięć?

– Być może. – Moneta znika w fartuchu. – Drugie piętro, na końcu korytarza. Okno wychodzi na dziedziniec.

– Nikomu o tym nie mów, Hetty – przykazuję, oddając jej liścik. – Trzymaj buzię zamkniętą, a oczy i uszy miej otwarte, bo może wyniknie z tego coś więcej. – Poklepuję sakiewkę. Leniwy, chciwy uśmiech rozjaśnia jej twarz. Nie ufam jej, pewnie zacznie plotkować w następnej chwili, gdy tylko stracę ją z oczu.

– Będzie mi za tobą tęskno, panie, kiedy odjedziesz – zauważa, podnosząc miotłę. – Niewiele tu mamy rozrywek, odkąd trupa komediantów wyjechała w czerwcu.

– Rad jestem, że zapewniam ci rozrywkę – mówię z kwaśnym uśmiechem.

– Aha, przy okazji – dodaje, odwracając się na schodach – ta druga pani wcześniej cię szukała, panie.

– Jaka druga pani?

Milczy przez chwilę dla uzyskania większego efektu.

– Przecież wiesz… Ta, która zeszłej nocy była w twoim pokoju, panie.

Zanim mogę cokolwiek powiedzieć, szczerzy zęby w lubieżnym uśmiechu, podkasuje spódnice i pierzcha na dół do następnej intrygi.

17

Zbrojni Drake'a są wszędzie, stoją w sieni i pod drzwiami jego prywatnej jadalni. Wprowadzają do gospody aurę niepokoju, broń jeży się w ich rękach, światło połyskuje na stalowych ostrzach. Ludziom nie podoba się ich obecność, można to poznać; panuje nastrój przygnębienia, amatorzy trunków idą do szynku ze spuszczonymi głowami i unikają rozmów. Jest niemal tak, jakbyśmy już byli w stanie wojny. Drake stoi przy drzwiach jadalni z poważną miną i mówi coś do jednego z żołnierzy, gdy spostrzega Sidneya i mnie schodzących z góry i przywołuje nas do siebie skinieniem. Nie uśmiecha się.

– Jedno słówko, jeśli można, panowie, przed kolacją. – Prowadzi nas w niszę okienną. – Poczyniliście dziś jakieś postępy?

Przyglądam mu się uważnie. Studiując jego szeroką, opaloną twarz, myślę, ile ten człowiek przeżył i o czym mógłby opowiedzieć: codzienne spoglądanie śmierci w oczy, zmuszanie do uległości fal wyższych niż kościoły wraz z furią wszystkich żywiołów, opanowanie umiejętności zachowywania niezłomnej miny – jego najważniejsze zadanie jako kapitana, żeby zapobiec wybuchowi paniki. Na okręcie pełnym wrzeszczących, bojących się o życie ludzi jest jedynym człowiekiem, któremu nie wolno okazać strachu, inaczej wszystko przepadnie. Właśnie to zdeterminowane oblicze teraz nam prezentuje, ale mogę wyczytać napięcie w jego oczach. Na morzu łatwo jest nazwać i pokazać palcem siły sprzymierzone przeciwko człowiekowi. Tutaj jego wróg może czaić się wszędzie – nawet przy stole tego wieczoru.

Składam krótkie sprawozdanie z moich dokonań, łącznie z odkryciem kwatery Roberta Dunne'a. Nie wspominam o Thomasie i jego nożu. Kiedy Drake słyszy o mordowniku i martwym psie, zasłania ręką usta i podbródek, w milczeniu kiwając głową.

– Zatem to prawda – powiada akurat w tym momencie, gdy już myślę, że wcale się nie odezwie. – Albo częściowa prawda.

– Nie ulega wątpliwości, że Robert Dunne eksperymentował z jakąś trucizną. Trudno sobie wyobrazić, w jakim innym celu, jeśli nie do użycia przeciwko tobie, sir Francisie.

Drake pociera brodę i błądzi spojrzeniem za oknem.

– Chcę, żebyś coś dla mnie przeczytał – mówi po długiej pauzie, wyjmując list z zanadrza kaftana. Sidney wyciąga rękę, ale Drake to mnie go podaje. – W tajemnicy – dodaje. Zaciska usta i niemal widzę, jak pod skórą napinają się mięśnie jego szczęki.

Rozkładam kartkę papieru, Sidney czyta ponad moim ramieniem.

Muy estimado Señor Capitan – tak się zaczyna. Cały list jest po kastylijsku, skreślony schludnym, ukośnym pismem, choć atrament trochę się rozmazał wzdłuż marginesu po lewej stronie.

W Twoje ręce, Mój Kapitanie i Przyjacielu, składam moje szczere pisemne wyznanie, do którego, przysięgam przed Bogiem Wszechmogącym…

Pod tekstem widnieje imię i nazwisko: Jonas Solon. Pisze, że podejrzewał Roberta Dunne'a o spiskowanie przeciwko Drake'owi, że w obronie kapitana podał zdrajcy śmiercionośną miksturę i powiesił go na belce, żeby upozorować samobójstwo. Poniewczasie zdał sobie sprawę, że swoim czynem ściągnął na ekspedycję poważne kłopoty; a chcąc oszczędzić umiłowanemu kapitanowi dalszych, odchodzi w nieznane, jego poczucie winy i strach przed odkryciem okazały się większe niż odwaga. Pokornie wyraża nadzieję, że Drake i Bóg (w tej kolejności) mu wybaczą. Konkluduje, że gdy Drake to przeczyta, on będzie już daleko stąd. Żałuje, że nie miał okazji się pożegnać. Wszystko, czego się dopuścił, zrobił z miłości do kapitana. Poleca Bogu los wyprawy i tak dalej, i tak dalej.

– Jesteś mi winien sto funtów – syczy Sidney do mojego ucha.

Odrywam wzrok od stronicy i napotykam wyczekujące spojrzenie Drake'a. Nie jest jasne, czy już zna treść.

– Czytasz, panie, po hiszpańsku? – pytam.

– Rozpoznałem niektóre słowa, ale muszę dokładnie wiedzieć, co tam jest napisane. Zamierzałem prosić Gilberta o przełożenie, lecz po namyśle uznałem, że im mniej ludzi będzie o tym wiedziało, tym lepiej. Przetłumacz mi to, dobrze?

Cichym głosem jak najwierniej tłumaczę treść listu Jonasa. Drake ma skupioną, lecz poza tym całkowicie obojętną minę. Kiedy kończę, pociera palcem skraj brody i kiwa głową.

– Więc Jonas postanowił się przyznać – mówi po długiej przerwie.

– A ty, panie, w to nie wierzysz.

Ze skupieniem przypatruje się mojej twarzy.

– Interesujące. Dlaczego tak uważasz, panie?

Stukam w kartkę papieru.

– Ponieważ ja też nie wierzę, że Jonas to napisał. Hiszpański nie jest zupełnie... jak mam to rzec? Nie brzmi jak trzeba. Jest bardzo dobry, nie ma wątpliwości, ale znalazłem tu kilka niepoprawnych konstrukcji. Rodowity Hiszpan tak by się nie wyraził.

Drake ponownie kiwa głowa.

– Z pewnością masz rację, Bruno. Ale dam ci jeszcze ważniejszy dowód, że to fałszerstwo. – Milknie, śmiga wzrokiem z prawa na lewo, i kontynuuje ciszej: – Jonas Solon jest niepiśmienny. Nie umiałby się nawet podpisać.

– Ach. – Zapada wymowne milczenie, podczas którego ze współczującą miną patrzę na Sidneya. – Godne pożałowania, że ten, kto skreślił list, nie pomyślał, by najpierw to sprawdzić.

– Tak – zgadza się Drake. – Ale wie o tym niewielu ludzi. Jonas się tego wstydzi i podejmuje wiele wysiłku, by ukryć ten fakt. Z wyjątkiem mojego brata byłem może jedynym człowiekiem na pokładzie, który o tym wiedział. Więc... – Kieruje znaczące spojrzenie na list w mojej ręce.

– Więc napisał to ktoś inny, żeby go obciążyć – dopowiada Sidney, stwierdzając rzecz oczywistą.

– Więc nikt nie zaprzeczy temu wyznaniu – mówię, kończąc za Drake'a jego myśl. – Jeśli jutro zostanie odczytane przed koronerem.

Drake patrzy na mnie z uznaniem.

– Po raz kolejny, Bruno, jasno widzisz sytuację. Z jednej strony to może rozwiązać mój najpilniejszy problem. Mam podpisane wyznanie mordercy. Obejdzie się bez orzekania *felo de se* i długiego dochodzenia.

– Z drugiej strony nasuwa się pytanie, co z Jonasem – wtrąca Sidney. – Jeśli uwierzą, że jest winny morderstwa, zarządzą nagonkę.

– Wydaje się możliwe – mówię powoli – że ktokolwiek to napisał, był całkiem pewien, iż Jonas się nie pojawi, by temu zaprzeczyć.

– Prawda, obawiam się najgorszego. – Drake wzdycha i to westchnienie wstrząsa całym jego ciałem. – Wyślę czterech dyskretnych ludzi na poszukiwania. Niemal żałuję, że nie mogę uwierzyć w prawdziwość tego wyznania – dodaje, biorąc list. – Byłoby to lepsze od drugiej możliwości.

– Odwagi, sir Francisie, może jeszcze zjawi się cały i zdrowy – powiada Sidney, choć bez przekonania.

– Jeśli to zrobi, zostanie oskarżony o morderstwo. – Drake patrzy w okno, jego twarz pogrąża się w mroku.

– Niepiśmienność byłaby dowodem świadczącym na jego korzyść – podkreślam. – Poza tym znajdziemy zabójcę przed dochodzeniem.

– Żałuję, Bruno, że brakuje mi twojej pewności siebie – mówi Drake. Ja żałuję, że nie byłem szczery.

– Kto inny wie o liście?

– Tylko mój brat. I moja żona, chociaż nie zna treści. List został wsunięty pod drzwi jej pokoju dzisiejszego popołudnia, zaadresowany do mnie. Oczywiście wypytałem służbę, ale nikt niczego nie widział.

Postawiłbym sto funtów Sidneya, że ja się zdołam dowiedzieć.

– Kto inny na twoim okręcie, sir Francisie, mówi po hiszpańsku?

– Kilku moich ludzi umie się porozumieć, tyle wiem, ale czy ktoś zna język dość dobrze, żeby skreślić taki list? – Kręci głową. –

Tylko ci wykształceni, a nawet wtedy nie mógłbym przysiąc, bo nigdy nie widziałem, żeby któryś z nich pisał po hiszpańsku.

Chowa list w zanadrze i wzrusza ramionami.

– Chodźmy. Nie mówcie innym o tym wyznaniu, ale miejcie oczy i uszy otwarte. Dom Antonio spodziewa się interesującego towarzystwa i dobrych humorów. Nie szczędzę starań, żeby ukryć przed nim ten kłopot. Im prędzej wyjedzie z Plymouth, tym swobodniej się poczuję. – Zauważam, że nie patrzy na Sidneya, gdy to mówi. – W każdym razie – dodaje – moja żona jest niespokojna. Czuję, że byłaby bezpieczniejsza w Buckland.

– Naturalnie – powiada Sidney.

– Dlatego postanowiłem zostać na noc w mieście. Żeby ją podnieść na duchu, rozumiecie. – Tym razem wbija wzrok w Sidneya, który nie zmienia wyrazu twarzy.

– Wielce rozsądny pomysł, sir Francisie – mówi tonem przeczącym myśli, która z pewnością mu chodzi po głowie. Sam przyłapuję się na rozmyślaniu o lady Arden. Gdzie ona będzie spać w tym nowym układzie? Na materacu u stóp ich łóżka? A może przeniesie się do innego pokoju i kto ją będzie pocieszać wieczorem? Potem sobie przypominam, że lady Arden wciąż wierzy, iż ubiegłej nocy odrzuciłem jej towarzystwo na rzecz wizyty w burdelu; jeśli nie wyjaśnię tego nieporozumienia, nie będzie chciała pocieszenia z mojej strony.

Wokół stołu w wyłożonej boazerią jadalni siedzą faworyzowani przez Drake'a kapitanowie, ludzie mu najbliżsi. Jest tu Knollys i Carleill, pasierb Walsinghama, kapitan Fenner i inni, obecni na kolacji u Drake'a tamtego pierwszego wieczoru. Sidney szepcze mi nazwiska tych, których rozpoznaje. Jest też kapelan Pettifer i sir William Savile, który, jak zauważam, ulokował się blisko drzwi. Jestem zaskoczony na widok lady Drake i jej kuzynki. Lady Arden ostentacyjnie skupia uwagę na kromce chleba, ale w końcu unosi oczy i napotyka moje spojrzenie, spokojnie, ani z wrogim, ani ze szczególnie zachęcającym wyrazem twarzy. Później, kiedy ma pewność, że wciąż na nią patrzę, kieruje wzrok na Savile'a, którego zaszczyca ciepłym uśmiechem. Psuje efekt, zerkając szybko w moim kierunku, żeby sprawdzić, czy to zauważyłem.

U szczytu stołu, na miejscu honorowym, siedzi mężczyzna, którym, jak muszę założyć, jest Dom Antonio. Przeor Crato, były, a może i przyszły, król Portugalii. To niski, nerwowy mężczyzna o dużych smutnych oczach i zakręconym wąsie, który kiedyś mógł być zawadiacki, ale dziś jest jakby nie na miejscu i żałosny, mniej więcej jak jego właściciel. Dom Antonio nie wygląda na króla. Wygląda jak pies, który się spodziewa kopniaka. Przypuszczam, że to skutek przepędzenia z tronu i późniejszego bezustannego prześladowania przez Filipa Hiszpańskiego. Jednak nosi przydomek „Zawzięty" i musi płonąć w jego sercu jakiś niezrażony płomień nadziei albo żywi głęboką, acz nieuzasadnioną, wiarę w odzyskanie korony, bo dlaczego inaczej miałby wracać do Anglii i gorąco przekonywać królową Elżbietę, żeby zorganizowała kolejną ekspedycję i zakończyła jego wygnanie?

Dom Antonio wstaje, gdy wchodzimy. Drake przedstawia Sidneya i Portugalczyk składa wyszukany ukłon.

– Brak mi słów, żeby wyrazić wdzięczność Jej Królewskiej Mości – rzecze, przykładając ręce do piersi – że wyświadcza mi zaszczyt, wysyłając tak wielkiego rodu dworzanina, by dotrzymał mi towarzystwa w drodze i odprowadził przed jej oblicze.

Przynajmniej opanował sztukę schlebiania tym, od których pomocy jest zależny, myślę sobie. Sam jej nie posiadłem, pomimo lat spędzonych na wychodźstwie. Mógłbym się uczyć od tego człowieka.

– To dla mnie zaszczyt, panie – mówi Sidney, odwzajemniając ukłon. Znowu jestem pod wrażeniem jego biegłej znajomości dyplomacji. Nigdy nie odgadłbyś po jego gładkim uśmiechu, że zamierza zostawić Dom Antonia pod opieką czterech gburowatych żołnierzy, a samemu czmychnąć na ocean.

Drake zasiada po prawicy Dom Antonia i wskazuje Sidneyowi krzesło obok siebie. Ja znajduję wolne miejsce obok Pettifera, który mnie wita z pełną rezerwy uprzejmością i dopytuje o dzisiejsze poczynania. Właśnie się zabieram do duszonej sarniny, kiedy drzwi się otwierają i wpada zadyszany, trzepoczący powiekami Gilbert Crosse. Okulary zsuwają mu się na czubek nosa, gdy przeprasza za spóźnienie tak gorliwie, że potyka się o własne słowa, co tylko wprawia go w tym większe zakłopotanie. Drake ze śmiechem zbywa jego przeprosiny i przedstawia go Dom Antoniowi. Portugalczyk wyraźnie myśli, że status przybysza nie zobowiązuje go do wstania z krzesła, ale zaraz potem się pochyla, kładąc ręce na brzegu stołu, i ściąga brwi.

– Widziałem cię wcześniej, panie, czyż nie?

– Wcześniej? – Gilbert jest zdumiony pytaniem, jego rysy stają się jeszcze bardziej napięte i niespokojne, gdy przenosi spojrzenie z jednego na drugiego gościa, jakby ktoś z nas mógł znać poprawną odpowiedź. – Nie, nie sądzę, panie. Błagam o wybaczenie – dodaje, potulnie kiwając głową. Robi taki ruch, jakby chciał usiąść obok mnie, przystaje, może w obawie, że nie powinien bez pozwolenia siadać w obecności dygnitarzy. Ten drobiazg mnie martwił, gdy pierwszy raz się zjawiłem na francuskim dworze.

– Wszak jestem pewien... ach, gdybym nie miał tak zawodnej pamięci! – lamentuje Dom Antonio i zdawkowo macha ręką, który to gest Gilbert interpretuje jako zgodę na zajęcie miejsca. – Podczas kilku ubiegłych lat odwiedziłem tyle krajów, tak wiele dworów, tak wiele dobrych chrześcijańskich dusz chcących mnie przyjąć, i innych, mniej dobrych, wszystkich chętnych, żeby mnie sprzedać za garść srebra. Widziałem tak wiele twarzy, że zaczynają się... jak to się mówi? Zacierać.

– Byłeś w Antwerpii, panie? – pyta Gilbert.

– Nie ostatnio. – Dom Antonio się namyśla. – Nie, chyba nie byłem.

– Zatem obawiam się, że pomyliłeś mnie z kimś innym – duka Gilbert, zarumieniony od szyi po koniuszki uszu, ponieważ musi zarzucić omyłkę księciu.

– Możliwe – godzi się niechętnie Dom Antonio, odchyla na oparcie krzesła i obrzuca Gilberta melancholijnym spojrzeniem. – Może jeszcze mi się przypomni.

Gilbert śmieje się grzecznie i spuszcza głowę, wyraźnie mając nadzieję, że nie przyciągnie dalszej uwagi.

– Obawiam się, że długie lata życia w ukryciu pomieszały mu w głowie – szepcze do mnie. – Nigdy dotąd go nie spotkałem.

Pierwsze danie mija bez incydentów. Pomimo obecności dam rozmowa toczy się wokół broni i strategii, siły ognia i tonażu. Jakby za uprzednim porozumieniem, nikt nie wspomina o śmierci Dunne'a ani o zniknięciu Jonasa. Może Drake przekonał tych ludzi, że jutro będzie po wszystkim. Staram się nadążyć za tą morską konwersacją, ale nie rozumiem wielu terminów i niebawem moje myśli zwracają się do wewnątrz, analizując dzisiejsze odkrycia w nadziei, że wyłoni się jakiś sens. Gilbert u mojego boku gorliwie słucha i kiwa głową, od czasu do czasu próbując włączyć się do rozmowy, rzucając uwagi o swoich obliczeniach. Zauważam, że większość kapitanów go ignoruje. Może nie traktują go poważnie – nawigator, którego cała wiedza opiera się na teorii matematycznej, wydaje się mało znaczący dla tych doświadczonych wilków morskich.

Przez cały czas mam oko na sir Williama Savile'a. Rozcięta warga się goi, jak zauważam. Drake powiedział, że ten posprzeczał się z Robertem Dunne'em w dniu śmierci, wywiązała się karczemna bójka, o której Savile nie chciał dyskutować, ponieważ uznał, że było to zdarzenie poniżej godności dżentelmena. Dunne napadł na niego niesprowokowany, jak powiedział. Zdarzenie zaczyna wyglądać zupełnie inaczej w świetle wiadomości, którą pokazała mi Hetty. Gdy mu się przyglądam, nachodzi mnie nagłe wspomnienie mojej rozmowy z Jonasem w szalupie, gdy wczoraj płynęliśmy na brzeg, zanim zniknął. Rozmawialiśmy po hiszpańsku, a Savile się włączył. Choć odezwał się do nas po angielsku, wyraźnie rozumiał, o czym mówiliśmy. A zatem zna hiszpański. Teraz unosi głowę, spostrzega, że na niego patrzę, i z wesołym uśmiechem podnosi kielich. Odwzajemniam uśmiech i gest. Mogę mu dorównać pod względem nonszalancji; pozwolę mu pójść na schadzkę bez wzbudzania podejrzenia, że mam go na oku. Upominam się, żeby tymczasem obserwować go bardziej dyskretnie.

Nie muszę długo czekać. Gdy tylko służebni chłopcy wracają po naczynia, Savile wstaje, przeciąga się i niepotrzebnie głośno oznajmia, że jest umówiony z wygódką. Pettifer pruderyjnie kląska językiem.

– Niekiedy zauważam – szepcze kątem ust – że dobrze urodzeni mężczyźni często okazują karygodny brak wychowania. Ludzie bez przewagi szlachetnej krwi, ci, którzy skorzystali z dobrodziejstw wykształcenia, często prezentują światu lepsze maniery, gdyż są bardziej świadomi, iż podlegają ocenie. Ludzie jak wy i ja – dodaje na wypadek gdyby jego uwaga nie była dla mnie jasna.

– Hm – mruczę, patrząc na drzwi, gdy Savile się wymyka. – Wybaczy mi ojciec na chwilę? Obawiam się, że ja też muszę... no, na stronę.

– Tak, oczywiście. – Ma urażoną minę; raczył dokonać porównania między nami, a ja go zlekceważyłem. Jednak uraza Pettifera jest w tej chwili najmniejszą z moich trosk. Przepraszam i przeciskam się obok siedzących gości i służących do drzwi. Sidney patrzy na mnie pytająco, gdy wychodzę. Oczami wskazuję mu puste krzesło Savile'a.

W sieni panuje większy spokój, może wszyscy poszli do szynku na kolację. Wchodzę po schodach na drugie piętro i, jak najciszej potrafię, idę po skrzypiącej od czasu do czasu podłodze korytarza, kierując się uzyskanymi od Hetty wskazówkami, by trafić do pokoju pani Dunne. Nikłe wieczorne światło pada skośnie na gołe deski. Wszystkie drzwi wzdłuż korytarza są zamknięte, ale słyszę stłumiony pomruk głosów płynący zza tych na końcu, od strony dziedzińca. Zwalniam, skradając się pod ścianą, gdzie deski mniej trzeszczą pod moim ciężarem.

– Jak mogłeś do tego dopuścić?! – Odzywa się kobiecy głos, drżący z gniewu.

– Jeśli pozwolisz mi wyjaśnić... – Głos Savile'a, pojednawczy brzmi przypochlebnie. – Los sprzysiągł się przeciwko mnie...

– Los! Nie mów mi o losie, Williamie... to ty wszystko zepsułeś!

– Ile razy mam ci powtarzać, nie mogłem niczego zrobić, był z nim kapelan! – Savile podnosi głos, mówiąc obronnym tonem. – Poza tym już po wszystkim. Tak czy inaczej, masz koniec, jakiego chciałaś.

– Myślisz, że chciałam tego?! – Słowa wybuchają z jej ust. – Boże, chroń mnie przed głupimi mężczyznami. Jak to ma się nam przysłużyć?!

– Martho, wiesz, że nie zamierzałem…

Tutaj podejmuję złą decyzję. Tak bardzo mi zależy, by ich zobaczyć, żeby ujrzeć subtelną mowę gestów i dotyku, często lepiej od słów wyrażającą relacje dwóch osób. Chcę ustalić stopień zażyłości tych dwojga, którzy twierdzą, że dopiero co się poznali. Podchodzę do drzwi i kucam, żeby przyłożyć oko do dziurki od klucza; podłoga zdradza mnie jękiem deski i Savile urywa w połowie zdania. Niemal słyszę narastające napięcie, gdy wytęża słuch. Dobiega mnie szmer gorączkowego poszeptywania, Savile syczy:

– Ty idź, nikt nie może zobaczyć, że wychodzę z twojego pokoju.

Słyszę poruszenie. Jeśli mnie tu znajdą, przepadnie moja przewaga. Naciskam klamkę sąsiednich drzwi w korytarzu; ku mojemu zaskoczeniu otwierają się i wchodzę do pustej sypialni. Na wszelki wypadek zaciągam zasuwkę pod klamką.

Słyszę szmer otwieranych drzwi, poskrzypywanie desek w korytarzu, jakieś szuranie, znowu pośpieszne szepty, potem szczęk zamykanych drzwi i kroki na zewnątrz, oddalające się w kierunku schodów. Z pokoju pani Dunne dochodzi do moich uszu coś, co brzmi jak stłumiony szloch, ale równie dobrze może być to śmiech.

Kiedy jestem pewien, że za drzwiami nikogo nie ma, jak najciszej wychodzę z pokoju i ruszam w kierunku schodów. Gdy skręcam za rogiem, zderzam się z Hetty, która niesie w ręce skórzany bukłak. Krople płynu wylewają się i ochlapują nas oboje, Hetty klnie dosadnie, chociaż ja z ulgą stwierdzam, że to tylko woda.

– Śpieszysz się, panie – zauważa, wycierając się z chytrym uśmiechem. – Szukasz czegoś?

– Dżentelmen, o którym wspomniałaś wcześniej, ten łysy, który zostawił wiadomość… Czy go widziałaś?

– Minął mnie przed chwilą. Szedł na dół do jadalni.

– Dziękuję. – Waham się. – Gdzie znajdę jego pokój, gdybym chciał mu zostawić wiadomość?

– Dlaczego miałbyś to robić, panie? O ile dobrze pamiętam, jesz z nim kolację.

Patrzy na mnie nierozumiejącym wzrokiem. Oczywiście udaje. Obrzucam ją surowym spojrzeniem.

– Nie mam przy sobie sakiewki. Po prostu mi powiedz, dobrze? Patrzy z politowaniem, jakby moje kłamstwo miało zbyt krótkie nogi, bez szans na ucieczkę.

– Obawiam się, panie, że nie pamiętam.

Robię zbolałą minę i przewracam oczami, ale jednocześnie sięgam za pazuchę po sakiewkę.

– Chryste Panie, Hetty, powinnaś być lichwiarką, w okamgnieniu wydrenowałabyś kieszenie człowieka do sucha.

– Bóg pomaga tym, którzy sami sobie pomagają, jak powiada gospodyni Judith.

– Jestem tego pewien. Groat, nie więcej. To wszystko, na co mnie stać. Powiedz mi coś innego, jeśli chcesz więcej. Czy widziałaś, jak ktoś po południu wsuwał wiadomość pod drzwi lady Drake?

– Lady Drake? A co, ona też ma potajemnego kochanka?

– Nie – mówię stanowczo, zanim zacznie częstować mnie plotkami. – Ktoś zostawił list dla sir Francisa. Bardzo mu zależy, żeby się dowiedzieć, kto taki.

Z błogim uśmiechem chowa monetę.

– Po południu myłam podłogę w szynku. Nie byłam w pobliżu pokoju lady Drake. Przykro mi.

– A nie zauważyłaś, żeby ktoś się dziwnie zachowywał? Nie kręcił się tu ktoś, kto nie powinien?

Hetty parska pogardliwym śmiechem.

– Tutaj każdy się dziwnie zachowuje, panie. Jak poznałabym różnicę? – Układa sobie bukłak w zgięciu łokcia. – Pierwsze piętro, za schodami w prawo, trzecie drzwi. Od podwórza.

– Dziękuję. I... to prywatna wiadomość... – Pokazuję na migi zamykanie ust na kłódkę. Hetty tylko unosi brew i idzie w swoją stronę. Okłamała mnie w żywe oczy, nie mam co do tego wątpliwości, chociaż dopóki mam otwartą sakiewkę, jest zdecydowana świadczyć mi przysługi.

Szczęście mi dopisuje, korytarz na piętrze jest pusty. Mógłbym użyć szpilki Sidneya, ale go tu nie ma. Muszę zrobić, co trzeba, wąskim ostrzem sztyletu. W konsekwencji znów kaleczę sobie palce, ale zamek w końcu ustępuje i otwieram pokój Savile'a.

Nie ma tu nic z wyjątkiem krótkiej peleryny leżącej na łóżku i skórzanego sakwojażu. Podnoszę klapkę i zaczynam przeglądać zawartość. Nic szczególnie interesującego, tylko kilka pośpiesznie spakowanych ubrań – dzięki czemu będzie mniej oczywiste, że grzebałem w jego rzeczach. Jak Sidney, Savile też bardzo lubi nosić wykwintne stroje; chyba nie wziął pod uwagę, ile będzie miał pożytku z tych jedwabnych i brokatowych kaftanów na środku Atlantyku. Klnę cicho, uderzając pięścią w kolano. Nie ma tam niczego rozstrzygającego, niczego, co pomogłoby wyjaśnić sens pełnej niedomówień rozmowy Savile'a z panią Dunne. Gdybym tylko siedział cicho, usłyszałbym więcej. Czy pani Dunne myśli, że Savile jest żonaty? Co miał na myśli, mówiąc: „Koniec, jakiego chciałaś". Z pewnością nawiązywał do śmierci jej męża.

Na dnie sakwojażu znajduję dwa rękawy z płowego jedwabiu, obrzucam je pobieżnym spojrzeniem i już mam wszystko zwinąć i odłożyć, kiedy zauważam, że mankiety są zdobione maleńkimi guziczkami z macicy perłowej w kształcie kwiatków, po cztery na każdym. Tyle że na jednym rękawie są tylko trzy. Podnoszę go, żeby przyjrzeć się z bliska. W pobliżu koronkowego wykończenia widnieje brązowa plama. Pocieram ją kciukiem i do mojej skóry przywiera jakiś proszek. Wącham go tylko dla pewności, bo już wiem, co znalazłem. Rękaw bez jednego guzika pachnie gałką muszkatołową.

18

Przystaję przed jadalnią, żeby się oprzeć o ścianę, bo chcę spowolnić oddech i zapanować nad wyrazem twarzy. Savile nie może nabrać podejrzeń. Najpierw muszę porozmawiać z Drakiem; niech on zadecyduje, co dalej, chociaż Savile zdaje się wystarczająco bystry, aby zwrócić uwagę na moje wolne miejsce przy stole i powiązać je z odgłosami, które słyszał na górze. Jeśli nie, z pewnością zauważy, że coś nie jest w porządku, kiedy zobaczy, że jego pokój nie jest zamknięty. Trudno jest otworzyć zamek wytrychem, a co dopiero zamknąć go z powrotem; poddałem się z obawy, że zniszczę mechanizm. Po namyśle zostawiłem rękawy w sakwojażu, bo chociaż chciałbym pokazać dowód Drake'owi, doszedłem do wniosku, że Savile na pewno nie wie o zgubionym guziku, który go może obciążać.

Czekam dłuższą chwilę, aż zyskuję pewność, że mogę wejść do jadalni z obojętną miną. To swego rodzaju talent, zdolność do ukrywania nawet najbardziej burzliwych myśli. Dobrze mi się przysłużył w dawnym religijnym życiu i nadal jest dość przydatny w tym dziwnym życiu, jakie teraz wiodę. Savile odwraca głowę, gdy zajmuję miejsce, jego spojrzenie wyraża umiarkowane zaciekawienie. Po chwili wraca do swoich słuchaczy. Bawi Dom Antonia i Drake'a jakąś dykteryjką okraszoną żywiołowymi gestami. Portugalczyk śmieje się uprzejmie. Drake ma przylepiony uśmiech, ale patrzy nie na Savile'a, tylko na boazerię, błądząc myślami gdzieś indziej.

Nadziewam na nóż kawałek wieprzowiny i kiedy znowu unoszę spojrzenie, Savile dociera do punktu kulminacyjnego swojej opowieści. Mężczyźni wokół niego się śmieją, choć nie tak serdecznie jak sam narrator. Odkładam nóż i wodzę spojrzeniem wokół stołu. Brzęczenie rozmów płynie do mnie z daleka, jakby rój pszczół brzęczał za oknem. Widzę poruszające się usta – mówiące, żujące, śmiejące się – jakby czas zwolnił, jakbym stał z boku, obserwując. Atmosfera została skażona podejrzliwością, wypełnia ją blef, fałsz i strach, jakbyśmy wszyscy brali udział w jakiejś grze karcianej, w której stawką jest ludzkie życie i zwycięży ten, kto najlepiej umie kłamać. Ludzie rozdający karty są gdzieś poza zasięgiem wzroku, wciąż ukryci w cieniu.

Gilbert niewiele się odzywa do końca posiłku, pomijając uwagę o apetytach innych. Jego oczy skaczą z jednego rozmówcy na drugiego, zawsze czujne, gdy śledzi tok prowadzonych rozmów. Zalewa mnie wielka fala zmęczenia, pragnę opuścić towarzystwo i paść na łóżko, zamknąć oczy, pogrążyć się w nieświadomości. To tylko pobożne życzenia. Mój umysł będzie zajęty analizowaniem wydarzeń dnia i nie pozwoli na nadejście snu. Równie dobrze mogę wykorzystać ten czas na pracę.

Po uprzątnięciu stołu panie oznajmiają, że opuszczą towarzystwo. Wszyscy wstajemy i życzymy im dobrej nocy. Lady Arden spogląda na mnie przez ramię i błyska przelotnym uśmiechem. Po ich wyjściu następuje ogólne poruszenie: jedni wychodzą, żeby się wysikać na dziedzińcu, drudzy korzystają z okazji, żeby się przeciągnąć i rozprostować nogi, inni wyjmują gliniane fajki i kapciuchy. Przepraszam moich sąsiadów i podchodzę do Drake'a, który wstaje na powitanie.

– Sir Francisie, mogę dzisiaj dostać księgę? – pytam szeptem. Ściąga brwi, zerkając na brata.

– Po co?

– Żeby kontynuować pracę. Do rana mógłbym skończyć tłumaczenie, jeśli się przyłożę. – Jeśli zaraz wezmę się do pracy, może zdołam ponownie napisać to, co mi skradziono z pokoju, i nie będę musiał o niczym mówić Drake'owi.

Uśmiech na chwilę marszczy skórę w kącikach jego oczu.

– Nie mogę przestać myśleć o tym, Bruno, że byłoby lepiej, gdybyś się przespał. Spójrz tylko na siebie.

– Spałbym spokojniej, panie, gdybym miał ukończoną kopię tej księgi. Na wszelki wypadek.

– Naprawdę wierzysz, że ktoś spróbuje ją ukraść?

– Myślę, że bardzo na niej zależy temu księgarzowi, którego poznałeś. Jest bezwzględnym człowiekiem, pozbawionym skrupułów.

Zastanawia się, znowu zerkając na brata.

– Tak… Thomas nie będzie zachwycony. Już myśli, że zamierzasz wykorzystać kopię dla własnego zysku, i będzie przeciwny powierzeniu ci oryginału. Ojciec Pettifer też mnie przestrzegał, w bardzo dosadnych słowach, przed sporządzaniem przekładu. Mówi, że nic dobrego nie może wyniknąć z rozpowszechniania herezji i że ściągnę przekleństwo na całą wyprawę. – Kręci głową. – Dochodzę do przekonania, że już to zrobiłem.

– Nie mów tak, panie. To nie twoja wina ani nie skutek gniewu bożego. Jestem pewien, że zbliżamy się do znalezienia człowieka odpowiedzialnego za śmierć Dunne'a.

– Chciałbym podzielać tę pewność. Nie potrafię wyrazić, jak mi ciężko na sercu, gdy myślę o Jonasie. W każdej chwili spodziewam się posłańca, który mi powie, że go znaleziono. – Wzdycha i kładzie rękę na moim ramieniu. – Weź księgę na noc. Przydzieliłbym ci jednego z moich zbrojnych, ale obiecałem ich Dom Antoniowi. Ponadto… – mierzy mnie wzrokiem od stóp do głów – założę się, że umiesz o siebie zadbać, kiedy zachodzi potrzeba. Chodźmy po nią, zamierzam wcześnie pójść do łóżka.

– Całkiem słusznie, sir Francisie, gdybym miał piękną żonę, zrobiłbym to samo. – Savile wyrasta za moimi plecami i ze swobodą zarzuca mi rękę na ramię, jak Sidney. Staram się odprężyć. Zastanawiam się, ile słyszał. – Tymczasem my, samotni kawalerowie, musimy szukać pociechy w butelce i kartach. Dołączysz do nas, Bruno? Wyglądasz na człowieka, który ma twarz stworzoną do gry.

– Naprawdę? – mówię z idealnie obojętną miną.

– Właśnie o tym mówiłem! – Klepie mnie po plecach, jakbym

wykonał popisową sztuczkę. – Jesteś zręczny w ukrywaniu swojego prawdziwego ja. To bezcenna umiejętność przy karcianym stoliku. Nasz biedny Robert Dunne nigdy jej nie opanował, niestety.

– To samo można powiedzieć o większości z nas, nie sądzisz, sir Williamie? – mówię z miłym uśmiechem. – Niestety, muszę odmówić. Nie lubię ryzyka.

– To dopiero niespodzianka! – rzecze, a ja słyszę twardy ton w jego głosie, chociaż może tylko ponosi mnie wyobraźnia.

Drake w końcu uwalnia się od przydługich pożegnań, zwłaszcza z Dom Antoniem, który po winie zrobił się kordialny, kilka razy brał go w ramiona i ocierając łzy z kącików oczu, przemawiał coraz bardziej wylewnie i coraz mniej zrozumiale. Sidney mówi, że zamierza dołączyć do zwolenników gry w karty. Życzę mu szczęścia i przykazuję, żeby miał oko na Savile'a, bo może powie albo zrobi coś niezwykłego. Obrzuca mnie pytającym spojrzeniem, ale Drake gestem każe mi pójść z sobą i nie mam możliwości wprowadzić go w szczegóły.

Jeden z uzbrojonych strażników towarzyszy nam w drodze na piętro. Drugi już stoi przed drzwiami pokoju lady Drake. Drake kiwa do niego głową i przystaje z ręką na klamce, jakby zbierał myśli przed spotkaniem z żoną. Zapewne powinienem mu powiedzieć, co odkryłem o Savile'u, ale gryzę się w język. Instynkt mi podpowiada, że przecież dzisiejszej nocy Savile nie ucieknie. W swojej arogancji wierzy, iż jest poza wszelkimi podejrzeniami, a ja muszę zdobyć mocniejsze dowody, zanim go jawnie oskarżę.

W kominku pali się ogień, powietrze w pokoju jest ciepłe i pachnie dymem. Lady Drake siedzi blisko źródła ciepła, a jej służąca na ławce we wnęce okiennej, zajęta szyciem. Lady Arden stoi przy kominku z niewielkim sakwojażem u stóp.

– Panie. – Drake przechodzi przez pokój i otwiera drewniany kufer stojący przy łóżku. – Mam nadzieję, że nie jesteście zbytnio zmęczone wieczorem. – Wyjmuje ze skrzyni skórzaną torbę z księgą.

– Ani trochę, Francisie – mówi lady Drake. – Dom Antonio jest całkiem dobrym gawędziarzem, czyż nie? Tak barwnie opowiadał o swojej ucieczce i fortelach, że można by go słuchać przez całą noc. W istocie czuję się tak, jakby minęło tyle czasu...

– Ja natomiast mam wrażenie, jakbym wraz z nim przeżyła wszystkie te awantury – dodaje lady Arden ze złośliwym uśmiechem.

– Ależ, drogie panie, bądźcie dlań miłe. Dom Antonio to zacny człowiek, który wiele wycierpiał z rąk Hiszpanów. Poza tym jest naszym sprzymierzeńcem.

– Jednak niespecjalnie przydatnym – komentuje z prychnięciem lady Arden. – Brak mu poparcia, żeby mógł wywołać rebelię w swoim kraju. Królowa Elżbieta oferuje mu gościnę, ponieważ mu współczuje, ale jest zbyt roztropna, żeby wkładać pieniądze w beznadziejną sprawę.

Drake patrzy na nią tak, jakby miał przed sobą gadającego psa.

– Jesteś nadzwyczaj dobrze poinformowana, pani – mówię szczerze, bo naprawdę mi zaimponowała.

– Czy nie nadmieniłam, że mogę się podzielić wieloma opiniami? – powiada z szelmowskim uśmiechem.

– Proszę. – Drake wciska mi torbę w ręce, ale jej nie puszcza. – Na pewno przechowasz ją bezpiecznie? – Waha się, może wyobrażając sobie reakcję brata na wieść, że zabrałem księgę i pozostanę z nią bez nadzoru.

– Będę ją chronić za cenę życia, sir Francisie. – W ułamku sekundy przeszło mi przez myśl, że może do tego dojdzie. Gdyby wiedział, jak z powodu własnej niefrasobliwości dopuściłem do kradzieży kopii, nie pozwoliłby mi podejść do księgi na odległość mili. Zauważam, że lady Arden z ciekawością spogląda na torbę.

Drake kiwa głową i powoli podaje mi ją.

– Zwróć ją z samego rana – przykazuje. – Przez noc miej pokój zamknięty. Może po zakończeniu dochodzenia będziemy mieli więcej czasu, żeby się zastanowić, co z nią zrobić, kiedy poznamy jej treść.

Kiwam głową i odwracam się do wyjścia.

– Lady Arden – zaczyna Drake – dasz mi znać, żebym kazał słudze zabrać twój sakwojaż na górę.

– Proszę, sir Francisie, nie zadawaj sobie trudu – mówi szybko. – Przyszło mi na myśl, że może doktor Bruno mi go przyniesie.

Patrzę na nią, a ona odpowiada niewinnym spojrzeniem.

– Doktor Bruno nie jest tragarzem – zaznacza Drake z lekkim zakłopotaniem.

– Ale to po drodze, na pewno nie będzie miał nic przeciwko – dowodzi. – Moja służąca czeka na mnie w pokoju.

– Pomogę z przyjemnością – zapewniam, starając się nie okazać zbytniego zapału.

– Skoro tak... – Drake ma powątpiewającą minę, ale otwiera przede mną drzwi. Podnoszę sakwojaż lady Arden i gestem proszę, żeby wskazała drogę. Kłaniam się lady Drake i wychodzę.

– Zostałam wypędzona do swojego pokoju na czas pobytu sir Drake'a na lądzie – wyjaśnia lady Arden, kiedy drzwi się zamknęły za nami.

– Nie boisz się spać sama, pani? – Wchodzę za nią po schodach.

Śmieje się.

– Czego miałabym się bać?

– Tej obecnej sprawy. Wcześniej ktoś wsunął list pod drzwi lady Drake. Sir Francis powiedział, że twoja kuzynka była zaniepokojona.

– Przede wszystkim to on jest niespokojny, choć nie jestem pewna, czy rzeczywiście z powodu tej tajemniczej korespondencji. Myślę, że chodzi mu raczej o zniechęcenie gości.

– Ach. Zatem tej nocy lady Drake obejdzie się bez sonetów.

– Niestety. Czy wybieracie się z sir Philipem gonić za nocnymi rozrywkami Plymouth? – pyta słodko, gdy wchodzimy na podest drugiego piętra.

– Pani... nie byłem... ubiegłej nocy miałem na celu jedynie zdobycie pewnych informacji, które mogłyby pomóc sir Francisowi.

Obraca się ku mnie i unosi brew.

– To znaczy w kwestii tej śmierci. Nic więcej. – Jestem świadom, że to, co mówię, może się wydać pokrętne.

Śmieje się lekko.

– Nie musisz się przede mną usprawiedliwiać, doktorze Bruno.

Masz prawo odwiedzać wszystkie dziewki, jakie tylko chcesz. Tu jest mój pokój. – Staje przed drzwiami, a ja spostrzegam, że jej lokum sąsiaduje z pokojem pani Dunne. To tu niedawno się ukrywałem. Kładę sakwojaż na podłodze i milczę, nasłuchując dźwięków z sąsiedniego pomieszczenia. Słychać tylko cichy szmer kobiecych głosów.

– Mimo to chciałbym, abyś wiedziała, pani, że nie mam w zwyczaju odwiedzania burdeli.

Patrzy na mnie. Lekki uśmiech igra na jej wargach. Podejrzewam, że bawi się moim kosztem.

– W przeciwieństwie do mojej kuzynki wolno mi dzisiejszego wieczoru posłuchać sonetów. Sir Philip wspomniał, że jesteś nie byle jakim poetą. – Jej spojrzenie jest teraz bezpośrednie; trzeba by się wysilić, żeby błędnie zinterpretować, co ma na myśli. Skórzana torba z księgą Judasza wisi na moim ramieniu. Trudny wybór.

– Moje poematy są po włosku – mówię cicho.

– Tym lepiej. – Uśmiecha się. – Zostanie mi oszczędzony trud osądzenia, czy są dobre, czy nie.

Kładzie rękę na moim rękawie, gdy otwiera drzwi, ale nawet teraz się ociągam, czując ciężar księgi. Lady Arden wyczuwa moje wahanie.

– Poza tym – dodaje – wiem coś, co może być dla ciebie interesujące w tej obecnej sprawie, jak ją nazwałeś. Założę się, że nikt inny tego nie spostrzegł.

– Naprawdę? O co chodzi?

Uśmiecha się zalotnie.

– Powiem ci w zamian za poemat.

Wygląda na to, że tutaj każdy handluje informacjami. Spoglądam w kierunku schodów. Przez chwilę myślę, że widzę poruszenie w cieniu, zarys sylwetki, ale kiedy patrzę ponownie, niczego nie dostrzegam.

– Twoja służąca – szepczę, wskazując drzwi.

– Dałam jej wolne na wieczór. Przypuszczam, że dobrze się gdzieś bawi, plotkując albo flirtując z marynarzami. Możesz przynajmniej wnieść sakwojaż.

Przestępując próg i słysząc szmer zamykanych drzwi, zastanawiam się, co powiedziałby Sidney, gdyby mnie teraz widział. Powiedziałby, że muszę korzystać z życia, raz na jakiś czas odrzucić książki na rzecz ciepłego, chętnego ciała. Powiedziałby bez ogródek, że dochowywanie wierności wspomnieniu kobiety, która dawno odeszła, jest bezsensowne; powiedziałby, że jestem głupcem, odmawiając sobie odrobiny rozkoszy albo nawet szansy na miłość przez wzgląd na kogoś, kto rzucił mnie bez skrupułów. Ale może nie pojąłby melancholii, która się do mnie podkrada za każdym razem, gdy rozważam możliwość przelania uczuć na inną kobietę. Oczywiście, sparowałby, mężczyzna nie musi darzyć uczuciem kobiety, z którą się pokłada, choć gdy przybyło mi lat, stwierdzam, że bez miłości to mierna pociecha.

– Nie pali się w kominku – mówi lady Arden. – Każę rozpalić, jeśli chcesz.

– Jest mi dość ciepło, dziękuję.

– Tak, masz lekkie rumieńce. – Uśmiecha się. – Czyżbym cię wystraszyła, doktorze Bruno? – Kręcę głową. Wydaje się rozczarowana. – Pomyślałam, że może jestem zbyt śmiała.

Nie mówię jej, że na dworze króla Henryka w Paryżu poznałem mnóstwo śmiałych młodych kobiet, znudzonych podstarzałymi, cierpiącymi na niemoc płciową mężami, aż nazbyt chętnych rzucić się w ramiona każdego młodego mężczyzny w zamian za ulotną podnietę drobnej intrygi, zwłaszcza gdy mężczyzna ma egzotyczną urodę i reputację awanturnika. Budziłem w nich fascynację, ponieważ wydawałem się odporny na ich wdzięki. Szczerze mówiąc, były tak wyzute z myśli – wyjąwszy zainteresowanie dworskimi plotkami i własnym wyglądem – że czułem się znużony ich towarzystwem, jeszcze zanim skończyły mówić *bonjour*. Ponadto człowiek niskiego rodu, awansowany ponad swój stan, zawsze musi uważać, gdzie robi sobie wrogów. Ale tutaj takie względy nie stoją mi na przeszkodzie. Patrzę na lady Arden. Okna pokoju wychodzą na zachód; wieczorne światło pada na jej twarz, muskając delikatną skórę policzka i ciemne loki. Wytrzymuje moje spojrzenie i odpina kapturek.

– Jesteś nadspodziewanie wolna od fałszywej skromności – odzywam się po długiej chwili.

Znowu się śmieje, potrząsając głową, i lśniące pukle spadają jej na plecy.

– To najbardziej dyplomatyczna odpowiedź, jaką kiedykolwiek słyszałam. Daj mi wysłuchać sonetu, a ja ci wyjawię pewien sekret, który nie jest mój.

Z pamięci recytuję sonet, który napisałem przed laty. Zamykam oczy i słowa zabierają mnie do innych czasów, do śnieżnych szczytów na tle wysokiego błękitnego nieba, do górskich przełęczy, lodowatych nocy, głodu i wyczerpania, do strachu przed dalszą wędrówką konkurującym z niemożnością powrotu. Kiedy kończę recytować, lady Arden powoli wypuszcza powietrze, jakby dotąd wstrzymywała oddech.

– Brzmiał pięknie. O czym mówi?

– To... – Zacinam się, niepewny, jak wyjaśnić sens słów, które tak naturalnie spływały z mojego języka; przepełnia mnie obawa, że w Anglii poemat wyda się zbyt prosty i sztuczny. – Jest adresowany do samotnego wróbla. Mówi ptakowi, żeby uciekł i narodził się na nowo, by znalazł sobie szlachetniejsze przeznaczenie. To alegoria – dodaję, czując się niezręcznie. Lady Arden wciąż się we mnie wpatruje, w skupieniu, z małą zmarszczką pomiędzy brwiami.

– Czego?

Wzruszam ramionami.

– Duszy. I przyzwolenie na odejście temu, co się kocha.

– Powtórz ostatnią linijkę.

– *E non tornar a me, se non sei mio.*

– Co to znaczy?

– I nie wracaj do mnie, dopóki nie będziesz moja.

Powoli kiwa głową.

– Napisałeś to dla kobiety?

– Nie. Napisałem to osiem lat temu, kiedy przekraczałem Alpy w drodze z Genewy do Francji, świadom, że już nigdy nie zobaczę ojczyzny ani mojej rodziny. – Ale sens poematów się zmienia, nawet tych pisanych dla siebie; z biegiem lat dostosowują się do twojego pojmowania życia. Kiedy teraz powtarzam ostatni wers, myślę o pewnej kobiecie i jest tak, jakbym napisał to dla niej, długo przed tym, zanim ją poznałem.

Lady Arden podchodzi i staje przede mną.

– Jesteś samotny?

– Czasami. – Głos więźnie mi w gardle. – Często.

– Ja również. – Wyciąga ręce i delikatnie kładzie je na moich ramionach. Odruchowo sięgam do jej talii. Stoimy przez jakiś czas, który wydaje się długi, słuchając ciszy i łagodnego rytmu naszych oddechów.

– Obiecałaś zdradzić mi sekret – szepczę z ustami przy jej czole.

– Później – mówi. Jej ręka błądzi po moim torsie, sięga do kołnierzyka koszuli i wsuwa się pod nią; jej palce chłodzą moją skórę. Przysuwa się i lekko rozchyla usta, gdy przyciska do mnie biodro i czuje, że jestem podniecony. Jej usta unoszą się przy moich tak blisko, że czuję smak jej oddechu, gdy rozsznurowuje moją koszulę. Sięga palcami do brzucha i szarpie skórzany pas torby, którą wciąż trzymam na ramieniu.

– Możesz to odłożyć? – mruczy.

– Zamknij drzwi na klucz – proszę, ściągając torbę przez głowę. Lady Arden robi, co każę, po czym bierze mnie za rękę i prowadzi do wąskiego łóżka, rozluźniając tasiemkę gorsetu. Rozbiera się niecierpliwie, jej jaśniejące oczy przez cały czas wpatrują się w moje, oceniając moją reakcję. Skutecznie eliminuje potrzebę zwykłych pląsów uwodzenia, nagabywania z mojej strony i jej udawanego oporu. Lady Arden, stwierdzam, gdy kładzie mnie na plecy i wyćwiczonym ruchem ujmuje mój członek, przywykła dostawać to, czego chce, kiedy tak postanowi. Przypominam sobie, co Sidney powiedział o wdowach: są niebezpieczne, ponieważ cię nie potrzebują. Jednak wciąż potrzebują cię do tego, myślę, zamykając oczy.

Całuje mnie namiętnie, zachłannie czerpiąc przyjemność, ściąga suknię i mnie dosiada, zmuszając do poruszania się w jej rytmie. Jeśli przez moment wpada mi do głowy myśl, że wzięłaby każdego, byle twarz i zachowanie ją zadowalało, i że przypadkiem ja byłem pod ręką, nie ma to dla mnie większego znaczenia. To nic więcej jak ulotna przyjemność i żadna ze stron nie ma powodu udawać, że jest inaczej, i prawdopodobnie nie będzie następnego spotkania po tym krótkim *interludium*; nie oczekujemy niczego od siebie. Sidney ma rację: prosta przyjemność jest czymś, na co pozwalam sobie zbyt rzadko. I dlatego teraz się jej oddaję, sunę rękami wokół jej szczupłej talii i wyginam biodra, żeby wejść w nią głębiej, a kiedy cicho jęczy wśród rwących się oddechów, z błyszczącymi oczami, z rozchylonymi ustami, ostrożnie kładę ją na wznak i unoszę jej nogi. Udami obejmuje moje boki i ściska moje posiniaczone żebra tak mocno, że krzyczę, a ona chichocze, przyciskając rękę do moich ust, gdy poruszam się powoli, zmierzając ku mojemu *crescendo*. Kiedy zamykam oczy i dyszę w chwili spełnienia, nie o niej myślę.

Później leży z głową na moim ramieniu, z włosami rozrzuconymi na poduszce, lewą ręką rysując abstrakcyjne wzory na mojej piersi. Podnosi się na łokciu z prowokacyjnym uśmiechem w kącikach ust.

– Jak wypadła ta przygoda w porównaniu z tym, co ci się przytrafiło zeszłej nocy?

Uśmiecham się.

– Cóż… zważywszy na to, że ubiegłej nocy zostałem odurzony, brutalnie zaatakowany i wyskoczyłem z okna na pierwszym piętrze, powiedziałbym, że całkiem korzystnie.

Lekko klepnęła mnie po ramieniu.

– Chodzi mi o dziewczynę, którą miałeś zeszłej nocy.

– Nie miałem żadnej dziewczyny, przecież mówiłem. Nie miałem dziewczyny od długiego czasu. – Odwracam twarz, gdy to mówię. – A teraz wyjaw mi ten sekret, jak obiecałaś.

Czuję, że tężeje obok mnie i jej ręka opada. Zdaję sobie sprawę, że powinienem zaczekać; dałem jej do zrozumienia, że to, co właśnie zrobiliśmy, było tylko prologiem do prawdziwego obiektu mojego zainteresowania.

– Martha Dunne jest brzemienna – rzuca od niechcenia, patrząc w sufit.

– Co? – Siadam, patrząc na nią. Kładzie się na plecach, okręcając na palcu pukiel włosów i śle mi leniwy uśmiech. – Skąd ta pewność?

– Mówiłam ci, moja siostra ma czwórkę dzieciaków. Jest jeszcze wcześnie, ale kiedy zna się objawy, łatwo je zauważyć. Nic dziwnego, że tak bardzo jej zależy na podważeniu orzeczenia o samobójstwie. Będzie miała dziecko na utrzymaniu i nie chce stracić majątku męża. – Wyciąga ręce nad głowę, po czym sunie palcem w dół mojego kręgosłupa. Jestem zbyt zajęty dopasowywaniem tej nowej rewelacji do całości obrazu, żeby zwracać uwagę na jej poczynania.

– Nie powiedziała ci tego wprost?

– Och, nie. Nie była skłonna zwierzać się nam z czegokolwiek. Sądzę, że ani trochę nie była zadowolona z konieczności rozmawiania ze mną i moją kuzynką, ale sir Francis uznał, że powinna przebywać w towarzystwie kobiet. Pomyślałam sobie, że wiadomość o ciąży może cię zaciekawić właśnie z tego powodu: ona bardzo się stara ukryć ten fakt.

– Czasem nie da się racjonalnie wyjaśnić zachowania ludzi, którzy są w rozpaczy. – Przyciągam prześcieradło z kolan i przytulam je do piersi. Mam w głowie gonitwę myśli, jedna potyka się o drugą.

Nell prycha drwiąco.

– Nigdy nie widziałam wdowy, która wyglądałaby na mniej pogrążoną w boleści – mówi. – Może z wyjątkiem siebie.

Śmieje się i jej palce znowu pomykają po moich plecach. Przenika mnie przyjemny dreszcz, lecz mimo to spuszczam nogi na podłogę.

– Dokąd idziesz? – pyta. Do jej głosu zakrada się zraniona nuta.

– Muszę coś zrobić. – Uśmiecham się, żeby nie miała mi za złe szybkiego rozstania.

– Nie tak prędko. – Wydyma usta, przekręca się na brzuch i sięga po moją rękę. – Chyba możesz popracować później?

– Noc jest krótka, a muszę to skończyć do jutra. Poza tym, pani, twoja służąca będzie chciała wrócić do łóżka i nie może mnie tutaj zobaczyć. Nie mogę narażać twojej reputacji.

Wspiera podbródek na rękach, patrząc na mnie z przekrzywioną głową.

– Wciąż „pani"? – Śmieje się. W jej śmiechu brzmi nuta rezygnacji. – Masz lepsze maniery, Bruno, niż wielu znanych mi arystokratów.

Cofam się poza zasięg jej rąk i szukam koszuli.

– Czy na tym polega mój powab?

Wygląda na zranioną.

– Czy tak myślisz? Że byłam ciekawa spróbować, jak to jest kochać się z kimś, w którego żyłach nie płynie błękitna krew? Dla odmiany, dla porównania? – Obrzuca mnie długim spojrzeniem. – Twój powab, Bruno, polega na tym, że jesteś, jaki jesteś. Cały ty. Nie zaspokajam upodobania do mężczyzn niskiego rodu, jeśli to sugerujesz. Nie mam tego w zwyczaju. – Wygląda na obrażoną, i nic dziwnego.

– Wybacz mi, pani. – Naciągam koszulę przez głowę.

– Może w przyszłości zostawisz „panią" przed drzwiami sypialni – proponuje.

W przyszłości?

– Wiesz, że nie mam ci nic do zaoferowania – mówię po prostu i rozkładam ręce.

Spuszcza rzęsy i posyła mi szelmowski uśmiech.

– Cóż, nie powiedziałabym. – Siada wyprostowana. – Posłuchaj, Bruno, nie potrzebuję mężczyzny, żeby dał mi posiadłości ziemskie i tytuły. Mam już jedno i drugie. Jestem szczęśliwa, dysponując swobodą wybrania sobie kogoś, kto wzbudza moje zainteresowanie wyłącznie z powodu własnych przymiotów.

– Zatem czuję się zaszczycony. – Może powinienem rzec coś więcej, ale nie znam się na etykiecie takich spotkań. Śpiesznie kończę ubieranie i podnoszę torbę z manuskryptem. Woła mnie, gdy staję przed drzwiami.

– Chyba o czymś zapomniałeś!

Patrzę na siebie i jestem całkiem pewien, że mam kompletną garderobę, choć trochę w nieładzie. Co ważniejsze, wziąłem księgę. Nell klęka na łóżku, ledwie przysłaniając drobne, jędrne piersi. Wyczekująco przekrzywia podbródek i znów czuję się skarcony za brak galanterii. Przechodzę przez pokój, dramatycznym ruchem biorę ją w ramiona i miażdżę jej usta swoimi wargami. Próbuje wciągnąć mnie z powrotem do łóżka, ale uwalniam się i posyłam jej pocałunek spod drzwi.

Zamykam je za sobą i przystaję w mrocznym korytarzu, żeby złapać oddech. Odczuwam niespodziewaną radość, ale też ulgę na myśl o powrocie do mojego pokoju. Wciąż się uśmiecham do siebie, kiedy skręcam za róg przy schodach i wpadam prosto na Williama Savile'a.

– Doktor Bruno! – wykrzykuje, jakby spotkanie ze mną nie mogło mu sprawić większej przyjemności. Chcąc nie chcąc, podziwiam jego niewzruszoną minę. – Ale twój pokój nie mieści się na tym piętrze, prawda?

– Ani twój, panie – ripostuję. Uśmiech Savile'a gaśnie. Przez chwilę uważnie mi się przygląda, po czym z rubasznym rechotem poklepuje mnie po ramieniu.

– Tak, masz rację, Bruno. Które to piętro, drugie? Na Boga, kilka kielichów reńskiego za dużo i nie umiem nawet znaleźć drogi do mojego pokoju. Ależ ze mnie głupiec! Ty też, co? – Uśmiecha się, ale mruży oczy.

– Ja też – mówię, przechodząc obok niego. Widzę, że patrzy na torbę. – Życzę dobrej nocy, panie.

– Dobrej nocy. – Po chwili wahania schodzi za mną po schodach, ale bardzo wolno.

◆ ◆ ◆

– Pachniesz cipką – mówi Sidney, gdy wchodzę do naszego pokoju. Leży na łóżku w pełni ubrany, z rękami założonymi za głowę.

– Dziwię się, że możesz cokolwiek poczuć przez spowijające cię opary wina. – Zamykam drzwi i siadam na poduszce przy kominku, trzymając torbę na kolanach.

– Ha, przynajmniej jeden z nas miał dzisiaj trochę satysfakcji – zrzędzi. – Przegrałem pięć szylingów w ręce tego napuszonego głupca, Savile'a.

– Wobec tego nie taki z niego głupiec. Ma talent do udawania, trzeba mu to oddać. A teraz słuchaj.

Siada po turecku i słucha, gdy opowiadam o wszystkim, czego się dowiedziałem o Savile'u i pani Dunne. Robi wielkie oczy i gwiżdże, gdy dochodzę do przeszukania jego pokoju, odkrycia brakującego guzika i zapachu gałki muszkatołowej.

– To z pewnością stawia sprawę w nowym świetle. – Wstaje i przeciąga się.

– Przez cały czas szukaliśmy w niewłaściwym miejscu – mówię. – Założyliśmy, że śmierć Dunne'a miała związek z Johnem Doughtym i Rowlandem Jenkesem. Nie wzięliśmy pod uwagę możliwości, że mógł zostać zabity z zupełnie innego powodu.

– Czy nie zastanawialiśmy się nad tym, że właśnie żona odniosłaby największą korzyść z jego śmierci, aczkolwiek nie była w stanie tego dokonać? Ale jeśli ona i Savile mają romans, mogli zaplanować to razem. – Twarz Sidneya jaśnieje z podekscytowania.

– Zaczekaj, aż usłyszysz najdziwniejszą nowinę. Lady Arden doszła do przekonania, że pani Dunne jest brzemienna.

Marszczy czoło.

– To takie dziwne?

– Tak, jeśli nie widziała męża od miesięcy.

– To dopiero! Ale co miała na myśli, mówiąc, że on wszystko zepsuł? Co zepsuł?

– Przypuszczalnie nie mieli w planach upozorowania samobójstwa, bo pani Dunne nic z tego by nie zyskała. Ale może postanowiła przyśpieszyć bieg wypadków, gdy stwierdziła, że jest przy nadziei. – Podchodzę do okna i otwieram skrzydło, wystawiając twarz na chłodne nocne powietrze. – I ta Eve, i gospodyni Dunne'a były przeświadczone, że Dunne nie wyjeżdżał z Plymouth od dawna. Jednak pani Dunne dopilnowała, aby wspomnieć, iż ją odwiedził jakieś trzy miesiące temu. Chciała odwrócić podejrzenia, na wypadek gdyby jej odmienny stan zauważyli inni. – Odwracam się przodem do Sidneya. – Może pierwotny plan był taki, że Savile dyskretnie zabije Dunne'a podczas wyprawy. Wtedy Martha Dunne mogłaby objąć spadek, bogata wdowa bez nieporadnego męża, który by wszystko przepuścił. Savile po powrocie mógłby zaproponować jej małżeństwo.

– Ale dziecko wywróciło cały plan do góry nogami. Ciąża oznaczała, że muszą się pozbyć Dunne'a prędzej, ponieważ wiedziałby z całkowitą pewnością, iż nie on jest ojcem. – Uderza pięścią w dłoń. – Na Boga, myślę, że tak właśnie było! Dunne zaczął coś podejrzewać i dlatego owej nocy rzucił się na Savile'a z pięściami. – Skacze na równe nogi. – Na co czekamy? Powinniśmy natychmiast zawiadomić Drake'a, niech idzie do pokoju Savile'a ze swoimi zbrojnymi i przedstawi mu fakty.

– Nie sądzę, żeby Savile był u siebie. Przyłapałem go na skradaniu się po drugim piętrze, zapewne w drodze do Marthy Dunne. Udawał, że się zgubił. Ja zresztą też.

Sidney szczerzy zęby w bezczelnym uśmiechu.

– Czyżbym jako jedyny nie błąkał się po korytarzach tej gospody ze sztywnym kutasem? Więc jeśli jest z nią, tym lepiej, przyłapiemy ich *in flagranti*. Raczej nie będą się mogli wyprzeć. Chodźmy natychmiast do Drake'a, zanim szarmancki sir William wysmyknie się z powrotem do swojego pokoju. – Rusza do drzwi.

Zachodzę mu drogę, podnosząc rękę.

– Drake będzie w łóżku ze swoją żoną. Możesz im przeszkodzić, jeśli chcesz, ale na mnie nie licz. Savile nigdzie tej nocy nie ucieknie, a ja muszę dokończyć przekład. Pomówię z Drakiem jutro z samego rana.

Sidney pochmurnieje.

– Biedna Elizabeth. Wytrąca mnie z równowagi już sama myśl, że obmacuje tymi wielkimi, starymi łapskami taką młodą świeżą kobietę.

– Zatem o tym nie myśl. A teraz, jeśli wybaczysz, mam pracę do nadrobienia.

Wyjmuję księgę z torby i otwieram zaimpregnowane sztywne okładki tak czule, jakbym zajmował się noworodkiem. Na sekretarzyku w kącie kładę rożek na atrament, pióro i nóż do ostrzenia, garnczek piasku do osuszania i zapas świec.

Koptyjski tekst miejscami jest zatarty, ale moje serce wali szybko o żebra, gdy wracam do początku i znów go rozszyfrowuję z bolesną powolnością. Gdy przekładam każde zdanie ze starożytnego biblijnego języka na łacinę i patrzę, jak kolejne ustępy nabierają kształtu, zastanawiam się, czy tłumaczę prawdziwe słowa największego zdrajcy w dziejach. Jestem tak zaabsorbowany pracą, że ledwie dociera do mojej świadomości, iż Sidney kręci się po pokoju, rozbiera, wkłada koszulę nocną, zamyka okno, zerka nad moim ramieniem.

– Jak sądzisz, czy zabił też Hiszpana? – pyta. Jego głos wdziera się w moje myśli.

Odwracam się z irytacją.

– Co?

– Savile. Może Hiszpan go zdemaskował i Savile musiał go uciszyć. Później mógł napisać ten fałszywy list z wyznaniem, żeby zrzucić na niego winę. Chociaż… – kontynuuje, jakby debatował sam z sobą – to nastręcza pewną trudność. Jeśli Jonas wiedział dość, żeby oskarżyć Savile'a, dlaczego natychmiast nie powiedział o tym Drake'owi?

– Philipie – mówię, już kierując uwagę na rękopis – porozmawiamy rano. Idź spać, bo inaczej nigdy tego nie skończę.

Wygląda na urażonego.

– Bruno, mamy mordercę w zasięgu ręki. Jeśli go zatrzymamy i przekażemy Drake'owi, flota wyjdzie z portu i będziemy mieli zapewniony udział w wyprawie. Jeżeli będziemy zwlekać, możemy stracić okazję.

Nie odpowiadam. Wybiegam myślą do przodu, do możliwych reakcji Drake'a. Aresztowanie człowieka o pozycji Savile'a i oskarżenie go o morderstwo na podstawie tak nikłych dowodów będzie niemałym zadaniem. Jak udowodnić, że pani Dunne zaszła w ciążę nie ze swoim mężem, skoro go nie ma, żeby temu zaprzeczyć? Czekać, aż dziecko się urodzi, by zobaczyć, do kogo jest podobne? Savile najmie londyńskich prawników i każe interweniować swoim wpływowym przyjaciołom; oskarżenie błyskawicznie zostanie oddalone. Z tego, co mi wiadomo, Drake nie będzie chciał osobiście angażować się w sprawę sądową, która może się ciągnąć miesiącami. Czy nie wolałby postawić żagli z Savile'em na pokładzie i wymierzyć sprawiedliwość, kiedy będą daleko od angielskich brzegów? Zanurzam pióro w kałamarzu i wracam do pracy nad manuskryptem. Powtarzam sobie, że to, co jutro Drake postanowi zrobić z informacjami, które mu przekażemy, to wyłącznie jego sprawa, chociaż nie mogę się wyzbyć głuchego niepokoju, który narasta w mym sercu.

W końcu Sidney dochodzi do przekonania, że tej nocy nie poświecę mu więcej uwagi, kładzie się i nakrywa prześcieradłem. Niedługo później słyszę jego ciche pochrapywanie. Zapalam kolejną świecę i zmuszam się do patrzenia na stronicę.

◆ ◆ ◆

Światło brzasku rozlewa się na horyzoncie i lekko złoci kalenice, kiedy odkładam pióro i trę powieki nasadami dłoni. Judasz Iskariota – jeśli naprawdę to on jest autorem – kończy swoją Ewangelię, opowiadając, jak przyjaciele i uczniowie z obawy, że zwłoki Chrystusa zostaną zbezczeszczone przez wrogów, pod osłoną nocy wyjęli je z grobu i pogrzebali w tajemnicy w bezimiennej mogile. Ten czyn dał początek mitowi, że Chrystus zmartwychwstał, pokonując śmierć – mitowi, który zwolennicy z radością poparli swoimi twierdzeniami o spotkaniach, widzeniach, o rozmowach z martwym człowiekiem. Mitowi, który przetrwał stulecia, podtrzymywany przez setki tysięcy żywotów. Opieram łokcie na stole i przegarniam włosy rękami, kierując piekące oczy na to, co właśnie skończyłem pisać. Sześćdziesiąt siedem stronic, które mogą zniszczyć Kościół chrześcijański. Ta księga przeczy doktrynie zbawienia, przekreśla tysiąc sześćset lat teologii. Jest tak, jakby każda książka od czasów powstania Ewangelii została przekreślona jednym pociągnięciem. Zamykam oczy i niemal to widzę: wszystkie wypisane atramentem linijki na stronach znikają, wracając do pióra, które je napisało, do kałamarza, strony pozostają dziewicze i białe, gotowe na przyjęcie nowej teologii. Ze czcią kładę palce na kartach manuskryptu Judasza. To na pewno fałszerstwo, mówi racjonalny głos w mojej głowie, nie może być inaczej. Ale jeśli tak, dlaczego Biblioteka Watykańska trzymała tę księgę pod kluczem? Dlaczego młody jezuita ją wykradł i próbował uciec na kraj świata, jeśli nie dlatego, że wierzył w jej destrukcyjną moc? Byłaby niebezpieczna tylko wtedy, gdyby była prawdziwa.

Oprószam drobnym piaskiem zapisane strony, żeby osuszyć atrament, i starannie pakuję księgę. Sidney leży na łóżku na wpół okryty prześcieradłami, z ręką przy ustach, z twarzą zarumienioną jak dziecko. Przyglądam mu się przez chwilę z niemal ojcowskim uczuciem, choć jest tylko siedem lat młodszy ode mnie. Królowa miała rację, nie pozwalając mu ruszyć na wojnę, jakkolwiek może żywić o to urazę. Nie został stworzony do walki; jest poetą i uczonym, człowiekiem książek, nie krwi i kurzu bitwy. Ale boję się o niego; determinacja, z jaką pragnie się sprawdzić, nie wyjdzie mu na dobre.

Zbieram kartki i stukam plikiem o stół, żeby wyrównać brzegi. Muszę chronić tę kopię za wszelką cenę. Jeśli Rowland ukradł tłumaczenie pierwszych stron, to może mu zaostrzyć apetyt na resztę. Powieki mi opadają i nagle widzę jego twarz, gdy patrzy prosto na mnie: jego dziwne oczy o barwie akwamaryny, jego wyniosły znaczący uśmieszek. Obraz wisi w powietrzu, migocząc jakby w blasku świecy, i niemal słyszę jego śmiech. Strach ściska mi serce, gdy sobie przypominam, jak w Oksfordzie obiecał, że wróci i mnie zabije.

19

Budzę się z krzykiem. Otwieram oczy i w odległości kilku cali od swojej widzę twarz Sidneya, gdy potrząsa mnie za ramię.

– Uspokój się – mówi, prostując plecy. – Jest tu kapitan Drake.

Mrugam i powoli unoszę głowę, opierając się na przedramionach. Pokój jest pełen bladego światła. Mam zesztywniały kark. Zasnąłem na stole, opiekuńczo obejmując rękami zapisane kartki. Obracam się, pocierając szyję i ramiona, i widzę Drake'a stojącego w progu. Zamyka drzwi za sobą i przysiada na brzegu łóżka. Sidney już jest ubrany. Nie mam pojęcia, która godzina.

– Skończone? – pyta Drake. – Chciałbym zabrać księgę, zanim pójdziemy na przesłuchanie. Thomas nigdy by mi nie wybaczył, gdyby wiedział, że wypuściłem ją z rąk.

Podaję mu torbę z manuskryptem.

– Ukończyłem tłumaczenie.

– Coś ciekawego?

Waham się. Od czego zacząć? Gdybym został pochwycony przez burzę w Cieśninie Magellana, nie chciałbym mieć przy sterze nikogo innego, ale Drake nie jest człowiekiem, którego wybrałbym do analizowania zaginionej Ewangelii, szczególnie tak kontrowersyjnej, jak ta.

– Tak. Może to omówimy, gdy będziesz, panie, mniej zaabsorbowany sprawą Dunne'a.

– Jeśli ten dzień w ogóle nadejdzie – rzecze Drake głosem pełnym bezbrzeżnego zmęczenia. – Przywykłem krótko sypiać. Z tego słynąłem. Ale kilka ostatnich dni... – Kręci głową. – Zaczynam odnosić wrażenie, Bruno, że nigdy się nie wyśpię. Sir Philip wspomniał, że masz mi coś do powiedzenia w sprawie Dunne'a?

Mówię Drake'owi o wczorajszych wypadkach dotyczących Savile'a i pani Dunne, łącznie z odkryciem rękawów z brakującym guzikiem i ze śladami gałki muszkatołowej. Przedstawiam mu mój wniosek, że Dunne dostał zaprawione wino w noc swojej śmierci. Kończę na spostrzeżeniach lady Arden o ciąży pani Dunne. Nie przerywa, ale zmarszczki pomiędzy jego brwiami robią się coraz głębsze.

– Savile? – odzywa się w końcu. Wygląda jak spoliczkowany. – Przecież zainwestował sporo pieniędzy w tę wyprawę. I słyszałem o nim dobre rzeczy od ludzi, którym ufam. W młodości walczył w Irlandii, jak się zdaje. – Przeciąga ręką po ustach i podbródku. – Może to prawda, że ma romans z panią Dunne, poznali się chyba na dworze. Możliwe nawet, że pani Dunne nosi jego dziecko. Ale dostrzegam jedną wadę w twojej teorii. Jeśli Savile zabił Dunne'a, żeby Martha mogła go poślubić, dlaczego tak jej zależy, by śmierć została uznana za morderstwo, a nie samobójstwo? Musi zdawać sobie sprawę, że każda próba dochodzenia prawdy może ich ukazać w niekorzystnym świetle. – Ściąga usta i kręci głową. – To nie ma sensu.

– To samo wcześniej sobie pomyślałem – odpowiadam. – Mogę tylko przypuszczać, że próbuje odwrócić uwagę od siebie i Savile'a.

– Ale dlaczego w ogóle Savile miałby pozorować samobójstwo? – pyta Drake. – Jeśli zadał sobie kłopot, żeby go odurzyć gałką muszkatołową, dlaczego nie podał mu czegoś, co by go dobiło?

– Może doszedł do wniosku, że sprawa będzie zbyt przejrzysta, jeśli Dunne umrze otruty na pokładzie statku. Prawdopodobnie chciał go tylko odurzyć i ostatecznie rozprawić się z nim później. Plan się jednak nie powiódł. – Przenoszę spojrzenie na okno; jest dla mnie jasne, że moje słowa nie przekonały Drake'a. – Savile powiedział: „Był z nim kapelan". Chodziło mu albo o kajutę, albo o powrót owej nocy do portu, kiedy ojciec Pettifer znalazł pijanego Dunne'a błąkającego się po ulicach Plymouth i zabrał go na pokład *Elizabeth*. Może Savile zamierzał napaść na niego w mieście, ale był zmuszony popełnić morderstwo w inny sposób, dlatego spróbował upozorować samobójstwo, nie widząc innej możliwości. – Kończę przepraszającym wzruszeniem ramionami. – Niestety, nie znam wszystkich odpowiedzi.

– W tym sęk – mówi Drake, wciąż marszcząc brwi. – Sprawa nie jest dla mnie jasna na tyle, żeby jawnie oskarżyć o morderstwo kogoś takiego jak sir William.

– To oczywiste, że tamtej nocy pił z Dunne'em w jego kajucie – wtrąca szybko Sidney na poparcie mojej tezy. – Mamy na dowód jego perłowy guzik.

– Co wcale nie świadczy o tym, że Savile zamordował Dunne'a – zaznacza Drake. – Może z łatwością wyprzeć się gałki muszkatołowej. Posłuchajcie. – Wzdycha. – Nie muszę lubić ani podziwiać człowieka, by go cenić jako inwestora. Musiałbym zobaczyć krew na jego rękach, zanim zaryzykowałbym wysunięcie tego rodzaju oskarżenia. Na tym etapie nie mógłbym zastąpić ani jego, ani jego pieniędzy.

– Jednak mógłbyś go spytać, panie, gdzie jest Jonas – proponuję. Jego mina się zmienia i wiem, że potrąciłem bolesną strunę... – Przypuszczam, że Jonas miał podejrzanego o zabójstwo, powiedzmy, że był to Savile. Może postanowił stanąć z nim twarzą w twarz. Dlatego zabójca musiał go uciszyć i wpadł na pomysł, żeby schludnie zamknąć sprawę fałszywym przyznaniem się do winy, wiedząc, że już narosły wątpliwości co do samobójstwa, i pełen obaw, że dojdzie do dochodzenia. Ktokolwiek zabił Dunne'a, wie, co się stało z Jonasem, jestem tego pewien. Istnieje nawet szansa, że może Hiszpan jeszcze żyje. A Savile mówi po hiszpańsku – dodaję.

Drake wsysa policzki i obrzuca mnie długim spojrzeniem.

– Zatem dobrze. Pomówię z Savile'em po dochodzeniu. Będzie zeznawać jako świadek. Tymczasem, jeśli mamy pójść tym tropem, musisz, Bruno, dostarczyć mi lepsze dowody. Porozmawiaj z wdową po Dunne, zobacz, czy twój włoski wdzięk nie skłoni jej do wyjawienia czegoś, co tai. Masz dar do czarowania pań, jak zauważyłem. – Prawie się uśmiecha i widzę błysk w jego oku. Czuję, że się rumienię, chociaż zachowuję opanowany wyraz twarzy.

– Zdaje się, że pani Dunne już została całkiem skutecznie zauroczona przez kogoś innego – konstatuje Sidney.

Drake podnosi torbę z manuskryptem i zmierza do drzwi.

– Dochodzenie zaczyna się o dziewiątej. Idę na śniadanie i zebrać potrzebnych mi ludzi. Może byłoby warto, żebyście obaj tam przyszli wysłuchać wszystkich wersji świadków. Trzeba zachować otwarty umysł.

– Nie chce konfrontacji z Savile'em. – Czekam, aż drzwi się zamkną za Drakiem i mówię rzecz oczywistą.

– To zrozumiałe – stwierdza Sidney. – Morderstwo jest poważnym oskarżeniem. Nie chce ryzykować, że Savile poczuje się urażony i na tym etapie wycofa swój kapitał.

– Mógłbym to zrozumieć, gdyby nie zniknięcie Jonasa. – Wstaję zza biurka i przeciągam się, aby ulżyć plecom. – Drake twierdzi, że lubi Hiszpana. Spodziewałem się raczej, iż chętnie skorzysta z okazji wybadania człowieka, który może coś o nim wiedzieć.

– Może jednak zamierza pokazać to sfałszowane wyznanie podczas dochodzenia. To ułatwiłoby mu życie. Później może po prostu ściąć głowę Williamowi Savile'owi, gdy będziemy na zachód od Azorów – dodaje radośnie. – Idę na dół coś zjeść. Powinieneś doprowadzić się do porządku, Bruno.

Zmieniam koszulę, myję twarz i próbuję uporządkować włosy. Przed wyjściem z pokoju chowam nowe tłumaczenie *Ewangelii Judasza* pod materacem i starannie zamykam pokój na klucz.

W szynku na dole biorę kawałek chleba i wychodzę na podwórze, czując potrzebę zaczerpnięcia świeżego powietrza. Ranek jest chłodny, niebo szare i ponure, z rzędami chmur spiętrzonych na horyzoncie. Mewy krzyczą żałośniej niż kiedykolwiek. Drżę; lato już chyba zrezygnowało z Anglii albo *vice versa*. Zza węgła wychodzi służąca Hetty, dźwigając dwa pełne wody cebry, i obrzuca mnie porozumiewawczym spojrzeniem. Staram się nie wyczytać z niego zbyt wiele, chociaż nie mogę przestać się zastanawiać, czy to ona kryła się w cieniu, kiedy w nocy odwiedziłem pokój lady Arden. Na to wspomnienie doświadczam nagłych wyrzutów sumienia, bo w zasadzie nie poświęciłem jej jednej myśli od czasu naszego rozstania. Wyobrażam ją sobie śpiącą, z ciemnymi włosami rozrzuconymi na białej poduszce, oddychającą cicho przez uchylone usta. To skłania mnie do uśmiechu, gdy śpieszę z powrotem do środka, żeby Hetty nie miała okazji zaskoczyć mnie pełnymi podtekstów komentarzami.

W sieni Sidney rozmawia z Pettiferem. Kapelan ma czarne szaty duchownego i bez przerwy skubie tasiemki pod szyją, jakby kołnierzyk utrudniał mu oddychanie. Sidney przywołuje mnie ruchem ręki.

– Drake odszedł z bratem i prosił, żebyśmy podążyli za nimi.

– Żegnam, panowie – mówi Pettifer, składając ręce. – Muszę zdążyć na czas do ratusza.

– Jesteś, ojcze, głównym świadkiem, prawda? – pytam.

Marszczy brwi.

– Chyba tak. Będąc ostatnią osobą, która go widziała.

– Ale nie wyjawisz koronerowi, o co Dunne chciał się modlić owej nocy?

– Wiesz, że nie mogę tego uczynić. – Prostuje się z rumieńcami na policzkach. – To znaczy, wspomnę, że wydawał mi się przygnębiony, aczkolwiek nie na tyle, żeby ktoś mógł przewidzieć tragiczne konsekwencje. – Spuszcza oczy. – To będzie smutne doświadczenie dla nas wszystkich, jak się obawiam. Dla tych, którzy go znali.

– Szczególnie dla wdowy – mówi Sidney.

– Przynajmniej później będzie go mogła pochować – zauważam.

– Tak, ale gdzie? – kracze złowróżbnie Pettifer.

Sidney mnie szturcha. Savile zbiega po schodach, energiczny i w dobrym humorze jak zawsze, odziany ze zwykłą elegancją: kaftan z szarozielonego jedwabiu, długie do kolan pludry i miękkie skórzane trzewiki odpowiedniejsze do tańca na tureckich kobiercach niż do chodzenia po brukowanych ulicach z rynsztokami.

– Dzień dobry, panowie – wita nas, zacierając ręce, jakby się spodziewał jakiejś wspaniałej rozrywki. Zwraca się do mnie z łobuzerskim uśmiechem: – Znalazłeś w końcu swój pokój, doktorze Bruno?

– Tak, dziękuję. A ty, panie?

– Owszem. Ale powiem, że obawiam się o bezpieczeństwo w tej gospodzie. Jestem przekonany, że wczoraj ktoś się włamał do mojego pokoju, chociaż nie mogę powiedzieć, kiedy się to stało. Ktoś majstrował przy zamku. Nie zauważyliście czegoś podejrzanego, odkąd przybyliście?

– To niepokojące – komentuje Sidney, uosobienie zatroskania. – Czy coś zginęło?

– Nie zauważyłem, ale myślę, że ktoś przetrząsnął mój sakwojaż. Na szczęście nie było tam niczego cennego. – Patrzy na mnie, a ja odwzajemniam spojrzenie, aż w końcu odwraca wzrok. – Może powinienem wrócić na noc na statek. Tam czuję się bezpieczniej, mimo że wszyscy marynarze mówią o niespokojnej duszy Dunne'a lamentującej na pokładzie. Nie może jęczeć bardziej, niż robił to za życia.

Pettifer cicho cmoka, zdegustowany tym brakiem szacunku dla zmarłego. Wymieniam spojrzenie z Sidneyem.

– W każdym razie – dodaje Savile weselszym tonem – kiedy sprawa zostanie wyjaśniona, flota w końcu będzie mogła wyruszyć w drogę.

– Ja pierwszy z radości przyłożę rękę do podnoszenia kotwicy – mówi Pettifer, z powagą kiwając głową. – Sądzę, że wszyscy chcemy zostawić za sobą tę straszną tragedię i zwrócić oczy przed siebie, ku czekającej nas misji.

Zgadzamy się z nim, pomrukując współczująco, choć znów czuję na sobie spojrzenie Savile'a. Czyżby coś podejrzewał? Tak czy siak, teraz będzie się miał na baczności i trudniej go będzie zaskoczyć.

Sidney trąca mnie łokciem, kiedy wychodzimy frontowymi drzwiami gospody na ulicę. Spostrzegam małego Sama wałkoniącego się pod ścianą domu naprzeciwko. Jego brudna buzia rozjaśnia się na mój widok. Wyciera ręką nos i podbiega, zwinnie omijając kopczyki końskiego łajna. Łapie mnie za rękaw.

– Co dzisiaj robimy, panie?

Uśmiecham się do niego i mierzwię mu włosy, myśląc, że prawie na pewno ma wszy.

– Ha, nie wiem, jak ty, Samie, ale ja idę na przesłuchanie do ratusza. To będzie bardzo nudne i obawiam się, że nie będę potrzebować twojej pomocy.

Pochmurnieje, ale tylko na chwilę.

– Widziałem człowieka, o którym mówiłeś, panie. Tego bez uszu.

Staję jak wryty.

– Gdzie? Kiedy?

Wskazuje w głąb ulicy.

– Wcześnie rano. Na końcu Hoe Lane. Rozmawiał z dziewczyną.

– Z którą dziewczyną? Jak wyglądała? Znasz ją?

Energicznie kiwa głową i wskazuje gospodę.

– Jest stąd. Ma brązowe włosy i małe oczy. Ta gruba.

Moje serce fika koziołka. Hetty. *Dio porco.*

– Co robili? Słyszałeś ich rozmowę? – Chwytam go za ramię.

– Dał jej pieniądze. I list.

– A co potem? Widziałeś, dokąd poszedł?

– Szedłem za nim na Market Square, ale wtedy przybiegł mój brat i powiedział mi o trupie, no i z nim poszedłem, żeby go zobaczyć. – Staje się bardziej ożywiony. – Mój brat mówi, że w nocy topielcy wychodzą z morza i porywają dzieci z łóżek, ale jest łgarzem.

– Jaki trup? Philipie, zaczekaj. – Sidney jest daleko z przodu; odwraca się i pytająco unosi brwi. Przywołuję go do nas.

– Znaleźli go w zatoce wczesnym rankiem – raportuje Sam, dumny, że przynosi takie ważne wieści. – Rybacy. Fale go wyrzuciły na skały przy Hoe. Mój wujo pomógł go wciągnąć do łodzi i zabrali go na nabrzeże. Miał roztrzaskaną głowę. – Wygląda na zachwyconego tym szczegółem.

– Gdzie jest ciało? – Kucam, żeby patrzeć mu prosto w twarz.

– Złożyli je w szopie. Było całe spuchnięte i śmierdziało gorzej niż zdechły pies – mówi z lubością.

– Koroner już je zbadał?

– Kto?

– Nieważne. Samie, musisz mnie tam zaprowadzić. Muszę zobaczyć zwłoki.

– Czyje zwłoki? – Sidney podchodzi, wyraźnie zniecierpliwiony. – Chodź, Bruno, bo się spóźnimy.

– Zwłoki wyrzucone przez morze na brzeg dziś rano. Chcę zobaczyć, czy to... no wiesz. Idź do ratusza. Przysłuchuj się zeznaniom, szukaj rozbieżności albo świadków niepewnych swoich wersji. Albo tych, którzy będą sprawiać wrażenie zbyt pewnych.

Wykrzywia szczękę.

– Nie jestem twoim skrybą, Bruno.

– Myślałem, że chcesz pomóc Drake'owi?

– Zarezerwuję ci miejsce. Przyjdź, gdy tylko będziesz mógł.

Potakuję i pozwalam Samowi prowadzić się za rękę do portu.

◆ ◆ ◆

Wzdłuż brzegu Sutton Pool stoi rząd drewnianych szop, wiele drzwi ledwie wisi na zawiasach. Z tych otwartych wylewają się sieci rybackie, popękane ze starości dębowe beczki, żelazne kubły, zwoje lin i zardzewiałych łańcuchów. Przed jedną spostrzegam wuja Sama, Amosa, który rozmawia po cichu z grupą mężczyzn. Jeden nosi rapier przypięty do pasa i peroruje głośniej niż inni.

Amos wita mnie lękkim skinieniem.

– Tam jest ciało? – odzywam się, chociaż pytanie jest zbędne. Byłoby je czuć po drugiej stronie Pool, gdyby człowiek stanął pod wiatr.

– Co ci do tego? – mówił ten głośny, obracając się w moją stronę. – Kim jesteś?

Przypuszczam, że jest gminnym konstablem; spotkałem już takie typy.

– Giordano Bruno z Noli.

– Mam nadzieję, że się nie spodziewasz, że to powtórzę – mówi, zerkając na rybaków, którzy odpowiadają salwą śmiechu. – Jaką masz tutaj sprawę? Skąd wiesz o zwłokach?

– Ten chłopiec mi powiedział – wyjaśniam, wskazując Sama. –
Należę do grupy kapitana Drake'a. Przedwczoraj w nocy pewien
człowiek zniknął z jego okrętu flagowego. Przysłano mnie, żebym
obejrzał zwłoki.

Cień podejrzliwości przemyka po jego twarzy, ale cofa się o krok
i kiedy znowu zabiera głos, jego ton jest znacznie mniej agresywny.

– Możesz spojrzeć, jeśli chcesz, ale wątpię, czy to ktoś z załogi
Drake'a. Wygląda na cudzoziemca. Jak ty.

– Hiszpan?

– Skąd miałbym wiedzieć? Niewiele mówi. – Rybacy znowu rechoczą. Posyłam konstablowi sardoniczny uśmiech.

– To moja szopa – mówi Amos, gdy staję na progu. – Jeśli to
twój człowiek, panie, czy możesz poprosić kapitana Drake'a, żeby
kogoś po niego przysłał? Musiałem wyjąć wszystkie graty, a idzie
na deszcz. I śmierdzi.

– Dobrze. Możesz się cofnąć? Tu jest niewiele światła.

Amos odsuwa się wraz z kolegami. Wchodzę do wąskiej szopy
i znów mam przed sobą opuchnięte zwłoki. Mężczyzna leży na kawałku żagla, przypuszczalnie na nim go przynieśli. Splątane czarne
włosy zasłaniają twarz. Delikatnie je odgarniam, odsłaniając na-
brzmiałe oblicze Jonasa Solona. Wlepia we mnie szeroko otwarte,
szkliste oczy. Język lekko wystaje z ust. Twarz i głowa są paskudnie
posiniaczone, a ubranie rozdarte w kilku miejscach; niepodobna
powiedzieć, czy to skutek uderzania o skały podczas przypływu,
czy napaści, zanim skończył w wodzie.

Kucam, patrząc na ciało. Kiedy tonie człowiek przytomny, ręce
często są zaciśnięte w pięści blisko ust, jakby próbował zatrzymać
wodę. Ręce i nogi Jonasa są rozluźnione, co sugeruje, że nie walczył
z tonięciem. Ponieważ został odurzony albo ogłuszony? Może Savile jemu też podał gałkę muszkatołową. Ale przecież Jonas był doświadczonym zielarzem, byłby zbyt ostrożny, żeby się na to nabrać.

– Widziałeś jego głowę, panie? – pyta Amos. Jego głos wdziera
się w moje myśli.

– Nie. – Patrzę na niego pytająco, a on daje znak, że powinienem
przewrócić zwłoki. Z głębokim oddechem kładę rękę na zimnym

tułowiu i przekręcam je w moją stronę. Z boku czaszki, blisko skroni, zieje bezkrwawa rana; został uderzony ciężkim przedmiotem albo upadł z wysoka na głowę. Pokonując obrzydzenie, rozchylam włosy przy ranie i widzę, że siniak jest wciąż widoczny pod skórą. Naciskam ranę czubkami palców; kość jest nienaruszona. Ten cios go nie zabił, ale mógł pozbawić przytomności i zagwarantować, że utonie.

– To ty go znalazłeś? – pytam Amosa.

– Christopher – mówi, kciukiem wskazując grupę mężczyzn stojących na zewnątrz. – Zobaczył, że się unosi na wodzie. Zawołał mnie i razem wciągnęliśmy go do łodzi.

– Przy Hoe, jak mówił Sam?

– U stóp tamtejszych klifów. Jest tam ścieżka, która wiedzie do przystani, całkiem stroma od zachodniej strony. Sądzę, że spadł ze szczytu na skały, a potem do wody, biedaczysko. Pewnie się spił.

Nie spadł bez pomocy, myślę, wstając i krzywiąc się z bólu, bo strzela mi w kolanach.

– Był przyjacielem kapitana Drake'a – mówię do mężczyzn na zewnątrz, podnosząc głos z takim autorytetem, na jaki mogę się zdobyć. – Nie wolno ruszać ciała, dopóki koroner po nie kogoś nie przyśle. Trzeba przeprowadzić śledztwo w sprawie jego śmierci. Ktoś, kto ruszy zwłoki, może zostać uznany za podejrzanego.

– I będę miał to na głowie, wielkie dzięki – burczy mężczyzna z rapierem, podchodząc bardzo blisko. – Jestem konstablem tej gminy. Możesz sobie darować wydawanie rozkazów, jakbyś był tutaj panem.

Wskazuję palcem środek jego piersi i robię krok w jego stronę. Jest tak zaskoczony, że na przekór sobie się cofa.

– Nie wydaję rozkazów. Udzielam przyjacielskiej rady – mówię z oziębłym uśmiechem. Ostatni raz spoglądam na poobijane ciało Jonasa, rozpostarte na płótnie żaglowym, i żegnam się z nim w milczeniu.

Czuję na sobie ich spojrzenia, gdy odchodzę nabrzeżem; słyszę ich pomrukiwania, jeśli nie konkretne słowa. Te cudzoziemskie psubraty sprawiają same kłopoty, o to z grubsza im chodzi. Gdy skręcam na brukowaną ulicę prowadzącą na Market Square, Sam truchta za mną jak posłuszny piesek.

– Daj panu spokój, Sam! – woła Amos. – Na pewno ma sprawy do załatwienia. – Sam spuszcza nos na kwintę, ale pozwala się zabrać wujowi.

◆ ◆ ◆

Przed ratuszem zgromadziła się ciżba, głównie w nadziei na zobaczenie samego sir Francisa Drake'a. Przynajmniej tak wnoszę ze strzępków rozmów, które do mnie docierają, kiedy się przepycham, prowokując pełne złości okrzyki. Uzbrojeni ludzie w mundurach władz miejskich Plymouth stoją po obu stronach drzwi, tarasując je halabardami. Przedstawiam moją sprawę i choć wymaga to perswazji, pozwalają mi wejść do środka. Wewnątrz znajduje się duża sala o wysokiej powale i czystej, wyłożonej kamiennymi płytami podłodze, z ławami po obu stronach i długim stołem na kozłach w głębi. Za stołem siedzi trzech mężczyzn w czarnych szatach, w których wyglądają jak gawrony; przekładają papiery i poszeptują między sobą. Miejsce na prawo od nich zajmuje pani Dunne z chusteczką przyciśniętą do ust: ucieleśnienie pełnej godności rozpaczy. Na ławach rozpoznaję wielu marynarzy z *Elizabeth*, łącznie z Gilbertem Crosse'em, Thomasem Drakiem, ojcem Pettiferem i Williamem Savile'em, który patrzy prosto przed siebie z idealnym opanowaniem. Ani razu nawet nie zerknął na Marthę Dunne. Myślę o poranionych zwłokach, które widziałem na nabrzeżu, i węzeł gniewu zaciska mi się w brzuchu, gdy patrzę, jak Savile pochyla się w stronę Gilberta, rzuca jakąś lekceważącą uwagę o prawnikach i obaj parskają śmiechem. Niech się śmieją, żart niebawem straci swój polor. Sir Francis Drake siedzi naprzeciwko pani Dunne, z ustami zaciśniętymi w twardą linię. Sidney stoi w głębi z innymi widzami. Unosi rękę na powitanie, kiedy dostrzega mnie w wejściu.

Muszę położyć rękę na framudze, żeby się nie zachwiać, bo ta scena przywodzi mi na myśl moje poprzednie spotkanie z angielskim wymiarem sprawiedliwości na sali sądowej w Canterbury. Miałem nadzieję, że nigdy więcej to się nie powtórzy.

– No tak, kapitanie Drake – rzecze siedzący pośrodku prawnik, mężczyzna o surowym spojrzeniu i nastroszonych brwiach, będący, jak przypuszczam, koronerem. – Powiadasz, panie, iż nie masz powodu wierzyć, że śmierć Roberta Dunne'a jest czymś więcej niż na to wygląda, i mamy tu do czynienia z czystym przypadkiem samobójstwa przez powieszenie.

Drake z nieodgadnionym wyrazem twarzy skłania głowę na znak potwierdzenia.

– Aczkolwiek – kontynuuje koroner – słyszeliśmy zeznanie… – zagląda do notatek – pana Gilberta Crosse'a, który widział, jak owej nocy Hiszpan, Jonas Solon, wszedł do kajuty Dunne'a z jakąś miksturą. Wiadomo, że ów Solon jest utalentowanym zielarzem. Wiadomo także, że zbiegł, co może popierać twierdzenie pani Dunne, iż jej mąż został rozmyślnie zabity przez osobę albo osoby nieznane na pokładzie *Elizabeth Bonaventure*.

W tym momencie pani Dunne wybucha stłumionym szlochem i robi to po mistrzowsku.

– Jednakże… – Koroner wertuje papiery, po czym ociężale wodzi wzrokiem po zgromadzonych. – Nie sądzę, że sama nieobecność człowieka może zostać uznana za dowód jego winy. Czy są dalsze dowody, sir Francisie, cokolwiek, co może mi pomóc w wydaniu orzeczenia? Czy może chcesz, panie, coś dodać na temat tego Hiszpana?

Drake wstaje, wygładza kaftan i chrząka. Wpatruję się w tych siedzących na ławkach. Jeśli któryś z nich sfałszował wyznanie Jonasa, musi się spodziewać, że w tym momencie Drake przedstawi je koronerowi. W szczególności koncentruję uwagę na Savile'u.

– Nic więcej nie mam do dodania, panie koronerze – oznajmia Drake. – Bez względu na powód nieobecności Jonasa jestem pewien, że nie ma to związku z samobójstwem Roberta Dunne'a.

Siada. Martha Dunne mruży oczy. Savile zerka w jej stronę, po czym spuszcza wzrok na splecione ręce. Gilbert szybko mruga powiekami, patrząc na Drake'a z nieco speszoną miną; może jest zawiedziony, że jego zeznanie nie zostało wzięte pod uwagę. Pettifer sprawia wrażenie bardziej zainteresowanego obserwowaniem zgromadzonych; gdy błądzi wzrokiem po sali, napotyka moje spojrzenie i szybko odwraca oczy jak gdyby zakłopotany. Thomas Drake siedzi z ramionami mocno splecionymi na piersi, patrząc na brata. Można go wykluczyć, myślę, bo przecież wiedział, że Jonas był niepiśmienny. Nikt z pozostałych nie zareagował w sposób sugerujący, że ma nadzieję usłyszeć wzmiankę o liście, ale przecież byłby zmuszony ukrywać emocje, żeby się nie zdradzić.

– Dobrze – mówi koroner, tłumiąc lekkie westchnienie. – Szkoda, że nie możemy wysłuchać zeznania Jonasa Solona.

– To byłoby trudne – oznajmiam podniesionym głosem, występując do przodu. Wszystkie oczy kierują się na mnie. – Jonas Solon nie żyje.

20

Szepty narastają w sali sądowej. Widzę, że Drake spuszcza oczy, jakby nie chciał zdradzić swoich uczuć. Z pewnością nie jest zaskoczony tą wieścią, ale może do tej chwili wciąż żywił choć trochę nadziei. Koroner odkłada papiery i ze ściągniętymi brwiami spogląda znad stołu.

– Kimże jesteś, panie, żeby tak bezceremonialnie przerywać posiedzenie?

– Doktor Giordano Bruno z Noli, panie – odpowiadam.

– Ten człowiek podróżuje z sir Philipem Sidneyem – dodaje Drake, uzasadniając moją obecność.

Koroner przypatruje mi się jeszcze przez chwilę, po czym gestem każe kontynuować.

– Dziś rano Jonasa Solona wyciągnięto z wody – oznajmiam dość głośno, żeby mnie wszyscy słyszeli. – Wygląda na to, że spadł z urwisk Hoe i został wyrzucony przez morze na skały. Jego ciało czeka na twoją uwagę, panie, na nabrzeżu przy Sutton Pool.

Koroner powoli kiwa głową, aczkolwiek jego mina sugeruje, że minie nieco czasu, zanim przyswoi sobie zasłyszane informacje.

– Widocznie rzucił się z urwiska, nękany wyrzutami sumienia z powodu swojego uczynku – mówi pani Dunne przenikliwym głosem, który przebija się przez stłumiony pomruk wzburzonej publiczności na sali. Jeśli do spółki z Savile'em nie spreparowała listu z przyznaniem się do winy, jej szybka reakcja świadczy o umiejętności korzystania z okazji.

– Jest równie możliwe, że zginął wskutek tragicznego wypadku – odpowiada jej Drake opanowanym tonem.

Koroner robi wdech, bierze w ręce papiery i przypatruje im się w milczeniu, jakby miał nadzieję znaleźć gdzieś napisaną właściwą odpowiedź. W końcu unosi głowę, chrząka i zwraca się do obecnych:

– Niniejsza sprawa okazała się bardziej skomplikowana, niż początkowo myślałem. Proponuję więc odłożyć dochodzenie do czasu należytego zbadania okoliczności tej nowej śmierci i wzięcia obu wypadków pod rozwagę. Dlatego proszę obie strony...

Pani Dunne wstaje, żeby zaprotestować. Nie zostaję na podsumowaniu orzeczenia. Przebijam się przez tłum na rynek, nie przyciągając uwagi ludzi, którzy napierają w stronę wejścia, żeby zobaczyć najsłynniejszego obywatela Plymouth. Siadam u stóp krzyża i wspieram głowę na rękach, nagle pokonany przez zmęczenie i poczucie klęski. Jak można tu cokolwiek udowodnić? Jeśli Savile zabił Jonasa, nie może być na to żadnego dowodu, chyba że ktoś go widział. A jeśli to nie Savile, zatem kto? Do tego pani Dunne: jej twarz ściągnięta z gniewu, gdy koroner zarządził odroczenie postępowania. Miała w zasięgu ręki idealne rozwiązanie, gdyby zdołała przekonać koronera, żeby spojrzał na sprawę jej oczami: morderca rzucił się z urwiska w przypływie skruchy, a co więcej, był to cudzoziemiec, którego wszyscy chętnie uznaliby za winnego. To znaczy wszyscy z wyjątkiem Drake'a. Nie byłoby orzeczenia *felo de se* ani długiego śledztwa; pani Dunne jak należy pochowałaby męża, nie groziłyby jej zarzuty dotyczące proweniencji jej dziecka, mogłaby bez przeszkód odziedziczyć majątek po ojcu i w swoim czasie podzielić się nim z człowiekiem, którego postanowi poślubić. Inni może zachowywali się dziwnie, choć raczej należało się tego spodziewać, biorąc pod uwagę atmosferę napięcia panującą na pokładzie *Elizabeth*.

Nie mam pojęcia, jak dowieść, że Savile zabił Dunne'a, chyba że wymusi się na nim zeznania, a tę decyzję zostawiam Drake'owi.

Zwieszam głowę między kolana i tłukę pięścią w dłoń, przeklinając cicho w ojczystym języku. Nagle uświadamiam sobie, że pada na mnie czyjś cień. Unoszę głowę i widzę na tle nieba sylwetkę Sidneya z pawim piórem podskakującym na kapeluszu.

– Nic więcej nie możemy zrobić. Chodź Pod Gwiazdę, zjedzmy obiad.

Zmuszam się, żeby wstać, i idziemy noga za nogą w kierunku gospody, pogrążeni we własnych myślach.

– Zatem przypuszczasz, że Savile zabił Jonasa? – odzywa się Sidney po jakimś czasie.

– Z pewnością. Wiemy, że zna hiszpański, mógł napisać list. Zrzucenie winy na Jonasa byłoby na rękę zarówno jemu, jak i pani Dunne.

– Teraz Drake będzie musiał się z nim rozmówić. Wszystko wyjdzie na jaw, ciąża i tak dalej.

Kręcę głową.

– Sam nie wiem. Nadal nie ma konkretnego dowodu z wyjątkiem guzika i zapachu gałki muszkatołowej... chyba że któreś z nich się załamie i przyzna do winy. Nie postawiłbym na to, że Martha Dunne się załamie. Ta kobieta bez drgnienia powieką mogłaby poprowadzić szarżę w bitwie.

– Powinniśmy zrobić to, co zaproponowałem zeszłej nocy – mówi Sidney z irytacją. – Wpaść do nich znienacka i przyłapać *in flagranti*. Wtedy przynajmniej nie mogliby się wyprzeć romansu.

– W nocy byłem zajęty.

– Prawda. – Klepie mnie po plecach i szczerzy zęby w uśmiechu. – Czy dzisiaj znów odwiedzisz lady Arden? Czy twoje dokonania zadowoliły ją na tyle, żebyś sobie mógł zagwarantować powtórkę?

– Z całym szacunkiem, sir Philipie: *Vaffanculo!** – mruczę pod nosem, ale nie mogę powstrzymać uśmiechu. Zamykam oczy i wizerunek zarumienionej, gorliwej twarzy lady Arden na krótko zastępuje myśli o zmaltretowanych nieboszczykach.

Gdy wchodzimy Pod Gwiazdę, lady Drake schodzi po schodach

---

* *Vaffanculo!* (wł.) – odpierdol się!

w towarzystwie swojej służącej i zbrojnych Drake'a. Sidney wita ją eleganckim ukłonem, ale go ledwie dostrzega; skupia uwagę na mnie i patrzy pytająco.

– Gdzie ona jest? – pyta cichym głosem. – Miałyśmy dziś spotkać się na obiedzie z burmistrzem i jego żoną. Nie sądziłam, że zatrzymasz ją tak długo.

– Kogo?

Gani mnie spojrzeniem i wtedy odgaduję, kogo ma na myśli.

– Nie wiem, pani. – Czuję, jak szkarłat wpełza mi na szyję; ja, który szczycę się umiejętnością maskowania uczuć, rumienię się jak sztubak. – Nie widziałem jej dzisiejszego przedpołudnia.

Lady Drake robi niezadowoloną minę.

– Ale... właśnie z nią byłeś, czyż nie? Na przechadzce po Hoe?

– Nie. – Patrzę na nią ze zdziwieniem. – Byłem w ratuszu, na rozprawie. A wcześniej... w innej sprawie na nabrzeżu. Nie widziałem lady Arden od... ach... – Drapię się po karku i spuszczam wzrok. – Odkąd wczoraj wieczorem zaniosłem jej sakwojaż.

– Jej sakwojaż... – mówi Sidney, znacząco kiwając głową.

Lady Drake go ignoruje, jej twarz wyraża niepokój.

– Przecież... Co też mówisz, doktorze Bruno? Chciałeś się z nią spotkać dziś rano przy Hoe. Przysłałeś liścik. – Kładzie rękę na moim ramieniu i kiwa głową, jakby mnie zachęcała do przyznania się. Zimno zaczyna wsączać mi się w trzewia. Po znalezieniu zwłok Jonasa ledwie zwróciłem uwagę na słowa Sama, że widział, jak mężczyzna bez uszu przekazuje list służącej z gospody. Spoglądam na galerię na piętrze, na wpół się spodziewając, że zobaczę tam wielce zadowoloną z siebie Hetty.

– Nie napisałem żadnego listu – mówię cicho. Lady Drake zakrywa ręką usta. – Czy poszła sama?

Przytakuje.

– Do starego zamku. – Słyszę drżenie w jej głosie. – Ostrzegałam ją, ale jest taka uparta... naprawdę wierzy, że wszędzie może chodzić z taką swobodą jak mężczyzna. Powiedziałam, że nie powinna iść sama, a ona tylko przewróciła oczyma. Odparła, że w jej wieku nie potrzebuje już przyzwoitki.

– Nigdy nie poprosiłbym o spotkanie w tak odludnym miejscu – szepczę, przybity. – Powinna to wiedzieć.

– Pomyślała, że to jakaś gra między wami – mówi lady Drake. – Była podekscytowana jej perspektywą. Lubi przesuwać granice przyzwoitości, uważa to za wyraz odwagi. – Patrzy na mnie tak, jakby to była moja wina. – O Boże… Czy coś jej grozi?

– Nie wiem. – Chcę mówić krzepiącym tonem, ale strach ściska mi wnętrzności. – Musimy jak najszybciej ją odnaleźć.

– Ale kto chciałby skrzywdzić Nell? – Lady Drake ponownie przyciska dłoń do ust. Szeroko otwiera oczy, które lada chwila mogą się zalać łzami.

Spoglądam na Sidneya.

– Sądzę, że bardziej prawdopodobne, iż ktoś próbuje w ten sposób dotrzeć do twojego męża. Samotna kobieta jest łatwiejszym celem, a ciebie, pani, zwykle otaczają zbrojni.

Jeszcze szerzej otwiera oczy.

– Myślisz, panie, że ktoś chce zrobić mi krzywdę? – Wzdryga się i dziko toczy wzrokiem, jakby się spodziewała ujrzeć zabójcę podbiegającego ze sztyletem w ręku.

– Myślę, pani – zaczyna Sidney, podchodząc i delikatnie ujmując ją pod ramię – że powinnaś teraz pójść prosto do domu burmistrza i zostać tam, dopóki twoja kuzynka nie odnajdzie się cała i zdrowa. I trzymać w pobliżu zbrojnych swojego męża.

– Przecież nie mogę tam siedzieć i prowadzić uprzejmej konwersacji, nie wiedząc, co się dzieje! – krzyczy, łapiąc mnie za rękaw. – Wolę zaczekać tutaj na sir Francisa, on będzie wiedział, co począć!

– Twój mąż, pani, będzie zajęty organizowaniem poszukiwań – przekonuje ją Sidney. – Lepiej, żeby wiedział, iż jesteś bezpieczna w domu burmistrza, podczas gdy on będzie szukać lady Arden. Chodźmy, pani, sam cię tam zaprowadzę. – Podaje jej ramię, a ona ujmuje je po chwili wahania.

Przy drzwiach odwraca się i przeszywa mnie ostrym spojrzeniem.

– Znajdź ją, Bruno. Ty też jesteś częściowo odpowiedzialny za to, co się stało! – Wychodzi, a w ślad za nią sunie Philip, który spogląda na mnie ze skwaszoną miną i znika za drzwiami.

Otwieram drzwi do szynku, gdzie gospodyni Judith wyciera stoły.

– Gdzie jest Hetty? – pytam.

Gwałtownie unosi głowę, zaalarmowana tonem mego głosu.

– Co ten flejtuch znowu zmalował? – Prostuje się i kładzie ręce na biodrach. – Dziś rano się guzdrała, wiem... Inny gość przyszedł ze skargą, że nie opróżniła nocnika. Przepraszam, panie, wyślę tę szelmę na górę, niech no tylko znajdę tę dziewuchę...

– Nie, nie o to chodzi, muszę z nią pilnie pomówić.

Patrzy na mnie przez chwilę, po czym rezygnuje z dalszego pomstowania i usprawiedliwień.

– Posłałam ją do pompy po wodę, będzie dobre pół godziny temu. Pewnie wałkoni się ze stajennymi, chociaż ją przed tym przestrzegałam. „Słuchaj, młoda damo", powiedziałam jej...

Wciąż mówi, gdy wychodzę na podwórze. Wątpię, czy Hetty interesuje się stajennymi, chyba że mają kieszenie pełne monet, które wymieniają w zamian za informacje o gościach. Znajduję ją za rogiem stajni. Drewniane wiadro stoi na ziemi, a ona chichocze z niezgrabnym młokosem w kamizelce z grubego płótna. Spogląda na mnie i śmiech jej zamiera na ustach.

– Czy wiesz, co w moim kraju robią z ludźmi, którzy szpiegują?! – ryczę, podchodząc do niej z ręką na nożu. – Sztyletem wydłubują im oczy, ot co! – Piszczy i odskakuje, przewracając ceber. Woda rozlewa się w kałuży wokół jej stóp.

– Słuchajże – zaczyna młokos, ruszając w moją stronę – nie można tak gadać do ludzi...

– Jeśli chcesz zachować jaja, przyjacielu, zmiataj, zanim stracę cierpliwość! – warczę, obrzucając go spojrzeniem, które mogłoby stopić ołów. Siła tego gniewu jest ożywcza i prawie wcale nie udaję. Ciężar wcześniejszego zmęczenia wyparował, wypalony przez furię; czuję się rześki jak nigdy, gotów na wszystko, wściekły. Chłopak na chwilę przystaje, by rozważyć możliwości, po czym znika za węgłem, w pośpiechu wyrzucając fontanny żwiru podeszwami.

– Wszystko mi powiesz! – syczę, podchodząc do Hetty, żeby
ją przyprzeć plecami do muru stajni. Trzymam rękę przy nożu,
ale nie wyjmuję go z pochwy, by nikt nie powiedział, że napadłem
z nożem na młodą kobietę. W końcu ten widok wymazuje z jej
twarzy doprowadzający mnie do szału uśmieszek. – To ty stałaś
w korytarzu zeszłej nocy, prawda? Chowałaś się w mroku, szpie-
gowałaś mnie?!

– Robiłam tylko to, co do mnie należy, sprzątałam i tak dalej –
mówi z tą samą nadąsaną bezczelnością. – Nic na to nie poradzę,
że akurat byłeś tam, gdzie ciebie być nie powinno... panie – dodaje
z sarkazmem, który zwarzyłby liście na drzewach.

– Człowiek, który kazał ci mnie szpiegować – mówię, oddychając powoli, żeby nie stracić panowania nad sobą i jej nie uderzyć –
dziś rano dał ci list. Co w nim było?

Gapi się na mnie z czystą nienawiścią.

– Nie umiem czytać. Już to mówiłam, panie!

– Daj spokój. Myślisz, że ci uwierzę? Zwłaszcza że oszukiwałaś
mnie od samego początku?

– To prawda! – Wygląda na oburzoną. – Wiem tylko tyle, że
dał mi ten list i przykazał czekać, dopóki nie wyjdziesz z gospody,
a wtedy zanieść go kobiecie, z którą byłeś w nocy.

– Dobrze ci płaci za to, żebyś mnie szpiegowała? Żebyś przyno-
siła listy?

– Lepiej niż ty – ripostuje. Bezczelny uśmieszek wraca. Z gniewem unoszę rękę, a ona się kuli. Opuszczam drżącą dłoń, wstrząśnięty swoim zachowaniem. Nigdy w życiu nie uderzyłem kobiety,
chociaż niektóre dały mi większe powody niż ta.

– Dama, której przekazałaś list – cedzę przez zęby – może
umrzeć z tego powodu. Mam nadzieję, że dla ciebie jej życie będzie
warte kilku pensów, które ten człowiek rzucił ci za fatygę!

– Co? – Kolor odpływa z jej twarzy, rozdziawia usta i wlepia
we mnie przerażone oczy. – Przecież to godny pan, przynajmniej
mówił jak szlachcic.

– Tak myślisz? Nie zastanowiło cię, dlaczego nie ma uszu?

– Powiedział, że ty mu je odciąłeś w pojedynku. Powiedział, że musiał z tobą walczyć, bo go oszukałeś, i odciąłeś mu uszy, i od tamtej pory wciąż cię szukał.

– *Dio porco!* Hetty, chyba w to nie wierzysz? Cóż to byłby za pojedynek? – Unoszę ręce w powietrze. – Co jeszcze ci powiedział?

– Że jesteś niebezpiecznym człowiekiem i że masz siedem nazwisk, bo poszukują cię za morderstwa w trzech hrabstwach. – Mówi tak, jakby te rewelacje zrobiły na niej spore wrażenie.

Wbrew sobie nie mogę się powstrzymać od krótkiego, pełnego niedowierzania śmiechu.

– Jestem niebezpieczny tylko wtedy, gdy ktoś wchodzi mi w drogę. Zatem wiesz, gdzie znaleźć tego człowieka. Dość długo byłaś jego posłańcem.

– Nie, panie, nie wiem, przysięgam. – Jej brawura szybko wyparowuje. – Spotykałam się z nim przy tylnej bramie, od strony podwórza. Przychodził do szynku i stąd wiedział, gdzie mnie znaleźć. Ale już nie przychodzi.

Nie, gdy zobaczył Sidneya i mnie i uznał, że go rozpoznaliśmy, myślę. Chwytam ją za ramię i z jej ust płynie zduszony pisk.

– Posłuchaj, jeśli wiesz o tej sprawie więcej, niż powiedziałaś, masz okazję to wyjawić. Ta pani jest krewną sir Francisa Drake'a. Jeśli spotka ją krzywda z powodu tego listu, dopilnuję, żeby on i całe Plymouth wiedziało o twoim udziale. Rozumiesz?

Marszczy krągłą twarz i bez słowa, ze łzami w oczach kiwa głową.

– Nie chciałam niczyjej krzywdy, panie. Noszenie listów to nie grzech, przynajmniej tak słyszałam.

Puszczam ją z ciężkim westchnieniem.

– Nie. Ale kłamstwo jest grzechem. Podobnie jak pomaganie mordercy.

Wygląda na przerażoną, ale nie mówi nic więcej. Albo nic nie wie, jak twierdzi, albo Jenkes budzi w niej większy strach niż ja. Nagle jej mina się zmienia, złośliwy uśmieszek wykrzywia jej wargi. Obracam głowę i widzę, że stajenny wraca z krzepkim pomagierem z kuchni.

– Nic ci nie jest, skarbie? – pyta, zaciskając wielkie łapska u boków.

Przeszywam Hetty twardym spojrzeniem i widzę, jak kalkuluje ryzyko. W końcu podnosi ceber i kiwa głową.

– Nic, Harry. Tylko zabiorę wodę. – Patrzy na mnie z urazą.

– Przepraszam, panowie – mówię z większym opanowaniem, niż je czuję, i spokojnie, z ręką na sztylecie przechodzę pomiędzy nimi w kierunku bramy podwórza. Na wpół się spodziewam, że skoczą za mną, gdy tylko pokażę im plecy, ale poprzestają na kilku przekleństwach.

Niemal biegiem skręcam ku Hoegate, wmawiając sobie, że wciąż mam szansę na dopędzenie lady Arden, zanim Jenkes ją znajdzie. Jest biały dzień, ulice nie są wyludnione, w samym zamku stacjonuje garnizon: co mogą zrobić w takim publicznym miejscu? Raczej nie zaatakują jej tu i teraz. W każdym razie nie będą chcieli jej skrzywdzić; potrzebują lady Arden tylko do negocjacji z Drakiem. Przynajmniej muszę wierzyć, że tak wygląda prawda.

Przyśpieszam jeszcze bardziej, gdy docieram na otwarty teren przylądka. Ostra słona bryza smaga mnie po twarzy. Powietrze niesie zapowiedź deszczu. Przede mną na wzniesieniu piętrzy się zamek, cztery okrągłe wieże stoją jak strażnicy czuwający nad morzem i wejściem do portu.

Biegnę ścieżką pod murami zamku od strony morza, ale nigdzie nie widzę samotnej kobiety. Kilka osób wybrało się na przechadzkę, chociaż większość śpieszy z tobołkami albo koszami, w szalach i głęboko naciągniętych czapkach dla ochrony przed wiatrem. Kluczę pomiędzy karłowatymi drzewami, wzrokiem przeszukując obie strony ścieżki, i wychodzę na wschód od zamku. Tu dróżka schodzi do rzędu domów stojących wzdłuż portowego muru. Przede mną jest coś w rodzaju strażnicy zbudowanej wokół przejścia z trzema arkadami. Za tą po prawej stronie ścieżka sunie wzdłuż skraju Hoe na szczyt urwiska, skąd musiał zostać zepchnięty Jonas. Za lewą arkadą zaczyna się droga biegnąca wokół portu, a środkowa wychodzi na strome kamienne schody prowadzące nad wodę, gdzie w mur wprawiono żelazne pierścienie do cumowania. Zbiegam po kilku stopniach, ale nie widzę zacumowanych łodzi. Skręcam w prawo, w kierunku Hoe. Za strażnicą znajduje się stanowisko artyleryjskie z czterema armatami. Pod murem stoi uzbrojony w pikę znudzony młody człowiek pełniący wartę nad zatoką. U jego stóp siedzi wychudły pies.

– Widziałeś, żeby ktoś tędy przechodził? – pytam naglącym tonem.

– Czy kogoś widziałem? – Krzywi się i mierzy mnie wzrokiem. – A niby kogo?

– Szukam kobiety.

– Jak my wszyscy.

Prycham ze zniecierpliwieniem.

– Widziałeś przechodzącą tędy kobietę? Samą? Dobrze ubraną? Może spotkała się z mężczyzną albo z dwoma mężczyznami. Gdzieś w pobliżu, przy zamku?

– Płacą mi, żebym patrzył w tamtą stronę – mówi, wskazując zatokę. – Nie mam czasu na zawracanie sobie głowy, kto się spotyka za moimi plecami. Na murach zamku stoją strażnicy, ich spytaj, panie.

– Być może ta kobieta została porwana – wyjaśniam, śmigając wzrokiem po ścieżce, wypatrując ruchu. Zainteresowanie przemyka po twarzy żołnierza, gdy słyszy te wieści.

– Naprawdę? Co, tutaj?

– Nie widziałeś, żeby ktoś przypłynął łodzią? Albo nadszedł z tamtej strony, wzdłuż klifu?

Rozważa pytanie.

– Widziałem łodzie przy schodach, przypływały i odpływały. Teraz gdy o tym pomyślę... jakiś czas temu trzy osoby odpłynęły łódką. Może była wśród nich kobieta, ale wszyscy mieli na sobie peleryny, więc niełatwo poznać. Zwróciłem na nich uwagę tylko dlatego, że milczeli. Żadne nie odezwało się słowem do drugiego. Dwóch trzymało się blisko, niemal jakby byli zrośnięci. Trzeci czekał w łodzi, przy wiosłach. – Kręci głową. – Nie poświęciłem im jednej myśli. Nie było w tym niczego nadzwyczajnego.

– Ale widziałeś, dokąd popłynęli? – W głowie mam gonitwę myśli, wyobraźnia tworzy szybką sukcesję tuzina strasznych żywych obrazów.

– Tam – powiada, wskazując mniej więcej w stronę statków kołyszących się na kotwicy w zatoce. Śledzę wzrokiem wskazany palcem kierunek. Majestatyczne statki floty Drake'a zasłaniają horyzont, proporce łopocą na wietrze. Wśród nich kotwiczą mniejsze statki kupieckie z barwami Grecji, Niderlandów i portów bałtyckich, a pomiędzy dużymi kadłubami śmigają łodzie wiosłowe przewożące ludzi i towary do portu i z portu – życiodajna arteria łącząca duże statki i miasto. Łódź, którą widział żołnierz, może być teraz wszędzie, jeśli w ogóle to byli oni.

– Miej oczy szeroko otwarte, dobrze? Na wypadek gdybyś znowu zobaczył tych ludzi albo coś niezwykłego. Jeden z nich nie ma uszu, jeśli go zauważysz, natychmiast go zatrzymaj.

Młodzieniec ma rozbawioną minę.

– Za kogo ty się masz, Hiszpanie? Za mojego dowódcę?

– Życie kobiety może być w niebezpieczeństwie. Zamożnej kobiety – dodaję, a on w końcu okazuje zainteresowanie, kalkulując potencjalne zyski płynące z udzielenia pomocy. – Możesz mnie powiadomić Pod Gwiazdą przy Nutt Street. Pytaj o Włocha – rzucam przez ramię.

Ostatni raz patrzę na zatokę pod ruchliwą powałą chmur. Mewy wrzeszczą i bez ustanku krążą wokół statków. Nie zdołam tu zrobić niczego użytecznego na własną rękę, nawet nie mając pojęcia, w którą stronę ich ścigać. Decyduję, że najlepiej będzie wrócić Pod Gwiazdę i odnaleźć Drake'a, który ma na rozkazy kompanie uzbrojonych ludzi. Z pewnością zdoła zorganizować poszukiwania na drogach i w zatoce. Ale będą musieli się śpieszyć, myślę, gdy wchodzę w cienie strażnicy. Jeśli Jenkes i Doughty zabrali lady Arden łodzią, z pewnością już dotarli do któregoś ze statków. Kto wie, z kim prowadzą konszachty – o zmierzchu mogą być daleko na Morzu Angielskim, a Drake potrzebowałby czegoś więcej niż powagi swojego nazwiska, żeby wejść na pokład i przeszukiwać zagraniczne statki.

Przystaję przy przejściu, które prowadzi do schodów nad wodą, i patrzę na port ze ściśniętą piersią, bo czuję się winny za los lady Arden. Już mam zawrócić ścieżką obok zamku, gdy zauważam, że coś bieleje na kamieniach w zakamarku arkady. Pochylam się i widzę zmiętą karteczkę, jakby wyrzucił ją jakiś przechodzień. Kucam u szczytu schodów i rozprostowuję papier. Gdy moje oczy śledzą schludne, pochyłe pismo, zalewa mnie fala chłodu. To mój podpis.

Tyle że, oczywiście, podrobiony. Opatrzony moim nazwiskiem list jest pełen miłosnych deklaracji. Zaczyna się od *Carissima* i prosi odbiorczynię o spotkanie ze mną przy nadbrzeżnej strażnicy, gdzie będę czekać z niespodzianką. *Gesu Cristo!* Nie wątpię, z pewnością była zaskoczona, spotkawszy – kogo? Rowlanda Jenkesa z nożem w ręku. Wyobrażam to sobie: wystarczyło przycisnąć nóż do jej żeber pod osłoną peleryny, żeby nikt tego nie spostrzegł. Zmusić ją, żeby przeszła kawałek do schodów, przytulona do niego jak do kochanka, potem w dół, a następnie do łodzi. Dlaczego nie wołała o pomoc? Tego nie pojmuję, ale rzuciła list, zanim zeszła po schodach nad wodę. Zrobiła to w nadziei, że ktoś go znajdzie i powiąże z sobą fakty. *Carissima.* Dobry Boże – uwierzyła, że ja to napisałem. Czy kobiety tak łatwo dają się nabrać na odrobinę pozłacanego pochlebstwa? Mnę kartkę w garści, twarz płonie mi z gniewu; czuję się współwinny, jakbym rzeczywiście ponosił częściową odpowiedzialność, jak powiedziała lady Drake. Gdybym ubiegłej nocy nie poszedł do pokoju lady Arden, gdyby mnie nie zobaczono, nie stworzyłbym okazji, z której skwapliwie skorzystali. Gdyby ta przeklęta służąca nie połasiła się na kilka pensów... Ale ta zabawa w gdybanie w niczym nie pomoże.

Pomimo bolących żeber biegnę do gospody z listem zaciśniętym w garści. Mogę tylko się czepiać nadziei, że lady Arden będzie bezpieczna, dopóki Doughty i Jenkes będą mogli ją wykorzystać jako kartę atutową przeciwko Drake'owi. Następny ruch będzie należał do niego.

Gospodyni Judith czatuje na mnie w sieni i rzuca się w moją stronę, gdy tylko przestępuje próg.

– Sir Francis czeka na ciebie, panie. – Chwyta mnie za rękaw. – Jest w pokoju żony ze swoimi ludźmi. Czuję, że stało się coś złego, ale nikt mi niczego nie mówi. Mam nadzieję, że nie ma to związku z gospodą?

– Nie masz się o co martwić, pani – zapewniam, lecz widzę, że moje roztargnienie i ściągnięte rysy wcale nie dodają jej otuchy.

Thomas Drake otwiera drzwi z posępnym wyrazem twarzy. Bez słowa zaprasza mnie do środka. Lady Drake siedzi na ławce pod oknem, przyciskając chusteczkę do ust. Podnosi się na mój widok i patrzy pytająco. Oszczędnie kręcę głową, a ona opada na ławkę z nowym potokiem łez, które wzbierają w jej oczach i spływają po policzkach.

– Nic nie znalazłeś, jak mniemam? – Drake stoi przy kominku, ponuro zaciskając usta. Carleill i Sidney siedzą przy stole, jakby czekali na wskazówki.

Podaję Drake'owi zmięty list.

– Znalazłem go obok strażnicy przy schodach do zamku.

Przebiega po nim wzrokiem i patrzy na mnie oskarżycielsko.

– Nie ja to napisałem – mówię, czując się zmuszony zaprzeczyć. Wciąż przeszywa mnie tym spokojnym spojrzeniem.

– Mimo to – mówi w końcu – ktoś musiał wiedzieć, że taka wiadomość wywoła pożądany skutek.

Wbijam oczy w podłogę.

– Tutejsza służąca nas szpiegowała, nas wszystkich, od czasu przybycia. Jestem przekonany, że opłacał ją księgarz Jenkes i John Doughty.

Drake zaciska szczękę.

– Sprowadź ją tutaj. Thomasie, znajdź ją. – Zwraca się znowu do mnie, gdy jego brat wychodzi z pokoju. – Schody do zamku, powiadasz? Myślisz, że odpłynęli łodzią?

– Tak przypuszczam. Żołnierz pełniący straż przy armatach jest przekonany, że widział mężczyznę i kobietę wsiadających na łódkę, gdzie przy wiosłach siedział drugi mężczyzna. Lady Arden musiała rzucić list w nadziei, że ktoś go znajdzie.

– Albo to ich sztuczka, żeby nas omamić. – Pociera brodę. – Carleill, niech ludzie ruszą na poszukiwania na lądzie. Skieruj grupę na każdą drogę za miastem. Jeśli uciekli wodą, w małej łodzi daleko nie popłyną. W zatoce jest pełno moich statków. Przepytamy wachtowych i zagranicznych kupców. Ktoś musiał ich widzieć, jeśli weszli na statek. – Szarpie brodę; słyszę stłumiony szloch lady Drake. – Nie trap się, moja droga. Zajdziemy ją całą i zdrową, obiecuję.

W głębi duszy uważam, że być może nieco pochopnie złożył obietnicę, lecz nic nie mówię. Drzwi się otwierają i Thomas wprowadza Hetty, mocno trzymając ją za ramię. Dziewczyna ma opuchniętą twarz, ale wyrywa się i wodzi dokoła ponurym wzrokiem. Nawet stojąc przed takim onieśmielającym gronem, zachowuje się buńczucznie.

– Puśćcie mnie! Nic nie zrobiłam! – mówi, zwracając się do Drake'a. – Nie wiem nic więcej ponad to, co mu powiedziałam. – Wskazuje na mnie.

Drake robi długi krok i staje tuż przed nią, patrząc na nią z góry. Mogę sobie wyobrazić, jak dojrzali mężczyźni drżeli pod tym spojrzeniem, ale Hetty po prostu je odwzajemnia.

– Gdzie są ci ludzie, dla których pracowałaś?! – warczy.

– Nie wiem. On tylko dawał mi listy. Nie mówił, co i gdzie robi.

– Ha, niebawem się przekonamy, czy mówisz prawdę – zapowiada Drake, lecz takim tonem, jakby to nie miało dla niego znaczenia. – Pójdę do twojej izby i przeszukam rzeczy. Jeśli dostałaś od nich jakieś pieniądze, to jako wspólniczka porywaczy. Z pewnością wiesz, jaka jest kara za takie przestępstwo, i osobiście dopilnuję, żebyś została aresztowana, jeśli zachowasz dla siebie coś, co może pomóc w odnalezieniu lady Arden. Jeżeli więc chcesz się ratować, lepiej zacznij mówić, dziewczyno. Thomasie, zechcesz przyprowadzić tu gospodynię Judith?

– Nie!

Thomas Drake już otwiera drzwi, kiedy powstrzymuje go zduszony krzyk Hetty. Zamyka je delikatnie. Wszyscy na nią patrzą. Ze szlochem, który wzbiera w jej gardle, powoli sięga pod fartuch. Drżąc na całym ciele, wyjmuje drugi, złożony i zapieczętowany, list.

– To dla ciebie, panie – szepcze ze spuszczonym wzrokiem, podając go Drake'owi. – Człowiek bez uszu zapowiedział, że mam ci to dać o zachodzie słońca. Nie wcześniej. I że jeśli złamię słowo, przyśle kogoś, kto zabije mnie w łóżku. Powiedział to w taki sposób, panie, że mu uwierzyłam. Przepalał mnie tymi niebieskimi ślepiami jak diabeł, panie, a jego słowa były niczym lodowata woda wylana na plecy. – Trzęsie się i dwie duże łzy spływają po jej policzkach. Pomimo dotychczasowej pozy jej strach nie jest udawany. Podała uderzająco dokładny opis Rowlanda Jenkesa.

– Dobrze. – Drake bierze list i łamie pieczęć. Czyta w milczeniu. Wszyscy patrzymy, gdy jego twarz jeszcze bardziej ciemnieje. Mięsień drga w jego policzku. Milczy przez długi czas. W końcu odzywa się do Hetty: – Spodziewa się, że przyniesiesz odpowiedź?

Kręci głową.

– Nie, panie. Powiedział, że to ostatnie pismo do ciebie. Dlatego było ważne, żebyś nie dostał go przedwcześnie.

Kiwa głową.

– Wracaj do swoich zajęć. Przykażę gospodyni Judith, żeby miała na ciebie oko. Jeśli ten mężczyzna znowu się z tobą skontaktuje, masz przyjść prosto do mnie. Rozumiesz?

Hetty przytakuje, a kiedy Drake się odwraca, cmycha do wyjścia.

– Czekaj! – woła, gdy ta już ma otworzyć drzwi, i Hetty podskakuje jak oparzona. – Od kogo pochodził list, który wczoraj wsunęłaś pod drzwi tego pokoju? Z pewnością nie od tego samego człowieka.

Zakłopotanie maluje się na jej opuchniętej twarzy.

– Jaki list?

Drake mocno zaciska zęby i podchodzi krok bliżej, a ona się kuli pod drzwiami.

– Adresowany do mnie. No, mów, milczenie w niczym ci nie pomoże. Kto przysłał list zeszłej nocy?

– Nie… nie wiem, panie, o jakim mówisz liście – powiada z nieudawanym strachem. – Nie zostawiałam wczoraj żadnego listu w tym pokoju, przysięgam. Tylko ten dzisiejszy, z rana.

– Niech Bóg ma cię w opiece, dziewczyno, jeśli kłamiesz! – cedzi Drake, a ona gorączkowo kręci głową.

– Nie kłamię, to najszczersza prawda. Jeśli dostałeś list, panie, to nie z mojej ręki.

Drake kląska językiem.

– Precz. Cóż ty możesz wiedzieć o najszczerszej prawdzie? – Niecierpliwie macha ręką, jak człowiek odpędzający psa. Hetty w okamgnieniu znika za drzwiami. Nigdy nie widziałem, żeby była tak szybka.

– Ta dziewczyna powinna się znaleźć pod kluczem, bracie – radzi Thomas ze złością w głosie. – Nawet teraz nie powiedziała wszystkiego.

– Właśnie dlatego nie chciałbym jej zamykać. Ci ludzie mogą jeszcze skorzystać z jej usług, żeby się znowu z nami skontaktować. Według mnie jest łatwym do złamania pośrednikiem. Jeśli to zrobią, będziemy mieć większe szanse, by ich znaleźć.

Carleill dyskretnie kaszle.

– List, panie?

Drake wyciąga pismo na długość ręki.

– Słuchajcie.

Drogi kapitanie Drake,

uczciwa wymiana to nie kradzież, jak powiadają. Jedna cenna rzecz w zamian za drugą. Masz coś, co jest dla nas cenne, i vice versa. Przynieś to do kaplicy na Wyspie Świętego Mikołaja, a dokonamy wymiany, która, czego jestem pewien, okaże się satysfakcjonująca dla obu stron. Nie zostaniesz oszukany, kapitanie Drake – mówię o uczciwej wymianie. Masz przybyć sam, bez swoich zbrojnych, tylko z koptyjską księgą. Zacumuj łódź przy północnej przystani i rusz ścieżką na górę. Jeśli nie spełnisz tych warunków, obawiam się, że będzie za późno na jakąkolwiek wymianę.

Czekam z niecierpliwością.

Milknie, rozgląda się po pokoju.

– Jest podpisany? – pyta Carleill.

– Nie. Ale raczej nie mam wątpliwości, kto to napisał. Księgarz bez uszu. Bodaj go diabli!

– Nie pójdziesz – oświadcza stanowczo Thomas, jakby decyzja należała do niego. – Każdy widzi, że to pułapka. Naprawdę uważa cię za głupca? – Prycha ze wzgardą.

Drake przeciąga ręką po czole, marszcząc brwi.

– Stwierdzenie, że będzie za późno na jakąkolwiek wymianę, oznacza, że ją zabije, jeśli nie zrobisz tego, co każe, prawda? – pyta lady Drake spod okna, starając się zachować panowanie nad głosem.

– To buńczuczne pogróżki, moja droga – zapewnia ją mąż. – Nie zrobią jej krzywdy, bo ona jest wszystkim, o co się można targować. – Powiedział to tak, jakby niezupełnie w to wierzył.

– Nie zapominajmy, że jest ich dwóch – zaznaczam. – Obmyślili to razem. Jenkes chce dostać księgę, a John Doughty ciebie, sir Francisie, samego i bez broni, tam skąd nie będziesz mógł uciec.

– Tyle że to oni będą bez ochrony – mówi z ożywieniem Thomas. – Mamy do dyspozycji flotę uzbrojonych ludzi. Dlaczego po prostu nie otoczyć wyspy, skoro wiemy, że tam są, i nie rozprawić się z tymi diabłami?

– Ponieważ zabiją lady Arden, głupcze – syczy lady Drake. – Albo oni, albo twoi żołnierze. Francis jej nie narazi.

– Czasami w konflikcie muszą paść ofiary, pani – mówi Thomas.

– Ofiary. – Lady Drake wstaje, zdjęta oburzeniem. – Czy toczysz wojnę, Thomasie Drake, przeciwko księgarzowi i zdrajcy, który żywi urazę do mojego męża? Czy myślisz, że życie kobiety jest uczciwą ceną za takie zwycięstwo?

– O, pani, John Doughty nie spocznie, dopóki twój mąż, a mój brat, nie umrze. – Thomas stara się mówić z szacunkiem. – Czy chciałabyś, żeby sir Francis ochoczo udał się na własną egzekucję? Ponieważ wiedz, że oni nie uwolnią twojej kuzynki, i jeśli wierzysz, że dotrzymają słowa, to jesteś, niestety, niemądra. Po prostu zabiją ich oboje. Lepiej wziąć wyspę siłą…

Lady Drake tłumi łkanie.

– Uspokójcie się oboje, nie mogę myśleć! – nakazuje Drake, gestem prosząc o ciszę. – Na wyspie jest tylko jedna przystań – podejmuje, gdy jego żona i brat piorunują się wzrokiem – i to od strony Hoe. W zatoce jest pełno moich statków, więc jak zamierzają uciec, nawet zakładając, że dotrzymają słowa? Czyżby nie dopuszczali myśli, że ostrzelam ich z armat, jeszcze zanim odbiją od brzegu? Z pewnością mają jakiś inny plan.

– Ich plan polega na tym, żeby cię zabić! – warczy Thomas.

– Czy wyspa jest ufortyfikowana? – pyta Carleill, podnosząc się z miejsca. Jego obecność działa uspokajająco; jest człowiekiem, któremu z przyjemnością powierzyłoby się dowodzenie w bitwie.

Drake z przygnębioną miną kręci głową.

– Prace nad umocnieniami zaczęto niemal przed czterdziestu laty, za króla Edwarda, ale ich nie ukończono. Dwa lata temu rada miejska zwróciła się do kancelarii królewskiej o mianowanie wojskowego gubernatora wyspy. Zaproponowałem sto funtów z własnej kieszeni na dofinansowanie budowy fortu, ale Tajna Rada Królewska uznała, że istniejące zagrożenie nie usprawiedliwia ponoszenia tak wysokich kosztów inwestycji, i nie przyznała funduszy. Miasto łoży na dwóch stacjonujących na wyspie kanonierów, żeby odstraszać przemytników, ale nie ma tam niczego więcej poza fundamentami fortu, starą kaplicą i czterema armatami na południowo-wschodnim krańcu.

– Tak czy inaczej, bracie – mówi Thomas – zanim te łotry dobiegną do łodzi, będziesz martwy. Ostrzelanie złoczyńców poniewczasie będzie małą pociechą.

– Ja popłynę – oznajmiam. Zapada długa cisza, gdy wszyscy na mnie patrzą.

– Przecież na milę poznają, że nie jesteś moim mężem – zaznacza Elizabeth Drake. – Wówczas uśmiercą Nell, zanim się z nimi spotkasz.

– Nie byłbym taki pewien. Po pierwsze, w gasnącym świetle dnia nie rozpoznają, kto się zbliża, zwłaszcza jeśli będzie miał pelerynę z kapturem. Poza tym nie mogę ręczyć za Johna Doughty'ego, ale podejrzewam, że Rowland Jenkes jest na tyle sprytny, by zastawić podwójną pułapkę. Z pewnością będzie wiedział, że sir Francis nie zjawi się jakby nigdy nic nieuzbrojony na ich wezwanie. Będą się spodziewać, że ktoś zajmie jego miejsce. I Jenkes założy, że będę to ja.

– Dlaczego? – pyta Thomas, przymrużając oczy.

– Wie, że mam związek z księgą i… e… z lady Arden – mówię, nie patrząc mu w oczy.

– Z lady Arden? Ty? – Thomas na kryje niedowierzania. – Niby jaki możesz mieć z nią związek?

Widzę, że zaświtało mu w głowie, zanim skończył zdanie.

– Zamilcz, Thomasie – przykazuje Elizabeth. – Sądzę, że Bruno ma rację. Jeśli mój mąż się tam nie zjawi, nie będą mieli powodu nikogo zabijać. Wszak Jenkesowi zależy tylko na księdze. Może uwolni Nell, kiedy ją dostanie.

– A co z Johnem Doughtym? – pyta agresywnie Thomas. – Co zyska, jeśli Francis się nie pokaże? Czy nie zatrzyma lady Arden, żeby mieć argument przetargowy?

– Co więcej, Rowlandowi Jenkesowi od dwóch lat zależy na śmierci Bruna – mówi cicho Sidney. Był dotychczas nietypowo milczący, choć zauważyłem, że z nadzwyczajną pilnością śledził tok rozmowy, siedząc w kącie. – Tak czy inaczej, jeden z nich się zemści. Pozwólcie mi zabrać księgę. Żaden z nich nie ma interesu w tym, żeby mnie zabić. Niech popłynie za mną łódź pełna uzbrojonych ludzi, którzy wylądują tam, gdzie nie będzie ich widać. Przekażę księgę, zabiorę lady Arden w bezpieczne miejsce, a potem zbrojni będą się mogli wykazać. Zdołamy uniemożliwić im ucieczkę.

– Doskonały pomysł, sir Philipie – komentuje Thomas. – Ciekawe, dlaczego mój brat na niego nie wpadł, mając doświadczenie w bitwie.

Drake gromi go spojrzeniem.

– Szlachetny gest, sir Philipie, i jestem zań wdzięczny. Ale nie należy lekceważyć tych ludzi. Jestem pewien, że będą przygotowani na taką strategię. Ponadto nie mogę pozwolić, żebyś dla mnie narażał życie. Jak wytłumaczyłbym się królowej i twojej rodzinie, gdyby spotkało cię coś złego? – pyta z przepraszającym, ojcowskim uśmiechem. Sidney się stroszy i odwraca głowę. Znów odmówiono mu sposobności na wykazanie się heroizmem, ponieważ jest postrzegany jako pupilek królowej. Patrząc na niego, jestem wzruszony, że zaproponował zająć moje miejsce, żeby mnie ocalić.

– Jeśli nikt nie popłynie – zaczyna Carleill, starannie dobierając słowa – jeśli odmówimy udziału w ich grze, co zrobią? Wszak nie skrzywdzą lady Arden, wtedy bowiem nie mieliby się czym targować.

– Nie możemy podjąć takiego ryzyka – oznajmia Drake. – Może nie zabiją jej od razu, ale zatrzymają, by powtórzyć tę samą sztuczkę, nie mam co do tego wątpliwości. I kto wie, co z nią zrobią w tym czasie?

Elizabeth krzyczy i przyciska ręce do ust.

– Rowland Jenkes jest fanatycznym katolikiem – mówię, próbując ją podnieść na duchu. – Będzie zabijać w imię wiary, ponieważ uważa, że Bóg tak chce, ale nie przypuszczam, by znęcał się nad kobietą.

– Podczas gdy nie pokładasz tej samej wiary z Johnie Doughtym – mówi Thomas ze skwaszoną miną. – Zrobi wszystko, co w jego mocy, żeby skrzywdzić mojego brata, nawet jeśli nie bezpośrednio.

Elizabeth znowu zaczyna płakać. Drake obejmuje ją, obrzucając brata ponurym spojrzeniem.

– Możemy tak deliberować przez cały dzień, ale oni spodziewają się kogoś po zachodzie słońca – przypominam. – I sądzę, że tym kimś muszę być ja.

– Bruno ma rację – rzecze Carleill tym łagodnym, przekonującym tonem. – Ale sir Philip również. Powinniśmy mieć w pogotowiu uzbrojonych ludzi, w małych łodziach przy brzegu, żeby zapobiegli ucieczce tych łotrów.

– Otóż to, Carleill. Udasz się z Thomasem na statki, żeby zwerbować ludzi, najlepszych strzelców we flocie. Moja żona zostanie tutaj z uzbrojonymi strażnikami.

Elizabeth jest przerażona.

– Nie chcę zostać sama, Francisie. Co będzie, jeśli przyjdą po mnie?

– Nikt ci nie zagrozi, moja droga – zapewnia, gładząc jej rękę. – Sir Philip może z tobą zostać, jeśli się boisz.

Sidney kiwa głową, zaciskając zęby. Tylko ja wiem, jaki jest wściekły i ile wysiłku go kosztuje ukrycie tego stanu.

– Bruno – mówi Drake – omówimy strategię. Musimy wyekwipować cię w łódź, lekką, żebyś sam mógł wiosłować. I pistolet, a może lepiej dwa.

– Nie. Nie zdołam ukryć pistoletu. Jeśli zobaczą, że jestem uzbrojony, bez wahania zabiją mnie i lady Arden. Wezmę tylko sztylet, schowam go pod ubraniem. Jenkes będzie chciał się napawać swoją wygraną – wyjaśniam, widząc jego powątpiewającą minę. – Nie zabije ani mnie, ani lady Arden od razu, jeśli nie dam mu powodu. Takie rozwiązanie nie sprawiłoby mu satysfakcji. Będę tańczyć, jak mi zagra, z nadzieją, że to nasza największa szansa, żeby ujść z życiem.

– To nie zabawa, Bruno. – Drake kładzie rękę na moim ramieniu. – Wiem, że jesteś silny, ale konsekwencje… – Zawiesza głos, jakby nie chciał wnikać w szczegóły.

– Nie po raz pierwszy stawię czoło śmierci – zapewniam, jakby to było dla mnie zupełnie naturalne. – Ktoś musi tam popłynąć, inaczej lady Arden będzie miała nikłe szanse na uwolnienie. Ustaliliśmy, że nie możesz to być ty, panie. Nie ma wyboru. Mój udział jest częścią ich planu.

Przez długą chwilę patrzy na mnie w milczeniu, ważąc moje słowa. Cokolwiek się stanie, odpowiedzialność spadnie na jego barki. Nagle Elizabeth wyrywa się z jego uścisku i zarzuca mi ręce na szyję.

– Sprowadź ją, Bruno, a dam ci wszystko, czego zapragniesz.

– Chcę, byśmy wrócili cali i zdrowi, pani. To będzie moją nagrodą – mówię, odsuwając się od niej, świadom, że jej mąż patrzy. Na jego twarzy widzę tylko żal. Spoglądam na Sidneya, a on ucieka wzrokiem. Wiem, co myśli: kradnę mu chwałę, o której marzy. Ale Drake ma rację, nie ma żadnej gwarancji, że ja czy lady Arden ujdziemy z życiem. Mimo to nie mam innej możliwości, jak tylko spróbować.

21

Resztki dziennego światła ociągają się na horyzoncie, gdy stoję z Drakiem i jego bratem na przystani obok wieży artyleryjskiej na przylądku nieopodal Millbay. Chmury mają barwę fioletu i indyga na tle ciemniejącego nieba, a maszty floty na zatoce wyglądają jak wyrysowane atramentem. Na wprost przed nami piętrzy się garb Wyspy Świętego Mikołaja. Wiatr dmie od morza, szczypiąc mnie w oczy.

Drake kładzie rękę na moim ramieniu.

– Jesteś pewien, Bruno, że chcesz się z tym zmierzyć?

Biorę głęboki wdech i wypuszczam powietrze, kiwając głową. Jestem od stóp do głów odziany na czarno, mam opończę, a pod kaftanem przerzucony ukośnie przez tors skrócony pas z nożem schowanym w pochwie. U mego boku wisi skórzana torba z manuskryptem osłoniętym zaimpregnowaną okładką.

– Muszę iść – rzucam cicho. – Będą czekać.

– Pomiędzy flotą i wyspą, a także między północnym brzegiem i portem są szalupy pełne zbrojnych – mówi Drake. – Jeśli zdołasz wrócić do łodzi z lady Arden, daj znak latarnią, żeby nie ostrzelali was przez omyłkę.

– To byłby pech. – Śmieję się nerwowo, piskliwie. Nie umyka mi to, że powiedział „jeśli". Jest oczywiste, że wchodzę w pułapkę. Być może lady Arden już nie żyje. Nie mogę pozwolić, by ta myśl zapuściła korzenie; sprawia, że moje serce gubi rytm.

Sidney zostaje, posłuszny naleganiu lady Drake. Zniknięcie kuzynki odesłało w niebyt jej niefrasobliwe lekceważenie, z jakim się odnosiła do obaw męża, i teraz jest przerażona na myśl, że mogłaby zostać sama pomimo strażników przydzielonych jej przez sir Francisa. Skoro mąż nie może być u jej boku, pragnie pokrzepienia, jakie zapewni jej obecność innego odważnego dżentelmena. W tej chwili pociecha, jakiej może udzielić jej Sidney, nie jest moim największym zmartwieniem. Pożegnaliśmy się niezręcznie Pod Gwiazdą. Obaj wiedzieliśmy, z czym mam się zmierzyć; nie mógłbym powiedzieć, czy wciąż mi zazdrościł szansy na okrycie się chwałą, czy może czuł się winny z powodu ulgi, jaką odczuł, gdy znowu musiał przyjąć rolę opiekuna kobiet. Albo chociaż jednej kobiety.

– Nie powinienem cię tu sprowadzać, Bruno – stwierdził ponurym tonem. – Nie mogę się pozbyć wrażenia, że to wszystko wynikło z mojej winy. – Po raz pierwszy sprawia wrażenie niepewnego siebie, a poza tym niezdecydowany, czy wziąć mnie w ramiona, uścisnąć mi dłoń czy poklepać po ramieniu.

– Gdybym został w Londynie, wpakowałbym się w inne tarapaty – zapewniłem go, starając się mówić lekkim tonem. – To moja wina, że uprowadzili lady Arden, nie twoja.

– Zgadza się – przyznał ponuro. – Przynajmniej wygrałem zakład, prawda? Mówiłem ci, że będziesz ją miał. Chryste… – Próbuje się zaśmiać, ale zaraz milknie.

– *Madonna porca*. Chodź tu do mnie, nie bądź sztywnym Anglikiem! – Chwyciłem go w ramiona i mocno przytuliłem. Otrząsnął się z pierwszego zaskoczenia i również mnie objął, jednocześnie waląc po plecach, jakby dzięki temu pożegnalny uścisk mógł się stać bardziej męski. Czasami zachodzę w głowę, jak przetrwał te swoje wojaże po Italii.

– Na miłość boską, Bruno, uważaj na siebie – powiedział z przejęciem, odwracając się. – Wpakuj ode mnie nóż w bebechy tym łotrom. I… do jasnej cholery, wróć, dobrze?

– Wiesz, że wrócę.

Złożyłem przed nim wytworny ukłon, oddając żartobliwie sir Philipowi honory. Potem zjawił się Drake i zarzucił mnie gradem instrukcji i strategii. Wychodząc, spojrzałem przez ramię na Sidneya. Stał w drzwiach, opierając się ręką o futrynę, patrzył pod nogi, jak ktoś próbujący złapać oddech po długiej wspinaczce.

Myślę o tym teraz, gdy Drake spogląda na ciemną wodę.

– Nie widzę świateł na wyspie – powiada ze ściągniętymi brwiami. – To niepokojące, o tej porze kanonierzy powinni mieć zapaloną lampę.

– Prawie na pewno nie mieli takiej możliwości, jeśli Doughty i jego kamrat się nimi zajęli – mówi ponuro Thomas.

Wsiadam do łódki i stoję dla złapania równowagi, mocno przyciskając do piersi torbę z księgą. Drake mówi mi o przypływach, prądach i dryfowaniu, i że muszę kierować dziób na zachód od przystani, ale niewiele z tego do mnie dociera. Jest mi zimno, czuję się dziwnie odrętwiały.

– Daj im księgę, rzecz jasna – przykazuje, kucając na najniższym stopniu. Woda chlupocze przy jego butach, moja łódź uderza o mur. – Nie próbuj z nimi walczyć. Macie wyjść z tego z cało, to najważniejsze.

Patrzę w jego brązowe oczy i wyczytuję w nich odbicie moich myśli: szanse bezpiecznego powrotu z lady Arden są niemal zerowe. Tylko beznadziejny naiwniak spodziewałby się honorowej wymiany po takich łotrach jak Jenkes i John Doughty. Drake'owi i mnie daleko do naiwności. Jenkesowi zależy na *Ewangelii Judasza*, to pewne, ale kiedy położy na niej ręce, nie będzie miał powodu, żeby nas wypuszczać. Zwłaszcza mnie. A ona padnie ofiarą tej wendety.

– Miej oko na Savile'a, panie – przypominam. – Może skorzystać z okazji, żeby się wymknąć.

– Zostaw go mnie – mówi Drake, gdy siadam na wąskiej desce i biorę wiosła. Sięga w dół, żeby odwiązać cumę. – Nie zapomnę o twojej odwadze, przyjacielu.

– Bóg z tobą, Bruno – odzywa się niespodziewanie Thomas.

Przyglądam się jego twarzy, wypatrując sarkazmu. Niczego takiego nie znajduję. Kiwam głową i odbijam od brzegu.

Za każdym razem, gdy dziób przecina falę, pył wodny uderza mnie w twarz i pieką mnie skaleczenia. Woda jest wzburzona, białe grzywacze połyskują w resztkach dziennego światła. Ramiona mnie bolą przy każdym pociągnięciu wiosłami i mam wrażenie, że wyspa odpływa w gęstniejącym mroku, z każdym pociągnięciem coraz dalej, jakby się ze mną droczyła.

Po jakimś czasie łapię rytm wiosłowania i moje myśli szybują ku zrębowi lądu na horyzoncie. Wiatr rzuca mi w oczy słone kosmyki włosów. Wiem, że być może wiosłuję ku śmierci, choć racjonalny umysł odmawia przyjęcia tej prawdy do wiadomości. Puls mi przyśpiesza, ale myśli pozostają dziwnie spokojne. Osiem lat temu wymknąłem się przez klasztorne okno, by ocalić siebie przed rzymską inkwizycją. Od tamtej pory wielekroć spoglądałem w oczy śmierci, która za każdym razem kręciła głową i odprawiała mnie do następnego razu. Dzisiaj może nie być taka wspaniałomyślna. Ale jeśli teraz rzucę się do ucieczki, jeśli odwrócę się plecami do brzegu, do czego nagli mnie każde ścięgno w moim ciele, lady Arden prawie na pewno spotka okrutny koniec. Nie kocham jej – ledwie ją poznałem – ale czuję się za nią odpowiedzialny. Mam przecież swój udział w tym, co ją spotkało, i nie mogę jej zostawić na łasce tych ludzi, nie, dopóki mam sumienie i siłę.

Nad wodą niosą się dźwięki z wielkich statków floty, ale porywa je wiatr. Słyszę tylko plusk wioseł, szum fal i zawodzenie mew, czuję ruch łodzi, widzę skaliste urwiska Wyspy Świętego Mikołaja, które wreszcie wznoszą się nade mną. Gdy na nie patrzę, mrużąc oczy, dostrzegam błysk latarni na szczycie. Światło płonie przez chwilę, na pozór zawieszone w powietrzu, i gaśnie. Gdzieś tam, za wyspą, w łodziach czekają ludzie Carleilla, gotowi ostrzelać Jenkesa i Doughty'ego, gdy podejmą próbę ucieczki. Z pewnością nie mam prawa podważać autorytetu Drake'a ani jego zastępcy, lecz nie wierzę, by porywacze byli na to nieprzygotowani. Jestem przekonany, że Jenkes i Doughty nie opracowali tak skomplikowanej strategii, żeby później wiosłować prosto na flotę Drake'a. Muszą mieć inny plan. Fontanna wody znowu uderza mnie w twarz i przypominam sobie spacer wzdłuż Hoe z Samem. Mówił o sieci tajnych tuneli wykorzystywanych przez przemytników. Ale jeśli nadal są używane, Drake nie wspomniał o nich słowem.

U stóp urwiska fale są wyższe i muszę wytężać siły, by dopłynąć do pomostu na plaży w północnej części wyspy. Prąd znosi mnie na zachód, a wiatr pcha do tyłu, z dala od brzegu. Mam wrażenie, że ręce mi wyskakują ze stawów, gdy staram się utrzymać na kursie. Walczę z żywiołem tak długo, aż zaczynam się bać, iż nie zdołam dobić do brzegu, gdy nagle fala rzuca łódkę na drewniane pale pomostu i chwytam śliską od wodorostów żelazną drabinę, która z niego zwisa. Cumuję łódź i zabieram ekwipunek: torbę z księgą i niezapaloną latarnię. W zanadrzu mam krzesiwo i krzemień. Sprawdzam też, czy nóż jest na swoim miejscu. Gdy wspinam się po drabinie, ramiona mi drżą ze zmęczenia i podnoszenie własnego ciężaru wymaga wielkiego wysiłku. To kolejna sprytna sztuczka Jenkesa i Doughty'ego, która zapewnia, że ktokolwiek przybędzie w odpowiedzi na ich wezwanie, będzie wyczerpany. Mogłem kogoś poprosić, żeby mnie tu przewiózł, ale widziane przeze mnie światło sugeruje, że obserwowali mnie z wysoka. Gdyby zobaczyli w łodzi dwóch ludzi, mogliby uznać, że umowa została zerwana.

Naciągam kaptur i nie zapalam latarni. Wiatr przegnał chmury w głąb lądu i nad wodą poszerzają się czyste łaty nieba, ciemniejącego w fiolet, i już widać migotanie pierwszych gwiazd. Niepełna tarcza księżyca rzuca trochę światła na wyboistą ścieżkę, która biegnie pod górę. Oddycham głęboko i zaczynam wspinaczkę, trzymając się blisko skały, wytężam też słuch, czujny na dźwięki, które zdradziłyby zasadzkę. Nie ma znaku życia poza mewami.

Nerwy mam napięte ze strachu, włoski mi się jeżą na skórze. Spodziewam się, że lada chwila usłyszę świst bełtu wystrzelonego z kuszy albo poczuję na karku zimne ostrze stali, ale docieram na szczyt bez przeszkód, co tym bardziej podsyca strach. Już widzę kępę karłowatych drzew i serce podchodzi mi do gardła; z pewnością tutaj, w ich cieniu, mnie dopadną. Wszystkim, co słyszę, jest mój rwący się oddech i pojękiwanie wiatru. Gwałtownie obracam głowę na każdy łoskot konarów, każdy trzask gałązki. Gdy idę ścieżką wśród drzew, rozlega się nagły łopot skrzydeł i szelest liści. Tłumię odruchowy krzyk, bo przecież to tylko spłoszony przeze mnie ptak.

Gdy wychodzę z kępy na szeroką trawiastą przestrzeń na szczycie wyspy, drżę na całym ciele.

W księżycowej poświacie dostrzegam kontury kapliczki, a na południowy wschód od niej zarys na wpół ukończonych fortyfikacji, o których wspomniał Drake. Panuje spokój, nic się nie porusza poza gałęziami drzew i pomykającymi chmurami. Obawiam się, że jeśli stacjonowali tu żołnierze, to Thomas Drake miał rację. Ludzie czekający na mnie dopilnowali, aby im nikt nie przeszkodził.

Powoli idę w stronę kaplicy, ostrożnie, krok po kroku. Dostrzegam wąskie, zakończone ostrymi łukami okna, czarne szczeliny w murze i niskie drzwi. Nie ma wieży, tylko dwuspadowy dach, który wymaga naprawy. Nigdzie nie palą się światła. Tu mnie dopadną, myślę, gdy zbliżam się do drzwi. Tutaj będą czekać. Jenkes doceni otoczenie; ten wierny syn Rzymu, ze świętą furią nienawidzący wszystkich heretyków i uważający ich mordowanie za akt pobożności. Czy przeleje moją krew w świętym miejscu? Kaplica jest odsłonięta ze wszystkich stron; wiatr dmie na szczycie, tarmosząc moim kapturem. Szczelniej otulam się peleryną i podchodzę do drzwi, starając się iść bezgłośnie.

Powoli wypuszczam powietrze, próbując uspokoić szybko bijące serce. Dłonie mnie swędzą od potu. Boję się, że tu padnie cios zabójcy, z ciemności za drzwiami. Niemal ich czuję, gdy na mnie czekają. Wiar nagle słabnie, jakby wstrzymywał oddech. Stawiam na ziemi latarnię i rozpinam górne guziki kaftana, poluzowuję sztylet w pochwie, żebym mógł go wyciągnąć jednym ruchem, kiedy zajdzie potrzeba. Kładę rękę na klamce i naciskam. Drzwi ze szczękiem uchylają się na cal.

Mocno je kopię, na wypadek gdyby ktoś się za nimi ukrywał. Drzwi uderzają w ścianę i dygoczą na zawiasach. Wewnątrz nic się nie porusza. Zaglądam w czarną paszczę kaplicy. Po długiej chwili robię krok i staję na progu.

Nikłe światło wpada przez okna na wytarte płyty kamiennej podłogi. Wszystko inne spowija gęsta, aksamitna ciemność. Wdycham mineralny zapach starego kamienia. Nagle słyszę, a może wyczuwam bardzo cichy dźwięk – stłumiony, płytki oddech, szybki i spanikowany, jak u osaczonego zwierzęcia. Robię kolejny krok, bezszelestnie wyciągając sztylet. Dźwięk jest głośniejszy, nie pomyliłem się. Zdejmuję kaptur, nie chcąc, żeby ograniczał mi pole widzenia, i robię następne dwa kroki z nożem przed sobą. Podskakuję, słysząc skrzypnięcie i trzask drzwi kaplicy. Powinienem się tego spodziewać: teraz jestem w pułapce. Czerń zamyka się wokół mnie, skądś płynie krótki, stłumiony krzyk, a może szloch. Obracam się w mroku, wskazując nożem to w tę, to w tamtą stronę, dźgam nim na boki, ale ostrze tnie tylko zimne powietrze. Czuję strach narastający w piersi, przerażenie, które grozi, że przeważy nad moim rozsądkiem. Walczę z nim całą siłą woli i koncentruję się na wytężaniu słuchu, żeby ułowić w ciemności jakiś ostrzegawczy dźwięk.

W ciszy słyszę trzask krzesiwa w dalekim końcu kaplicy i widzę iskry. Zastygam w absolutnym bezruchu. A więc któryś z nich jest wprost przede mną, co znaczy, że drugi podkrada się od tyłu. Chwiejny płomyk świeczki budzi się do życia. Przesuwa się nie ku mnie, ale w bok, i rozkwita drugi pomarańczowy płatek światła, a po nim następny i jeszcze jeden, aż mogę w blasku świec dostrzec człowieka przechodzącego pod ścianą kaplicy i zapalającego ogarki w kinkietach. W końcu odwraca się i robi krok w moją stronę. Coś się porusza na lewo ode mnie. Odwracam głowę i słyszę moje głośne sapnięcie na widok tego, co mam przed oczami. W nikłym migotliwym świetle widzę lady Arden ze związanymi rękami, z kneblem na ustach i pętlą na szyi. Sznur został przymocowany do belki pod dachem. Jej stopy spoczywają na rozklekotanej ławeczce. Lina jest prawie naprężona. Jeśli straci równowagę albo ktoś wykopie spod niej ławkę, natychmiast zacznie się dusić. Patrzy na mnie z przerażeniem w oczach, spod knebla płynie stłumiony skowyt.

Mężczyzna ze świecą idzie w moją stronę, ale przystaje daleko poza zasięgiem mojego sztyletu i spogląda na mnie z porozumiewawczym uśmiechem. Natychmiast go rozpoznaję. Rowland Jenkes w młodości poważnie chorował na ospę, po której zostały mu paskudne dzioby na twarzy, ma też sine blizny wokół dziurek uszu, które obciął własną ręką po przybiciu do pręgierza w Oksfordzie. Pomimo tego oszpecenia widać, że najbardziej znany księgarz handlujący zakazanymi książkami w Anglii niegdyś musiał być przystojnym mężczyzną. Jego niezwykłe oczy nad wysoko zarysowanymi, wydatnymi kośćmi policzkowymi wciąż są dziwnie pociągające. Ciepłe, roztańczone oczy, które zapraszają, by się w nich pogrążyć, kłócące się ze spustoszonym pejzażem oblicza. Ale ich ciepło jest złudne, jak się przekonałem dwa lata temu.

Jenkes kręci głową w pantomimie niedowierzania, wciąż uśmiechnięty, mierząc mnie wzrokiem od stóp do głów, jakbym był bratem, którego przez długie lata uważał za zaginionego lub martwego. Wydaje się, że nie jest uzbrojony, choć może to tylko pozory.

– Ha, nie jesteś Francisem Drakiem, ale cóż za niespodzianka! – Żartobliwy ton mi mówi, że jest wręcz przeciwnie. Jego głos, podobnie jak oczy, nie pasuje do zatrważającej powierzchowności. Jest dystyngowany, kulturalny, kojący. – Witaj w kaplicy Świętego Mikołaja, Giordano Bruno. – Robi zamaszysty gest. – Kto by pomyślał, że tu się spotkamy. Wyroki boskie naprawdę są niezbadane, nie sądzisz? Właśnie o tym opowiadałem lady Arden – kontynuuje tonem uprzejmej pogawędki, ani na chwilę nie odrywając ode mnie spojrzenia – jak się poznaliśmy, dawno temu. Ktoś mógłby to nazwać zbiegiem okoliczności, ja jednak uważam, że to dzieło Opatrzności. – Uśmiech trochę przygasa. – Po twojej wizycie nie mogłem wrócić do Oksfordu. Musiałem zostawić lukratywny interes. Nie jestem z tego powodu zadowolony.

– Przyjmij moje przeprosiny, proszę – mówię głosem zimnym jak lód.

– Jakżeś łaskawy... Cóż, to już bez znaczenia. Przywykłem do przeprowadzek, podobnie jak ty. Mamy wiele z sobą wspólnego. Żaden z nas nie jest mile widziany w swoich rodzinnych stronach z powodu przekonań. Spędziłem rok we Francji, gdzie czułem się użyteczny, sprzedając i kupując książki, i wciąż miałem oczy szeroko otwarte. Pewnego dnia dotarły do mnie pogłoski o szczególnym woluminie, który, jak mi mówiono, nie istnieje. Pamiętasz, Bruno, jak przyszedłeś do mnie w Oksfordzie, szukając rzekomo nieistniejącej książki? – Uśmiech powraca, zęby połyskują w świetle. – Ha, pojawiła się kolejna. Człowiek odmawiający uczestnictwa w nabożeństwach anglikańskich odsiadywał karę więzienia w Marshalsea z pewnym żeglarzem, szlachcicem, który odbył podróż dokoła świata z sir Francisem Drakiem i w nagrodę został oskarżony o zdradę, choć nie był niczemu winien poza szukaniem sprawiedliwości za śmierć brata. – Kręci głową w przesadnym smutku. – W więzieniu zrozpaczony żeglarz opowiadał o swoich podróżach. Jedna z tych opowieści dotyczyła pewnego koptyjskiego manuskryptu i zamordowanego jezuity. – Jego spojrzenie opada na torbę, która wisi na moim ramieniu, i język niecierpliwie oblizuje wargi. – Większość więźniów uważała, że bredzi, ale jeden, ten zaprzysięgły katolik, dał wiarę jego słowom. Po zwolnieniu z więzienia uciekł do Francji, żeby dołączyć do angielskich katolików w Paryżu, i tam powtórzył opowieść owego żeglarza. Kiedy pogłoska dotarła do moich uszu... Nie, nigdy nie uważałem tego za zabawne... wróciłem do Londynu, żeby go odszukać. Ale zapomniałem, wszak już się poznaliście. – Widzę, że przenosi spojrzenie za moje ramię. Słyszę charakterystyczny szczęk metalu i kolejny zduszony pisk lady Arden. Powoli się odwracam i widzę postać wychodzącą z cienia. Natychmiast rozpoznaję człowieka, który napadł na mnie w Domu Westy.

Doughty stoi pomiędzy mną i drzwiami kaplicy. Trzyma wsparty na przedramieniu bogato zdobiony pistolet z zamkiem kołowym. Celuje prosto we mnie. Nic dziwnego, że Jenkes był taki rozluźniony, choć widział, że mam nóż.

– Miło cię znowu spotkać, doktorze Bruno. Ostatnim razem wymknąłeś się bez pożegnania. A chciałem tylko z tobą pomówić. – Doughty patrzy na mnie z chłodnym uśmiechem, prezentując braki w uzębieniu. – Zaoszczędziłbyś wszystkim kłopotu, gdybyś nie czmychnął niczym spłoszona łania. – Wskazuje lady Arden.

Staram się patrzeć spokojnie, chcąc pokazać, że tym razem mnie nie zastraszy, choć trudno zignorować pistolet. Ma inteligentną twarz, ale wygląda na zaszczutego, a jego oczy głęboko osadzone w zacienionych oczodołach są w bezustannym ruchu, jakby spodziewał się ciosu zadanego z niespodziewanej strony.

– John i ja doszliśmy do wniosku, że łączy nas wspólna sprawa – mówi Jenkes, przesuwając się poza pole mojego widzenia.

– Jesteś więc katolikiem? – pytam Doughty'ego. Mój głos brzmi mniej pewnie, niżbym sobie życzył.

Kręci głową.

– Nie obchodzi mnie żaden rzymski dostojnik kościelny. Nigdy nie zdradziłem ojczyzny, bez względu na to, co o mnie mówili, to Anglia zdradziła mnie. Pragnę tylko zobaczyć, jak Francis Drake cierpi tak, jak ucierpiała moja rodzina. Jeśli to oznacza sprzymierzenie się z Francuzami czy Hiszpanami, cóż... już zostałem ukarany przed faktem. – Uśmiecha się, rozciągając usta, żeby pokazać, jaką zapłacił cenę.

Mam dość tej zabawy moim kosztem. Przesuwam torbę z księgą na brzuch i unoszę klapkę.

– Jenkes, czy możemy dokonać tej uczciwej wymiany, o której mówiłeś? Potem wszyscy się rozejdziemy, każdy w swoją stronę.

Odpowiada mi cierpkim uśmiechem.

– Najpierw, Bruno, bądź grzecznym chłopcem i odłóż ten nóż, żeby komuś nie wydłubał oka. – Kiedy spostrzega, że się waham, niedbałym krokiem podchodzi do stołka, na którym balansuje lady Arden, opiera na nim stopę i lekko go trąca, jakby wypróbowywał, czy jest mocny. Lady Arden wznosi oczy ku niebu, łzy spływają po jej policzkach. Rzucam sztylet, który z grzechotem upada na kamienną posadzkę. Jenkes zdejmuje stopę z ławki i z aprobatą kiwa do mnie głową. Bez pośpiechu podnosi mój sztylet i przygląda się rzeźbionej kościanej rękojeści. – Ładna robota. Twoi rodacy znają się na wyrobie broni. – Z uznaniem przeciąga palcem po ostrzu i wypróbowuje czubek na dłoni. Przenika mnie lodowate zimno. Bez sztyletu czuję się nagi, nie mając do obrony niczego prócz mojego rozumu. Nie mam pojęcia, jak sobie poradzić przeciwko nożowi i pistoletowi. – Martwię się, Bruno. – Jenkes unosi głowę i mówi tak, jakby lekko się ze mną droczył. – Martwię się, że Francis Drake nie zrozumiał koncepcji uczciwej wymiany. Obawiam się, że otoczył wyspę uzbrojonymi ludźmi, którzy nas ostrzelają, gdy tylko się pokażemy.

Obserwuje mnie uważnie, wypatrując reakcji. Zachowuję kamienny wyraz twarzy.

– Sir Francis dotrzyma warunków umowy – oświadczam spokojnie.

– Najwyraźniej nie ma takiego zamiaru – mówi Doughty z oburzeniem. – Napisaliśmy jasno, że ma się zjawić osobiście.

– Musieliście wiedzieć, że Drake nie zechce tu przybyć. – Obracam się w jego stronę, walcząc o zachowanie spokojnego tonu. Poklepuję torbę. – Mam tutaj to, czego chcesz, Jenkes. Dokonajmy wymiany. – Patrzę na księgarza, świadom, że widzi mój strach, ale kurczowo się czepiam absurdalnej nadziei, iż zdołam mu przemówić do rozumu. Przybiera zadumaną minę, jakoby rozważając moją propozycję, gdy podchodzi do lady Arden. Strach chwyta mnie za gardło.

– Obawiam się, Bruno, że John ma rację. Ściślej mówiąc, Drake już zawiódł nasze zaufanie. – Milknie, robiąc żałosną minę, po czym jednym szybkim wyrzutem nogi kopie ławeczkę.

Sznur się napina, z gardła lady Arden wyrywa się straszny zduszony krzyk. W ciągu jednego oddechu rzucam się do niej i chwytam ją tuż pod kolanami, używając całej pozostałej mi siły w rękach, żeby ją podźwignąć i poluzować linę. Podnoszę ją, aż wspiera kolana na moich ramionach i wisi, wciąż się dławiąc, szarpiąc stryczek związanymi rękami. Zamykam oczy, spodziewając się, że zaraz usłyszę huk wystrzału i poczuję woń prochu o jedno uderzenie serca przed kulą, która wniknie w mój mózg. Słyszę tylko śmiech Jenkesa.

– Bardzo szybka reakcja, Bruno – mówi, podnosząc przewróconą ławkę i wskazując, że mam postawić na niej stopy lady Arden. – Imponujące. To była tylko mała próba.

Trzymam ją w ramionach i stawiam na stołku. Unoszę wzrok; oddycha z wysiłkiem, ma siną twarz i rozkojarzone oczy. Boję się, że jeśli ją puszczę, omdleje i powoli zawiśnie na linie.

– Pamiętam inną kobietę, z którą zadawałeś się w Oksfordzie – ciągnie Jenkes z zadumą. – Też narażałeś życie, by ją ratować, prawda? Jesteś, Bruno, żywcem wyjęty z dawnych opowieści o cnotach rycerskich. Serce mi pęka na myśl, że tyle lat zmarnowałeś w klasztorze, odmawiając swej kurtuazji rodzajowi niewieściemu. – Skupia uwagę na wydłubywaniu brudu spod paznokci czubkiem mojego sztyletu. Kątem oka widzę, że Doughty przesuwa się w prawo, zimny błysk wskazuje, gdzie jest wycelowany we mnie pistolet. Jenkes gwałtownie unosi głowę. – Daj mi manuskrypt. – Wyciąga rękę i niecierpliwie pstryka palcami.

Ostrożnie puszczam lady Arden, która się chwieje, ale chyba doszła do siebie na tyle, żeby pewnie stać na nogach, przynajmniej na razie. Sięgam do torby i wyjmuję opakowaną księgę. Jenkesowi świecą się oczy; znów oblizuje usta i wyciąga rękę. Przyciskam wolumin do piersi. Nie oddam mu go, dopóki nie zobaczę odciętej od stryczka lady Arden, bo inaczej nic mi nie zostanie, żeby się targować.

– Gdy tylko tamtej nocy ujrzałem cię Pod Gwiazdą, wiedziałem, że Drake cię tu sprowadził, żebyś ocenił manuskrypt. Okazał się wyjątkowo uparty, gdy chodziło o sprzedaż, choć zaoferowałem wcale dobrą cenę. Zrozumiałem, że będę musiał znaleźć jakiś inny sposób. – Podchodzi bliżej z wyciągniętą lewą ręką, w prawej trzymając nóż, choć mimo woli go opuszcza. Z wilczą zachłannością wlepia oczy w manuskrypt. – Kiedy ta mała usłużna panienka z gospody przyniosła mi przekład, nad którym pracowałeś, od razu poznałem, że to nie falsyfikat. Zaginiona *Ewangelia Judasza*. Sporządziłeś drugie tłumaczenie, skoro o tym mowa?

Nie odpowiadam.

– Ha, nie sądzę, żeby to miało znaczenie – kontynuuje. – Przekład jest niczym bez oryginału na jego potwierdzenie. Chociaż nadmienię, że Watykanowi nie spodoba się puszczona w obieg nielegalna kopia zakazanej księgi.

– Więc to Watykan jest twoim klientem?

Patrzy mi w oczy i wybucha śmiechem.

– A co, nie przyszedłbyś tutaj, gdybyś o tym wiedział? Wolałbyś zostawić kobietę dyndającą na stryczku, zamiast dać za wygraną wrogowi? Nadal tak bardzo nienawidzisz Rzymu? – Nie czeka na moją odpowiedź. Przekrzywia głowę, poklepuje manuskrypt i patrzy na mnie z żywą ciekawością. – Powiedz mi, jak jeden uczony drugiemu, to autentyk?

Waham się przed udzieleniem odpowiedzi.

– Prawie na pewno nie. Drugie stulecie, gnostyczne nauki. Nic, czego Kościół nie widziałby i nie odrzucił setki razy. Nie został napisany przez Judasza Iskariotę, jeśli o to ci chodzi.

Jenkes zadziera głowę i znowu wybucha tym obłąkańczym śmiechem, który roznosi się po kaplicy niczym płomienie po suchych drwach.

– Jesteś wytrawnym kłamcą, Bruno, jak wszyscy dominikanie, ale nie dość wytrawnym. Fakt, że odczuwasz pragnienie kłamania, mówi mi wszystko, co potrzebuję wiedzieć. Podaj mi księgę.

Podchodzi bliżej, ruchem głowy wskazując pakunek. Ręka z nożem zwisa swobodnie u jego boku; pragnie tego manuskryptu tak bardzo, że przestaje się mieć na baczności. Kalkuluję, co zrobić, i oceniam odległość. Jestem posiniaczony i obolały, ale mogę kopnąć go w krocze i powalić, nastąpić mu na gardło i odebrać nóż, zanim będzie w stanie zareagować. Można tego dokonać. Ale nie wtedy, gdy John Doughty stoi za moimi plecami z odciągniętym kurkiem. W jednej chwili byłbym trupem, a lady Arden zawisłaby na sznurze, powoli się dusząc.

Kiwam głową w jej stronę.

– Najpierw ją odetnij.

– Bruno, naprawdę wierzysz, że masz podstawy do negocjowania? Najpierw chcę zobaczyć, czy nie przyniosłeś jakiejś podróbki czy czegoś zupełnie innego. Chociaż taki postępek w istocie byłby głupotą ze strony twojej i Drake'a, a niezależnie od twoich przywar, nigdy cię nie uważałem za głupca. Pokaż mi księgę. Johnie! – Gestem każe mu podejść do lady Arden. Doughty stawia stopę na ławce, wciąż mierząc we mnie z pistoletu.

– Bruno, rób, co ci każę, a nikomu nie stanie się krzywda. – Jenkes unosi nóż i przykłada ostrze do mojego ucha. – Chociaż mnie korci, żebyś z pierwszej ręki poznał, ile wycierpiałem. Taki przystojny mężczyzna… Chciałbyś wyglądać jak ja? – Mocniej naciska nożem. Ciepły strumyczek spływa mi po szyi. Zaciskam zęby i patrzę mu w oczy. – Obawiam się, że damy takie jak ta tutaj nie garnęłyby się do twego towarzystwa.

Starając się nie poruszać głową, rozwijam zaimpregnowany materiał i otwieram księgę na pierwszej stronie, pragnąc, by nie drżały mi palce. Jenkes się pochyla, niemalże się śliniąc. Opuszcza nóż, wyjmuje księgę z moich rąk i przewraca kilka kartek, całkowicie zaabsorbowany. Patrzę na Doughty'ego. Lekko trąca ławkę na znak, że nie powinienem myśleć o jakimkolwiek działaniu. Przyciskam rękaw do ucha i odrywam. Pokrywają go plamy krwi, choć skaleczenie jest małe – to tylko przedsmak tego, co może mnie czekać. Jesteśmy zdani na ich łaskę i niełaskę; jeśli zechcą, każą nam cierpieć przed śmiercią, nie zdołamy temu zapobiec. Próbuję odsunąć tę myśl, ale strach przed męczarnią dławi mnie w gardle jak kamień.

Jenkes przewraca kartkę. Powolny, triumfalny uśmiech rozlewa się po jego pokancerowanej twarzy.

– Robi się późno, Rowlandzie – mówi z niecierpliwością Doughty. – Łódź nie będzie czekać. Skończmy z tym.

Rzucam na niego okiem. To dobra wiadomość. Jeśli się śpieszą, może nie będą mieli czasu, żeby przedłużać makabryczną zabawę ze swoimi ofiarami.

Jenkes gwałtownie unosi głowę i przez chwilę jego twarz płonie, jakby doświadczał ekstazy.

– To ta księga – szepcze, wracając do rzeczywistości. – Odetnij kobietę.

Wlepiam w niego oczy. Kolana się pode mną uginają i muszę skupiać uwagę na zachowaniu równowagi, bo fala ulgi jest tak wielka, że grozi zbiciem mnie z nóg. Naprawdę zamierza dotrzymać umowy? Nawet John Doughty ma sceptyczną minę, choć po wymianie spojrzeń z Jenkesem wchodzi na ławkę, wyjmuje nóż zza pasa i wsunąwszy pistolet pod pachę, piłuje sznur nad głową lady Arden, która bezwładnie osuwa się w jego ramiona. Oboje tracą równowagę. Doughty zeskakuje z ławki i chwyta ją w ostatniej chwili przed upadkiem. Lady Arden nie może stać o własnych siłach, Jenkes pozwala jej osunąć się na posadzkę. Robię krok w ich stronę i mój własny sztylet błyska mi przed oczami.

– Ani drgnij, Bruno. – Jenkes pewnie trzyma ostrze. Doughty się prostuje i znowu mierzy do mnie z pistoletu. Kiedy zyskuje pewność, że się nie ruszę, owija manuskrypt i skinieniem ręki każe mu podać torbę, do której go chowa. – Dziękuję. Nie chcemy, żeby tego rodzaju rzeczy wpadły w czyjeś stare łapska, prawda? Lepiej niech trafi tam, gdzie nikomu nie wyrządzi krzywdy.

Nie odpowiadam. Dawno przestałem przejmować się księgą; teraz chcę tylko tego, żeby mi pozwolili odejść z lady Arden. Jenkes zarzuca torbę na ramię i przystaje, aby mi się przyjrzeć.

– Kaplica została ukończona w dwunastym wieku. Ci mnisi byli genialnymi budowniczymi. – Wskazuje kruszące się mury. – Stąd nie wygląda imponująco, ale zawiera kilka niespodzianek. Kaplice budowane w wysoko położonych, odludnych miejscach często są poświęcone świętemu Michałowi, patronowi cierpiących. Dobrze się składa. – Pokazuje zęby w uśmiechu. – Może nawet ty, Bruno, odmówisz do niego modlitwę. – Podnosi latarnię i zabiera świeczkę, żeby ją do niej wstawić.

Z poczuciem nieuchronności teraz rozumiem, że przyświecał mi złudny promyk nadziei. Umrzemy tutaj, i to okrutną śmiercią, jeśli Jenkes postawi na swoim. Doughty podnosi lady Arden na nogi, zarzuca jej bezwładne ręce na szyję i przyciąga ją do nas.

– Lepiej ją sobie weź – mówi, popychając ją brutalnie. – Jest twoją kurwą, czyż nie? – Zbieram siły, żeby ją podtrzymać, obejmując w talii. Oczy ma szkliste, może wskutek poduszenia. Opiera się o mnie całym ciężarem ciała.

– Mnie jakoś nieszczególnie dogodziła, nie przypadła mi do gustu – rzuca Doughty lekkim tonem. – Choć przypuszczam, że mogłaby zadowolić każdego, gdyby okazała więcej zapału. Wydawała się niechętna, żeby mi pokazać, na co ją stać, tyle powiem. – Z jego ust płynie cichy, szyderczy chichot. Jego słowa wyrywają lady Arden z otępienia, wzbiera w niej gniew i oczy się jej skrzą, gdy syczy przekleństwo, choć stłumione przez knebel. Czuję, jak napina mięśnie, i ja także mam ochotę rzucić się na Johna Doughty'ego, by rozwalić mu łeb o ścianę. Jakby odczytawszy moje myśli, unosi pistolet i celuje mi w twarz. Mam absurdalną nadzieję, że najpierw zastrzeli lady Arden, bo przynajmniej będę wiedział, że jej nie zostawię na dalsze tortury po mojej śmierci. Drżenie wstrząsa jej ramionami, a gdy przemija, jakby się uspokaja. Zamyka oczy. Ja wpatruję się w twarz Doughty'ego. Umrę, patrząc mu w oczy, żeby pamiętał ten widok do końca swoich żałosnych dni.

Nie pociąga za spust. Zerka na Jenkesa, który idzie do wschodniego krańca kaplicy, gdzie pod wąskim oknem stoi pusty kamienny ołtarz. Stawia na nim latarnię i kuca, zajęty czymś na podłodze, niewidoczny. Po krótkiej chwili słyszę wytężone stęknięcie i zgrzyt kamienia. Jenkes wraca i przywołuje nas ruchem ręki. Doughty macha pistoletem, więc ruszam, na wpół ciągnąc lady Arden, która po chwili zaczyna sama stawiać kroki. Zbliżamy się do Jenkesa i to moje nogi odmawiają posłuszeństwa, gdy czuję zimną lufę pomiędzy łopatkami.

Tu jest mniej światła; świeczki, które Jenkes zapalił w drugim końcu kaplicy, już się dopalają. Mrok spowija półkoliste prezbiterium, pomarańczowy blask ledwie pełga po kamieniach, gdy płomień świeczki dziko tańczy w przeciągu. Jenkes wskazuje posadzkę, unosi latarnię i ją przysuwa, więc widzę, co wskazuje.

Przesunął jedną z kamiennych tablic pamiątkowych, odsłaniając prostokątny otwór. Widzę tylko początkowe dwa wytarte stopnie prowadzące w czerń. Z dołu płynie stęchły, wilgotny zapach.

– Proszę na dół – mówi Jenkes uprzejmie.

Pot łaskocze moje dłonie i czoło. Waham się, niezdolny poruszyć nogami. Czy chce nas uwięzić w podziemiu? Moje serce miota się jak przelękłe stworzenie; od wczesnych lat boję się zamkniętych przestrzeni, dusznej ciemności. Prześladuje mnie koszmar, że płonę żywcem. Wolałbym, żeby zastrzelili mnie tu i teraz, niech wszystko się skończy w jednej chwili, niemal mówię to na głos. Ale muszę myśleć o lady Arden.

– Nie będziemy czekać całą noc, Bruno, mamy pilne spotkanie na francuskim statku kupieckim – mówi Jenkes, wskazując paszczę krypty. – Nie ma obawy, idziemy z wami. – Uśmiecha się enigmatycznie, zadowolony z siebie.

Próbuję nie myśleć o tym, co czeka nas na dole, i skupiam się na każdym kroku, każdym oddechu. Otwór jest wąski i może nim przejść tylko jedna osoba naraz. Wypuszczam lady Arden z objęć i przez chwilę czekam dla pewności, czy utrzyma się na nogach, po czym odwracam się plecami do schodów. Tyłem schodzę w ciemność, trzymając ją za ręce i stopień po stopniu sprowadzając na dół. Nic nie widzę, nie mam pojęcia, jak długie są schody. Naliczyłem dwanaście stopni, zanim stanąłem na ceglanej posadzce. Pomagam jej zejść z ostatniego schodka. Potyka się i upada na mnie, a ja ją przytulam, chroniąc przed zimnem. Otacza nas gęsta ciemność i zapach wilgotnego kamienia.

Lady Arden drży w moich ramionach. Rozwiązuję pelerynę pod szyją i zarzucam ją na jej ramiona, lecz mimo to wstrząsają nią gwałtowne dreszcze. Nikły blask pojawia się na szczycie schodów. Spodziewam się, że za chwilę usłyszę zgrzyt przesuwanego kamienia. Ale nie, wierny danemu słowu Doughty zaczyna schodzić z latarnią w jednej ręce, z pistoletem w drugiej. Przystaje w połowie drogi, czekając na Jenkesa. W świetle widzę, że jesteśmy w sklepionej krypcie wyłożonej cegłami. Pod ścianami stoją skrzynie i beczki. Jenkes pojawia się na schodach, unosi ręce i kamienna płyta z głuchym chrobotem wraca na swoje miejsce. Ma drugą latarnię, a na ramieniu zwój liny, zapewne tej samej, która zwisała z belki.

Teraz wszyscy czworo jesteśmy tu uwięzieni. Przepełniają mnie nieokreślone lęki, choć z uwagi na lady Arden staram się oddychać spokojnie i zachować opanowany wyraz twarzy. Jenkes idzie ku nam powoli ze sznurem w ręce.

– Mam nadzieję, Bruno, że nie będziesz tego utrudniać – mówi. Oczy mu się świecą w półmroku. – Pamiętaj, jedna próba sprawienia kłopotów, a dostaniesz kulkę między oczy, zanim zdążysz mrugnąć. Później cię nie będzie, żeby chronić damę, prawda? Co nie znaczy, że twoja ochrona jest wiele warta, po prostu pozwala ci zachować iluzję wpływu na wasz los. A teraz… to cię zaciekawi. Chodź i spójrz.

W kącie krypty są spiętrzone beczki, a wokół nich leżą kawałki cegieł. Jenkes ostrożnie stawia latarnię, chwyta beczkę i przenosi ją w inne miejsce. To samo robi z pozostałymi. Doughty krąży za jego plecami, bezgłośny niczym żbik. Tylko kołyszący się stożek światła świadczy o jego ruchach. Jenkes podnosi latarnię, żeby oświetlić luźne cegły na podłodze.

– Mówiłem, że ci mnisi byli pomysłowi – mówi i kuca, żeby podważyć cegłę palcami. Wyjmuje ją bez trudu i odrzuca na bok. – To ciężka praca, Bruno, może ty ją za mnie wykonasz?

Niechętnie puszczam lady Arden, która opiera się plecami o filar. Kucam u stóp Jenkesa, wyjmuję następną cegłę. Podmuch zimnego, wilgotnego powietrza sprawia, że dostaję gęsiej skórki.

– Dalej – nagli – wyjmij wszystkie luźne. Kaplica została pomyślana jako miejsce kultu, ale pełniła też funkcję punktu obserwacyjnego. Mnisi z obawy, że w przypadku ataku nieprzyjaciela… wówczas była nim Francja… z obawy, że wyspa zostanie zdobyta pierwsza, wykopali to podziemie i zapewnili sobie drogę ucieczki z kaplicy.

– Tajemny tunel? – A więc dlatego ci łajdacy nie przejmowali się na myśl o czekającej na nich flocie Drake'a.

Jenkes ma niemal zawiedzioną minę.

– Wiesz o nim?

– Drake wie i będzie czekać na was przy wylocie.

Cień wątpliwości przemyka przez jego twarz.

– No to gdzie jest ten wylot? – Kiedy nie odpowiadam, parska śmiechem. – Blefujesz. Nieźle pomyślane, Bruno. Krąży mnóstwo legend o tunelach, ale niewielu ludzi wie o ich istnieniu. Celnicy przed laty kazali zamurować to wejście, jednak zapomnieli, że przemytnicy są pomysłowi. Chcąc zwieść władze, zadbali, żeby było więcej niż jedno wyjście. Sam tunel jest w kiepskim stanie, ale da się nim przejść. Ludzie Drake'a będą czekać do świtu, żeby nas przyłapać podczas ucieczki drogą morską. O tej porze dawno nas tu nie będzie. – Klepie torbę u boku.

– Złapią was tak czy inaczej – mówię, dokładając starań, żeby moje słowa zabrzmiały tak, jakbym w nie wierzył. – Drake już zarządził obławę.

Jenkes kręci głową i cmoka, jakby rozczarowany moimi staraniami.

– Doskonale wiesz, Bruno, że to nieprawda. Drake nie kiwnie palcem, by nie narazić życia lady Arden. To była ryzykowna gra, przyznaję, ale Doughty wydawał się pewny wyniku.

– A co z Robertem Dunne'em? – pytam Johna Doughty'ego. – On też brał w niej udział?

Śmieje się, wyraźnie zdumiony.

– Dunne? Tak, chyba tak. W tej grze był pionkiem, którego straciłem, co powinienem był przewidzieć. Biedny Dunne miał przeklętego pecha. Gorszego niż mój, jak się zdaje.

– Więc jaką korzyść odniesiesz z tej farsy? – Wciągając ich w rozmowę, zyskuję czas do namysłu. Niestety, nie mogę wymyślić, jak uchronić przed śmiercią lady Arden czy siebie, a najlepiej nas oboje. – Nie wierzyłeś, że Drake zjawi się tu osobiście, prawda?

Doughty rozważa pytanie.

– Nie, w głębi duszy na to nie liczyłem, ale w sumie na jedno wychodzi. Zostawię mu jej głowę na ołtarzu w kościele.

Lady Arden krzyczy przez knebel. Osuwa się na podłogę, łzy spływają po jej twarzy. Jest taka blada, że się obawiam, iż może zwymiotować. Mając zawiązane usta, natychmiast się zadławi.

– Choć może powinienem zostawić ją na klifie, żeby ptaki morskie wydziobały jej oczy, jak on postąpił z głową mojego brata – kontynuuje rzeczowo Doughty. – Po prostu po to, żeby zobaczyć, jak mu się to spodoba. Pokazać mu preludium jego własnej śmierci.

– Naprawdę wierzysz, że pewnego dnia zabijesz Drake'a? – pytam.

Nie umyka mu pogarda w moim głosie. Jego rysy twardnieją, gdy podchodzi krok bliżej.

– Muszę w to wierzyć – cedzi przez pozostałe mu zęby i w tych słowach słyszę siłę jego desperacji. – Jedyną rzeczą, która mnie powstrzymuje od pójścia w ślady Roberta Dunne'a, jest przysięga, którą złożyłem bratu. Zobaczę sir Francisa Drake'a w grobie, zanim pójdę do mojego. Ten człowiek zabrał mi wszystko. – Staje tak blisko, że czuję jego oddech na twarzy. Przyciska lufę pistoletu do mojego mostka. Słyszę krew dudniącą mi w uszach. – Brata, pieniądze, reputację. Umiłowanie ojczyzny. Nawet, kurwa, zęby – dodaje z gorzkim śmiechem. – A miałem zdrowe zęby. Sam zyskał ziemie, tytuły, łaskę królowej, piękną młodą żonę. – Rzuca spojrzenie na lady Arden. – Wolałbym, rzecz jasna, mieć tutaj jego żonę... za przeproszeniem, milady, ale Elizabeth Drake jest zbyt ściśle strzeżona. Ta suka będzie musiała wystarczyć. Będę odbierać mu łupy, jeden po drugim, aż na własnej skórze się przekona, jakie to uczucie, gdy traci się wszystko. Anglia nigdy nie oddała mi sprawiedliwości, dlatego musiałem działać na własną rękę.

– Albo nakłonić zdesperowanego człowieka, jak Robert Dunne, żeby cię wyręczył – mówię, choć nie uszło mojej uwagi jego nawiązanie do „pójścia w ślady Dunne'a".

Uśmiecha się nieznacznie.

– Nakłonić... tak, brzmi lepiej, gdy ujmie się to w ten sposób. Robert Dunne był nikczemnym tchórzem, a tchórza można zmusić do wszystkiego, jeśli wierzy, że ocali własną skórę. Zwłaszcza zadłużonego tchórza. Wiesz, uregulowałem jego długi w Domu Westy. W ten sposób miałem go w garści.

– Ale w końcu nie zrobił tego, czego chciałeś, prawda?

– Prawda – mówi z żalem. – Myślałem, że jest dość zdesperowany, by to zrobić dla pieniędzy. Mała dawka mordownika w winie Drake'a załatwiłaby sprawę, po wyjściu w morze to byłby niewielki problem. Nawet mu pokazałem, jak destylować truciznę. Pomyśleć, że z początku wydawał się taki chętny. – Krzywi się i kląska językiem. – Powinienem był się zorientować, że jak wielu innych żywił wobec Drake'a tę żałosną synowską lojalność. W końcu jego sumienie przeważyło nad strachem. Wybrał tchórzowskie wyjście.

Czyżby Doughty naprawdę wierzył, że Dunne się zabił? Przypominam sobie list, który Drake otrzymał nazajutrz po śmierci Dunne'a, z wersem z *Ewangelii Mateusza*, nawiązującym do Judasza, który, nękany wyrzutami sumienia, popełnia samobójstwo.

– Dlatego wysłałeś ten list? – pytam. – Żeby Drake myślał, że śmierć Dunne'a była powiązana z księgą Judasza?

Drobna zmarszczka pojawia się pomiędzy jego brwiami; strzela wzrokiem na Jenkesa.

– Jaki list?

– Ten z biblijnym wersetem, Mateusz, rozdział dwudziesty siódmy, wiersz piąty.

Doughty robi jeszcze bardziej skonsternowaną minę, zmarszczka na czole się pogłębia.

– Mateusz...?

– *Rzuciwszy srebrniki ku przybytkowi, oddalił się, potem poszedł i powiesił się* – mówi płynnie Jenkes.

– Widzisz? Cytuje słowo w słowo.

– Mój drogi Bruno, znam na pamięć większą część Pisma Świętego. Podobnie jak ty. Ale dlaczego ktoś miałby wysyłać taki list? – Unosi brew.

– Ty mi powiedz. Może chciał zasugerować, że Dunne się powiesił, gdyż miał wyrzuty sumienia z powodu swojej zdrady, jak Judasz? Może jako ostrzeżenie dla Drake'a, że *Ewangelia Judasza* nie przyniesie niczego prócz szkody? – sugeruję. – Albo po prostu go przestraszyć, znowu mu pokazać, że wiesz o wszystkim, co dla niego ważne, nawet na jego okręcie.

Doughty parska szczekliwym śmiechem.

– Przestraszyć go? Trzeba by czegoś więcej niż listu z biblijnym wersetem, żeby przestraszyć El Draque.

– Doprawdy? Czego? Listu grożącego diabelską klątwą? Nie, to nie zadziałało. Może listu z wiadomością, że obserwujesz jego żonę?

John Doughty wygląda na stropionego, jakkolwiek tylko przez chwilę.

– Niezupełnie byłem sobą, kiedy je wysyłałem. Więzienie może pomieszać człowiekowi w głowie, wiesz. Ale nigdy mu nie wysłałem wersetu z Biblii.

– Ani ja – wtrąca Jenkes, wzruszając ramionami. – Inne tak, przez dziewczynę z gospody, do ciebie i do tej damy. Ale żadnych wersetów.

– Tracimy czas – mówi Doughty niecierpliwie. – Statek wyrusza z wieczornym odpływem i musimy być na jego pokładzie, bo inaczej narazimy się na obławę. Czy to ważne, kto wysłał list?

– Ważne – zaczynam – bo... – Stwierdzam, że nie umiem odpowiedzieć na pytanie. Od początku wierzyliśmy, że list przysłał albo zabójca Dunne'a, albo ktoś, kto znał jego zamiary i chciał się zabawić kosztem Drake'a. Założyłem, że pozostałe listy są powiązane z tym pierwszym. Niedawne odkrycia dotyczące Savile'a i Marthy Dunne wprowadziły zamęt w tych teoriach.

– Wiecie, kto zabił Roberta Dunne'a? – pytam. – Okażcie mi pobłażliwość, przecież teraz nikomu nie mogę tego powiedzieć. Zaspokójcie moją ciekawość.

– Czy to twoje ostatnie pytanie, Bruno? – Jenkes przekrzywia głowę, ale Doughty unosi rękę, żeby go uciszyć, wciąż patrząc na mnie ze zmarszczonymi brwiami.

– Francis Drake naprawdę wierzy, że Dunne nie zabił się własną ręką? – Kręci głową, pełen zdumienia. – Wiedziałem o dochodzeniu, ale myślałem, że to sprawka wdowy, jak należało się spodziewać. Kto inny miałby chcieć śmierci Dunne'a? – Wyraźnie jest zbity z tropu.

– Poza tobą?

– Z martwego nie miałbym żadnego pożytku. Przynajmniej dopóki nie spełniłby swej roli. Dunne wiedział, że wziąłem go na cel, ponieważ należał do przysięgłych, którzy niesłusznie skazali mojego brata na śmierć. Ale jak powiedziałem, był tchórzem. Przekonałem go, że zabijając dla mnie Drake'a, będzie miał szansę ocalić siebie i swoje kobiety. – Parska nagłym śmiechem. – Nawet obiecałem mu dolę z nagrody za głowę Drake'a. Myślałem, że to przechyli szalę.

– Dwadzieścia tysięcy dukatów – mruczę. – Zamierzałeś ubiegać się o nie u Hiszpanów?

– Oczywiście – odrzeka zwięźle, rzeczowym tonem. – Ale podejrzewałem, że Dunne nie jest na tyle głupi, by wierzyć, że pozwolę mu żyć. Według mnie doszedł do przekonania, iż lepiej skazać własną duszę na wieczne potępienie z powodu samobójstwa niż morderstwa. – Ściąga usta i znowu marszczy czoło. – Tak myślałem do dzisiaj. Naprawdę sądzisz, że ktoś go zabił? – Spogląda na Jenkesa. – Ktoś, kto odgadł jego plany i chciał ocalić Drake'a? – Uderza pięścią w dłoń. – Jeśli tak, to oznacza, że musiał się z kimś podzielić swoimi zamiarami. Z kim?

Teraz to księgarz robi niecierpliwą minę.

– Czy to ważne? Ten człowiek nie żyje, a ta sprawa nie ma z nami nic wspólnego. Dość gadania, pora ruszać.

Gestem każe mi się odwrócić i wykręca mi ręce, żeby je związać za plecami. Uderzam kolanami o podłogę, gdy mnie popycha i wlecze do filara, pod którym leży skulona, pojękująca lady Arden. Przyciska twarz do kolan, jakby chciała się stać taka mała, żeby ujść ich uwagi. Jenkes sadza mnie pod filarem. To samo robi z lady Arden po drugiej stronie, następnie bierze linę i przywiązuje nas do kolumny tak mocno, że sznur wbija mi się w pierś przy każdym wdechu. Lady Arden od czasu do czasu szlocha urywanie, jak dziecko po napadzie złości. To odgłos klęski. Mam nadzieję, że jest tylko na wpół przytomna; sam chciałbym być w takim stanie, ale bliskość śmierci wyostrza mi zmysły i rejestruję wszystko z idealną jasnością. Widzę czarne włoski na grzbietach rąk Jenkesa, który kawałek dalej porusza latarnią i toczy ku nam beczkę. Słyszę chrobot drewna na ceglanej podłodze. Zauważam, jak żyły wstępują mu na skroni z wysiłku. Ustawia wokół nas jeszcze dwie beczki. Otrzepuje ręce i uśmiecha się zadowolony ze swojego dzieła.

– W czasach heretyckiego ojca i dziada królowej ta krypta służyła za skład amunicji – mówi tonem towarzyskiej pogawędki. – Trochę zapasów zostało, czekając na nowy fort. – Bierze mój sztylet i podważa wieko beczki, potem woła Doughty'ego, żeby mu pomógł je zdjąć. Teraz rozumiem, dlaczego postawił latarnię w bezpiecznej odległości. Wskazuje drugi koniec krypty i razem niosą beczkę, przechyloną, żeby zawartość się wysypywała, gdy idą tyłem ku mnie i lady Arden. Pomiędzy nimi wije się szlak miałkiego czarnego prochu; sypią go szczodrze wokół nas, po czym stawiają beczkę obok mnie. Przechodzą przez kryptę i tworzą drugi szlak.

Doughty ocenia dzieło i krzywi usta w uśmiechu. Wydaje się niezadowolony z wyniku.

– Wolałbym, żeby Drake znalazł jej głowę na ołtarzu – powiada. – Byłoby w tym trochę poetyckiej sprawiedliwości.

– Wiesz, ile czasu zajmuje odcięcie głowy takim małym nożem? – warczy Jenkes. – I jak mielibyśmy stąd odejść, od stóp do głów unurzani we krwi? Nie, takie rozwiązanie jest praktyczne. Ścieżka prochowa jest dostatecznie długa, żeby zapewnić nam oddalenie się na bezpieczną odległość. Wybuch zatarasuje wejście i będzie dość duży, żeby przyciągnąć uwagę. Gdy ludzie Drake'a będą zajęci odkopywaniem szczątków szlachetnego Bruna i jego damy, po nas nie będzie ani śladu, ani popiołu. Idziemy, weź latarnię.

– Może powinniśmy przynajmniej ich ukatrupić? – proponuje Doughty, kucając i mierząc we mnie z pistoletu.

– Nie marnuj dobrej kuli. Będziemy jej potrzebować. Myślisz, że beczki z prochem nie wystarczą? Poza tym... – Jenkes patrzy na mnie i rozciąga usta w tym swoim leniwym, gadzim uśmiechu – chcę dać Brunowi czas na żal za grzechy. Niech odlicza minuty, patrząc na skradającą się ku niemu śmierć. Zauważyłem, że heretycy często wyzbywają się buty, kiedy do nich dociera, iż niebawem staną przed Stwórcą. Bruno, jesteś człowiekiem obdarzonym lotnym umysłem, ale się obawiam, że niewiele ci to pomoże, gdy staniesz przed tronem sądu ostatecznego.

Milczę. Wygląda na zawiedzionego, jakbym rozmyślnie zepsuł mu zabawę.

– Idziemy – mówi do Doughty'ego, który opuszcza kurek, wsuwa pistolet za pas, bierze latarnię i ostrożnie opuszcza się do dziury. Jenkes stawia drugą latarnię przy wejściu do tunelu, przekłada pas torby przez głowę i wraca do początku ścieżki usypanej z prochu.

– Przynajmniej wyjmij jej knebel – proszę głosem piskliwym ze strachu. Kiedyś uciekłem Jenkesowi; mógłbym zrobić to znowu, gdyby tylko moje myśli przestały się kłębić na czas pozwalający mi na zobaczenie wyjścia z sytuacji. Próbuję poruszyć rękoma za plecami, ale więzy są zaciśnięte tak mocno, że z każdym ruchem tylko głębiej wbijają mi się w ciało.

– Żebyście mogli szeptać sobie wyznania dozgonnej miłości, umierając? – pyta Jenkes z rozbawieniem. – Dobrze. Niech nikt nie mówi, że nie jestem miłosierny. – I znowu rechocze.

Prawym okiem widzę błysk stali i przez jedną straszną chwilę się zastanawiam, czy go nie sprowokowałem, prosząc o przysługę. Może zrobi lady Arden coś gorszego. Ale słyszę trzask materiału, potem ciche westchnienie i stłumiony kaszel. Kolumna jest wąska, lecz zostałem skrępowany tak mocno, że nie mogę obrócić głowy. Jenkes rzuca na podłogę przeciętą szmatę i wraca do ścieżki prochu.

Szykuje świeczkę i odwraca się, żeby wzrokiem odmierzyć odległość pomiędzy sobą i wejściem do tunelu, następnie czubkiem buta wyrównuje cienki ślad czarnego prochu, bacząc, aby nie było w nim przerw, bo wtedy płomień mógłby zgasnąć przed dotarciem do celu. Zadowolony, że wszystko gotowe, ostrożnie uderza krzesiwem w krzemień, jego oczy połyskują, gdy zapala świeczkę. Wprawnym ruchem przykłada świeczkę do końca linii, czeka, żeby proch się zapalił, podpala drugą ścieżkę, zabiera torbę i latarnię, po czym schodzi do podziemnego przejścia. Przystaje, gdy widać tylko głowę.

– Żegnajcie, Bruno, lady Arden. Mam nadzieję, że święty Michał was wysłucha.

Śmiech odbija się echem od sklepienia, gdy Jenkes znika niczym jakaś diaboliczna postać pod sceną w teatrze na dziedzińcu gospody. Kałuża światła maleje i znika razem z nim.

– Bruno? – Głos lady Arden jest zachrypnięty i gardłowy, jakby odzwyczaiła się go używać. Myślę o jej posiniaczonym, opuchniętym gardle i o sznurze, który o mało jej nie udusił, tym samym sznurze, którym nas teraz przywiązano do filara. Czy pozwolenie, żeby umarła tam, w kościele, nie byłoby łaskawsze? Z drugiej strony, czy byłby to szybszy koniec? Zastanawiam się, czy w chwili wybuchu człowiek traci przytomność, czy też jest świadom siły, która rozdziera jego ciało i rozrzuca kawałki we wszystkich kierunkach?

– Jestem – mówię, wiedząc, że ton mojego głosu nie przyniesie jej żadnego pokrzepienia. Nie mogę nawet sięgnąć do jej ręki.

– Umrzemy? – chrypi.

W podziemiu już nie ma światła, z wyjątkiem dwóch błękitnozłotych płomyków tańczących z sykiem w manewrze oskrzydlającym. Jak najdalej wyciągam nogi przed siebie, najpierw lewą, potem prawą zakreślam desperackie łuki z nadzieją na przerwanie ciągłości linii prochu, choć nie widzę, gdzie kopię, i wiem, że Jenkes wyrysował szlak w pętli poza moim zasięgiem. Płomyki rosną, niepowstrzymanie wyjadając sobie drogę wzdłuż linii prochu, jakby postępy przydawały im apetytu.

– Sprawdź, czy zdołasz rozkopać proch – mówię w desperacji. Ciszę mąci gorączkowy chrobot naszych pięt.

– Nie widzę, gdzie jest – szepcze. – I nie za bardzo mogę poruszać nogami.

– Nieważne. – Nie wiem, co innego powiedzieć. Lady Arden zaczyna coś mówić, cicho i nagląco, intonacja jej słów wznosi się i opada. Wytężam słuch, żeby ułowić słowa. Monotonny głos płynie coraz szybciej, jak pozbawiony sensu bełkot wariata. Myślę, że strach odebrał jej zmysły, gdy nagle słyszę:

– ...*teraz i w godzinę śmierci naszej. Amen.*

– Nell? – Wciąż trwa gorączkowy szept.

– *Święta Mario, Matko Boża, módl się za nami grzesznymi teraz i w godzinę śmierci naszej. Amen.*

– Tak mi przykro – mówię, podnosząc głos. – To moja wina. Gdyby nie ja, nie zostałabyś w to wplątana.

Milknie w połowie modlitwy.

– Nieprawda. Porwali mnie z powodu sir Francisa, ponieważ nie mogli dotrzeć do Elizabeth. Słyszałeś, co powiedział. Poza tym – dodaje, oddychając coraz szybciej i płyciej – nawet jeśli to przez ciebie, to nie żałuję. Nie wyrzekłabym się tamtej nocy z tobą.

– Naprawdę? – Wykręcam głowę, na ile mogę, ale widzę tylko zbliżające się do nas bliźniacze płomyki. Powietrze staje się gęste od dymu, łzy napływają mi do oczu i walczę o każdy oddech w gryzącym zapachu prochu. Wiem, że jej słowa są dalszym ciągiem rozpaczliwej zdrowaśki, czepianiem się wszystkiego, co sprawi, że poczuje się mniej samotna w ostatnich chwilach przed śmiercią, a jednak chwytają mnie za serce. Chciałbym wziąć ją w ramiona, a przynajmniej trzymać jej rękę podczas czekania na wybuch.

– Kochasz mnie, Bruno? – pyta. Słyszę czystą grozę w jej głosie. – Kochasz? Boże, zmiłuj się nad nami... – Z jej ust płynie cichy jęk, który zaraz może przejść w niekontrolowany wrzask. Czuję, że muszę ją uspokoić, choćby tylko po to, by jej krzyk nie był ostatnim dźwiękiem, jaki usłyszę.

– Tak. – Jestem zaskoczony spokojem, z jakim to mówię.

– Więc to powiedz – żąda chrapliwym głosem.

– Kocham cię. – Słowa wiszą w powietrzu wraz z wonią płonącego prochu. Nieszkodliwe kłamstwo, żeby ulżyć jej ostatnim minutom, nikomu nie wyrządzi krzywdy.

Czuję się dziwnie pusty, jakbym obserwował tę scenę z zewnątrz. Płomienie zjadają proch i pędzą, blisko, ale omijając nas łukiem, tuż poza naszym zasięgiem. Gdy wypalą ostatni zakręt, dotrą do beczek i spowodują eksplozję.

Za mną, w ciemności, Nell szlocha.

– I ja ciebie – chrypi. – W innym życiu...

– Sza – mówię cicho z wrażeniem, że robi to ktoś inny. Gdy płomienie z trzaskiem pokonują kilka ostatnich cali, w desperackim przypływie energii wykręcam ręce, resztkami sił walcząc ze sznurem, którym przywiązano mnie do filara. Kiedyś uciekłem Rowlandowi Jenkesowi; może to przydało mi fałszywej pewności siebie i wiary, że zdołam dokonać tego po raz drugi. Sznur kąsa moje ciało do żywego mięsa, ale zawiązał go jak trzeba – nie mogę się uwolnić. Nell znowu się modli. Myślę o kobiecie, którą niegdyś kochałem i może nadal kocham; czy kiedyś usłyszy o mojej śmierci, a jeśli tak, czy będzie tym przejęta? Może zresztą już sama nie żyje. Nigdy nie poznam prawdy.

Płomień zapala proch rozsypany wokół moich stóp. Wiję się, gdy nagły żar przypieka mi lewą stronę ciała. Nie mam czasu na rozmyślania. Podciągam kolana, odwracam twarz od płomieni i przygotowuję się na śmierć w wielkiej eksplozji. W gęstej od dymu ciemności Nell krzyczy, z jej gardła płynie długi, przeszywający ton i ostatnią myślą, która przemyka przez mój otumaniony umysł, jest to, że wybuch przynajmniej ją uciszy.

22

Wrzask trwa, przewiercając mi czaszkę, uparty i przeciągły; w końcu, gdy już brakuje jej powietrza, przechodzi w długi atak kaszlu. Siedzę bez ruchu, skulony, w miarę możliwości odwrócony od beczek z prochem, z napiętym każdym mięśniem, czekając na oślepiający, rozgrzany do białości wybuch. Po długiej chwili unoszę głowę. Dym drapie mnie w gardle i oczach. Nie widzę niczego prócz czerni i kurtyn dymu. Szczekam nagłym, zdumionym śmiechem.

– Bruno?

– Nic się nie stało – mówię rozradowany. Głos mam chrapliwy od wyziewów. – Proch zawilgotniał. Nie wybuchł. Dzięki Ci, Boże! – mówię to niemal szczerze. Śmieję się głośno, łzy płyną mi z oczu.

– Więc... jesteśmy bezpieczni? – pyta cichym, drżącym głosem.

– Bezpieczni? – Euforia szybko mnie opuszcza. Nie ma sposobu, żebyśmy się mogli uwolnić, a w podziemiu zostało niewiele bezcennego powietrza. Już mam zawroty głowy od wdychania dymu. I co z Jenkesem i Doughtym? Są niedaleko stąd w tunelu. Będą się spodziewać eksplozji. Co zrobią, kiedy nie nastąpi? Wrócą i rozprawią się z nami w jakiś inny sposób czy może za bardzo zależy im na ucieczce? – Na pewno jesteśmy w lepszej sytuacji, niż bylibyśmy po wybuchu beczek, tyle jest pewne.

– Kręci mi się w głowie. Boli mnie gardło.

– Staraj się oddychać płytko. Niebawem się stąd wydostaniemy – mówię, siląc się na przekonujący ton. – Możesz ruszać rękami?

W przeciwieństwie do mnie Nell ma ręce skrępowane z przodu, co zwiększa szanse na ich uwolnienie. Ja też mam podrażnione gardło i suche, spierzchnięte usta; oddałbym wszystko za łyk wody. Ludzie Drake'a w końcu tu dotrą, gdy zrozumieją, że nikt nie opuścił wyspy, ale mogą jeszcze czekać godzinami. W tym czasie zatruje nas dym albo zostaniemy zarżnięci jak zwierzęta przez Jenkesa i Doughty'ego, jeśli tu wrócą.

– Trochę. – Bezcielesny głos płynie przez ciemność. – Ale nie mam siły.

– Spróbuj – mówię ostrzej, niż zamierzałem. – Jeśli zdołasz uwolnić ręce, będziesz mogła nas rozwiązać. To nasza jedyna szansa. Związali mnie tak mocno, że nie mogę się ruszyć.

Nie odpowiada. Boję się, że zemdlała, ale w końcu słyszę szuranie, ciąg stęknięć i urywanych oddechów, odgłosy wysiłku. Po chwili krzyczy – z bólu albo triumfu, a może jednego i drugiego.

– Uwolniłam rękę!

– Szybko, rozwiąż sznur.

Znowu czekanie: najpierw musi uwolnić drugą rękę, potem znaleźć węzeł sznura, którym jesteśmy okręceni. Przeklinam utratę noża. Słyszę, jak skrobie palcami. Tłumię swoje zniecierpliwienie i przygryzam język, przypominając sobie, przez co przeszła. Pochrząkuję krzepiąco, gdy bluźni i szlocha z frustracji. Kiedy w końcu cichnie, boję się, że się poddała albo straciła przytomność. W końcu czuję, że sznur na mojej piersi się rozluźnia i mogę się pochylić, oderwać plecy od kolumny. Nell pełznie na czworakach w dymie, odwijając linę, i rzuca się na mnie, wtula twarz w moją szyję, posapując albo łkając. Łagodnie jej przypominam, że mam ręce związane za plecami. Rozwiązuje je drżącymi palcami i wreszcie mogę rozprostować zesztywniałe ramiona, choć Nell krępuje mi ruchy, przywierając do mnie jak dziecko.

Odsuwam ją najdelikatniej, jak umiem.

– Musimy się wydostać – mówię, próbując wlać w moje słowa konieczność pośpiechu, ale tak, żeby jej nie przestraszyć. – Jesteś poparzona?

– Trochę na boku, nic poważnego. Ale tu ciężko oddychać. Gardło…

– W takim razie nic nie mów. – Trzymam ją w ramionach, aż nabieram pewności, że stanie o własnych siłach. Znajduję krzesiwo z krzemieniem w zanadrzu kaftana i świeczkę z latarni. Otacza nas dym i ciemność. Kładę rękę na szerokim filarze i robię kilka kroków w lewo, odsuwając się od beczek z prochem. Mieliśmy niesamowite szczęście – proch zawilgotniał, długo stojąc w podziemiu, lecz wolę nie ryzykować. Krzeszę iskry, po kilku próbach świeczka się zapala i nikły ogienek migocze w dymie.

– Zostań tu – przykazuję. Wymacuję drogę wzdłuż ścian, aż znajduję kamienne schody, którymi zeszliśmy z kaplicy. Ulga zalewa mi piersi, na krótko pozwalając zapomnieć o bólu. Osłaniając świeczkę, wchodzę pod kamień zakrywający wejście. Nie chce się ruszyć. Klnę, na czym świat stoi. Wchodzę wyżej, żeby wsunąć ramię pod płytę, i napieram całym ciałem. Jęczę z wysiłku, napinając wszystkie mięśnie. Nic. Jenkes jakoś go zablokował. Przeciągam palcami wzdłuż skrajów, ale nie znajduję rygla ani kłódki. Musi być jakiś sekretny mechanizm, niewidoczny w tym świetle. Po ostatnim pchnięciu godzę się z porażką.

Ostrożnie trzymając świeczkę, schodzę i wołam do Nell. Trudno powiedzieć, czy dym rzednie, ale mam wrażenie, że oddycham z mniejszym wysiłkiem. Przez mgiełkę widzę, że idzie w moją stronę. Wyciągam do niej rękę.

– Wyjście jest zamknięte. Nie mamy innego wyboru, jak skorzystać z tunelu.

– Ale… tam są ci ludzie! – Białka jej oczu błyskają w ciemności, gdy toczy wzrokiem jak spłoszony koń. – Zabiją nas, jeśli zobaczą, że za nimi idziemy.

– Już dawno tam ich nie ma – mówię z przekonaniem, którego nie czuję.

– Nie możemy zaczekać tutaj? Ludzie Drake'a w końcu po nas

przybędą, prawda? – Chwyta mnie za ramię, przysuwając twarz do mojej twarzy.

– Może być za późno. Powietrze nas otruje, jeśli będziemy nim dłużej oddychać. Sama mówiłaś, że masz zawroty głowy. To przez dym. Ja też ich doznaję. Jeśli omdlejemy, możemy się więcej nie ocknąć. Musimy zaryzykować. Chodź.

Prowadzę ją w kierunku tunelu, ostrożnie wymacując drogę stopami, żeby nie upaść. Płomień świeczki jest mglistą plamą blasku, który z trudem przebija się przez dym. Kopię luźną cegłę, potem drugą i czuję ożywcze tchnienie zimnego, wilgotnego powietrza płynącego z tunelu.

– Ja pójdę pierwszy – oznajmiam. Jeśli Jenkes i Doughty czekają gdzieś na dole, lepiej, żebym ja się na nich natknął. Przynajmniej stoczę walkę. – Patrz pod nogi, zaraz staniesz na brzegu dziury… już. Widzisz szczeble? – Wlot tunelu się rozdziawia, bezdenny dół w nikłym świetle. Widzę dwie żelazne klamry wbite w ścianę. Muszę założyć, że jest ich więcej, do samego dołu. – Schodź po nich. Owiąż dół peleryny w talii. Będziemy schodzić po omacku. Muszę zgasić świeczkę.

Siadam wśród luźnych cegieł i spuszczam nogi do mrocznego otworu. Nell przysuwa się do mnie i podaję jej świeczkę.

– Weź. Kiedy zejdę po kilku szczeblach, przyświeć sobie, żeby znaleźć oparcie dla stóp, a potem zdmuchnij i schowaj pod gorsetem. Pilnuj jej, bo będzie nam potrzebna. Będziesz musiała wymacywać drogę. Dasz radę?

Patrzy na mnie, przygryzając wargę, i żałośnie kiwa głową. Klękam twarzą do ściany szybu, stawiam stopę na pierwszej żelaznej klamrze i drugą na niższej. Macając w nikłym świetle, schodzę coraz niżej, za każdym razem zdumiony, że klamry utrzymują mój ciężar. Metal jest bardzo stary, zardzewiały i ziarnisty, nadgryziony przez ząb czasu i wilgoć. Pięć szczebli niżej powietrze jest czystsze. Zadzieram głowę i widzę nogę Nell szukającą pierwszej klamry. Znajduje ją, stawia stopę i dmucha, gasząc świeczkę. Od tej pory spowija nas ciemność.

◆　◆　◆

Nie mam pojęcia, jak głęboko schodzimy ani jak długo to trwa. Powietrze staje się coraz zimniejsze i w końcu zaczynam drżeć pomimo wełnianego kaftana. Słyszę chrypienie mojego oddechu, pali mnie w płucach za każdym razem, gdy wciągam powietrze. Wilgoć ścieka po ścianach szybu, klamry są śliskie od mchu albo porostów. Stawanie na kolejnych szczeblach staje się aktem czystej woli. W każdej chwili się spodziewam, że Nell się podda, puści klamrę i spadnie, pociągając mnie z sobą na dno szybu, ale schodzi pewnie, w miarowym tempie. Nie śmiem do niej zawołać, bo Jenkes i Doughty mogą być w zasięgu słuchu. Słyszę jej wytężony oddech, ale schodzi bez słowa skargi.

W końcu, gdy mięśnie moich ramion zaczynają się buntować, opuszczam stopę i znajduję nie kolejną klamrę, ale nierówne, lekko nachylone skalne podłoże. Jestem w tunelu na tyle wysokim, że mogę stać lekko zgarbiony, i na tyle szerokim, że sięgam boków rozpostartymi rękami. Takim tunelem można szmuglować niekoniecznie dużą kontrabandę, myślę, zerkając w czerń. Przeniesienie towaru może wymagać kilku rund. Boże, człowiek musi być niezwykle twardy albo nie ma innego wyjścia, by w ten sposób zarabiać na życie. Szepczę do Nell, uprzedzając ją, że tuż pod nią jest dno szybu. Staje obok mnie, potrząsa zmęczonymi rękami i podaje mi świeczkę. Stoję bez ruchu, wytężając słuch. Słyszę tylko kapanie wody. Kiedy zyskuję pewność, że przed nami nic się nie porusza, uderzam krzesiwem. Po kilku próbach świeczka się zapala i możemy iść w nikłym blasku oświetlającym drogę.

Ściany tunelu są z grubsza ociosane i wymagają naprawy, ze szczelin sączy się woda, miejscami to tylko krople, ale gdzie indziej strumyki płyną po ścianach i podłożu. Myślę o mnichach sprzed pięciu stuleci i o sile, jakiej wymagało wycięcie w litej skale tej drogi ucieczki. Tu i ówdzie korytarz jest zasłany kawałkami skał ze stropu. Staram się nie myśleć o ciężarze morza nad nami, o napierających na mnie ścianach, o tym, jak daleko zaszliśmy ani jak długo będziemy musieli iść w tej wilgotnej, podziemnej norze. Oddycham miarowo i skupiam się na każdym kroku, osłaniając płomień świeczki, wyczulony na każdy odgłos, który zdradziłby obecność innych ludzi. Czuję na plecach nacisk ręki Nell, palce kurczowo ściskają mój kaftan, jakby się bała, że ją zostawię.

– Kim była ta kobieta? – pyta w ciemności.

– Co? – Źle stawiam stopę i potykam się. Odwracam się i unoszę świeczkę, żeby na nią spojrzeć. Ma rozpuszczone włosy, z końcówkami przypalonymi z jednej strony, i twarz brudną od sadzy, ale część dawnego ognia wróciła do jej oczu. – Jaka kobieta?

– W Oksfordzie. Ten człowiek bez uszu powiedział, że kiedyś narażałeś dla niej życie.

– Niejeden raz – mówię bez zastanowienia.

– Kochałeś ją? – Jej ton brzmi oskarżycielsko.

– To było dawno temu. – Odwracam się i ruszam dalej, częściowo po to, żeby ukryć uśmiech. Ze wszystkich zmartwień, jakich w tej chwili nam nie brakuje, wybrała rozmyślanie o innej kobiecie. Uważam, że to osobliwie ujmujące. Kobiecy umysł rzeczywiście jest dziwny.

Po kilku krokach zamieram i uśmiech znika z mojej twarzy. Skądś dociera do mych uszu jakiś grzechot. Na wpół się tego spodziewałem, odkąd weszliśmy do tunelu; nie wierzyłem, że Jenkes i Doughty zostawią cokolwiek przypadkowi. Może zabrali z sobą materiały wybuchowe, żeby zablokować tunel, gdy dotrą do końca. Uświadamiam sobie z mrożącą krew w żyłach pewnością, że to pewnie łoskot spadających skał, które uwiężą nas pod ziemią albo, co gorsza, otworzą strop tunelu, żeby wpuścić tysiące ton wody. Waham się, wciąż zdjęty strachem, z walącym sercem czekając na falę pędzącą z ciemności. Mijają chwile; woda nie napływa. W końcu pozwalam sobie na wydech i kiwam do Nell, żeby szła za mną.

Kilka jardów dalej znajduję źródło dźwięku: runął fragment ściany, niemal tarasując przejście. Woda rwie ze szczeliny, na szczęście nie dość szybko, by stanowić zagrożenie. Ale szczelina jest głęboka i ciśnienie wody może ją poszerzyć. Stawiam migoczącą świeczkę w załomie i zaczynam odrzucać kawałki skał.

– Musimy się śpieszyć – mówię, rzucając kamień za siebie. Wypadają kolejne bryły, niemal nie nadążam z ich odrzucaniem.

– Coś nam grozi? – pyta Nell, kucając przy mnie i podnosząc kamień.

Zerkam na wodę spływającą ze szczeliny w ścianie tunelu.

– Dopóki stąd nie wyjdziemy, nie możemy zakładać, że jesteśmy bezpieczni. Pomóż mi.

Pracujemy w milczeniu i w końcu robimy lukę dość dużą, żeby się przeczołgać. Świeczka gaśnie, gdy Nell mi ją podaje, skrzesanie iskry zabiera mi więcej czasu. Tunel jest czarny jak smoła i ogarnia mnie nieprzyjemne wrażenie, że słyszę w pobliżu czyjś oddech. Wyciągam rękę, by pomóc Nell przecisnąć się przez otwór. Przechodzi, ślizgając się na luźnych skałach, i krzywi się, bo skręciła kostkę, ale idzie dalej bez słowa skargi. Wstaje niepewnie, kładąc rękę na moim ramieniu, oddycha urywanie. Widzę, że bardzo osłabła. Wiele przeszła, będąc w rękach Jenkesa i Doughty'ego, i choć jest dzielna, wiem, że cierpi. Mogę mieć tylko nadzieję, że da radę dotrzeć do końca tunelu, choć nie mam pojęcia, gdzie może być wylot ani co nas tam będzie czekać.

– Wesprzyj się na mnie, gdy się zmęczysz – mówię. – Muszę osłaniać ręką płomień świecy, bo inaczej zgaśnie. – Świeczka się dopala, wkrótce zostaniemy bez światła. Muszę ją przekładać z ręki do ręki, gdy gorący wosk ścieka mi na palce. Straciłem poczucie czasu, mam wrażenie, że jesteśmy tu na dole od wielu dni. – Czuję się jak Orfeusz – mówię, robiąc krok do przodu, gdy światło migocze i przygasa.

– Więc się nie oglądaj – odpowiada z cichym śmiechem – bo inaczej zostanę tu na zawsze.

Tunel jest niższy, musimy się garbić, co tym bardziej utrudnia wędrówkę.

– Kłamał, wiesz – odzywa się w ciemności za moimi plecami. – Ten łotr Doughty. Nie zgwałcił mnie. Chciał ci dokuczyć.

– Nie okryłoby cię hańbą, pani, gdyby to zrobił – mówię, wpatrując się w świeczkę. Zastanawiam się, czy czuje, że musi temu zaprzeczyć, na wypadek gdybym ją uważał za skompromitowaną.

– Ale to prawda – zapewnia. – Chciał, jednak ten drugi go powstrzymał. Mężczyzna bez uszu. Pokłócili się o to... Ten bezuchy powiedział, że byłby to grzeszny postępek, który splamiłby ich obu. Nie miał takich skrupułów, gdy chodziło o odebranie nam życia.

– Rowland Jenkes ma własny kodeks moralny. Według niego grzechy cielesne oddalają nas od chwały boskiej. Sądzę, że szczyci się swoim ascetyzmem.

– Znowu nazwałeś mnie panią – szepcze.

– Wybacz. Człowiekowi mojego pochodzenia trudno jest zerwać z nawykiem okazywania uniżoności.

– Umrzemy, Bruno? – pyta nagle, jakby czytając w moich myślach.

– Tak – mówię. – Pewnego dnia. Ale nie tutaj, jeśli zdołam temu zaradzić. – Pod wpływem impulsu odwracam się, ujmuję w dłonie jej twarz i przyciskam usta do jej uśmiechniętych warg, ponieważ właśnie spostrzegłem, że tunel zaczyna biec pod górę.

23

Tunel doprowadza nas do wyłożonego cegłami kolistego szybu, który wygląda na suchą studnię z dnem zasłanym warstwą martwych liści. Ze świeczki został ogarek, ale w słabym blasku dostrzegam wbite w ścianę żelazne klamry, tak jak w szybie, którym zeszliśmy. Tutaj powietrze jest mniej wilgotne, ale kiedy zadzieram głowę, widzę tylko ciemność. Domyślam się, że jest środek nocy, ale mimo to człowiek spodziewałby się dostrzec w wylocie migotanie naturalnego światła. Gdy nad tym rozmyślam, moje serce kołacze tak gwałtownie, aż się zataczam i muszę się przytrzymać oślizgłej ściany. Może Jenkes i Doughty zamknęli wejście od tej strony, płatając nam ostatniego gorzkiego figla? Nie mam pojęcia, gdzie jesteśmy – czy w pobliżu miasta, gdzie ktoś mógłby nas usłyszeć, czy na jakimś odludziu, gdzie nie przychodzi nikt z wyjątkiem tych, którzy szmuglują kontrabandę. Nie pozostaje mi nic innego, jak spróbować stąd wyjść.

– Dasz radę się wspinać? – pytam. Nell unosi głowę ku czerni nad nami.

– Nie sądzę, żebym miała wybór – mówi, zmuszając się do uśmiechu.

– Dobrze. Zaczekaj, aż zawołam. Nie ma sensu, żebyś traciła siły, jeśli wyjście okaże się niemożliwe.

– Co?! – Trwoga wykrzywia jej twarz. Łapie mnie za rękaw. – Nie zdołam wrócić, Bruno. Nie mam już siły. Wolałabym po prostu... –

Jej oczy wypełniają się łzami, determinacja znika z jej twarzy, gdy opiera się na mnie bezwładnie. Chciałbym cofnąć moje słowa.

– Znajdziemy jakiś sposób – zapewniam, ściskając jej ramię. – Proszę, trzymaj, gdy będę się wspinać. – Podaję jej ogarek. Drży i wzdryga się, gdy gorący wosk parzy jej skórę. Stawiam stopę na pierwszym żelaznym szczeblu i zaczynam wspinaczkę, czując strach spływający mi do wnętrzności.

Studnia ma pewnie ze sto stóp głębokości, może więcej. Cienie zamykają się wokół mnie, gdy chwytam klamrę za klamrą, aż świeczka staje się nie więcej niż punkcikiem światła. Gdy powoli posuwam się w górę, wspominam to, co Jenkes powiedział o daniu mi szansy na żałowanie za grzechy. Ktoś inny mógłby zacząć się modlić – od kilku godzin żarliwie modliłby się do każdego znanego sobie świętego – ja jednak stwierdzam, że nie mogę, nawet w chwili, która może być moją ostatnią. Co za ironia, przez trzynaście lat życia większość dnia spędzałem na modlitwie, a teraz, gdy naprawdę tego potrzebuję, nie umiem się pomodlić. Doświadczenie mnie nauczyło, że mogę polegać tylko na sobie, żeby się ratować.

Na szczycie szybu moje palce muskają szorstką powierzchnię; mocno trzymając się lewą ręką, wyciągam prawą i ostrożnie macam drewnianą pokrywę. Przykładam do niej dłoń i pcham. Ani drgnie. Gdy się wytężam, klamra przekręca mi się w ręce. Krzyczę, szorując palcami po cegłach; jeden koniec się obluzował, ale drugi trzyma. Jeśli się urwie, spadnę w ciemność. Mocno zaciskam rękę, zbieram resztki sił i pcham ramieniem pokrywę. Przesuwa się z jękiem i przez szczelinę wpada świeże słone powietrze. Zbieram się w sobie, pcham i wchodzę na kolejną klamrę, podnosząc ciężką pokrywę na barkach. Przesuwam ją tak daleko, że wreszcie mogę chwycić kamienną cembrowinę i wygramolić się przez otwór.

Padam jak długi na wysuszoną ubitą ziemię i zasysam wielkie hausty powietrza, zimnego i ostrego jak nóż w moim suchym gardle. Przechylam się nad cembrowiną i wołam w ciemność do Nell, że może się wspinać, choć słyszę tylko mój głos płynący w dół studni i stukot kilku kamyków, które strąciłem z cembrowiny. Nie widzę światła świeczki.

Czekając na nią, próbuję się zorientować, gdzie jestem. Gdy moje oczy dostosowują się do otoczenia, widzę, że studnia znajduje się w niewielkiej szopie, prostej, ale solidnej, z trzema kamiennymi ścianami, z jednej strony otwartej na żywioły. Z trudem podnoszę się z ziemi i staję w pełni wyprostowany po raz pierwszy, odkąd mnie związali. Przeciągam bolące kończyny i plecy. Ostrożnie wyglądam z szopy, świadom, że Jenkes i Doughty mogą na nas czekać. Moja ręka instynktownie wędruje do pasa, ale nie znajduje sztyletu. Klnę pod nosem; mam tylko pięści i nogi do obrony i czuję się taki słaby, że chętnie położyłbym się w tej szopie i przespał kilka dni.

Na zewnątrz panuje cisza, ale żywa od dźwięków nocy: słyszę szum liści na wietrze, niskie dudnienie niedalekiego morza i ujadanie psów w oddali. Ośmielony, wychodzę z szopy i patrzę na teren gęsto porośnięty drzewami. Księżyc wisi wysoko na bezchmurnym niebie, srebrna moneta przebłyskująca przez korony drzew. Daje niewiele światła, ale wystarczy, żeby przejść przez las, jeśli Nell będzie na siłach – chociaż nie mam pojęcia, w którą stronę powinniśmy pójść. Może lepiej odpocząć w szopie do świtu, żeby się zorientować w otoczeniu – a może, gdy nastanie dzień, będziemy jeszcze bardziej zagrożeni? Pocieram czoło, mój mózg jest tak otumaniony przez ból i głębokie do szpiku kości zmęczenie, które powstało na skutek długiego życia w strachu, że nie umiem powziąć sensownej decyzji. Wsłuchuję się w noc i słyszę chlupot fal; najwyraźniej wyszliśmy niedaleko brzegu. Decyduję, że powinniśmy czekać do rana, by zobaczyć, gdzie jesteśmy, i wtedy znaleźć drogę do Plymouth.

Spoglądam w cienie pomiędzy pniami i zastanawiam się, jaką trasę obrali Jenkes i Doughty. Ich łódź z pewnością czekała gdzieś dalej na brzegu, niewidoczna ze statków kotwiczących w zatoce. Drake nie ma dość ludzi, żeby obserwować całą linię brzegową. Te łotry mogą wyjść w morze, zanim uzbrojone patrole Drake'a zrozumieją, że nikt nie opuści wyspy łodzią. Jutro pewnie będą jedli kolację już we Francji. Na razie na tę myśl nie czuję niczego poza zmęczeniem. Jestem tak odrętwiały z ulgi, że uszliśmy z życiem, iż nie mogę wykrzesać gniewu na Jenkesa za zabranie mi księgi.

Wracam do kamiennej szopy i przesuwam pokrywę, żeby poszerzyć wejście do studziennego szybu. Wytężam oczy, patrząc w czarną otchłań, ale nie widzę Nell.

– Jesteś tam?! – wołam. Mój głos odbija się od kamieni i ginie w ciemności. – Wspinaj się! Nie myśl o tym, po prostu kładź jedną rękę nad drugą. Śmiało, już prawie cię widzę! – mówię do niej, powtarzając podobne głupstwa, jak człowiek, który chce uspokoić spłoszonego konia. Wreszcie czubek jej głowy wyłania się z mroku. – O to chodzi – zachęcam, wyciągając do niej rękę.

Zadziera głowę, żeby na mnie spojrzeć, bolesny uśmiech rozlewa się po jej twarzy. Sięga lewą ręką do ostatniej klamry, tej obluzowanej, zanim mogę ją ostrzec. Chwyta ją, żeby się podciągnąć, i dziko krzyczy, gdy klamra wyskakuje ze ściany. Nell traci równowagę, odchyla się do tyłu. Udaje mi się złapać ją za rękaw i przez chwilę wisi całym ciężarem na skrawku materiału. Słyszę trzask pękających szwów, pochylam się głębiej, zapieram kolanami o cembrowinę i drugą ręką łapię za nadgarstek, gdy szwy pękają do końca. Jest lekka, ale całym ciężarem wisi na moich rękach i mam wrażenie, że zaraz ramiona wyskoczą mi ze stawów barkowych. Co gorsza, jej ręka jest lepka ze strachu i czuję, że zaczyna się wyślizgiwać.

– Wymacaj szczeble stopami – instruuję przez zaciśnięte zęby, usiłując mocniej trzymać nadgarstek. Dłonie mi się pocą i jeśli zaraz nie stanie na szczeblu, nie zdołam uchronić jej przed upadkiem. Wrzask nagle się urywa; słyszę jej ciężki oddech, gdy macha ręką, szukając klamr. Rozpraszają mnie dźwięki płynące z zewnątrz. Unoszę głowę i zdaję sobie sprawę, że szczekanie psów brzmi coraz głośniej. Rozpraszam się w obliczu tego nowego zagrożenia, omal nie otwieram ręki. Ciężar maleje tak nagle, że cudem tylko nie wpadam do studni. Nell zdołała stanąć na szczeblu. Mocno trzymam jej rękę, prowadząc ją do góry, i w końcu mogę ją przeciągnąć nad cembrowiną. Pada w moich ramionach na polepę, trzęsąc się jak w ataku gorączki. Obejmuję ją, delikatnie gładząc włosy, gdy jej oddech powoli się uspokaja. Nerwy mam napięte jak struny, gdy słucham dźwięków na zewnątrz. Psy są coraz bliżej. Przez wąskie okienko widzę tańczące płomienie, migotliwy blask zbliżających się pochodni. Słyszę kroki i podniesione głosy. Nell zastyga, napinając mięśnie, i kieruje na mnie duże, pytające oczy. Zamieram, niezdolny się ruszyć.

– Kurwa mać! – krzyczy jakiś mężczyzna niedaleko naszej kryjówki. Wybucha chór podniesionych głosów; trudno powiedzieć, ilu ludzi jest na zewnątrz, ale chyba odkryli coś szokującego. Kręcę głową, nakazując Nell zachowanie milczenia, gdy trwa ich ożywiona dyskusja. Nagle pies warczy tuż przed nami i Nell nie może pohamować krzyku. W wejściu do naszego schronienia stoi kłapiący paszczą wielki pies, jego ślepia i kły połyskują w nocy. Jest za ciemno, żeby zobaczyć, co to za pies – może mastif. Jest zły, tyle jest pewne, sierść mu się jeży na karku, ma ściągnięte fafle i przysiadł na tylnych łapach gotów do skoku, ale na razie tylko wściekle ujada, żeby przyciągnąć uwagę właściciela. Wygląda na to, że czeka na komendę do ataku.

Krople potu występują mi na czole, gdy patrzę w jego ślepia. Kiedyś w Oksfordzie widziałem człowieka rozszarpanego przez psa; staram się o tym nie myśleć, ale wspomnienie leżących na wilgotnej trawie zwłok z rozdartym gardłem pozostaje uparcie żywe. Nell wolno przesuwa się za mnie. Ruch sprawia, że pies się pręży i warczy, ale najwyraźniej jest dobrze wyszkolony. Nie rusza się z miejsca, muskularne barki tarasują wyjście. Raczej nie zabije bez rozkazu.

– Wyrzuć pistolet na zewnątrz i wyjdź w rękami nad głową, inaczej poszczuję cię psami! – krzyczy ktoś o srogim głosie. Dopiero po chwili sobie uświadamiam, że zwraca się do nas.

– Nie mam pistoletu! – odpowiadam. – Jest tu kobieta, poważnie ranna. Nie mamy broni!

Moje słowa wywołują pośpieszną naradę, podczas której wyraźnie słyszę słowa „hiszpański psubrat".

– W takim razie się pokażcie.

– Najpierw odwołaj psa – mówię. Następuje kolejny wybuch pełnych oburzenia pomruków, ale po chwili słyszę cichy gwizd. Pies odwraca głowę, obrzuca mnie zawiedzionym spojrzeniem i niechętnie truchta w mrok. Podnoszę się, dźwigam Nell z ziemi i na wpół ją niosę, mając nadzieję, że nogi się nie ugną pode mną.

Wchodzimy w krąg blasku pochodni i cztery halabardy mierzą w nasze twarze. Trzymający je mężczyźni są w liberii, której barw nie rozpoznaję, ale pod krótkimi tunikami noszą gambesony* – przybyli więc ubrani do walki. U ich stóp siedzi drugi pies szczerzący kły.

– Kłusujecie, co? – mówi ten, który kazał nam wyjść. Jest po pięćdziesiątce, ma szpakowatą brodę i przymrużone oczy.

Kręcę głową, próbując zebrać siły na odpowiedź.

– Gdzie jest pistolet? Rzuć go tam, gdzie będę go widział! – dodaje rozkazującym tonem.

– Mówiłem, nie mam broni.

– W takim razie jak ich zabiłeś? – Odsuwa się i daje znak jednemu ze swoich ludzi, żeby podniósł pochodnię. Na ścieżce przed nami widzę dwa ciemne kształty. Nie muszę podchodzić bliżej, żeby zobaczyć, że to zwłoki człowieka i psa.

– Nic nie zrobiłem. Dopiero przed chwilą wyszliśmy ze studni. – Wskazuję kamienny budynek za naszymi plecami. – Byliśmy zakładnikami na Wyspie Świętego Mikołaja, ale uciekliśmy przez tunel, który się kończy na dnie studni. Ludzie, którzy nas pojmali, wyszli tędy jakiś czas przed nami. Jeden z nich miał pistolet.

Mężczyźni patrzą po sobie.

– Uważaj, bo uwierzę – syczy któryś z nich i muszę się z nim zgodzić. Moja opowieść brzmi niedorzecznie, więc na jego miejscu sam nie dałbym jej wiary, choć wymiana spojrzeń zdaje się wskazywać, że wiadomość o tunelu nie jest dla nich nowiną.

– Odsuńcie się od siebie – rozkazuje siwobrody. – Przeszukać ich! – nakazuje jednemu ze swoich ludzi. – Jeśli nie jesteście kłusownikami, to zajmujecie się przemytem. Tak czy siak, sir Peter dopilnuje, żebyście zawiśli.

– Kim jest sir Peter? – pyta Nell, puszczając moje ramię. Odezwała się po raz pierwszy od czasu wyjścia z szybu.

---

* Gambeson (aketon, przeszywanica) – gruby, pikowany kaftan wykonany z wielu warstw płótna lub skóry zszytych z sobą. Był to rodzaj miękkiego pancerza zakładanego zazwyczaj pod kolczugę.

– Sir Peter Edgecumbe – wyjaśnia mężczyzna. – Wtargnęliście na jego ziemie i zamordowaliście leśniczego. Zapewniam, że za to zadyndacie. Oboje.

– Zatem jesteśmy w parku Mount Edgecumbe? – pyta Nell z pełnym niedowierzania śmiechem. – Znam sir Petera Edgecumbe'a. – Prostuje się, krzywiąc z bólu, i wysuwa podbródek. – Jestem lady Eleanor Arden, wdowa po sir Richardzie Ardenie z Beauchamp Hall w Somerset. Mój świętej pamięci mąż był dobrym znajomym sir Petera. Zaprowadźcie mnie do niego natychmiast, on nam pomoże.

– Jesteś pewna, skarbie, że taka z ciebie wytworna dama? – Wskazuje na mnie i śmieje się. – A on kim jest, pieprzonym królem Kukanii*?

Nell kładzie rękę na biodrze.

– To słynny włoski uczony, Giordano Bruno.

– No tak, to w istocie wielka różnica – mówi brodacz, a jego ludzie rechoczą ubawieni z dowcipu szefa. – Słuchaj, bezczelna dziewko, dowodzę strażą domową sir Petera i mam prawo was aresztować za bezprawne wkroczenie na teren jego posiadłości, kłusowanie i morderstwo. Ty wedle mnie nie wyglądasz na zdolnego do walki, ale jeśli chcesz, mogę dać ci folgę.

Nell rusza z miejsca i zatrzymuje się krok przed nim, odsuwając na bok drzewce halabardy. Ma wyzywający błysk w oku i wysunięty podbródek. Mężczyzna jest zbyt zaskoczony, żeby ją zatrzymać.

– Posłuchaj, arogancki chamie! Jestem kuzynką lady Drake, a doktor Bruno podróżuje z sir Philipem Sidneyem, królewskim kwatermistrzem. Widzisz to? – Zadziera głowę i wskazuje szyję. – Wczoraj zostałam uprowadzona przez dwóch poszukiwanych przestępców, którzy próbowali mnie powiesić. To oni zabili waszego leśnika i całkiem możliwe, że wciąż są na terenie posiadłości twojego pana. Doktor Bruno mnie uratował. Dzisiejszej nocy trzy razy uciekliśmy śmierci i jesteśmy piekielnie zmęczeni. Sir Francis Drake nas szuka i jeśli się dowie, że ucierpieliśmy jeszcze bardziej przez ciebie, wtedy, przysięgam na Boga, odpowiesz za to przed swoim panem.

---

* Kukania – bajeczna kraina wiecznej szczęśliwości, obżarstwa i nicnierobienia.

Natychmiast zabierz nas do domu sir Petera i pozwól mi pomówić z zarządcą, jeśli nie wierzysz mojemu słowu!

Brodacz niespokojnie popatruje na swoich ludzi; wyraźnie się boi, że usłyszał prawdę. Nell ma postawę i władczy ton osoby wysokiego rodu, doprowadzony do perfekcji przez życie w przekonaniu, że świat ma być jej posłuszny. Patrzę na nią z rosnącym podziwem. Obraca się ku mnie i ściska moją rękę, błyskając triumfalnym uśmiechem pomimo bólu i zmęczenia. Sidney miał rację: to kobieta przywykła do rządzenia. Jenkes i Doughty groźbami gwałtu i morderstwa pozbawili ją ochrony urodzenia, ujawnili jej niemiłą prawdę o fizycznej słabości i sprawili, że stała się bezbronna. Manifestując swoją wyższość przed strażnikami, może zacząć leczyć zranioną dumę. Widok, jak odzyskuje godność z taką łatwością, jakby zarzucała pelerynę, naprawdę robi wrażenie.

– Zabierzcie ich do domu! – warczy do pozostałych brodaty mężczyzna, odwracając się. Nell wspiera się o mnie i czuję, jak jej ciało rozluźnia się z ulgi.

– Teraz wszystko będzie dobrze, Bruno – mówi. – Zobaczysz.

24

– Mieliście szczęście, że strażnik rozstrzygnął wątpliwości na waszą korzyść – mówi Drake. Odwraca ode mnie twarz, patrzy przez okno, stojąc z rękami splecionymi za plecami. – Mógł was oskarżyć o morderstwo i z miejsca zamknąć w lochu. Mogłoby minąć wiele dni, zanimbyśmy was znaleźli.

– Lady Arden budzi respekt, kiedy postanawia zaznaczyć swój autorytet. – Wypijam kolejny łyk wina.

– Wiem – mówi Drake z grymasem.

– Mieliśmy też szczęście, że majordomus sir Petera Edgecumbe'a okazał się przychylny. Zbudził swojego pana w środku nocy z powodu dwojga nieznajomych, którzy wyglądali podejrzanie. Dzięki Bogu, sir Peter rozpoznał lady Arden, na przekór wszystkiemu.

Na chwilę zamykam oczy, wspominając, co nastąpiło później. Chłodne piwo dla ukojenia naszych gardeł, ciepła woda do kąpieli, służące do opatrzenia ran, miękkie piernaty, a rankiem chleb i mięso, a także czyste ubrania od sir Petera i jego żony, za które Nell obiecała się odwdzięczyć, gdy wróci do domu. Kilka godzin po naszej ucieczce ludzie Drake'a wylądowali na wyspie i dzielnie ruszyli tunelem do posiadłości sir Petera Edgecumbe'a na przylądku po zachodniej stronie zatoki. Po śniadaniu sir Peter wyznaczył ludzi, którzy towarzyszyli mi w drodze do miasta. Obrażenia Nell okazały się mniej poważne, niż się obawiałem, ale była osłabiona z powodu szoku, wyczerpania i skutków oddychania dymem, więc potrzebowała odpoczynku przed powrotem do miasta. Ja miałem drobne oparzenia na lewym ramieniu, a do tego podrażnione gardło i oczy obolałe od gryzącego dymu, kiedy jednak rozważyłem nocne wypadki, mogłem się tylko zdumiewać, że wyszliśmy z tej niemiłej przygody bez szwanku.

Drake przez jakiś czas przygląda mi się z zaciekawieniem, po czym mówi z typową dla niego energią:

– W każdym razie, Bóg zapewnił wam swoją ochronę. Ale kuzynka mojej żony zawdzięcza życie przede wszystkim twojej odwadze, Bruno. Jestem twoim dłużnikiem i nigdy o tym nie zapomnę. – Przeciąga ręką po brodzie. – Teraz gdy jest bezpieczna, muszę zadecydować, co dalej. Potem może nareszcie wrócę do mojej floty.

Nawet nie próbuje ukryć zniecierpliwienia. Cała sprawa z Jenkesem i Doughtym była dla niego dodatkowym utrudnieniem, do którego by nie doszło, gdyby śmierć Dunne'a nie opóźniła wyjścia floty w morze albo gdyby Sidney wraz ze mną nie zjawił się w Plymouth. Rozumiem jego uczucia, chociaż po naszych ciężkich przejściach liczyłem na nieco pełniejsze wyrażenie wdzięczności. Ale Drake odpowiada za flotę i setki ludzi, więc to normalne, że zależy mu na jak najszybszym wyruszeniu w drogę.

Jesteśmy w jego pokoju Pod Gwiazdą, do niedawna zajmowanym przez lady Drake, która obecnie gości u burmistrza, gdzie sześciu najbardziej krzepkich żołnierzy Drake'a czuwa nad jej bezpieczeństwem. Niebawem Sidney i ja mamy zasiąść do kolacji z Dom Antoniem i jego towarzyszami, ale najpierw Drake chce mnie wtajemniczyć we wszystko, co się stało, odkąd opuściłem Wyspę Świętego Mikołaja.

– W nocy i rano ludzie moi i sir Petera przeszukali całą posiadłość, lecz nie znaleźli śladu Jenkesa ani Doughty'ego – mówi, stając plecami do kominka. – Wysłałem nasze łodzie do statków wychodzących z zatoki, choć właściwie nie miałem prawa tego robić. Jednak przypuszczam, że ci łajdacy wyruszą z jakiegoś dalszego portu na wybrzeżu, z Kornwalii. Tak czy owak, zdobyli nad nami znaczną przewagę.

– Rowland Jenkes ma wiele kontaktów we Francji. Bez wątpienia zabierze księgę do Paryża, gdzie agenci Watykanu chętnie drogo za nią zapłacą.

Drake lekceważąco macha ręką.

– Obecnie ta księga niewiele mnie już obchodzi. Jestem zły, że ten Jenkes na niej zyska, ale nie na tyle, żeby poświęcić ludzi i środki na pościg. Utrata manuskryptu to niska cena. Najważniejsze, że oboje z lady Arden uszliście z życiem.

Nic na to nie odpowiadam. Księga nie ma znaczenia dla Drake'a, ponieważ nie jest uczonym i nie pojmuje jej znaczenia; dla niego warta jest tyle, ile można na niej zarobić. Ja myślę tylko o grubych, dbających o własne interesy kardynałach, którzy wrzucają *Ewangelię Judasza* do jakiegoś mrocznego lochu w Watykanie, grzebiąc tę nadzwyczajną relację na zawsze. Dobrze chociaż, że mam tłumaczenie.

– Ciekawi mnie – kontynuuje Drake – co się stało z Johnem Doughtym. Ta sprawa zgoła nie przysłużyła się jego celom. Pokazał jedynie, jak blisko może podejść do mojej rodziny. I twoje sprawozdanie wielce mnie trapi. Od dawna podejrzewałem, że weźmie na cel Elizabeth, by uderzyć w mój najsłabszy punkt. – Szarpie szpic brody. – Zadecydowałem, że moja żona zamieszka u swoich krewnych w Somerset, gdy będę na morzu. Kiedy lady Arden odzyska siły, wyślę je obie do Buckland z uzbrojoną eskortą, aby poczyniły przygotowania do podróży. Sądzę, że będzie najlepiej, gdy Dom Antonio pojedzie z nimi. Twoi ludzie mogą mu towarzyszyć, sir Philipie, i stamtąd udacie się do Londynu. Nie zdołam przygotować tej ekspedycji, jeśli wciąż będę się martwić o bezpieczeństwo Dom Antonia i kobiet.

Sidney wstaje z miejsca przy oknie i kiwa głową. Jego zbrojni przybyli dziś rano i ulokował ich w karczmie za murami miasta, płacąc z własnej kiesy. Im prędzej ruszą w drogę do Londynu z Dom Antoniem albo staną w Buckland na koszt Drake'a, tym dla niego lepiej. Czuję ukłucie bólu na myśl o wyjeździe kobiet; bez Nell perspektywa siedzenia w Plymouth z wciąż niepewnymi planami wydaje mi się znacznie mniej atrakcyjna.

– Przynajmniej wiemy, że Doughty nie miał nic wspólnego ze

śmiercią Dunne'a – stwierdzam. – Jestem pewien, że mówił prawdę. Wierzył, iż Dunne sam odebrał sobie życie.

Drake i Sidney wymieniają spojrzenia.

– Mamy nowe wiadomości – oznajmia Drake.

Sidney przechodzi przez pokój, żeby się oprzeć o belkę nad kominkiem.

– Minęło cię coś ekscytującego.

Patrzę na niego.

– Masz rację, przez cały czas, gdy byłem związany, czekając, żeby wybuch beczki z prochem urwał mi głowę, i gdy pełzłem tunelem pod dnem morza, i gdy wspinałem się w studziennym szybie na spotkanie z psami i uzbrojonymi ludźmi, przez cały czas żałowałem, że omija mnie coś ekscytującego.

Drake się uśmiecha.

– Savile się przyznał – oznajmia Sidney z miną, która sugeruje, że to jego zasługa.

– No, niezupełnie – poprawia go Drake. – Przyznał się do wszystkiego z wyjątkiem morderstwa. To nasza kwestia sporna.

– Zatem do czego się przyznał? – Z konsternacją przenoszę spojrzenie z jednego na drugiego. – Co się stało?

– Sir Philip przyłapał ich *in flagranti* – wyjaśnia Drake. Na podstawie jego miny trudno powiedzieć, czy pochwala jego poczynania, czy nie.

Sidney wzrusza ramionami.

– Zrobiłem to, o czym ci przedtem wspomniałem. Wróciłem tu wczoraj wieczorem po rzeczy lady Drake, podczas gdy wszyscy inni byli zajęci misją ratunkową. – Mówi to lekkim tonem, ale słyszę sugestię wyrzutu; zastanawiam się, czy Drake też.

Sidney objął mnie z ulgą, kiedy wróciłem Pod Gwiazdę, ale radość z mojego widoku była krótkotrwała i szybko ustąpiła jego zwykłym dąsom, że musiał zostać z kobietami i nie miał szans się wykazać. Nie zapytał o moje nocne przeżycia. Znam go zbyt dobrze, by czuć się zraniony przez jego pozorne lekceważenie, lecz mimo wszystko zgrzytam zębami, gdy rozpoczyna opowieść o swoich heroicznych czynach.

– Tak się złożyło, że widziałem, jak Savile idzie na drugie piętro – kontynuuje z wyraźną lubością. – Postanowiłem go śledzić. Pomyślałem, że jeśli zostanie przyparty do muru i nie będzie mógł dłużej wypierać się romansu z Marthą Dunne, przyzna się do morderstwa w obliczu wszystkich innych dowodów. Guzika, gałki muszkatołowej i tak dalej.

– Więc jakby nigdy nic wtargnąłeś do ich sypialni? – pytam zdumiony.

– Tak. – Szczerzy zęby w bezczelnym uśmiechu. – Dałem im trochę czasu na rozgrzewkę. Postawili na straży przed drzwiami tę nierozgarniętą służącą. Próbowała mi wmówić, że jej pani jest niedysponowana, a ja na to, że nie wątpię, i po prostu ją ominąłem. Nawet nie zamknęli drzwi na klucz. – Kręci głową, jakby litował się nad kimś na tyle głupim, by popełnić taki prosty błąd.

– I zastałeś ich *in medias res*?

– Niezupełnie. Chwała Bogu, jeszcze byli ubrani – dodaje. – Ale przyłapałem ich na czułym uścisku, tak czułym, że trudno się było z tego wytłumaczyć. Powiedziałem im o wszystkim, co wiemy o ich romansie i o ciąży.

– To było niebezpieczne – mówię i mam satysfakcję, gdy widzę energiczne skinienie Drake'a przyznającego mi rację. – Co ich powstrzymało od zaprzeczenia wszystkiemu?

– Z początku przeczyli, przynajmniej ona. – Krzywi się. – Ta kobieta jest twarda jak kamień. Bóg jeden wie, co Savile w niej widzi.

– Może perspektywę rychłego spadku?

– Ha. Ale tak, oczywiście próbowali się wyprzeć. W końcu ona przyznała się do ciąży, lecz twierdziła, że to dziecko jej męża i każe mnie aresztować za zniesławienie, jeśli ośmielę się sugerować coś innego. Powiedziała, że sir William jest starym przyjacielem rodziny, który pociesza ją w rozpaczy. Z rozwiązanymi pludrami? – spytałem. – Sidney splata ręce na piersi, wyraźnie zadowolony z siebie. – Para głupców. Potem zadałem *coup de grâce*. Powiedziałem, że mamy wystarczające dowody, by kazać aresztować Savile'a za zamordowanie Roberta Dunne'a.

– Ale nie mamy – zaznaczam, zerkając na Drake'a. Zaciska usta.

– Oni tego nie wiedzieli – mówi Sidney obronnym tonem. – Savile okazał się słabszy. Już był wstrząśnięty moim odkryciem ich małego sekretu. Kiedy pomyślał, że może zostać oskarżony o morderstwo, zupełnie się załamał.

– Niezupełnie – poprawia cicho Drake.

Sidney spogląda na niego z irytacją.

– Zgodził się wytłumaczyć tylko przed kapitanem Drakiem. Uparłem się, by przeszedł do mojego pokoju, gdzie będę go miał na oku, a następnie wyślę posłańca, by sprowadził sir Francisa z Hoe. Powiedziałem Savile'owi, że nie mam żadnej gwarancji, iż nie ucieknie. Odniósł się do mnie z pogardą. „Niewinny człowiek nie ma powodu uciekać, poza tym nigdzie się nie wybieram, mając spore fundusze zainwestowane w tę ekspedycję", tak mi wygarnął. Mimo to w końcu ustąpił i poszedł ze mną.

– Fundusze, które ma ochotę wycofać, jak zaznaczył, skoro w ten sposób jest traktowany przez innych dżentelmenów – wtrąca Drake, obrzucając Sidneya znaczącym spojrzeniem. Rozumiem jego złość, Sidney postąpił wbrew jego wyraźnym życzeniom i bez żadnego rozstrzygającego dowodu oskarżył poważnego inwestora o popełnienie morderstwa. W konsekwencji przeszkodził Drake'owi w poszukiwaniach kuzynki jego żony. Drake jest zbyt wytrawnym dyplomatą, by udzielać reprymendy człowiekowi o pozycji Sidneya, ale wyraźnie ma mu za złe, że został postawiony w takiej sytuacji. – Gdy przybył posłaniec od sir Philipa, niewiele więcej mogłem zrobić, żeby ci pomóc, Bruno – mówi Drake do mnie. – Zostawiłem zbrojnych pod komendą Carleilla i wróciłem Pod Gwiazdę, aby zająć się tą nową sprawą. Szczęście w nieszczęściu, że oskarżenie o morderstwo, choć pochopne, wstrząsnęło Savile'em. Nie zdawał sobie sprawy, ile już wiemy. Skwapliwie się przyznał do części winy, ale upierał się, że nie ma nic wspólnego ze śmiercią Roberta Dunne'a.

– Wciąż utrzymuje, że to nie on go zamordował?

Drake przytakuje.

– Przyznał się, że on i Martha Dunne są kochankami od prawie roku. Obiecał jej pomóc. – Milknie i ściąga usta. – Obiecał wyjawić całą prawdę, pod warunkiem że nie doniosę władzom.

– I jaka była jego wersja prawdy? – pytam.

Drake wygląda na zmęczonego.

– Najlepiej, jak sam wysłuchasz jego wyznania. Chciałbym poznać twoją opinię, czy nie kłamie.

◆ ◆ ◆

Przed drzwiami pokoju Savile'a stoi uzbrojony strażnik oparty o ścianę. Na widok Drake'a szybko staje na baczność.

– Poprosiłem sir Williama, żeby tu został, dopóki nie zadecyduję, co zrobić w tej sytuacji – informuje mnie Drake po cichu. – Nie jest tym zachwycony, jak zapewne sobie wyobrażasz. Czuje się jak aresztowany.

– W takim razie dlaczego się zgodził?

– Ponieważ ma dość rozumu, aby zdawać sobie sprawę, że jeśli podczas dochodzenia śmierć Dunne'a zostanie uznana za morderstwo, dowody są wystarczające, żeby uczynić go głównym podejrzanym.

– Choć na pewno nie doprowadziłyby do wyroku skazującego.

– Otóż to, na tym polega nasz problem. Mogę pójść do koronera i władz miasta, ale z człowiekiem jego stanu sprawa nie będzie prosta. Jeśli postanowię to zrobić, Savile pośle po prawnika z Londynu. Wtedy opóźnienie może się zwiększyć do wielu tygodni. – Przystaje przed drzwiami i obrzuca mnie szczerym spojrzeniem. – I oczywiście Savile zrezygnuje z udziału w wyprawie i wycofa swoje pieniądze. Jasno dał to do zrozumienia. Sir Philip postawił mnie w bardzo trudnej sytuacji. Żałuję, że najpierw nie zasięgnął mojej opinii.

Sidney nie chciał nam towarzyszyć. Powiedział, że już wysłuchał relacji Savile'a i z jego punktu widzenia nie zwiodłaby ona dziecka. Drake roztropnie zignorował tę uwagę, ale to nie zmniejszyło napięcia pomiędzy nimi. Sidney się stroszy, pełen urazy. Myślał, że przypadnie mu cała zasługa za schwytanie mordercy, i choć nigdy tego nie przyzna, zależy mu na pochwale Drake'a. Ale wykazanie się inicjatywą bez akceptacji naczelnego dowódcy obróciło się przeciwko niemu. Wzdycham. Jeśli historia Thomasa Doughty'ego i jej następstwa czegoś nas nauczyły, to tego, że Drake nie będzie tolerować podważania jego autorytetu. Myślałem, że Sidney już to zrozumiał.

Drake głośno puka do drzwi. Pomimo okoliczności musi traktować Savile'a uprzejmie. To delikatna sytuacja z powodu różnicy urodzenia między nimi. Drake jest tego świadom; otrzymał honorowy tytuł szlachecki, ale Savile pochodzi ze starego szlachetnego rodu, podobnie jak Sidney, i prawie na pewno nie uważa kapitana za równego sobie pod względem statusu społecznego.

– Wejść – mówi władczym głoscm.

Drake otwiera drzwi do małego, choć zbytkownie urządzonego pokoju. Savile siedzi przy stole, zajęty pisaniem listu. Unosi głowę, gdy wchodzimy, i jego rysy twardnieją na mój widok.

– Francisie, czyżbyś sprowadził tego mnicha, żeby wysłuchał mojej spowiedzi?

– W pewnym sensie – mówi Drake, ignorując jego ton. – Chcę, żebyś powiedział doktorowi Brunowi to, co wyznałeś mnie.

– Dlaczego? Jakie on ma prawo, by mnie osądzać?

– Żadnego. Ale to on zgromadził dowody świadczące przeciwko tobie, więc zostanie powołany do składania zeznań, jeśli dojdzie do rozprawy sądowej. Poza tym chcę mieć świadka, na wypadek gdybyś próbował wyprzeć się swoich słów.

Savile'owi drga policzek, gdy zaciska szczęki.

– Myślałem, że doszliśmy do porozumienia?

– Obecność Bruna jest jego częścią – oznajmia chłodno Drake. Siada na ławce we wnęce okiennej. Ja stoję. Savile obraca krzesło przodem do nas.

– Więc dobrze. Od czego mam zacząć?

– Wszystkie dowody sugerują, że zamierzałeś zabić Roberta Dunne'a, aby poślubić jego żonę, która nosi twoje dziecko – mówię. – Zacznij od tego, panie.

– A ja żądam, żebyś tego dowiódł – ripostuje z pełnym samozadowolenia uśmiechem. Jeśli wczorajszej nocy był wstrząśnięty oskarżeniami, to teraz niczego po sobie nie pokazuje. Zachowuje się jak człowiek, który już wygrał.

– Robert Dunne nie widział się z żoną od czterech miesięcy – podkreślam. – Jego gospodyni poświadczy, że nie opuścił Plymouth od kwietnia. Poza tym i tak wcześniej nie był w stanie spłodzić dziecka ze swoją żoną.

Savile ma taką minę, jakby formułował kolejny prawniczy argument, ale Drake nie dopuszcza go do głosu.

– Po prostu zdaj relację, sir Williamie. Zwięźle, jeśli łaska.

Savile po chwili wahania zwraca się ku mnie.

– Dobrze. Powiem ci to w zaufaniu. Sir Francis wyraził zgodę. I wyznam tylko dlatego, że to, co już wiesz, stawia mnie w złym świetle. Ale nie zabiłem Roberta Dunne'a. – Zakłada nogę na nogę i przez długi czas patrzy na ręce, jakby decydował, od czego zacząć. – Martha Dunne chciała uwolnić się od tego małżeństwa, to prawda. Zaproponowała unieważnienie, ale jej mąż nie chciał o tym słyszeć – mówi w końcu, unosząc wzrok. – Oczywiście uczucia nie wchodziły w grę, ten pazerny pies się jej trzymał, ponieważ wiedział, że wkrótce dostanie spadek po ojcu swojej żony. Martha mogłaby się od niego uwolnić tylko wtedy, gdyby umarł, ale bała się, że ludzie zaczną ją podejrzewać, jeśli coś mu się stanie. Jak wiadomo, kobieta, która zabija męża, jest winna najcięższej zbrodni. To przestępstwo traktuje się na równi ze zdradą stanu i karze śmiercią na stosie. – Milknie, pocierając kciukiem dolną wargę. – Była niechętna podjąć ryzyko. Jednak nie mogła znieść myśli, że odziedziczony majątek wpadnie w ręce Roberta, więc wiedziała, że prędzej czy później będzie zmuszona powziąć ostateczną decyzję. Kiedy Dunne oznajmił, że planuje wziąć udział w ekspedycji sir Francisa, miała nadzieję, iż spotka go wypadek na morzu. Niestety, w przeszłości jej mąż okazał się wyjątkowo odporny.

– Czy wy oboje już…

– Byłem zafascynowany Marthą od pierwszego wejrzenia – oświadcza z naciskiem, jakbym podawał w wątpliwość siłę jego uczuć. – Zostaliśmy sobie przedstawieni na dworze w ubiegłym roku, kiedy towarzyszyła swojemu mężowi. – Parska cierpkim śmiechem. – Jest onieśmielającą kobietą. Ha, spędziłeś z nią trochę czasu, więc z pewnością zdajesz sobie z tego sprawę. – Ma roztargniony wyraz twarzy i poznaję, że jest naprawdę zauroczony tą kobietą. Nie wyobrażam sobie, jak można pójść do łóżka z oziębłą, twardą jak kamień Marthą Dunne. Przypuszczam, że nie ma logiki w pożądaniu, chociaż powab pieniędzy jej ojca też musiał być ogromny.

– Więc nakłoniła cię do pomocy w usunięciu przeszkody – mówię, próbując przepędzić z głowy obraz Savile'a spółkującego z Marthą Dunne.

Wsysa policzki.

– Wiedziałem, że przez wiele miesięcy będę razem z Robertem na morzu. Na pokładzie okrętu jest mnóstwo okazji, żeby się zdarzył wypadek.

– Ale Dunne był doświadczonym żeglarzem, w przeciwieństwie do ciebie, panie – podkreślam. – Dlatego zabrałeś gałkę muszkatołową, żeby go otumanić i zepchnąć za burtę?

– Nie miałem tak wyraźnie opracowanego planu – mówi, oglądając paznokcie. – Wyniknął bardziej naglący problem.

– Stwierdziła, że jest brzemienna.

Ledwie dostrzegalnie kiwa głową.

– Słyszałem, że ty to zauważyłeś. Masz, Bruno, zaskakująco bystre oko. Większość bezżennych mężczyzn przez kilka miesięcy nie dostrzegłaby oznak. Ale przecież byłeś mnichem, oczywiście… Przypuszczam, że ty i twoi braciszkowie zrobiliście kupę dzieci niezliczonym służebnym dziewkom w Rzymie, prawda?

– W Neapolu – poprawiam cierpko. – Setki.

– Mów dalej, sir Williamie – odzywa się Drake spod okna.

– Z początku myślała, że zdoła zachować odmienny stan w sekrecie, żeby mąż się nie dowiedział przed wyjściem w morze. Tylko on mógł zaprzeczyć ojcostwu i gdyby wszystko poszło dobrze, nie wróciłby, żeby to uczynić. Ale Martha bardzo chorowała w pierwszych tygodniach ciąży i choć zwierzyła się tylko swojej służącej Agnes, któraś z innych sług miała oczy równie bystre jak twoje, Bruno. W ich domu w Dartington zaczęły krążyć plotki. Zarządca żywił trochę lojalności wobec swojego pana, pomimo wszystkich jego wad, i posłał wiadomość do Plymouth. Powiadomił Roberta, że jego żona być może nosi pod sercem dziecko, oczywiście wiedząc o tym, iż Robert nie widział się z nią od tygodni. Doniósł mu również o mojej gościnie w ich domu, gdy byłem w drodze do Plymouth.

– Więc Robert nie miał raczej wątpliwości co do ojcostwa. Próbował cię szantażować, panie?

– Szantażować? – Marszczy brwi, jakby nie rozumiał, o co mi chodzi.

– Dla pięciu złotych aniołów. Czy napisał listy z pogróżkami, że cię wyda?

Savile ma skonsternowaną minę.

– Cóż za dziwne pytanie. Oczywiście, że nie. Zrobił to, co robi szanujący się mężczyzna, gdy się dowiaduje, że żona przyprawiła mu rogi. Dał mi w pysk. – Pociera strupek na rozciętej wardze.

– Ale jego zachowanie sugerowało, że w tym czasie już był pod wpływem gałki muszkatołowej. Dlaczego mu ją dałeś? Czy zaczepił cię, panie, wcześniej?

– Tego wieczoru, zanim towarzystwo udało się na brzeg, zaprosił mnie do swojej kajuty. Oczywiście byłem zaniepokojony. Na wszelki wypadek zabrałem trochę zaprawionego wina. Pomyślałem, że jeśli dam mu dawkę gałki, zacznie mówić bez sensu i w ten sposób, jeśli wysunie jakieś chore zarzuty, zawsze będę mógł się obronić, że to był pijacki bełkot.

– Oskarżył cię?

– W tym czasie był w pełni władz umysłowych. Powiedział mi tylko, że otrzymał list od zarządcy i chce wiedzieć, czy to prawda. Zaproponował, byśmy porozmawiali na osobności, przy winie. – Savile wygina palce i patrzy na Drake'a. – Wszystkiego się wyparłem, oczywiście. Wyjaśniłem, że zajechałem do jego domu, bo go szukałem, i gdy stwierdziłem, że go nie ma, pociągnąłem dalej już prosto do Plymouth. Dałem mu do zrozumienia, że jego zarządca prawdopodobnie próbuje narobić kłopotów, podkopać autorytet Marthy i zaprowadzić własne rządy podczas jego nieobecności, jak to często robią służący. – Wyniośle macha ręką, jakbyśmy wszyscy sympatyzowali z przebiegłymi sposobami służby domowej. – Powiedziałem, że powtarzanie takich bezpodstawnych plotek, zwłaszcza w zasięgu słuchu innych ludzi, będzie czystą głupotą, i robiąc to, splami honor swój i żony. Chciał w to wierzyć. Złapał mnie za nadgarstki i przeprosił za podawanie w wątpliwość mojej reputacji.

Więc to wtedy urwał się guzik, myślę.

– Ale musiałeś mieć pewność, że nie powtórzy zarzutów publicznie.

– Tak, z pewnością rozumiesz moje trudne położenie – mówi, jakby jego poczynania były oczywiste dla każdej rozsądnej osoby. Wstaje, podchodzi do kominka i odwraca się w moją stronę. – Zgodził się, że prawdopodobnie mam rację co do zarządcy. Obiecał nic nie mówić, dopóki nie dostanie wiadomości od Marthy. Ale nie byłem przekonany, bo nigdy nie słynął z dyskrecji, i wiedziałem, że często się zwierzał Hiszpanowi Jonasowi. Nie chciałem, by moje nazwisko kojarzono z pogłoskami takiej natury, a już na pewno nie w zasięgu słuchu kogoś należącego do załogi.

– Tak, to mogłoby uczynić mniej wiarygodnym wypadek, który planowałeś, sir Williamie. Szczególnie gdybyś później oświadczył się wdowie.

– Oczywiście. – Nie wydaje się speszony. Zastanawiam się, dlaczego jest z nami taki szczery. Może podejrzewa, że wszystko już i tak odgadliśmy.

– Więc zadecydowałeś, iż trzeba przyśpieszyć ten wypadek?

– Kto opowiada tę historię, ja czy ty, Bruno? – Uśmiecha się, błyskając zębami, ale jest wściekły. Gestem przyznaję mu rację i daję znać, że chcę wysłuchać jego wersji do końca.

– Uznałem, że na jakiś czas zapobiegłem kłopotom, ale wiedziałem, iż Robert długo nie będzie chować tajemnicy dla siebie. Postanowiłem pójść za nim tego wieczoru. Często chadzał do Domu Westy, ale ostatnio widywano go z jakimiś nieznajomymi, zapewne w związku z długami karcianymi, w bardziej podejrzanych częściach miasta. To mi odpowiadało, wszyscy uznaliby, że szlachcic padł ofiarą bandytów w jakiejś ciemnej uliczce. Gdyby znaleziono go martwego, pojawiłoby się niewiele wątpliwości, bo przecież wszyscy wiedzieli, że Dunne'a ścigają wierzyciele. – Wzrusza ramionami. – Pomyślałem, że gałka muszkatołowa pomoże mi go unieszkodliwić.

– Ale zadziałała szybciej, niż się spodziewałeś. – Wskazuję na jego wargę.

– Tak. – Ostrożnie dotyka skaleczenia. – Tego nie dało się przewidzieć. Najpierw poszedł z innymi Pod Gwiazdę, więc też tam poszedłem. Już wtedy zaczął się dziwnie zachowywać. Powtórzył wcześniejsze słowa, tym razem bardziej agresywnie. Próbowałem odciągnąć go od gromady, bojąc się, że koś usłyszy, ale stawiał opór i mnie uderzył. Na moje szczęście wyrzucono go z gospody, zanim mógł wszcząć bijatykę albo przyciągnąć uwagę na jej powód. – Szeroko rozkłada ręce, jakby mówił: Co innego mogłem zrobić? – Poszedłem za nim do Domu Westy, myśląc, że spotkam go przy wyjściu i zaprowadzę w jakieś bardziej odludne miejsce. Nie miałem okazji. Kiedy wyszedł, towarzyszył mu ojciec Pettifer.

– Kapelan? – Patrzę na niego w zdumieniu. Dobry ojciec w osławionym burdelu? – Co on tam robił?

Savile obrzuca mnie spojrzeniem, które sugeruje, że uważa to pytanie za głupie, ale to Drake udziela odpowiedzi.

– Pomyślałbym, że modlił się o ich dusze.

Savile wybucha śmiechem. Odwracam się, żeby zobaczyć, czy Drake żartował. Ma absolutnie poważną minę.

– Przypuszczam, że między innymi na tym polega jego dobroczynna praca w mieście – mówi. – Niektórzy księża bardzo poważnie traktują przykład Pana w głoszeniu słowa bożego wśród nierządnic i właścicieli takich przybytków.

Savile znowu prycha.

– Wątpię, żeby tylko to… – Urywa w połowie zdania, skarcony spojrzeniem Drake'a, i zwraca się do mnie: – Więc teraz, Bruno, wiesz tyle, co sir Francis, i tyle, ile jestem w stanie powiedzieć. Ponieważ to, co spotkało Roberta Dunne'a po powrocie na *Elizabeth*, to nie moje dzieło. – Kończy, wzruszając ramionami, jakby mnie wyzywał, żebym mu zaprzeczył.

– Jak to?! – mówię rozzłoszczony jego pewnością siebie. – Właśnie się przyznałeś, że owej nocy chciałeś zabić Dunne'a.

Kręci głową.

– Macie wystarczające dowody, by wiedzieć, że pragnąłem jego śmierci. Gdy Sidney wtargnął do pokoju Marthy, dumny ze swojej przebiegłości, raczej nie mogłem się wyprzeć romansu. Dlatego współpracuję, mówiąc prawdę.

– To bardzo mądre z twojej strony. Przyznajesz się do każdego oskarżenia prócz najważniejszego, a potem próbujesz negocjować, sir Williamie.

Niecierpliwie kląska językiem.

– Nie przeczę, że zyskałbym na śmierci Dunne'a, ale nie wtedy, gdyby została uznana za samobójstwo, i w tym cała moja obrona. Nie trzeba dodawać, że to nie leżało w interesie Marthy, gdyż mogłaby stracić wszystko. Dlatego fakt upozorowania samobójstwa przez mordercę powinien być wystarczającym dowodem, że nie ja go zabiłem.

– Ale zależało ci na szybkim uciszeniu Dunne'a, zanim powie komuś o liście od zarządcy. Poza tym pani Dunne miała wiele zyskać po śmierci ojca. Może uznałeś, że korzystna jest kolejna zmiana planu.

– Poruszasz się, Bruno, po królestwie błędnych przypuszczeń. Nie spodziewam się, żeby ktoś taki jak ty rozumiał koncepcję honoru – dodaje, krzywiąc usta. – Martha straciłaby więcej niż majątek, gdyby koroner wydał orzeczenie *felo de se*. Czekałoby ją życie z plamą samobójstwa na reputacji rodziny. Nigdy nie naraziłbym jej na coś takiego.

– Spłodziłeś dziecko z żoną innego mężczyzny, a potem planowałeś go zamordować, i masz czelność mówić o honorze? – Robię krok, dźgając palcem powietrze przed jego twarzą.

– Ścisz głos, Bruno, strażnik stoi za drzwiami – mówi, unosząc brew.

Podchwytuję ostrzegawcze spojrzenie Drake'a i powstrzymuję się od następnej riposty.

– Cóż, sir Francisie – mówi Savile, krzyżując ramiona na piersi – nie jestem pewien, co dało to spotkanie poza pozwoleniem temu katolikowi, by sobie wyobrażał, iż może uderzyć w ton moralizatorski. Nie mam nic więcej do dodania. Z wyjątkiem tego, że chciałbym, byś zabrał swojego strażnika spod mojego pokoju. W Anglii człowiek jest niewinny, dopóki nie udowodni mu się winy, jeśli dobrze pamiętam. I skoro mam nie być sądzony, moja niewinność nie budzi wątpliwości.

Drake wstaje i patrzy na Savile'a, chociaż nie odpowiada od razu. Jego szybkie oczy pomykają po jego twarzy, gdy się zastanawia, co powinien zrobić.

– Na rany Chrystusa, człowieku, wszak już cię zapewniłem, że nie ucieknę! – warczy Savile.

– Gdybyś spróbował, wyglądałoby to na przyznanie się do winy – mówi łagodnie Drake. Łączy czubki palców i wsuwa piramidkę dłoni pod podbródek. – Myślę, że sprawa zostanie zamknięta, sir Williamie, jeśli wrócisz do swojej kajuty na pokładzie *Elizabeth* – oznajmia w końcu z nienaganną uprzejmością. – To znaczy, jeśli wciąż zamierzasz z nami podróżować. Mam nadzieję, że niebawem powieją pomyślne wiatry.

Savile obrzuca go długim spojrzeniem, z podejrzliwością w oczach, jakby obawiał się podstępu.

– To inny sposób na nieformalne trzymanie mnie pod strażą, jak sądzę.

– Ależ nie. To sposób na pokazanie, że zasadniczo zgadzam się z twoim twierdzeniem o niewinności.

– Czy będę mógł wrócić na brzeg, kiedy tak postanowię?

– Oczywiście. Chociaż będzie leżało w twoim interesie, żeby do końca dochodzenia trzymać się w dyskretnej odległości od pani Dunne.

Savile milczy, rozważając propozycję, po czym kiwa głową.

– I mam twoje słowo honoru, że żaden z was nie wspomni o niczym koronerowi ani władzom miejskim? – W jego głosie pobrzmiewa ostrzegawcza nuta. Nawiązuje do wcześniej wspomnianego porozumienia: ceną za jego udział w wyprawie jest milczenie Drake'a.

Drake skłania głowę i wstaje. Wygląda na to, że uważa tę cenę za rozsądną. Patrzę na Savile'a, próbując nie reagować na triumfalny uśmiech, który powoli rozlewa się po twarzy arystokraty. W jego zachowaniu jest coś, co czyni mnie skłonnym do wiary w jego słowa, ale zawarty układ mnie rozwścieca. Savile ma zadowoloną z siebie minę bogacza przekonanego, że może się wykupić z każdego kłopotu. W milczeniu zaciskam i rozluźniam pięści. Ma słuszność, nie mam żadnego prawa, by ingerować w tę sprawę, i Drake chyba uznał ją za zamkniętą.

– Idziemy, doktorze Bruno – mówi kapitan, wskazując drzwi. Gdy do nich podchodzi, odwracam się w stronę Savile'a.

– A co z Jonasem Solonem?

Savile wygląda na zaskoczonego.

– Co z nim?

– Powiedziałeś, panie, że miałeś obawy, iż Dunne powie mu o liście zarządcy i o ciąży.

– Obawiałem się, że Dunne komuś wygada – poprawia obronnym tonem. – Wspomniałem o Hiszpanie tylko dlatego, że się przyjaźnili. – Niepokój wyziera mu z oczu.

– Moim zdaniem podejrzewałeś, że Dunne już się zwierzył Jonasowi – mówię, zapalając się do tego pomysłu. – Czy dlatego jego też musiałeś uciszyć? Czy cię oskarżył, panie?

Savile porusza głową, jakby próbował odpędzić natrętną muchę.

– Nie i nie. Hiszpan nie zamienił ze mną jednego słowa w tej sprawie. Nie mam pojęcia, czy Dunne mu się zwierzył, ale zdecydowanie nie tknąłem go palcem. To niemożliwe.

– A może jednak? Znasz hiszpański – mówię tym samym, co on, wyzywającym tonem. Kątem oka dostrzegam minę Drake'a. Z każdym kolejnym słowem rozwiązuję jego elegancką umowę z Savile'em. – Rozumiałeś, panie, o czym w łodzi rozmawiałem z Jonasem.

– Piąte przez dziesiąte. – Wzrusza ramionami. – A co to w ogóle ma do rzeczy?

Spoglądam na Drake'a. Oschle kiwa głową.

– Ty, panie, napisałeś list do kapitana Drake'a, rzekomo od Jonasa, z wyjaśnieniem jego nieobecności.

– Niczego takiego nie zrobiłem! – warczy Savile i policzki mu ciemnieją. – Rozumiem hiszpańską mowę, ale nie umiem pisać w tym języku. Tak czy owak, mam coś lepszego na swoją obronę.

– Zatem posłuchajmy.

– Nie byłem nawet w pobliżu Jonasa w noc jego śmierci. Cały wieczór spędziłem w Domu Westy. Wielu ludzi może to poświadczyć.

Kusi mnie, żeby powtórzyć moją uwagę o honorze, ale gryzę się w język. Nie moja sprawa, gdzie wtyka kutasa. Interesuje mnie tylko to, czy próbuje wykpić się z oskarżeń o podwójne morderstwo.

– Szedłeś tam i z powrotem z nabrzeża, panie – mówię. – Mogłeś iść przez Hoe i spotkać go na górze.

– Może i tak, gdybym był sam – odparowuje cios gładko. – Ale poszedłem do Domu Westy i wróciłem stamtąd w towarzystwie. Nie byłem sam przez cały wieczór.

– Czy twój towarzysz to potwierdzi? – pytam z narastającą złością, chociaż nie jestem już tak pewny jego winy.

– Tak sądzę – mówi radośnie. – Sir Francis może go spytać. Byłem z Thomasem Drakiem.

– Z Thomasem? – Drake robi zaskoczoną minę i kręci głową. – Przecież Thomas nie chodzi do Domu Westy. Nie chce.

– Może tylko tak ci mówi. – Savile ma mściwy błysk w oku. – Idź i go zapytaj. – Szeroko rozpościera ręce. – Oto co macie. Nie umiem napisać słowa po hiszpańsku i przez cały wieczór byłem w towarzystwie, kiedy Jonas spadł z urwiska albo został zepchnięty, albo cokolwiek innego mu się przytrafiło. Tak więc, Bruno, będziesz musiał wrócić z Sidneyem do waszego pokoju i wykoncypować kolejną bzdurną teorię. A teraz – dodaje – jeśli nie macie nic przeciwko temu, panowie, chciałbym dokończyć list do mojego prawnika.

◆　◆　◆

Za drzwiami Drake zamienia kilka słów z uzbrojonym strażnikiem, który kiwa głową i cicho odchodzi. Twarz kapitana jest napięta z gniewu, chociaż nie wiem, czy na mnie. Czekam, żeby się odezwał pierwszy.

– Wierzysz mu? – pyta szeptem, kiedy jesteśmy dość daleko od pokoju Savile'a. – To znaczy, co do Dunne'a?

Patrzę na niego. Spodziewałem się reprymendy za pochopne

oskarżenie o śmierć Jonasa, ale najwyraźniej jest zakłopotany rewelacją dotyczącą brata.

– Chyba tak – mówię powoli, mój osąd dopiero zaczyna się krystalizować, gdy układam zdanie. – Nie wątpię, że potrafi być bardzo przekonującym kłamcą, ale był wyraźnie zaskoczony pytaniem o szantaż i mam wrażenie, że udzielił szczerej odpowiedzi. Nie miał pojęcia, o czym mówię.

Drake kiwa głową. W milczeniu dochodzimy do końca korytarza.

– A czy ty mu wierzysz, sir Francisie? – pytam, ośmielony.

– Jestem skłonny uwierzyć w jego wersję – mówi, starannie dobierając słowa. To nie to samo, myślę, ale nie komentuję. – Chociaż będę musiał pozmawiać z bratem. – Znowu zaciska zęby.

– Wybacz, nie mogłem przewidzieć, że Thomas Drake zostanie w to wciągnięty – zaczynam, lecz on ruchem ręki zbywa moje przeprosiny.

– Przez wszystkie te lata, kiedy byłem burmistrzem Plymouth, próbowałem coś zrobić z tym siedliskiem nierządu, jak już mówiłem. – Jego słowa padają szybko i są ostre. – To nikczemność, żeby wśród cywilizowanych chrześcijan handlowano dziewczętami jak koniną.

– I wyrzucano je na ulicę, kiedy zostaną uznane za zajeżdżone kobyły.

– Właśnie. – Kręci głową. – Możesz sobie wyobrazić, z jakim sprzeciwem się spotkałem. Doszedłem do przekonania, że niektórzy rajcowie biorą łapówki, żeby blokować każdą próbę zamknięcia tego burdelu.

– Pewnie przekonują, że tam, gdzie są marynarze, zawsze będą dziwki.

– Tak, choć wiesz, że król Henryk, ojciec królowej, na pewien czas zamknął wszystkie burdele w Southwark. Więc można to zrobić.

– Był królem Anglii.

Obdarza mnie pełnym zmęczenia uśmiechem i klepie po ramieniu.

– Prawda. Burmistrz Plymouth dysponuje zdecydowanie mniejszą władzą. W końcu starałem się chociaż poprawić warunki bytowania tych dziewczyn. Naciskałem na miejscowych duchownych, prosząc o zaangażowanie, powołując się na kwestię sumienia i miłości bliźniego. Ojciec Pettifer służył mi wielką pomocą, próbował pośredniczyć w rozmowach z właścicielką o umieszczaniu niechcianych dzieci w chrześcijańskich rodzinach i o znajdowaniu uczciwej pracy dla dziewczyn, które przestają być potrzebne w tej profesji.

– Przyznam, że byłem zaskoczony, słysząc o jego wizycie w Domu Westy. Zakładałem, że jest gotów piętnować takie miejsca, a nie je odwiedzać.

Drake się uśmiecha.

– Tak. Pettifer może się wydawać trochę pompatyczny. Ale pod fanfaronadą jest dobrym kapłanem, inaczej nie zabierałbym go na wyprawę. Nie boi się ubrudzić rąk.

Może to dobrze robi jego poczuciu wyższości moralnej, myślę nieżyczliwie. Potem przypominam sobie o nielegalnym handlu niechcianymi dziećmi i cień podejrzliwości przemyka mi przez głowę.

– Domyślam się, że właścicielka burdelu była zachwycona jego interwencją.

– Była wściekła, rzecz jasna – mówi Drake. – Ale z czasem osiągnęliśmy kompromis, który zadowolił obie strony. Uznała, że lepiej ścierpieć wizyty Pettifera, niż walczyć z sankcjami, jakie mogłem wdrożyć przeciwko jej działalności. Chociaż miało to miejsce cztery lata temu. Nie sądzę, żeby to, co się tam dzieje, spędzało sen z powiek obecnemu burmistrzowi. – Ściąga usta. – Ale nigdy nie przypuszczałem, że Thomas się tam pokaże, wiedząc, co myślę o tym miejscu.

– I ojciec Pettifer kontynuuje swoją dobroczynną pracę? – pytam, pilnując się, żeby mój głos brzmiał neutralnie. Drake spogląda na mnie kątem oka.

– Na to wygląda, chociaż nie rozmawialiśmy o tym od długiego czasu. Powiedział, że znalazł dziewczyny wyjątkowo chętne.

– Nie wątpię.

Patrzymy na siebie przez chwilę i wybuchamy śmiechem. Śmiech zmniejsza napięcie, które narastało od chwili wyznania Savile'a. Czuję, że moje ramiona się odprężają; cały czas czekałem na reprymendę sir Francisa.

– Oczywiście chętne do słuchania nauk Chrystusa – dodaje, wciąż uśmiechnięty. – Powiedział, iż dziewczętom spodobał się pomysł, że duchowny będzie się z nimi modlić. Wedle właścicielki to podniosło ich morale, więc się nie sprzeciwiała. Sądzę, że kapelan wysłuchuje też ich spowiedzi, chociaż tego mi nie powiedział.

– *Dio porco!* Jakież to muszą być wyznania. Nic dziwnego, że zawsze ma taką minę.

– Jaką minę?

– Jakby ktoś wsadził mu korek w tyłek i lada chwila miał eksplodować od ciśnienia.

Drake próbuje powstrzymać się od śmiechu.

– To bardzo złośliwy sposób na opisanie sługi bożego, Bruno. Nigdy więcej nie będę mógł na niego spojrzeć bez tych słów przychodzących mi na myśl. – Przystaje na szczycie schodów. – Mam nadzieję, że obaj z sir Philipem przyjmiecie zaproszenie na dzisiejszą kolację z Dom Antoniem. Rzecz jasna, jeśli się czujesz na siłach. Biedaczysko, rozpaczliwie pragnie inteligentnego towarzystwa, ale nie mogę go bawić przez cały dzień. Muszę wrócić na okręt. Byłem tam nieobecny dłużej, niżbym sobie życzył.

– Oczywiście, chociaż jest jeszcze jedna sprawa. – Rozglądam się, żeby sprawdzić, czy Hetty albo ktoś inny nie czai się w jakimś kącie. – Zgodziliśmy się, że sir William mówi prawdę, zatem…

– Zatem morderca wciąż przebywa na wolności – kończy cicho.

– I wciąż go szukamy.

Przekrzywia głowę i obrzuca mnie przeciągłym spojrzeniem.

– Jestem nieskory prosić cię o więcej, Bruno, nie po tym wszystkim, przez co przeszedłeś. Jeśli nie chcesz się tym zajmować, wystarczy, że powiesz.

– Dałem ci słowo, sir Francisie, że pomogę. Nie lubię zarzucać zadania przed jego ukończeniem.

– Zacny z ciebie człowiek. – Klepie mnie po ramieniu. – Miłej kolacji. I miej oko na Sidneya, spróbuj go pohamować. Wiem, że chce pomóc, ale… – Kręci głową i zostawia myśl niedopowiedzianą.

Przytakuję.

– Atmosfera na pokładzie będzie nie do zniesienia, prawda? Teraz, gdy Sidney rzucił Savile'owi w twarz te oskarżenia.

– Tak. – Twarz sir Francisa znowu poważnieje. – Właśnie o tym myślałem.

25

W szynku na dole panuje duży ruch. Pomimo wysiłków Drake'a mających na celu zachowanie tajemnicy wieści szybko się rozeszły po mieście i jeszcze rozrosły w trakcie powtarzania. Dwa zgony w załodze Drake'a stały się oczywiście źródłem niezdrowej sensacji i tematem dla miastowych plotkarzy, ale zabójstwo dwóch żołnierzy na Wyspie Świętego Mikołaja spowodowało wybuch wściekłości już w chwili, gdy przywieziono zwłoki do miasta. Obaj pochodzili stąd i mieli rodziny; gospodyni Judith powiedziała, że ludzie będą żądać ukarania winnych za ich śmierć. Bystrzy obserwatorzy zauważyli nocny ruch małych łodzi Drake'a wokół wyspy i powiązali jedno z drugim, dając początek plotce, że przednia straż hiszpańskich najeźdźców wylądowała na wyspie i przeniknęła do Plymouth. Co bardziej łatwowierni obywatele zaczęli pakować dobytek, gotowi uciec z miasta. Niektórzy mówili, że klątwa ciążąca nad wyprawą Drake'a ściągnęła na Plymouth gniew Boga albo diabła. Przepowiadali, że ludzie będą umierać, dopóki okręty sir Francisa nie wyjdą w morze.

– To nie ułatwi życia podobnym do ciebie, panie – mówi gospodyni Judith, patrząc na mnie z westchnieniem. – Ani żadnemu z cudzoziemskich kupców, skoro o tym mowa. Chociaż nie przeczę, że jest dobre dla moich interesów. – Macha ręką, wskazując zatłoczoną sień. – Wszyscy oni przyszli zobaczyć Drake'a i jego kapitanów.

Przed szynkiem wpadam na Gilberta Crosse'a z rulonem papierów w garści.

– Dzień dobry, Gilbercie. Widzę, że się śpieszysz.

– Ach, doktorze Bruno. – Szybko mruga i ze znękaną miną spogląda na schody za moimi plecami. – Nie idziesz przypadkiem na górę zobaczyć się z sir Francisem? Napłynęły do niego jakieś wiadomości, a właśnie śpieszę do papiernika po więcej papieru i inkaustu, zanim zamknie sklep na noc. Z uwagi na wszystkie te dramatyczne wydarzenia sir Francis prowadzi obszerną korespondencję i zapasy nikną w oczach. W takim tempie nic nie zostanie na podróż. O ile do niej dojdzie – kończy z przygnębioną miną.

– Przed chwilą się z nim rozstałem – powiadam, na wpół się odwracając. – Sądzę, że ma zamiar niebawem wrócić na pokład *Elizabeth*. Chcesz, żebym mu to przekazał?

– Nie, nie, nie rób sobie kłopotu, panie – mówi, już mnie mijając. – Raczej miałeś ich już pod dostatkiem. – Wskazuje na moje siniaki. – Cieszę się, widząc, że już jesteś bezpieczny – dodaje ściszonym głosem. – Zeszłej nocy ludzie wiele gadali, gdy widzieli te wszystkie łodzie wokół Wyspy Świętego Mikołaja. Nie znam szczegółów, wiem tylko, że lady Drake była w niebezpieczeństwie i żeście pomagali sir Francisowi. Czy miało to związek z Robertem Dunne'em albo Jonasem? Czy flota jest zagrożona? – Patrzy na mnie wyczekująco, trzepocząc powiekami za szkłami okularów.

Uśmiecham się.

– Lady Drake nie była w żadnym niebezpieczeństwie, zapewniam. Ani flota. Pozwól, zabiorę listy na górę.

– Dobrze. – Wzdycha. – Prawie zawsze pilnuję, żeby doręczać je osobiście. To ja byłbym odpowiedzialny, gdyby coś zaginęło. Wyobrażasz sobie? Życzę miłego dnia, doktorze Bruno.

Mija mnie i jest prawie przy zakręcie schodów, gdy pewna myśl wpada mi do głowy.

– Gilbercie! – Biegnę za nim. – Zawsze osobiście doręczasz listy sir Francisowi? Czy czasami prosisz innych, żeby zabrali je do jego kajuty, jeśli akurat jest im po drodze?

Ściąga brwi.

– Prawie zawsze doręczam je do rąk własnych, jak mówiłem, ale są wyjątki, rzecz jasna… gdy się śpieszę i napotykam zaufaną osobę w drodze do kapitana, wówczas proszę o przekazanie korespondencji. Dlaczego pytasz, panie? – Mówi obronnym tonem, jakby się bał, że mogę go oskarżyć o niedopełnienie obowiązków.

– W dzień śmierci Roberta Dunne'a – mówię, zniżając głos – czy prosiłeś kogoś, żeby zabrał listy do kapitana Drake'a?

Krzywi się.

– Nie jestem pewien, czy pamiętam... Każdy był tego dnia wzburzony. Wcześnie udałem się na nabrzeże, by znaleźć koronera, i pamiętam, że jak zwykle zabrałem z gospody pisma dla kapitana. Wróciłem na okręt znacznie później niż zwykle.

– Spróbuj sobie przypomnieć. Tego dnia kapitan dostał niezwykły list. Zastanawiam się, czy był wśród tych, które odebrałeś Pod Gwiazdą.

– Niestety, nie przejrzałem ich szczegółowo – mówi, przygryzając wargę. – Ale... tak... wróciłem na pokład tuż przed kolacją. Szedłem do kajuty kapitana, gdy wpadłem... tak, teraz mi się przypomina! Masz rację, tego dnia powierzyłem listy komuś innemu.

– Komu?

Mruczy nazwisko. Kiwam głową, rozumiejąc, gdy kawałki układanki trafiają na swoje miejsce.

26

Znajduję Sidneya w prywatnej jadalni z Dom Antoniem i jego towarzyszami. Dwóch uzbrojonych ludzi stoi po obu stronach drzwi. Sidney pytająco unosi brwi, a ja leciutko kręcę głową.

Dom Antonio unosi wzrok i jego pogrzebowa mina odrobinę się rozjaśnia.

– Ach! Oto nasz włoski bohater. Wybawca kobiet, mściciel złych uczynków.

Macham ręką zakłopotany.

– Niezbyt skuteczny mściciel, jak się obawiam. Złoczyńcy uciekli.

– Mimo wszystko, przyjacielu, ocaliłeś życie młodej kobiety. Niewielu z nas może powiedzieć to samo o sobie. Mam rację, sir Philipie?

Sidney uprzejmie chrząka i patrzy na mnie ze sztucznym uśmiechem. Wskazuję drzwi.

– Wybaczcie mi, Dom Antonio, panowie, ale czy mogę pożyczyć sir Philipa? Obawiam się, że sprawa jest pilna.

Portugalczyk unosi ręce na znak, że się poddaje. Sidney ze zgrzytem cofa krzesło i wychodzi za mną. Nie może pohamować ciekawości.

– I co? – szepcze, gdy jesteśmy poza zasięgiem słuchu strażników.

– Chyba wiem, kto jest zabójcą. Chodź ze mną.

– O czym ty mówisz? Dokąd?

Odwracam się i widzę, że stoi zirytowany z rękami wspartymi na biodrach.

– Nie powiedziałeś mi nic o Savile'u – syczy. – Myślałem, że wszyscy się zgodziliśmy co do tego, że on jest zabójcą. Praktycznie się przyznał, więc mi nie mów, że uwierzyłeś w jego zaprzeczenia. I co teraz, wysmażyłeś jakąś nową teorię?

– Nie wierzę, że Savile jest sprawcą. Drake podziela moje zdanie. Przyznał się, że planował zabić Dunne'a. Nie powiedziałby tego, gdyby nie sądził, że wyznanie oczyści go z podejrzeń o morderstwo.

– Jest przebiegły. Myśli, że może nas zwieść przez manipulowanie prawdą. I najwyraźniej dałeś się nabrać. I próbujesz zrobić ze mnie idiotę, prawda?

Słyszę frustrację w jego głosie. Wzdycham.

– Nie chodzi o ciebie, Philipie. Savile nie mógłby zabić Jonasa... Thomas Drake może poręczyć, gdzie był przez całą noc.

Sidney spuszcza nos na kwintę.

– Jesteś pewien? Savile jest sprytny, mógł się po cichu wymknąć.

– Drake rozmawia o tym z bratem. Ale przynajmniej odkryłem, skąd wziął się list z wersem o Judaszu.

– Naprawdę? – Philip robi sceptyczną minę.

Rozglądam się po sieni. Ludzie przepychają się w drodze do szynku, chociaż niektórzy krążą u stóp schodów, może w nadziei, jak zasugerowała gospodyni Judith, że zobaczą Drake'a.

– Nie powinniśmy tutaj rozmawiać. Chodź ze mną, wyjaśnię ci po drodze.

Wzdycha teatralnie.

– Niech ci będzie. Dokąd idziemy?

– Do Domu Westy.

– Na miłość boską... Nie stać mnie na kolejne wizyty. – Przewraca oczami. – Poza tym jest biały dzień, jeszcze nie otworzyli, prawda?

– Mam nadzieję, że mimo wszystko znajdę to, czego potrzebuję.

– Ha. – Strzela knykciami. – Obiecasz, że tym razem nie wyskoczysz przez okno?

Uśmiecham się.

– Postaram się. Kolejna taka noc chybaby mnie zabiła.

– Nic się ciebie nie ima, Bruno. Jesteś niezniszczalny. Bóg jeden wie, z czego jesteś zrobiony, ale nie jest to zwyczajne ciało i krew, daję słowo.

– Założyliśmy, że ten, kto przysłał Drake'owi list z cytatem z *Ewangelii Mateusza*, zostawił go Pod Gwiazdą, żeby Gilbert zabrał go wraz z resztą korespondencji – mówię, gdy jesteśmy na zewnątrz. – Raczysz zwolnić? – Sidney sadzi długimi susami i nawet w najlepszej kondycji mam kłopoty z dotrzymaniem mu kroku. Odczuwam ból w niespodziewanych miejscach i utykam, by go złagodzić. – I to mi dało do myślenia, ponieważ oznaczało, że zabójca mógł go zostawić poprzedniego wieczoru, zanim Dunne został zamordowany. Ale nikt Pod Gwiazdą nie pamiętał, aby ktoś wieczorem przyniósł jakiś list, i wiemy, że nie pochodził od Jenkesa.

– Przecież Drake powiedział, że Gilbert przyniósł mu list z gospody razem z innymi – mówi, w końcu zwalniając i pozwalając mi trochę odsapnąć.

– List został doręczony z innymi, dlatego wyglądało na to, że pochodził z gospody. Ale Gilbert był tego dnia zaganiany, zajmując się różnymi sprawami. Przekazał list komuś, komu ufał, komuś, kto właśnie szedł na spotkanie z Drakiem.

– I myślisz, że ten człowiek wsunął list między inne, jakby przybył wraz z nimi? – Szeroko otwiera oczy. – Kto to był?

– Ktoś, kto jest częstym gościem w Domu Westy, choć wcale byś tak nie pomyślał. Ale potrzebuję dowodu, zanim stanę z nim twarzą w twarz.

Choć naciska, nie mówię nic więcej. Docieramy do Looe Street i widzimy szyld apteki.

Sidney ściska mnie za ramię.

– Co zrobimy? Ona nas nie wpuści, wiesz, nie po tym, co wydarzyło się ostatnim razem. Prawdopodobnie wezwie swoich osiłków, którzy dopilnują, żebyśmy więcej tam nie wrócili.

– Nie będę z nią rozmawiać – mówię, otwierając drzwi zakładu aptekarza.

Zawsze lubiłem atmosferę aptek: wiszące w powietrzu ostre, gorzkie zapachy ziół, osiadająca na szybach para z alembików, schludne rzędy buteleczek i słoików z różnorakimi osobliwościami na półkach, aura fachowości roztaczana przez samych aptekarzy, którzy niekiedy są równie doświadczeni i obeznani w sztuce uzdrawiania jak medycy, gdy chodzi o funkcjonowanie ludzkiego organizmu. Znacznie częściej jednak to sympatyczni oszuści, którzy sprzedają zioła ogrodowe i słodzoną wodę z solennymi obietnicami, że ich mikstury zapewnią długie życie i odporność na choroby. Zaraz po wejściu do tej apteki przypominam sobie, co ubiegłego lata przeżyłem w Canterbury, i przebiega mnie drżenie. Sidney na mnie zerka i zamyka za sobą drzwi.

Aptekarz, niski, gładko ogolony mężczyzna o niespokojnych oczach i rzedniejących włosach, smukłymi palcami skubie liście i wrzuca je do białego marmurowego moździerza.

– Panowie – mówi, witając nas skinieniem głowy bez przerywania zajęcia. Wreszcie kończy i przygląda mi się bez skrępowania. – Na niebiosa, panie… nie wiem, od czego zacząć! – Dostrzegam błysk w jego oku, gdy wychodzi zza kontuaru, żeby przyjrzeć mi się z bliska; już wietrzy dobry interes. – Potrzebny będzie balsam na oparzenia. Wprawdzie rany nie wyglądają na zbytnio poważne, ale często te powierzchowne są najbardziej bolesne. I tynktura z pomornika na siniaki. Z twojej postawy wnoszę, że boli was w boku. Żebra czy mięśnie? Mogę sporządzić kataplazm na jedno i…

Unoszę rękę, żeby go powstrzymać.

– Szukam waszego chłopaka.

Jego rysy twardnieją.

– Jakiego chłopaka?

– Toby'ego. Waszego ucznia.

– Tu nie ma żadnego Toby'ego. – Twarz ma pełną rezerwy, już nie trajkocze jak gorliwy sprzedawca.

– W takim razie tego chłopca, jakkolwiek mu na imię. Nie zabiorę dużo czasu, chcę tylko z nim pomówić.

Zerka przez ramię w kierunku zaplecza. Słychać, że ktoś tam jest.

– Bez względu na to, jaką masz, panie, sprawę, możesz ją z nim omówić po skończonej pracy. – Jego głos jest stanowczy, ale oczy wciąż niespokojne. Zastanawiam się, czy wie albo podejrzewa, co Toby robi w domu po sąsiedzku; jeśli tak, nie chce, żeby kojarzono to z jego apteką.

Myślę nad przekonującym argumentem, kiedy nagle w drzwiach pojawia się Toby, ubrany w fartuch z workowego płótna i wycierający ręce w gałganek. Podskakuje na mój widok i zamiera, niepewny, czy uciec, czy udawać, że mnie nie zna.

– Witaj, Toby – mówię z uśmiechem.

Coś duka, obrzucając chlebodawcę przestraszonym spojrzeniem.

– Nie będę ci długo przeszkadzać – mówię jak najłagodniej. – Tylko jedno krótkie pytanie. O Owidiusza.

Twarz już ma zarumienioną od pary z alembiku; teraz kolor ten się pogłębia od szyi po linię włosów. Otwiera usta i nie znajduje słów.

– Zastanawiam się, zacny człowieku, czy zdołasz mi pomóc – zaczyna Sidney swoim arystokratycznym głosem, zwracając się do aptekarza. – Od dawna szukam lekarstwa, które znosiłoby przykre skutki po wypiciu zbyt dużej ilości wina. Jeśli ktoś znajdzie taką miksturę, będę mu dozgonnie wdzięczny. – Lekko poklepuje sakiewkę u pasa. – Czy wiesz o czymś takim? – Błyska swoim oszałamiającym uśmiechem i nagle aptekarz ma dylemat, na czym skupić swoją uwagę. Ostrym gestem odprawia chłopaka, który przywołuje mnie do drzwi.

Podczas gdy Sidney czaruje aptekarza, idę za Tobym wąskim przejściem wzdłuż szczytu budynku. Tu, pomiędzy domy, słońce nie zagląda, ale rozpoznaję uliczkę – prowadzi na podwórze przed Domem Westy. Chłopak chyba odgaduje moje obawy, bo zerka w kierunku wylotu uliczki i pochyla głowę, jakby w ten sposób trudniej go było zobaczyć.

– Musimy się śpieszyć – szepcze. – Już za to na pewno oberwę. Widzisz, panie, mój mistrz boi się o reputację. Pewnie myśli… – Obrzuca mnie znaczącym spojrzeniem i nie kończy zdania. Postanawiam przejść prosto do rzeczy.

– Chodzi mi o książkę, którą masz w swojej sypialni, tę od jakiegoś dżentelmena.

Jego całe ciało się pręży.

– Czemu?

– Jest mi potrzebna.

– Po co?

– Może mi pomóc w złapaniu mordercy.

Robi wielkie oczy, ale kręci głową.

– Nie mam jej.

Uczucie zawodu ciąży mi w brzuchu jak kamień.

– Sprzedałeś?

– Oczywiście, że nie. – Przez chwilę wygląda na urażonego, potem spuszcza wzrok. – Madame Grace ją znalazła. Nie uwierzyła, że to prezent.

– Toby, nikt w to nie wierzy.

Porusza ramionami i unosi oczy, obrzucając mnie oskarżycielskim spojrzeniem.

– Powiedziałeś jej, panie?

– Nie, przysięgam. Nie miałem czasu na rozmowy po ucieczce z twojego pokoju.

– Ciszej! – Rozgląda się, ale uliczka jest pusta. Wskazuje moje siniaki. – Słyszałem, że wyskoczyłeś, panie, przez okno. Pobili cię? Przykro mi, chociaż widziałem już ludzi opuszczających Dom Westy w gorszym stanie.

– Nie tknęli mnie. Słuchaj – mówię, pochylając się ku niemu – jeśli już nie masz książki, może masz przynajmniej kartkę, którą z niej wydarłeś? – Waha się tak długo, że biorę to za potwierdzenie. – Wydarłeś kartkę, bo jest na niej dedykacja dla właściciela, prawda? A jak nie, to jego nazwisko. Zachowałeś ją, prawda?

Znów patrzy w ziemię i z miną winowajcy kiwa głową.

– Podobał mi się obrazek. – Jego rumieniec ciemnieje.

– Toby – mówię łagodnie – naprawdę potrzebna mi ta kartka. Nie mogę wszystkiego wyjaśnić, ale może być najważniejszym dowodem.

– Wtedy poznasz, panie, jego nazwisko, a on oskarży mnie o kradzież – jęczy żałośnie chłopak.

– Już znam jego nazwisko – zapewniam cicho. Rozdziawia usta. – I nie ośmieli się o nic ciebie oskarżyć – dodaję. – Będzie zbyt zajęty bronieniem siebie.

Kręci głową.

– Madame Grace zagroziła, że mnie wyrzuci na ulicę za okradzenie klienta.

– Jeśli dasz mi tę kartkę, powiem madame Grace, że dostałeś tę książkę ode mnie. Bez tej kartki nie dowiedzie, że to nie ja. Ale jeśli ją znajdzie, będzie miała dowód przeciwko tobie.

Patrzy na mnie z powątpiewaniem.

– Odetną ci ręce za kradzież – rzucam lekkim tonem. Jego spojrzenie przesuwa się na pokryte pęcherzami palce o poobgryzanych paznokciach, a potem wraca na mnie. Groza wyziera mu z oczu. – Choć za rzecz o takiej wartości prawdopodobnie zawiśniesz.

– Zgoda, przyniosę ją – szepcze tak cicho, że ledwie go słyszę. – Ale jeszcze nie mogę tam iść, muszę czekać do końca pracy.

– Jest mi potrzebna teraz. Poza tym co będzie, jeśli madame Grace pokaże mu książkę, a on potwierdzi, że ją ukradłeś, zanim będę miał okazję z nią porozmawiać?

Marszczy twarz w głębokiej rozterce.

– Ale mistrz nie pozwoli… – Wskazuje aptekę.

– Twój mistrz jest zajęty liczeniem pieniędzy wydawanych przez mojego przyjaciela. Tobie bieg na górę i z powrotem zajmie tylko chwilę. Pośpiesz się.

Po chwili wahania pędzi w głąb uliczki i znika za rogiem.

Mijają minuty. Po pięciu zaczynam się martwić; może zapomniał, gdzie schował kartkę, a może właścicielka burdelu go przyłapała. Oglądam się na drzwi apteki. Jeśli prędko nie wrócimy, aptekarz wyjdzie, zachodząc w głowę, dlaczego odciągnąłem jego ucznia od pracy na tak długi czas, i będzie pełen obaw, jaką scenę zepsucia może zobaczyć w zaułku. Mogę liczyć tyko na to, że Sidney go zagaduje. Pewnie wynajduje bolączki warte całego podręcznika medycyny.

Moja ulga na dźwięk kroków z podwórza jest krótkotrwała, gdyż nakłada się na nie kobiecy głos, a potem cicha odpowiedź mężczyzny. Daję nura do sklepu, gdzie aptekarz i Sidney jednocześnie unoszą głowy znad jakiegoś zielonkawego proszku. Patrzą na mnie tak, jakbym przeszkodził im w intymnej chwili.

– Gdzie mój uczeń? – pyta aptekarz takim głosem, jakbym właśnie zakopał chłopaka w zaułku.

– Chyba poszedł za potrzebą – odpowiadam uprzejmie. Robi gniewną minę.

– Co mówiłeś, dobry człowieku? – Sidney wskazuje aptekarzowi substancję wyłożoną na nawoskowanym papierze.

Nie mamy okazji usłyszeć, jakież to cudowne lekarstwo aptekarz ma do zaoferowania, bo nagle drzwi się otwierają. Wchodzi madame Grace, zdejmuje rękawiczki, przynosząc z sobą podmuch lawendowych perfum. Ma wyniosłą postawę i jest opanowana niczym dama dworu. Niesie pleciony koszyk i aksamitną sakiewkę na cienkim złotym łańcuszku. Unosi starannie wyskubane brwi ze zdziwienia.

– Ha, czyż to nie nasi przyjaciele... – Porusza palcami. – Wybacz, panie, zapomniałam twojego nazwiska.

– A ja sądzę, pani, że dobrze je pamiętasz – mówię bez uśmiechu. Jej ostre spojrzenie wędruje po mnie od góry do dołu.

– Nie wyglądasz zbyt dobrze, panie. Może nie odpowiadają ci trudy życia w Plymouth. – Zwraca się ku Sidneyowi z eleganckim dygnięciem. – Dzień dobry, sir Philipie. Ufam, iż ty jesteś w lepszym zdrowiu. – Jej twarz jest obojętna, ale nie ma wątpliwości, że z niego szydzi. Aptekarz wytrzeszcza oczy i prostuje plecy, rozumiejąc, że przebywa w obecności dżentelmena. Może żałuje, że nie podał mu wyższych cen.

– Rad jestem, pani, że ponownie cię widzę – mówię, dostosowując się do jej gładkiego obejścia. – Chciałem spytać o twojego przyjaciela, Johna Doughty'ego.

Blednie pod różem na policzkach, ale nie traci zimnej krwi.

– Mylisz się, panie, nie znam nikogo takiego.

– Doprawdy? To ciekawe, bo wyraźnie powiedział, że się znacie. Może znasz go pod innym nazwiskiem. W każdym razie jest poszukiwany za morderstwo, więc to dobrze, że nie jesteście w zażyłych stosunkach. Przyjaciele i bliscy znajomi z pewnością zostaną poddani przesłuchaniu jako podejrzani o ukrywanie go albo pomaganie mu w ucieczce. – Uśmiecham się z zaciśniętymi zębami.

Spogląda w okno od ulicy, gdzie widać cień barczystego strażnika, który wierci palcem w uchu.

– Zatem dobrze się składa, że nie zadaję się z ludźmi takiego autoramentu – mówi słodko i odwraca się w stronę aptekarza, jakby chciała pokazać, że temat został zamknięty i moja osoba już nie budzi jej zainteresowania.

Aptekarz podaje jej szereg pakiecików.

– Proszę, madame Grace, rutewka, bielica i mięta polej. W tym tygodniu zabrakło mi ruty, ale mogę dołożyć, gdy przyjdzie następna partia. Oczywiście uwzględnię to na twoim rachunku.

– To wszystko środki poronne, prawda? – Podnoszę słój z kontuaru i wącham zawartość. Aptekarz obrzuca mnie twardym spojrzeniem.

– To zioła mające wiele medycznych zastosowań, panie, dla tych, którzy wiedzą, jak ich używać.

– Ale głównie znane jako sposób na spędzanie płodu. Choć z tego, co słyszałem, nie zawsze działają. Oczywiście są inne sposoby na radzenie sobie z niechcianymi dziećmi.

Madame Grace udaje, że nie słyszy, zajęta sprawdzaniem paczuszek: waży je w ręce, otwiera, podnosi do nosa i ostrożnie wącha zawartość. Za każdym razem po tej kontroli błądzi wzrokiem po półkach, ma dziwne oczy, jakby była pogrążona w głębokiej kontemplacji, podczas gdy mały aptekarz kręci się za kontuarem, nerwowo czekając na werdykt. Dochodzę do wniosku, że trzeba być głupim, by próbować ją oszukać. Sidney rzuca mi ostrzegawcze spojrzenie.

W tej chwili otwierają się drzwi od strony zaułka i wchodzi zdyszany Toby. Zamiera w progu na widok madame Grace i przenosi dzikie spojrzenie ze mnie na swojego pana.

– Gdzieś ty się podziewał?! – warczy aptekarz, choć podejrzewam, że jego pokaz złości jest przeznaczony dla madame Grace. – Opróżniaj jelita w swoim czasie, chłopcze, nie w moim. I wszyscy będą mieć łatwiejsze życie, jeśli obcy ludzie nie będą przychodzić do mojej apteki, żeby o ciebie wypytywać! – Piorunuje mnie wzrokiem.

Madame Grace w końcu odwraca się ze słodkim uśmiechem.

– Pengilly, przydałoby mi się trochę gałki muszkatołowej – odzywa się do aptekarza. Żachnąłem się, ale ona nie zwraca na mnie uwagi. – Z pewnością masz trochę na zapleczu.

Rozumie sugestię i z lekkim ukłonem zostawia nas samych. Madame Grace starannie układa paczuszki w koszyku, trzymając go na ręce.

– Panowie – mówi, wciąż uśmiechnięta – obawiam się, że podczas pierwszej wizyty w moim domu nie spotkaliście się z wyszukaną gościnnością. Zwłaszcza ty, panie. – Ze współczującą miną przechyla głowę w moją stronę. – Czuję, że powinnam wam to wynagrodzić. Przyjdźcie wieczorem napić się wina jako moi goście. – Patrzy spod rzęs i jej oczy połyskują w sposób, który kiedyś musiał być porażający.

– Widziałem, jak traktujesz swoich gości, pani – odpowiadam, unikając jej spojrzenia. – Wolałbym nie powtarzać tego doświadczenia.

Kładzie białą dłoń na moim ramieniu.

– To było godne pożałowania nieporozumienie. Będę rada, mogąc z tobą, panie, pomówić. Ale proszę, żebyś nie przeszkadzał temu chłopcu, gdy jest w pracy. Mistrz Pengilly i ja mamy umowę. A ten chłopak plecie za dużo bzdur. – Przenosi spojrzenie na sylwetkę sługi za drzwiami. Toby kuli się tak, jakby go uderzyła.

– Dziękuję, pani – odzywa się Sidney, zanim mam szansę odpowiedzieć – ale wieczorem jesteśmy umówieni na kolację z kapitanem Drakiem, więc, niestety, musimy podziękować za twoje zaproszenie.

– Ja z przyjemnością z tobą porozmawiam, pani – mówię – jeśli poświęcisz mi minutę bez towarzystwa twojego przyjaciela. – Kiwam głową w stronę drzwi. – Jestem nieuzbrojony – dodaję, unosząc ręce, żeby pokazać, że nie mam broni u pasa.

– Ostatnim razem też to mówiłeś – przypomina mi cierpko.

– Szczęście, że wówczas skłamałem. Ponieważ zostałem zaatakowany przez twojego przyjaciela, Johna Doughty'ego.

Śmieje się.

– Nie znam nikogo o takim nazwisku, jak już mówiłam. Byłeś bardzo pijany tamtej nocy, panie. Obawiam się, że cierpiałeś na urojenia.

Patrzymy na siebie jeszcze chwilę dłużej. Madame Grace ostentacyjnie się odwraca.

– Masz tę gałkę, Pengilly?! – woła. – Jestem gotowa do wyjścia!

Staję przed nią, tarasując drogę do drzwi.

– Ile za nie dostajesz? Za dzieci? – pytam, rozwścieczony jej wyniosłym spojrzeniem. – Sir Francis Drake myślał, że ograniczył te praktyki, ale znalazłaś sposób, żeby obejść przepisy, prawda? Ty i twoja wspólniczka. Czyżbyś się obawiała, że Robert Dunne spróbuje ci przeszkodzić?

Po raz pierwszy okazuje zaniepokojenie; waha się, patrząc na drzwi, a potem w kierunku zaplecza. Zerkam na Toby'ego, który kuli się przy drzwiach wychodzących w zaułek, jakby próbował stać się niewidzialny. Zauważam, że zaciska prawą rękę.

– Nie wiem, panie, o czym mówisz. – Madame Grace prostuje się z lekkim drżeniem ramion. – Ale brzmi to jak złośliwe oszczerstwo, które w tym kraju jest karane przez prawo.

– Zatem oskarż mnie przed szeryfem, a ja powtórzę moje słowa. I przed burmistrzem, i przed kim tylko chcesz.

Parska cichym dźwięcznym śmiechem, w którym pobrzmiewają nutki politowania.

– Nie sądzę, żeby to było konieczne, a nadto, jak się obawiam, nie znalazłbyś u nich przychylności.

– Tak, to prawda, jesteś przekonana, pani, że trzymasz ich wszystkich za jaja – mówię, robiąc krok w jej stronę. – Jeśli wolisz, możemy pójść z tą sprawą do Izby Gwiaździstej*. Może tam znajdziemy bezstronnego sędziego.

---

* Izba Gwiaździsta, Sąd Izby Gwiaździstej (ang. *Star Chamber*) – angielski sąd w sprawach kryminalnych i politycznych. Jego posiedzenia odbywały się w jednej z sal Pałacu Westminsterskiego w Londynie, która była ozdobiona gwiazdami (stąd nazwa). Działał w latach 1398–1641.

– Izba Gwiaździsta nie będzie zawracać sobie głowy takimi prowincjonalnymi sprawami – mówi, ale tym razem jej śmiech jest wymuszony.

– Z pewnością zajmą się sprawą morderstwa szlachcica – dodaję, składając ręce na piersi.

– Obawiam się, że jesteś w błędzie. W moim domu czy w pobliżu nie został zamordowany żaden szlachcic ani jakikolwiek człowiek innego stanu.

– Ten mężczyzna mógł zostać zamordowany na życzenie twoje albo kogoś ci bliskiego. Kogoś, kto był żywotnie zainteresowany tym, by na zawsze go uciszyć.

– Sądzę, że dość już powiedziałeś, panie. Pengilly!

Aptekarz natychmiast wraca z zaplecza. Najwyraźniej czaił się tuż poza zasięgiem wzroku, podsłuchując.

– No dobrze – mówi Sidney, radośnie zacierając ręce, żeby załagodzić atmosferę. – My też powinniśmy ruszać. Wezmę wyciąg z mniszka i to drugie, to na ból brzucha. I balsam dla mojego przyjaciela. Ile?

Kładzie monety na kontuarze. Gdy błysk srebra przyciąga uwagę aptekarza, podchodzę do Toby'ego, który ma przerażoną minę.

– Do zobaczenia – mówię, wyciągając rękę do pożegnalnego uścisku. Wlepia w nią oczy, potem spływa nań zrozumienie i chwyta ją mocno. Czuję kulkę papieru pod palcami. – Uważaj na siebie i ciężko pracuj dla swojego mistrza – dodaję, kiwając głową do aptekarza, który patrzy przez chwilę i prycha. Oczy Toby'ego są pełne spanikowanych pytań; odpowiadam lekkim przeczącym ruchem głowy. Madame Grace nas obserwuje. Rozumiem, że na razie nie wie, czy mam jakiś dowód na poparcie moich oskarżeń. Jeśli wspomnę o książce, stracę tę przewagę. Nie mam innego wyboru, jak dotrzymać słowa, które dałem Toby'emu.

– I ty zadbaj o siebie, doktorze Bruno – mówi z lodowatym uśmiechem. – Ulice Plymouth mogą być niebezpieczne dla cudzoziemców. – Przeszywa mnie ostatnim spojrzeniem i wychodzi.

Aptekarz popycha Toby'ego w stronę izby na zapleczu i wskazuje na mnie palcem.

– Twój przyjaciel jest dobrym klientem, więc tym razem utrzymam język za zębami. Ale jeśli będziesz chciał, panie, w przyszłości spotkać się z chłopakiem, szukaj go poza moją apteką. Jestem bogobojnym człowiekiem. Słyszysz?

Dość bogobojnym, żeby zarabiać na życie sprzedawaniem szarlatańskich remediów na francę i poronienia dla prostytutek, chcę powiedzieć, ale ja też powściągam język. Skłaniam głowę, żeby okazać skruchę, i wychodzę.

◆ ◆ ◆

– Przeklęty głupcze – syczy Sidney, gdy idziemy ulicą. Ściska rękojeść rapiera; rozglądamy się na wszystkie strony, wypatrując madame Grace i jej muskularnego sługi. – Myślisz, że takiej kobiecie możesz rzucać prosto w twarz oskarżenie o morderstwo? Jeśli masz rację, będzie chciała uciąć ci język, zanim zdołasz to komuś powtórzyć. Będziemy mieli szczęście, jeśli wrócimy Pod Gwiazdę w jednym kawałku. Szczególnie teraz, gdy tylko jeden z nas jest uzbrojony. – Ogląda się ukradkiem i przyśpiesza kroku.

– To nie moja wina. I wcale nie wracamy Pod Gwiazdę, płyniemy na *Elizabeth*. Przynajmniej ja – mówię, kuśtykając za nim. – Muszę się tam dostać, zanim ta baba będzie miała okazję przesłać wiadomość. Nie chcę, żeby nasz człowiek został ostrzeżony.

– No to idziemy. – Śpieszymy w kierunku nabrzeża, trzymając się jak najdalej od wylotów zaułków i bocznych ulic, gdzie ktoś mógłby się przyczaić. – Ujawnij swoje wielkie odkrycie. Chociaż myślę, że już odgadłem – dodaje z zapałem. Najwyraźniej już zapomniał o wcześniejszej urazie za obrabowanie go z łupu w osobie Savile'a.

– Dlaczego człowiek zabija? – pytam.

Zwalnia, żeby iść obok mnie.

– Dla pieniędzy? Z zazdrości? Z zemsty? Dla władzy?

– Zgadza się. Albo żeby uciszyć kogoś, kto zna jego tajemnicę. Kto wie coś, co może zniszczyć jego reputację i widoki na przyszłość.

– Skończ swoje gierki i mów.

Wciągam go we wnękę drzwi jakiegoś domu, sprawdzam, czy

nikt nas nie śledzi, i rozwijam kartkę, którą Toby wcisnął mi w rękę. Jest tam rycina przedstawiająca Dafne przemieniającą się w drzewo, jej młode piersi śmiało wyglądają spomiędzy liści – widzę, dlaczego biedny Toby chciał zatrzymać obrazek – ale nas interesuje nazwisko wypisane na górze stronicy. Czuję wzbierające w piersi westchnienie ulgi. Lepiej byłoby mieć całą książkę, ale ta kartka spełni swoją rolę. Sidney patrzy bez słowa, potem cicho pogwizduje i kiwa głową, jakby przeczuwał zwycięstwo.

27

– Bruno! Sir Philipie! Wejdźcie, cóż za niespodzianka. Siadajcie. – Drake otwiera drzwi swojej kajuty i zaprasza nas do dużego stołu zasłanego stosami papierów pełnych obliczeń. Za stołem siedzi Thomas Drake z piórem w ręce, plecami do długiego okna. Wydaje się bardziej zirytowany naszym widokiem niż zwykle.

– Brat mi opowiedział, doktorze Bruno, jaką odwagą wykazałeś się zeszłej nocy – mówi, skłaniając głowę. – Szkoda, że ci bandyci uciekli, w dodatku zabierając księgę. Ale na szczęście Bóg miał was w opiece. – Trudno powiedzieć, czy mówi szczerze, czy znowu pokpiwa.

– Miałem do wyboru, albo księga, albo nasze życie – odpieram ten zawoalowany zarzut. – Trzeba było cudu, żeby ujść stamtąd z jednym i drugim.

– Moja rodzina jest twoim dłużnikiem – powiada Drake, karcąc wzrokiem Thomasa. – A teraz, co was tu sprowadza?

– Bruno coś odkrył – mówi Sidney konspiracyjnym tonem.

– W sprawie Dunne'a? – Drake niemal się na mnie rzuca.

– Chciałbym omówić pewną sprawę, sir Francisie – zaczynam. – Ale czy mógłbyś, panie, najpierw posłać po ojca Pettifera? I poprosić, żeby przyniósł swój notes. Nie wspominaj, że jestem tutaj z Sidneyem.

Drake ściąga brwi, ale staje w drzwiach i zamienia parę słów ze stojącym przed nimi strażnikiem.

– O co chodzi, Bruno? – pyta, zamykając drzwi, zza których słychać tupot stóp człowieka schodzącego pod pokład. – Czy ma to coś wspólnego z zeznaniem Savile'a? Wrócił na okręt i siedzi w swojej kajucie, ale mój brat potwierdził jego słowa. Tamtej nocy razem poszli do Domu Westy i przez co najmniej połowę spędzonego tam czasu grali w karty wraz z kilkoma innymi panami. – Posyła Thomasowi gniewne spojrzenie. – Zatem niemożliwe, żeby Savile mógł się wymknąć na spotkanie z Jonasem.

Thomas Drake patrzy ciężkim wzrokiem najpierw na mnie, potem na Sidneya. Nasza pośpieszna konfrontacja z Savile'em ujawniła jego sekret i naraziła go na osąd brata, za co wyraźnie nie jest nam wdzięczny.

– Posłuchajmy, co ma do powiedzenia kapelan. – Odwracam się od piorunującego mnie wzrokiem Thomasa, nie chcę bardziej go prowokować.

– Co on ma wspólnego ze sprawą? – pyta z lekkim zniecierpliwieniem Drake.

– Być może posiada pewne informacje. – Myślę sobie, że na razie lepiej niczego nie zdradzać.

– Na rany Chrystusa, jeśli coś mu wiadomo, dlaczego miałby mi nie powiedzieć? – Drake z zaciśniętymi pięściami krąży po kajucie. – Czy większość ludzi na tym okręcie chowa dla siebie sekrety kosztem mojej wyprawy? – To ostatnie kieruje do brata. Thomas się garbi i spuszcza oczy.

Słyszymy ciche pukanie do drzwi. Drake każe mu wejść i na progu staje Pettifer z notesem pod pachą. Pot łaskocze mnie po plecach; mam nadzieję, że tym razem się nie mylę. Na znak Drake'a Pettifer zamyka drzwi i staje przed kapitanem z pełnym wyczekiwania spojrzeniem, z dłońmi splecionymi na brzuchu.

– Sir Francisie?

Drake wskazuje mu miejsce przy stole.

– To doktor Bruno chce z tobą pomówić.

Pettifer się obraca, jego oczy natychmiast robią się czujne. Kładzie notes na stole i przekrzywia głowę, unosząc brwi w niemym pytaniu, wciąż z lekko wyniosłą miną. Wierzy, że ktoś taki jak ja nie ma prawa nim dyrygować.

– Chciałem, ojcze, zadać ci jeszcze kilka pytań związanych z twoją rozmową z Robertem Dunne'em w noc jego śmierci – zagajam z takim spokojem, na jaki jeszcze mogę się zdobyć.

– Czy naprawdę musimy znowu przez to przechodzić? Powiedziałem wszystko, co wiem, kapitanowi Drake'owi na długo przed twoim przybyciem, doktorze Bruno. – Zwraca się do Drake'a o potwierdzenie.

– Wysłuchaj go, Ambrose – mówi Drake, gestem każąc mi kontynuować.

– Pomogłoby mi sporządzanie notatek. Czy mógłbym dostać kartkę z twojego notesu, ojcze? – Wskazuję kajet leżący na stole. To skromny notes z usztywnioną kawałkiem deszczułki oprawą płócienną, ani ładny, ani drogi.

– Doprawdy! – obrusza się Pettifer, zaciskając na nim rękę. – Papier jest drogi, jak wiesz. Nie dysponujesz swoim? A może kapitan Drake? – Wskazuje stos papierów na stole przed Thomasem.

– Niestety, zostawiłem wszystkie materiały piśmiennicze w gospodzie – wyjaśniam z żalem.

– Nie lubię wydzierać kartek – powiada, choć nie wkłada w to serca, jakby świadom nieprzekonującego tłumaczenia.

– Daj mu tę kartkę, zwrócę ci pieniądze za nowy notes, jeśli to taki problem! – Drake pstryka palcami, choć patrzy na mnie ostro. Mam nadzieję, że ta żałosna farsa do czegoś nas w końcu doprowadzi – mówi jego spojrzenie.

Pettifer niechętnie otwiera notes i starannie wydziera czystą kartkę, po czym przesuwa ją po stole w moją stronę. Przysiadam na skraju ławy naprzeciwko niego i podnoszę jedno z piór, które leżą przed Thomasem, ale nie zanurzam go w kałamarzu.

– Wspomniałeś, ojcze Pettifer, że studiowałeś w Cambridge – mówię, pilnie przypatrując się czubkowi pióra. – Często tam bywasz?

Wydaje się zaskoczony zmianą mojego tonu.

– Nieczęsto. A dlaczego cię to interesuje, panie?

– Ale wciąż masz tam przyjaciół, ojcze Pettifer?

– Naturalnie, kilku. Słuchaj, Bruno, co to wszystko…

– Ci przyjaciele przysyłają ojcu książki? Może w prezencie z jakiejś okazji.

– Książki? – Udaje konsternację, ale widzę błysk zrozumienia
w jego oczach, gdy myśli kłębią mu się w głowie. Gorączkowo zastanawia się, do czego zmierzam. Dobrze, myślę, niech się martwi.
Wszystko, co odtąd powie, będzie próbą unikania prawdy.

– Książki – powtarzam z uśmiechem.

– Nie – przeczy, splatając palce. – Co nie znaczy, że to twoja
sprawa, od kogo je dostaję – dodaje wyniosłym tonem.

– Tylko się zastanawiałem, bo niedawno wpadła mi w ręce
książka, która, jak sądzę, należała do ojca i została skradziona.

– Jaka znowu książka?! – warczy. Kolory odpływają mu z po-
liczków, jego ton staje się bardziej agresywny. – Gdzie?! Nikt nie
skradł mi żadnej książki. Dlaczego mi wmawiasz, że należała do
mnie?!

– Po jednym pytaniu naraz, ojcze. Rzeczona książka została wydana przez nową uniwersytecką drukarnię w Cambridge, otwartą
w ubiegłym roku. Wydali dotąd tylko kilka tytułów. Chodzi o tom
Baśni Owidiusza, czy już o tym wspomniałem? Jedno z ich najnow-
szych dzieł, wydrukowane w tym roku i trudno dostępne, chyba że
w samym Cambridge, bo jak słyszałem, londyńscy księgarze boj-
kotują nowe wydawnictwa. – Odkładam pióro i wbijam w niego
wzrok.

– Nikt mi nie przysłał żadnej takiej książki – oznajmia, ale głos
ma stłumiony.

– Przecież jeździłeś do Cambridge w tym roku, Ambrose. Pamiętam, jak mi mówiłeś – wtrąca cicho Drake. – Kiedy wiosną rozmawiałem z tobą o wyprawie, dopiero co stamtąd wróciłeś. Byłeś
w odwiedzinach u swojego dawnego nauczyciela.

Pettifer odwraca się i z niepokojem spogląda na kapitana.

– No tak, to prawda, ale nie stać mnie na kupowanie nowych
książek.

– Jak zwie się twój nauczyciel, ojcze? – pytam.

Mruży oczy.

– Nie pojmuję, co to…

- Roger? – Wyjmuję z zanadrza kartkę z drzeworytem Dafne wyrwaną przez młodego Toby'ego. Pettifer ściska ręce, żeby powstrzymać je od drżenia. – Widzicie, ta wyklejka została wydarta ze znalezionego przeze mnie tomu Owidiusza, który powstał w drukarni Uniwersytetu Cambridge. Ma dedykację, *Drogiemu Ambrose'owi z miłymi wspomnieniami, Roger, roku tysiąc pięćset osiemdziesiątego piątego.* – Podnoszę kartkę na dowód, że nie blefuję. – Byłby to nadzwyczajny zbieg okoliczności, gdyby w Plymouth był inny Ambrose, który miał tego samego nauczyciela w Cambridge.

Pettifer nie odzywa się, ale twarz ma wypraną z koloru i mocno zaciska usta.

- O co chodzi, Bruno? Przejdź do sedna, na litość boską, jeśli jest do czego przechodzić – mówi z irytacją Thomas Drake.

Sir Francis podnosi rękę, żeby go uciszyć, i gestem każe mi kontynuować.

- Zamierzam to zrobić, Thomasie. Co więcej, sprawa dotyczy dobrze znanego ci miejsca – mówię, uśmiechając się do niego. – Pytałeś mnie, ojcze, gdzie natknąłem się na tę książkę. Myślę, że już wiesz. Znalazłem ją w posiadaniu pewnego chłopca w burdelu znanym jako Dom Westy.

- Ach. – Pettifer lekceważąco kręci głową. – Tak. Więc dobrze, została mi ukradziona.

Drake unosi brew.

- Przed chwilą temu przeczyłeś.

- Nie chciałem, żeby biedny chłopiec miał przez to kłopoty. – Dwie różowe plamy występują mu na policzkach. Mówi szybko, jakby chciał nadać pędu swoim kłamstwom, tak aby nie zdążyły się rozsypać na kawałki. – Bóg świadkiem, ci młodzieńcy bywają zdesperowani. I sir Francis dobrze wie, że jeśli postawiłem nogę w takim miejscu, to dla celów boskich, żeby zwiększyć szanse na zbawienie tym jawnogrzesznicom. Zatem tak, straciłem tam książkę, lecz nie zgłosiłem tego z obawy, że chłopiec ucierpi. – Przenosi spojrzenie ze mnie na Drake'a, znowu wyzywający. – Zapisałeś to wszystko ku swojej satysfakcji, doktorze Bruno? – pyta z jadem w głosie. – Nie ma bowiem nic więcej do powiedzenia.

– Obawiam się, ojcze, że to niezupełnie wszystko – mówię z przepraszającym wyrazem twarzy. – Twoje wizyty w Domu Westy miały po części związek z umieszczaniem niechcianych dzieci u chrześcijańskich rodzin, prawda?

Pettifer na wpół się podnosi i kładzie dłonie płasko na stole.

– Sir Francisie, jestem zmuszony zaprotestować! O takich sprawach nie powinno się dyskutować z…

– Pozwól mu zadawać pytania, Ambrose – prosi Drake tym samym łagodnym, aczkolwiek nieznoszącym sprzeciwu tonem. – Ciekawią mnie twoje odpowiedzi.

Biorę głęboki wdech.

– Chłopiec powiedział, że czasami czytaliście mu bajki Owidiusza.

– Chciałem go dokształcić, biedaka. – Wsuwa palce pod kołnierz i odciąga go od gardła.

– I dlatego odwiedzałeś go sam?

– Co?! – Tryska śliną. – Może lepiej zapytać, co ty robiłeś w jego izbie?!

– Próbowałem się dowiedzieć, kto zabił Roberta Dunne'a.

Otwiera usta, ale tylko mruga, zbity z tropu.

– Widzisz, ojcze – podejmuję, pochylając się nad stołem. – Dunne niedawno poznał straszną tajemnicę jednego z członków załogi tego okrętu. Gdyby ta sprawa wyszła na jaw, zniszczyłaby reputację tej osoby i jej szanse na żeglowanie z kapitanem Drakiem, czy teraz, czy w przyszłości.

Pettifer przeciąga językiem po ustach. Pot lśni nad górną wargą. Kręci głową.

– Jestem przekonany – kontynuuję powoli – że Robert Dunne odkrył, iż odwiedzasz chłopca nie po to, aby go chronić przed grzechem. Co gorsza, powiększałeś jego brzemię.

Cisza wisi nad stołem, gdy Drake patrzy na Pettifera.

– To oszczerstwo – mówi kapelan wysokim, piskliwym głosem. – Najgorszego rodzaju. Lepiej natychmiast cofnij swoje słowa, panie!

– Czy usługi chłopca były częścią zapłaty, jaką dostawałeś od madame Grace? – naciskam. – Za przyzwolenie na kontynuację procederu sprzedaży niechcianych dzieci z jej domu, zanim wyrzuciła młode matki na ulicę? Zakładam, że miałeś udział w zyskach. Czy Dunne o tym wiedział? Z pewnością wiedział, że stać cię na spełnienie żądań szantażysty.

Pettifer podskakuje z zaskoczenia i marszczy brwi.

– Jakich żądań?!

– Dunne cię szantażował, prawda? Pięć złotych aniołów to duża strata. Byłeś pełen obaw, że dostaniesz więcej takich listów. Wiedziałeś, że on może zniszczyć twoją reputację, mówiąc kapitanowi Drake'owi o układzie zawartym z właścicielką Domu Westy. Żyłeś w strachu przed szantażem.

– Nie… źle to wszystko pojmujesz! – ryczy, trzepocząc rękami. – Nigdy nie dałem Dunne'owi żadnych pieniędzy. Nigdy mnie o to nie prosił. Nic mi nie wiadomo o pięciu złotych aniołach!

Wstaję dla lepszego efektu, żeby patrzeć na niego z góry. Drake, Thomas i Sidney przyglądają się nam jak widzowie walce psów.

– Widziałeś, w jakim stanie Robert Dunne był tamtej nocy po wyjściu z Domu Westy. Wiedziałeś, że został oszołomiony gałką muszkatołową, a może myślałeś, że jest tylko pijany? Nieważne… – mówię, zanim może zaoponować – tak czy inaczej zabrałeś go na pokład *Elizabeth* i z pomocą Thomasa Drake'a zaprowadziłeś do kajuty. Thomas poszedł na poszukiwanie Hiszpana, żeby przyniósł Dunne'owi lekarstwo. Zostałeś sam z Dunne'em, który na dobrą sprawę był zupełnie bezbronny, i dostrzegłeś okazję, by uciszyć dręczyciela na zawsze. Jak to zrobiłeś, przycisnąłeś mu twarz do poduszki? Musiał być tak zamroczony, że nie podjął walki. Wycisnąłeś z niego życie i zostawiłeś go. Kiedy Jonas zajrzał do kajuty, pomyślał, że Dunne śpi, i odszedł.

– Nie, nie. Przysięgam, to kłamstwo! – krzyczy Pettifer. Czerwieni się, śmiga błagalnym wzrokiem to na mnie, to na Drake'a.

– Ambrose – mówi Drake słabym głosem, jakby nie chciał uwierzyć w to, co usłyszał.

– Z pewnością musiałeś być przerażony, że Jonas zna prawdę. Kiedy nie wszczął alarmu, postanowiłeś się upewnić. Wróciłeś do kajuty Dunne'a pod pretekstem, żeby się z nim pomodlić, i powiesiłeś go, by wyglądało to na samobójstwo. Zamknąłeś kajutę i wyrzuciłeś klucz za burtę, jak przypuszczam.

– To czyste wymysły. Musisz mi wierzyć, sir Francisie... przecież się znamy, ty i ja...

– Nazajutrz – kontynuuję nieubłaganie – dostrzegłeś szansę na powiązanie śmierci Dunne'a z księgą Judasza, którą uznałeś za heretycką, żeby zniechęcić kapitana Drake'a do jej przeczytania. Napisałeś wers z *Ewangelii Mateusza*, który sugerował, że śmierć Dunne'a w jakiś sposób była skutkiem niebezpiecznego wpływu księgi. I że sam Dunne był zdrajcą. Może wyznał ci swoje plany zabicia sir Francisa podczas tej wyprawy?

Pettifer, szkarłatny na twarzy, skacze na równe nogi.

– Zabicia... nie wiem, o czym mówisz, panie, ale wszystkiemu zaprzeczam! Jeśli bodaj przez chwilę wierzyłeś, że mógłbym usłyszeć o spisku na życie kapitana i natychmiast mu o tym nie powiedzieć, to nie jesteś tak bystry, jak mi się początkowo zdawało. Sir Francisie, znasz mnie – powiada przypochlebnym tonem, jego oczy połyskują od wzbierających łez. – Przedłożysz kłamstwa cudzoziemca nad moje słowo? – Składa ręce jak do modlitwy, wyciągając je w stronę Drake'a.

Podsuwam mu kartkę z jego notesu.

– Jeśli nie zabiłeś Dunne'a, poświadcz to, ojcze Pettifer, podpisując ten papier.

– Jakie masz prawo...

– Napiszesz tu swoje nazwisko? Na poświadczenie prawdziwości swoich słów?

– Chcesz mnie wciągnąć w pułapkę! – wrzeszczy, nie wiedząc, co robić. Wodzi wzrokiem dokoła, szukając poparcia, ale znajduje tylko kamienne oblicza. Zanurzam pióro w kałamarzu i wyciągam w jego stronę. Spogląda na Drake'a, który ruchem głowy wskazuje na papier. Pettifer z czystą nienawiścią w spojrzeniu bierze ode mnie pióro i gryzmoli swój podpis. – I co proponujesz z tym zrobić? – Głos mu drży, ale teraz z gniewu.

– Nic – mówię. – Z wyjątkiem porównania. Masz list z biblijnym wersem, sir Francisie?

– Oczywiście. – Drake patrzy na mnie niepewnie.

– Mogę go zobaczyć?

Kiwa głową i otwiera szafkę w kącie. Rozkłada kartkę i ją podnosi. Ja trzymam obok tę podpisaną przez Pettifera. Są tej samej wielkości. W dolnych prawych rogach widnieją identyczne zacieki od wody.

– Spójrzcie tutaj – mówię. W liście do sir Francisa autor podjął próbę zmiany charakteru pisma, ale T w słowie „Mateusz" jest przekreślone tak samo jak w „Pettifer". Zamaszysta kreska, która niezupełnie się styka z pierwszą literą. Trudno wątpić, że te kartki nie pochodzą z tego samego źródła. Dla dalszego potwierdzenia przekażuję je Thomasowi i Sidneyowi, którzy pochylają nad nimi głowy, unoszą je po szczegółowym badaniu i kiwają na zgodę.

– Napisałeś ten list, Ambrose? – W głosie Drake'a brzmi cichy smutek, który w końcu rozbraja Pettifera. Kapelan opada na krzesło i chowa twarz w dłoniach.

– Tak. Niech Bóg mi wybaczy – mówi stłumionym szeptem. Ramiona mu się trzęsą. – List, tak. Ale reszta jest kłamstwem.

– A książka Owidiusza? – docieka Drake tym samym pełnym zawodu tonem.

Pettifer unosi głowę.

– Nie widzę żadnej książki.

Niecierpliwie kląskam językiem.

– Książka jest w posiadaniu twojej przyjaciółki, madame Grace, w Domu Westy. Ale rozpoznajesz wyklejkę, prawda?

Żałośnie kiwa głową. Nikt się nie odzywa, słychać tylko trzaskanie belek, chlupot wody i chór mew. Po chwili Pettifer jakby pozbierał myśli. Unosi głowę i zwraca się do Drake'a. Mówi opanowanym głosem, prawie bez drżenia.

– Wyznam, że zgubiłem książkę w burdelu, sir Francisie, tak. Wiesz, że miałem w nawyku modlić się z tamtejszymi jawnogrzesznicami, podobnie jak czynił nasz Pan. Niosło im to trochę pociechy. Taka książka jest kosztowna, więc nie winię zdesperowanego chłopca, że wpadła mu w oko. Pomyślałem sobie, iż rozjaśnię ich życie przypowieściami. Oczywiście głównie z Pisma Świętego – dodaje pośpiesznie – ale wierzyłem, że klasyka też im sprawia przyjemność. Tak, byłem tam owej nocy, kiedy przyszedł pijany, zataczający się Robert Dunne. Kiedy usłyszał, że odprawiono jego ulubienicę, w gniewie groził użyciem siły. Uznałem, że będzie w najlepszym interesie dla wszystkich, jeśli pomogę mu wrócić na okręt. Zostawiłem go w kajucie, a później wróciłem, żeby zobaczyć, czy z nim wszystko w porządku. Nie spał, ale wydawał się niezwykle strapiony, więc zapytałem, czy mam się z nim pomodlić, jak mówiłem. Później życzyłem mu dobrej nocy i poszedłem do mojej kwatery. Wtedy widziałem go po raz ostatni i zapewniam, że nadal żył. – Przerywa dla złapania oddechu i ręką ociera usta. – I nigdy mi nie wyznał zamiaru nastawania na twoje życie, sir Francisie, inaczej niezwłocznie bym cię powiadomił.

– Po tym, jak Jonas zajrzał do kajuty i wyszedł w przekonaniu, że Dunne śpi, nikt poza tobą, ojcze, go nie widział – mówię. – Kiedy usłyszałeś, że poszedłem obejrzeć zwłoki, byłeś ogromnie ciekawy, czy można coś powiedzieć o śmierci na podstawie wyglądu.

– Chciałem tylko wiedzieć, jak wszyscy inni, czy można szybko rozwikłać tę sprawę.

– Doprawdy? Nie obawiałeś się, że doświadczone oko rozpozna, iż Dunne nie zmarł wskutek powieszenia?

Pettifer nie odpowiada, chociaż obrzuca mnie bardzo niechrześcijańskim spojrzeniem.

– Wytłumacz się z listu – poleca szorstko Thomas Drake. Nie kocha kapelana, ale za mną także nie przepada. Waży niechęć do nas obu i wyraźnie pragnie, żebym to ja nie miał racji.

– List... – Pettifer spuszcza wzrok na stół w pokazie skruchy. – Przyznaję, to głupota z mojej strony. Kiedy usłyszałem o szczegółach śmierci Dunne'a, oczywiście wpadłem w rozpacz. Ale przyszło mi na myśl, że symbolika jest zbyt ważna, by ją zignorować. Szczerze wierzyłem, iż odebrał sobie życie, a to, czego się dowiedziałem podczas wspólnej modlitwy... Było dla mnie jasne, że coś mu ciąży na sumieniu. W moim mniemaniu pokonał go przypływ skruchy, choć przysięgam, nie wiem, z jakiego powodu. Rozmawiał ze mną o grzechu tylko ogólnikowo, jak również o strachu o swoją duszę. – Milknie i głośno przełyka ślinę. Mięsień drga pod jego prawym okiem. – Śmierć na pokładzie jest złym znakiem dla wyprawy, wszyscy to wiedzą. Pomyślałem sobie: jeśli zdołam cię przekonać, sir Francisie, że miała ona związek z księgą Judasza, przestraszysz się na tyle, by zrezygnować z pomysłu jej przekładu. Źle postąpiłem, teraz to rozumiem, ale działałem w dobrej wierze. Chciałem ochronić nas wszystkich przed konsekwencjami mieszania się w sprawy, które wyraźnie gwałcą prawo boskie.

– Jednocześnie zaspokajając pożądanie do małych chłopców – odzywam się napiętym głosem. – Czy to spodobałoby się Bogu?

Pettifer wstaje, jego twarz obrzmiewa z gniewu i oczy mu płoną, gdy prostuje się przede mną.

– Powtórz to oszczerstwo, Włochu, a wtedy...

– Co zrobisz? Wezwiesz konstabla? Szeryfa? A może po prostu zepchniesz mnie z urwiska, jak Jonasa Solona?

– Kolejne kłamstwa! Nie tknąłem palcem Hiszpana. Skąd taki wniosek?

– Bałeś się, że Jonas się zorientował, iż Dunne już nie żył, kiedy mu zaniósł swoją miksturę. Być może z początku uważał, że leży zamroczony, ale gdy zaczęło się dochodzenie w jego sprawie, miał czas wszystko przemyśleć. Wiedział, że zostałeś sam z Dunne'em, gdy wróciliście na okręt. Czy podzielił się z tobą swoimi podejrzeniami? Czy skorzystałeś z okazji, by go uciszyć i jednocześnie obciążyć? – Przerywam dla zaczerpnięcia tchu.

Pettifer wlepia we mnie oczy, jakby myślał, że straciłem rozum. Obraca się w stronę Drake'a, rozkładając ręce.

– Sir Francisie, pozwolisz, żeby ten człowiek tu stał i znęcał się nade mną? Nie mam pojęcia, o czym on mówi, musisz mi wierzyć.

– Znasz hiszpański, prawda? I już się przyznałeś do jednego listu... Czy wyprzesz się, że napisałeś drugi, z rzekomym wyznaniem Jonasa?

Pettiferowi oczy o mało nie wyskoczą z orbit.

– Wszystko, co do mnie powiedziałeś od chwili, kiedy tu wszedłem, woła o pomstę do nieba. Dopilnuję, byś zapłacił za te zniewagi! Ale czegóż mogłem się spodziewać po dominikaninie...

– Panowie! – Głos Drake'a tnie jak nóż i natychmiast milkniemy niczym skarcone dzieci. Kieruje na kapelana spokojne spojrzenie. – Czy widziałeś Jonasa w noc jego śmierci, Ambrose?

– Oczywiście, że nie – warczy Pettifer, przypomina sobie, do kogo mówi, i łagodzi ton. – Nie byłem w pobliżu Hoe, sir Francisie.

– Gdzie zatem byłeś? I czy ktoś może to poświadczyć?

Pettifer bierze głęboki wdech i powoli wypuszcza powietrze. Odzywa się spokojniejszym głosem.

– W Domu Westy. Madame Grace może za mnie poręczyć.

Sidney głośno prycha. Pettifer miażdży go wzrokiem.

– Wygląda na to, że gościła tam połowa mojej załogi – mówi zmęczony Drake.

– Czy poszedłeś tam i wróciłeś samotnie? – pyta Thomas.

– Tak. – Kapelan wbija oczy w podłogę i jego głos cichnie. – Wolę, żeby mnie nie widywano, kiedy tam zachodzę. Wpuszczają mnie bocznymi drzwiami. Rozumiecie… Bóg świadkiem, mam czyste sumienie, ale lepiej nie dawać innym okazji do plotek.

– I wróciłeś prosto na okręt? – docieka Thomas.

Pettifer się waha.

– Prawdę powiedziawszy, najpierw wstąpiłem do kościoła, żeby się pomodlić.

– O jakiej porze? – pyta Drake. Ostrość jego tonu sugeruje, że ma do niego coraz mniej cierpliwości.

– Nie wiem – mówi Pettifer z zakłopotaną miną. – Już się prawie ściemniało. Nie byłem tam długo.

– Czy ktoś może to potwierdzić, Ambrose? Czy ktoś cię widział w kościele?

– Był tam zakrystian, z pewnością będzie pamiętał. I kiedy dotarłem na nabrzeże, żeby się zabrać łodzią na *Elizabeth*, spotkałem twojego sekretarza, sir Francisie. Wracaliśmy razem.

Drake marszczy czoło.

– Gilberta? Był tak późno na brzegu? Czy wspomniał, z jakiego powodu?

Pettifer ma głupią minę.

– Nie. A ja nie pytałem. Sądzę, że wszyscy mielibyśmy więcej spokoju, gdyby każdy częściej zajmował się swoimi sprawami zamiast cudzymi. – Przeszywa mnie wzrokiem.

– Ale nie wtedy, gdy zmarło dwóch moich ludzi – odpowiada mu Drake. W jego głosie brzmi nowa twardość. Zbiera listy, nie patrząc na Pettifera. – Myślę, że będzie lepiej, Ambrose, jeśli pozostaniesz na pokładzie, dopóki te zarzuty nie zostaną potwierdzone albo obalone.

– Sir Francisie, chyba nie myślisz...

Drake unosi rękę, nakazując ciszę.

– Wstrzymam się z osądem, dopóki nie usłyszę zeznania tego chłopca. Raczej łatwo będzie poznać, czy mówi prawdę, czy kłamie dla zysku. Bruno, pójdź z sir Philipem po chłopca i sprowadźcie go do domu burmistrza. Lepiej, żeby rozplotkowany motłoch Pod Gwiazdą nie wiedział o tej sprawie. Weźcie zbrojnych sir Philipa, bo jeśli twoje przypuszczenia są trafne, ta Grace może chcieć wam przeszkodzić.

– Czułbym się spokojniejszy, sir Francisie, gdybym też był uzbrojony – mówię. – W nocy Doughty z Jenkesem zabrali mi sztylet, a nie jestem w najlepszej kondycji, żeby walczyć gołymi rękami.

– Czy ten sztylet był cenny?

– Sam w sobie nie, ale miał dla mnie wartość sentymentalną. Nic poza nim mi nie zostało z dawnego życia.

Kiwa głową na znak zrozumienia. Podchodzi do zamykanej na klucz szafki w kącie kajuty. Gdy grzechocze kluczami i szpera w środku, Pettifer świdruje mnie wzrokiem z tak zagorzałą nienawiścią, że już wiem: zrobiłem sobie wroga na całe życie bez względu na to, czy jest winny, czy niewinny. Odwracam oczy, ale wciąż pali mnie siła jego spojrzenia. Gdybym był bardziej przesądny, obawiałbym się, że rzucił na mnie klątwę.

– Proszę – mówi Drake, wracając z bronią na otwartych dłoniach. Wyciąga z pochwy stalowy sztylet o ostrzu zwężającym się w szpic ostry jak ścięte pióro. Metal jest ciemny, z matowym połyskiem, ale przy bliższych oględzinach widać, że powierzchnię pokrywa wzór podobny do słojów drewna. Rękojeść jest okolona drutem z brązu, a głowicę i jelec zdobią motywy winorośli i kwiatów. To istny majstersztyk.

– Stal damasceńska – powiada Drake, zadowolony z mojej zdumionej miny. – Zabraliśmy go oficerowi na hiszpańskim statku u wybrzeży Nikaragui. Piękny, czyż nie? I cenny. Wzory na ostrzu są unikatowe. Damasceńska stal bije na głowę wszystko, co jest dostarczane z Toledo. Powiadają, że można rzucić włos na skraj, a zostanie przecięty na dwoje. Nigdy nie próbowałem tej sztuczki, ale śmiało możesz przeprowadzić eksperyment. Proszę, bierz. – Podaje mi sztylet rękojeścią w moją stronę.

– Nie mogę go zatrzymać, sir Francisie, z pewnością jest wart fortunę – mówię, ważąc go w dłoni. Zdaje się tak lekki i idealnie wyważony, że ze szmerem tnie powietrze, gdy zginam rękę. Spostrzegam, że Pettifer się cofa o krok.

– Mój dług wobec ciebie jest znacznie większy – zapewnia mnie Drake. – A co do tej sprawy… – Robi gest obejmujący Pettifera, mnie i listy, po czym potrząsa głową jak gdyby w rozpaczy. – Lepiej działać szybko. Ambrose, zaczekasz tutaj z Thomasem, dopóki nie uzyskamy pewnych odpowiedzi.

– Sir Francisie – odzywa się cicho kapelan, gdy Drake sięga do klamki. – Mogę pomówić z tobą na osobności? Muszę wyjaśnić jedną rzecz, bez związku z tymi obłędnymi oskarżeniami.

Drake kiwa głową do mnie i Sidneya, odprawiając nas z kajuty, i zamyka za nami drzwi.

◆ ◆ ◆

– Drake powinien przeszukać jego kajutę – mówi cicho Sidney, gdy czekamy na dolnym pokładzie. – Może trzyma gdzieś list z żądaniem okupu od Dunne'a.

– Wątpię. Niezależnie od swoich przywar Pettifer jest przebiegłym człowiekiem. – Zaciskam zęby. – Z pewnością nie trzymałby tu niczego, co mogłoby go obciążyć. Obawiam się, że nie będzie przeciwko niemu żadnych dowodów z wyjątkiem zeznania tego chłopca. I jak to będzie wyglądać, niewykształcony młokos oskarżający szanowanego kapelana o homoseksualizm?

– Może przynajmniej znajdą się dziewczyny chętne zeznawać przeciwko madame Grace.

Myślę o Sarze w dzielnicy nędzy, o jej umyśle i ciele przeżartymi przez kiłę.

– Są świadkowie, ale wątpię, czy wiarygodni.

– Ha. Z tego, co widziałem, będziesz miał szczęście, jeśli znajdziesz we władzach tego miasta kogoś skłonnego postawić madame Grace przed sądem – mówi Sidney z prychnięciem. – Jej proceder za bardzo jest im na rękę. Módl się do Boga, żeby wystarczyły zeznania chłopaka, ponieważ... – Urywa, kiedy widzi Gilberta Crosse'a krążącego po głównym pokładzie ze skórzaną teczką przyciśniętą do piersi.

– Wszystko w porządku, sir Philipie? – Gilbert przestępuje z nogi na nogę i przygryza wargę, wskutek czego wygląda jak sztubak. – Byliście u sir Francisa? Właśnie przyszedłem go prosić o podpisanie listów, ale usłyszałem głosy i pomyślałem, że lepiej nie przeszkadzać. Wiem, że w tej chwili ma mnóstwo zmartwień. – Uśmiecha się z zakłopotaniem.

– Z pewnością niebawem wyjdzie – mówię, udając, że nie widzę, jak poluje na wiadomości. Sidney przyjął politykę całkowitego ignorowania skryby. Jego fałszywa uniżoność działa mu na nerwy. Zastanawiam się, jak długo młody kartograf kręcił się pod kajutą Drake'a oraz ile mógł podsłuchać.

– Aha, jest – mówi Gilbert, wyciągając teczkę, gdy Drake przychodzi z rufy. – Sporządziłem wierne kopie tych listów, sir Francisie. Czy zechcesz je teraz podpisać, panie?

Drake przystaje i patrzy na niego z dziwną miną, jakby próbował sobie przypomnieć, kim on, u licha, jest.

– Później, Gilbercie. Udaję się na brzeg, na spotkanie z żoną. Zostaw je w mojej kajucie, zastaniesz tam mojego brata.

– Ja też się wybieram na brzeg, do kościoła – nalega, wciąż się wiercąc. – Pomyślałem, że jeśli podpiszesz i zapieczętujesz listy, panie, przekażę je kurierowi i wieczorem będą w drodze. W przeciwnym razie muszą czekać do rana.

Drake wzdycha.

– Niech czekają. Nie mogę zwlekać. Idź i zawołaj kogoś, żeby nas przewiózł, dobrze? I powiedz kapitanowi Fennerowi, że nie będzie mnie do późnej nocy. Pod moją nieobecność on tutaj dowodzi.

– Jeśli wolno prosić o małą zwłokę, pójdę po pelerynę i teczkę i popłynę z wami – mówi Gilbert z nadzieją w oczach. – Wtedy nie trzeba będzie wysyłać drugiej łodzi.

Drake się waha.

– Nie, ta łódź będzie pełna. Przyślemy ją później po ciebie.

Gilbert nie kryje zawodu, ale bez skargi kiwa głową i zmyka.

– Przez jakiś czas nie może wyciec ani jedno słowo o tych podejrzeniach – szepcze Drake, gdy siedzimy w łodzi. – Dopóki nie będzie jakiegoś potwierdzenia. Przestępstwa, o które jest oskarżony Pettifer, byłyby potwornością dla każdego człowieka, ale dla duchownego... – Kręci głową. – Jeśli ludzie zobaczą zepsucie u tych, którzy sprawują nad nimi władzę duchową, jaki zobaczą przykład? Zapanuje chaos. Zadaniem kapelana jest budzenie lęku przed Bogiem w sercach załogi.

– Myślałem, że niesienie pociechy? – mówi Sidney.

– Na morzu strach ma pierwszeństwo – rzecze Drake z ponurą twarzą.

◆ ◆ ◆

Na brzegu Sidney wysyła posłańca po swoich zbrojnych, a Drake odchodzi do burmistrza ze swoimi ludźmi. Czuję lekkie zdenerwowanie, gdy odprowadzam go wzrokiem i rozglądam się po zatłoczonym nabrzeżu, szukając w tłumie kogoś, kto być może uważnie nas obserwuje, stoi z pochyloną głową albo z rękami pod peleryną. Wraca do mnie cierpkie ostrzeżenie madame Grace; ta kobieta nie cofnie się przed niczym, gdyby ktoś zagroził jej przedsięwzięciu. Kadłuby łodzi rybackich się zderzają, rozkołysane na falach, ich właściciele rozstawiają więcierze i rozplątują sieci, przygotowując je do nocnego połowu. Na nabrzeżu niektóre przekupki idą już do domu, ale inne, z koszami na biodrach, sprzedają truskawki czy paszteciki tym, którzy schodzą na ląd. Chmara ulicznic pojawi się nie wcześniej niż o zmierzchu, ale kilka już ma nadzieję na wczesnych klientów, wystają więc na rogach, gdzie strome brukowane ulice schodzą na nabrzeże, ich pomalowane twarze wyglądają krzykliwie w płaskim świetle. Dwie próbują przyciągnąć nasze spojrzenia, więc szybko się odwracam. Nie możemy rozpraszać uwagi. Sidney trzyma rękę na głowicy rapiera. On też przygląda się twarzom przechodzących ludzi, bacznie wypatrując jakiejkolwiek zapowiedzi kłopotów.

– Broń, którą dostałeś, warta jest krocie, wiesz – zauważa po chwili, spoglądając z zazdrością na sztylet wiszący u mojego boku. Jest większy niż mój stary nóż i trudniejszy do ukrycia, lecz wygląda bardziej imponująco. – Najwyraźniej Drake wysoko cię ceni.

Wzruszam ramionami.

– Byłem dla niego przydatny. Ale obawiam się, że jego względy szybko zmaleją, jeśli nie znajdziemy wystarczających dowodów przeciwko Pettiferowi.

Sidney wciąga powietrze przez zęby.

– To mnie doprowadza do szału. Wszystko, co powiedziałeś, pasuje, wszystko wskazuje na kapelana. Pozostaje tylko kwestia udowodnienia przestępstwa.

– To samo mówiliśmy o Savile'u. – Szczerze mówiąc, zaczynam już mieć lekkie wątpliwości w związku z publicznym wysunięciem Pettiferowi takich poważnych zarzutów.

– Zeznanie chłopaka wystarczy, prawda? – mówi to tak, jakby potrzebował pokrzepienia.

– Będzie wystraszony. Może uznać, że w jego najlepszym interesie leży trzymanie języka za zębami.

Zbrojną eskortę Sidneya tworzą barczyści, postawni młodzi ludzie o grubo ciosanych, dobrodusznych twarzach. Podchodzą do nas z klekotem broni; nie spodziewali się wezwania tego wieczoru i zalatuje od nich lekki zapach piwiarni, ale wszyscy sprawiają wrażenie dość czujnych i gotowych do wykonania zadania. Są rośli i pewni siebie, ubrani w jaskrawe kaftany i mają rapiery u boków. Sam ich widok zniechęciłby wszystkich poza najbardziej zuchwałymi napastnikami, myślę sobie, gdy razem idziemy w kierunku Domu Westy. Grupy gapiów się rozstępują, pokazując nas palcami i komentując. Nie jestem przyzwyczajony do takiego rzucania się w oczy, choć to, że biorą mnie za człowieka wysokiego rodu, sprawia mi dziwną satysfakcję.

Przy aptece daję znak Sidneyowi i strażnicy zostają na zewnątrz, ale nie zamykam drzwi, żeby ich było widać. Aptekarz stoi na stołku, robiąc inwentaryzację półek, wyczekujący błysk w jego oku natychmiast gaśnie, kiedy mnie rozpoznaje.

– Och, to ty, panie – mówi.

– Gdzie chłopak? Muszę się pilnie z nim zobaczyć.

Pengilly z niesmakiem krzywi usta.

– Myślałem, że jasno wyraziłem moje stanowisko. Tak czy owak, tu go nie ma.

– Gdzie jest?

– A co ci, panie, do tego?

– Moi przyjaciele chcieliby to wiedzieć – mówię, wskazując otwarte drzwi. Dostrzega ludzi, którzy szczerzą do niego zęby w uśmiechu, ale stoją tak, żeby było widać rapiery. Z trudem przełyka ślinę.

– Ona go zawołała z powrotem do domu. Pewnie tam go znajdziesz, panie. I w przyszłości też tam możesz go szukać, jak mówiłem.

Kiwam głową i odwracam się do wyjścia.

– Panie! – woła, gdy staję na progu. Wskazuje zbrojnych. – Nie skrzywdzicie go, prawda? To dobry chłopak.

– Nic mu nie będzie – zapewniam.

Biegniemy z Sidneyem uliczką obok apteki na podwórze, a za nami śpieszą nasi ludzie. W oknach nad nami nie ma znaku życia. Łomoczę w drzwi Domu Westy i przestaję dopiero wtedy, gdy słyszę kroki.

– Na miłość boską – mówi jakaś kobieta – odpoczywamy. Przyjdź później.

– Natychmiast otwórz drzwi, bo inaczej zrobimy to za ciebie! – krzyczy Sidney swoim najbardziej rozkazującym tonem.

Zapada cisza. Po chwili odsuwa się klapka za żelazną kratą w okienku. Ukazuje się kobieca twarz. To madame Grace.

– Czego chcecie? – Wygląda na przestraszoną. – Jeszcze nie otwieramy.

– Chcę się zobaczyć z chłopakiem.

– Jest niezdrów – mówi, ale zdradza ją nieznaczne wahanie. Unosi rękę, żeby zasunąć klapkę.

– Śmiało, chłopaki – zachęcam zbrojnych, odsuwając się na bok. – Otwórzcie drzwi.

To czcza pogróżka; drzwi wyglądają na dość mocne, żeby wytrzymać ostrzał armatni, ale kobieta cicho krzyczy i chwilę później słyszę szczęk zamka. Drzwi się uchylają.

– Nie róbcie nikomu krzywdy – prosi, kreśląc znak krzyża, gdy ją mijam. Wbiegam po schodach na drugi podest, a Sidney i jego ludzie depczą mi po piętach. Krzyki kobiet niosą się po domu. Otwieram drzwi do izby Toby'ego. Leży na łóżku w koszuli i portkach, konwulsyjnie dygocząc. Madame Grace staje przy oknie, jej szczupła sylwetka rysuje się na tle światła. Z niezwykłą prędkością dochodzi do siebie po szoku, jaki wywołało nasze wtargnięcie. Wygładza rysy twarzy i uśmiecha się ze smutkiem.

– Biedny chłopiec – mówi tonem, którego szczerość nikogo by nie zwiodła. – Obawiam się, że zjadł coś, co mu nie służy.

Podbiegam do łóżka. Toby oddycha z trudem, jego skóra ma zielonkawy odcień. Strużka krwawych wymiocin ścieka z kącika ust. Na prześcieradle wokół głowy widnieją ciemnoczerwone plamy. Przeklinam moją głupotę; tak się przejmowałem, że madame Grace będzie chciała nas uciszyć, że znacznie bardziej oczywiste niebezpieczeństwo umknęło mojej uwagi. Pochylam się nad twarzą chłopca. Ma cuchnący oddech i mętne oczy. Znów dygocze i krzyczy żałośnie.

– Toby! – Lekko potrząsam nim za ramię. – Toby, słyszysz mnie? Spogląda na mnie, ale z pustką w oczach.

– Potrzebny medyk! – warczę do właścicielki burdelu. – Natychmiast po niego poślij. Trzeba jak najszybciej spowodować wymioty.

– Myślę, że przesadzasz – mówi gładko. – To pewnie zepsute małże. Niemniej poślę po medyka.

Patrzę na chłopca. Klatka piersiowa ledwie się porusza, powietrze płynie z ust z wytężonym charkotem, jakby sam akt stawał się coraz trudniejszy z każdym oddechem. Chwytam go za ramiona i sadzam. Jest ledwie przytomny. Podtrzymując lewą ręką kościste plecy, wpycham dwa palce prawej ręki w rozchylone usta i naciskam, aż zaczyna się krztusić. Jego pierś unosi się kilka razy, pochylam go i rzadki żółty płyn ścieka mu po brodzie. Madame Grace tylko stoi i patrzy. Moje zabiegi nie wystarczą i oboje o tym wiemy.

– Co mu dałaś? – pytam.

Szeroko otwiera oczy, jakby mówiąc, że nie ma pojęcia, o co mi chodzi, i kręci głową. Toby cicho charczy i jednocześnie słabo drapie palcami grzbiet mojej dłoni. Próbuje mówić. Przysuwam ucho do jego ust i słyszę słowo „picie".

– Chce pić – mówię. – Daj mu wody.

Nie rusza się. Dopiero wtedy spostrzegam pusty kubek na podłodze. Plamy wokół jego głowy i na kaftanie nie są krwią, tylko winem. Został zmuszony do wypicia jakiejś trującej mikstury w kubku wina i właśnie to próbował mi powiedzieć. Wierzga i macha rękami we wszystkie strony, jego ciało się wygina, wstrząsane kolejnym gwałtownym spazmem, a później wiotczeje w moich ramionach. Powieki lekko mu drgają.

– Natychmiast poślij kogoś do apteki, poproś o jakiś środek na wymioty albo odtrutkę – powiadam z desperacją do Sidneya, chociaż wiem, że jest za późno. Cokolwiek wypił Toby, spełniło swoje zadanie. Ściskam rękę chłopca, ale choć palce są ciepłe, nie ma żadnej reakcji.

– Medyk niebawem się zjawi – mówi madame Grace pocieszającym tonem. – Na pewno będzie wiedział, co zrobić.

– W tym czasie chłopak umrze i dobrze o tym wiesz – warczę, kładąc Toby'ego na wąskim łóżku. Długie włosy ma przylepione do czoła i rozchyla usta, gdy walczy o oddech, ale za każdym razem z mniejszą determinacją. Wygląda jak dziecko. Zalany wielką falą litości i gniewu, unoszę głowę i patrzę na madame Grace. Jej zadowolona z siebie mina, z jaką obserwuje konającego chłopca, przepełnia mnie wściekłością. Doskakuję do niej, chwytam ją za ramię i przyciskam do ściany tak szybko, że nie ma czasu się wzdrygnąć. – Medyk zobaczy, co się tutaj stało, i będziesz miała szeryfa na karku, zanim zdążysz ukryć zwłoki. Zawiśniesz za morderstwo!

Wydyma pomalowane wargi i odwraca twarz, jakby przebywanie tak blisko mężczyzny urażało jej poczucie przyzwoitości. Zakłamana suka, myślę i puszczam ją z odrazą. Grożąc jej, niczego nie zyskam.

Pociera ramię i odchodzi do okna.

– Nie powinieneś tu przychodzić. Powinieneś posłuchać ostrzeżenia i przestać wściubiać nos w nie swoje sprawy. Zobacz, co sprawiło twoje wtrącanie się. – Ruchem głowy wskazuje chłopca na łóżku.

Furia narasta i wybucha mi w piersi, aż ledwo mogę mówić.

– Śmiesz mnie za to obwiniać?! Ten chłopiec miał żałosny strzęp życia, ale nie miałaś prawa mu go wydzierać, kiedy było ci to na rękę. Żadne z tych dzieci nie jest twoją własnością, nie możesz nimi rządzić. Zawiśniesz za to, dopilnuję.

– Doprawdy? – mówi z cieniem uśmiechu na ustach. – Ty tego dopilnujesz, doktorze Bruno, ze swoimi wpływami w tym mieście? Widzę, że bardzo polubiłeś chłopaka. I to ledwie po jednej nocy.

– Czy nie masz w sercu litości?! – krzyczę, robiąc krok w jej stronę. Moja ręka sama zaciska się na nieznajomym sztylecie przy pasie i z radością widzę, że właścicielka burdelu wygląda na naprawdę przerażoną. – Jest tylko dzieckiem – mówię ciszej, opuszczając ręce. – Dzieckiem.

– Bruno – odzywa się Sidney z drzwi. – Nie możemy nic zrobić. Chodźmy.

– Posłuchaj swojego przyjaciela, Bruno – radzi madame Grace, krzyżując ręce na piersi, choć nie odrywa czujnego spojrzenia od sztyletu. – Nie wątpię, że medyk stwierdzi, iż chłopiec zmarł z powodu jakiegoś nagłego ataku. To zdarza się nazbyt często.

– Z pewnością tak, w tym miejscu. – Gdy syczę te słowa, czuję ciężar bezradności opadający na moje ramiona. Medyk też będzie członkiem jej kręgu, podobnie jak sędzia, szeryf, konstable. Nie będzie sprawiedliwości dla jednego sieroty. I teraz nikt nie poświadczy, że Ambrose Pettifer oddawał się sprzecznym z prawem uciechom w Domu Westy. Moje oskarżenia będą wyglądać jak złośliwe oszczerstwa. – Powinniśmy zostawić tu dwóch twoich ludzi, żeby nie uciekła – mówię do Sidneya. – Sir Francis Drake chce, żeby została przesłuchana.

– Nie mam zamiaru nigdzie uciekać. Wasi ludzie nie zostaną w moim domu – oświadcza stanowczo kobieta, mrużąc oczy. – Nie ma ku temu żadnych podstaw. I sir Francis Drake musi sobie przypomnieć, że już nie jest burmistrzem tego miasta – dodaje z nutą satysfakcji. Oboje wiemy, że moje pogróżki są puste. Jest przekonana o swojej nietykalności i nawet wpływy Drake'a nie są jej w stanie zagrozić.

Obrzucam ją ostatnim twardym spojrzeniem, aby wiedziała, że się nie poddałem. Podchodzę do łóżka i patrzę na Toby'ego. Powieki wciąż drżą i bezwładna ręka mimowolnie podryguje, ale twarz jest szara jak wosk, a oczy się zapadły. Już stoi na progu śmierci; jeśli rzeczywiście wezwano medyka, potrzebowałby cudu, żeby go stamtąd zawrócić. Ujmuję jego rękę, palce są zimne i lepkie. Zastanawiam się, co mu podała; ma arsenał ingrediencji do trucia nienarodzonych dzieci, więc nie brakowało jej możliwości. Szepczę nad nim błogosławieństwo w ojczystym języku. Minęły lata, odkąd udzielałem jakichkolwiek sakramentów i nigdy więcej tego nie zrobię, nic innego nie mogę mu zaoferować. Słowa płyną tak swobodnie, jakbym powtarzał je codziennie, i te stare znajome frazy niosą dziwną pociechę, chociaż tylko mnie – Toby już mnie nie słyszy, a gdyby słyszał, niczego by nie zrozumiał.

– *Przez Święte Tajemnice naszego Odkupienia, niechaj Wszechmocny Bóg uwolni cię od wszelkiej kary w tym życiu i w przyszłym. Niechaj otworzy dla ciebie bramy raju i powita cię dla wiecznego szczęścia.* – Mówię te słowa w taki sposób, że brzmią bardziej jak wyzwanie niż modlitwa, a jednak w izbie panuje nastrój powagi. Kiedy odwracam się do drzwi, Sidney i jego ludzie stoją z pochylonymi głowami. Przepycham się obok nich do schodów, wbijając oczy pod nogi, żeby nie widzieli mojej twarzy. Madame Grace ma rację – ja jestem sprawcą jego śmierci. Nie zdołałem go ocalić. I co zyskałem?

28

– Nie możesz się obwiniać, Bruno. Kto by się domyślił, że będzie taka bezlitosna? Proszę, tędy.

Nie odzywam się, gdy Sidney prowadzi nas w kierunku domu burmistrza. Narzuca takie tempo, że bolą mnie nogi i żebra, ale się nie skarżę; na co mam się skarżyć? Dźwięk kościelnych dzwonów uparcie płynie nad dachami, wzywając miasto na nabożeństwo wieczorne.

– Powinienem to przewidzieć. Mieliśmy do czynienia z kobietą, która wyrzuca dziewczyny na bruk, gdy urodzą jej dziecko na sprzedaż. Spójrz na nas, chodzimy po ulicach z uzbrojoną strażą. Byliśmy tacy zajęci martwieniem się o własne bezpieczeństwo, że nie dostrzegliśmy prawdziwego zagrożenia. O ile łatwiejsze było dla niej uśmiercenie chłopca. Bodaj ją Bóg przeklął! – wybucham, przystając na rogu bocznej ulicy dla złapania oddechu. – Trzeba go było zabrać z sobą. Wciąż by żył.

– Nie mogłeś tego przewidzieć – przekonuje mnie nadal Sidney, kładąc rękę na moim ramieniu.

Uciekam w milczenie. Sidney nie wie, bo nigdy o tym nie mówiłem, jak straszliwie śmierć ciąży na moim sumieniu. W burzliwych latach po opuszczeniu klasztoru San Domenico Maggiore byli też inni, którym mógłbym uratować życie, gdybym szybciej zdemaskował zabójcę – nawet tacy, którzy stali się ofiarami dlatego, że próbowali mi pomóc. Bywają noce, kiedy ich twarze ukazują mi się we śnie, spokojne i oskarżycielskie. Sidney uważa, że żal jest najbardziej bezsensownym ze wszystkich uczuć, skoro i tak nie można zmienić przeszłości, ale on wciąż jest młody. Ja natomiast stwierdzam, że im więcej mam lat, tym bliżej mnie są cienie żalu.

– Ciekawe, czy twoja ukochana wróciła z Mount Edgecumbe – mówi lekkim tonem, skręcając w boczną uliczkę. – Niewątpliwie będzie chciała wyrazić ci wdzięczność.

– Nie jest moją ukochaną.

Tylko unosi brew i urządza mały pokaz tłumienia znaczącego uśmieszku.

Dom burmistrza jest najokazalszy przy tej ulicy, czteropiętrowy, ze spadzistym dachem, z białego kamienia, z dużymi oknami, które zajmują prawie całą szerokość fasady na trzech pierwszych piętrach. Wielkość okien jest imponującym pokazem bogactwa dla każdego, kto zna cenę szkła.

Sługa w liberii wprowadza nas do przestronnego salonu na parterze. Drake siedzi za stołem w głębi, mozoląc się nad papierami. Gdy wchodzimy, podrywa głowę z pytaniem w oczach.

Lady Drake, z kasztanowymi włosami pod złotą siateczką, siedzi przy oknie. Jest pogrążona w rozmowie z zażywnym starszym mężczyzną, który ma piękny wełniany kaftan, skórzane buty i liczne złote pierścienie na palcach. Wita ukłonem Sidneya i przedstawia się jako burmistrz. Gdy potrząsam jego ręką, wspominam uszczypliwą uwagę madame Grace, że Drake powinien pamiętać, iż nie jest już burmistrzem Plymouth. Czy chciała zasugerować, że nie musi się bać żadnego odwetu ze strony obecnego burmistrza? Podejrzliwość zabarwia moją opinię o tym człowieku. W jego zachowaniu wyczuwam obłudę i zmuszam się do uśmiechu. Burmistrz nie ma okazji dodać ani słowa, bo pani Drake do nas podbiega i ściska moje ręce.

– Doktorze Bruno, jestem twoją dozgonną dłużniczką. Już nie wierzyłam, że znowu zobaczę moją kuzynkę Nell.

– Jest tutaj? – Wprawdzie niewiele o niej myślałem, odkąd rozstaliśmy się tego ranka, ale teraz, gdy tu jestem, zdaję sobie sprawę, jak bardzo chcę ją zobaczyć i zyskać pewność, że doszła już do siebie.

– Przywieźli ją po kolacji, powozem! Czyż sir Peter nie jest nadzwyczaj uprzejmy? Mogła mówić tylko o tym, że zawdzięcza ci życie. – Boję się, że zaraz wybuchnie płaczem, ale bierze się w garść i mocno ściska moje ręce, patrząc na mnie z nowym, znaczącym wyrazem twarzy. – Będzie cię chciała nagrodzić.

– Wdzięczność twoja, pani, i twojego męża, sir Francisa, jest całą nagrodą, jakiej potrzebuję – mówię skromnie. Burmistrz wlepia we mnie oczy, jakbym był jakimś egzotycznym zwierzęciem. Sidney ostentacyjnie spogląda w okno. – Poza tym – dodaję, poklepując sztylet u pasa – sir Francis już sprawił mi piękny prezent.

– Moja kuzynka odpoczywa – mówi lady Drake – ale powiem jej, że tu jesteś, Bruno. Z pewnością ta wiadomość sprawi więcej dobrego niż jakiekolwiek mikstury, żeby ją podnieść na duchu.

– Elizabeth, panie burmistrzu – odzywa się Drake, wstając z miejsca – muszę pomówić z tymi dżentelmenami na osobności.

– Oczywiście. Każę przynieść napitek. Dziś na ulicach jest pełno kurzu, nieprawdaż? – Burmistrz zmierza ku drzwiom z nadgorliwą uprzejmością. – Lady Drake, czy masz ochotę na spacer po ogrodzie?

– Dziękuję, panie burmistrzu, ale powinnam zobaczyć, jak się miewa moja kuzynka – odrzeka Elizabeth ze słodkim uśmiechem. – I czy jest gotowa na przyjęcie gości.

– I co? – pyta Drake niecierpliwie, gdy zostajemy we trójkę. – Gdzie chłopak?

– Nie żyje – mówi Sidney bez owijania w bawełnę.

– Co?

– Madame Grace go otruła. Musiała to zrobić zaraz po tym, jak dziś po południu odwróciliśmy się do niej plecami. – Z goryczą kręcę głową. – Nie powinienem był go zostawiać.

– Zaraz pchnę umyślnego do konstabla – oznajmia Drake głosem twardym z gniewu. – Źle się stało. Bez chłopaka nie ma świadka przestępstwa, o które oskarżasz Pettifera. Skoro nie możesz dowieść przestępstwa, nie możesz też dowieść, że były jakiekolwiek podstawy do szantażu, i całe oskarżenie rozsypuje się na kawałki. – Patrzy na mnie spokojnie. Nie umyka mi nacisk kładziony na „ty".

– Myślisz, panie, że jestem w błędzie? – pytam cicho.

– Niezupełnie. Pettifer nigdy nie potwierdzi prawdziwości oskarżeń związanych z chłopakiem. Choć sprawia mi to ból, przyznaję, że taka mogła być prawda. Co do handlu dziećmi, w to wierzę bez żadnych zastrzeżeń. Ale myślę, że mamy nikłe szanse na zmuszenie ich do wyjaśnień, skoro większość ludzi sprawujących władzę w tym mieście nie wystąpi przeciwko madame Grace. Posłałem po tę brzemienną dziewkę ze Stonehouse, chociaż przypuszczam, że już o tym pomyśleli i przenieśli ją w jakieś inne miejsce. Mam tylko nadzieję, że jest bezpieczna.

– Nie możemy więc udowodnić, że Pettifer popełnił morderstwo? – Słyszę, że głos mi się łamie.

– O ile nie ma dowodu, że żądania Dunne'a były skierowane do niego, pozostaje twoje słowo przeciwko jego słowu. A Pettifer ma koneksje w mieście.

– Podczas gdy ja w oczach wszystkich jestem podejrzanym cudzoziemcem, w dodatku katolikiem – mówię, kończąc za niego myśl.

Drake rozkłada ręce, jakby chciał pokazać, że nie może temu zaprzeczyć.

– Pettifer wykorzystałby to przeciwko tobie. Żaden sąd w kraju nie chciałby rozpatrywać sprawy przeciwko niemu, możesz mi wierzyć na słowo.

– Zatem co dalej? – Przesuwam spojrzenie na Sidneya, czekając, aż któryś z nich coś zaproponuje.

Znaleźć zabójcę – i w trakcie poszukiwań spowodować śmierć chłopca – tylko po to, żeby bezradnie patrzeć, jak winny z łatwością wymyka się każdemu oskarżeniu? Byłoby to gorzką porażką.

– Zabierzesz go na wyprawę, sir Francisie, podejrzewając, że jest mordercą? – pytam.

– Chciałbym, Bruno, żebyś coś zobaczył. Patrz. – Skinieniem przywołuje nas do stołu, gdzie leżą rozpostarte liczne papiery. Podnosi arkusz i mi go podaje.

Przebiegam wzrokiem treść. To krótki list adresowany do kapitana Drake'a, opatrzony datą sprzed kilku miesięcy, napisany starannym pochyłym pismem. Autor obiecuje sumiennie wypełniać swoje obowiązki i prosi o podwyżkę, powołując się na swoją znajomość hiszpańskiej linii brzegowej i portów, i w uznaniu za pełnienie nieoficjalnej roli medyka okrętowego. Prosi również o lepszą koję. List został napisany po angielsku, lecz widnieje pod nim nazwisko Jonasa Solona. Biorę kartkę i patrzę na Drake'a zdumiony. Ma mocno zaciśniętą szczękę.

– Nie rozumiem... więc jednak Jonas umiał pisać? – jąkam.

– Nie. Poprosił kogoś, żeby napisał to za niego. Uznał, że chętniej rozpatrzę jego prośbę, jeśli złoży ją formalnie na piśmie, jak wykształcony człowiek. – Przerywa, żeby zapanować nad emocjami wzbudzonymi przez wspomnienie Jonasa. – Zupełnie o tym zapomniałem, Bruno. Napisał to dla niego Ambrose Pettifer. Właśnie o tym chciał mi powiedzieć.

Spoglądam w dół, na wpół mając nadzieję, że podłoga się zarwie pod moimi nogami. Zapada długa cisza. Nie wiem, co mógłbym powiedzieć – myślę wyłącznie o przeprosinach, jakie jestem winny Pettiferowi, i jak słowa będą mi więznąć w gardle.

– List leżał wśród mojej korespondencji – podejmuje Drake. – Wyszukałem go, kiedy Ambrose dzisiaj o nim wspomniał. Ale interesuje mnie to. Spójrz, oto podrobiony list z wyznaniem, rzekomo od Jonasa. Porównywałem je, czekając na was. Miejscami pismo jest całkiem podobne, nie sądzicie? Wygląda to tak, jakby osoba, która napisała wyznanie, próbowała naśladować charakter pisma z tego listu... – wskazuje kartkę w mojej ręce – nie zdając sobie sprawy, że nie został on napisany przez Jonasa.

– Co oznacza, że ktoś znalazł go wśród twoich, sir Francisie, papierów – mówię powoli, niemal do siebie. Ktoś z dostępem do prywatnych listów Drake'a.

– Przecież – wtrąca Sidney – to może być podwójny blef. Pettifer mógłby twierdzić, że ktoś próbował skopiować jego pismo, podczas gdy w rzeczywistości napisał oba listy...

– Philipie – mówię z cichą rozpaczą – to oznacza, że Pettifer wiedział, iż Jonas jest niepiśmienny. Nie mógłby napisać listu z przyznaniem się do winy.

– A jednak mógł zabić Dunne'a, dokładnie tak, jak to opisałeś – powiada Sidney, siląc się na entuzjastyczny ton. – Szantaż czyni to wiarygodnym.

– Być może – mówi Drake powoli i w zamyśleniu, co wyraźnie oznacza, że się nie zgadza. – Ale coś w tym wyznaniu mi nie pasuje, choć nie umiem wskazać tego palcem.

– Autor wszędzie zostawił ślady palców – zauważa Sidney, przyglądając się listowi. – Nie jest schludnym skrybą, bez względu na to, kogo próbuje naśladować. Patrzcie tu, przy lewym marginesie, gdzie słowa są zamazane i poplamione atramentem. Przypominam sobie pewnego żaka z Oksfordu, który robił to samo. Pisał lewą ręką, nie chciał nauczyć się prawą, i za każdym razem, gdy kopiował linijkę, w miarę przesuwania ręki zacierał początek. Jego preceptor nie chciał tego czytać, więc...

– Daj mi to. – Wyrywam list z jego ręki, nachylam go ku światłu. Sidney ma rację, a ja od samego początku nie mogłem zobaczyć tego, co miałem wprost przed oczami. Drake patrzy na papier, on też zaczyna rozumieć.

– Nie. Nie, to niemożliwe. Ale dlaczego? – Unosi oczy i patrzy na mnie. – Przez cały czas miałem go przed nosem. Wprost nie mogę...

– Kogo? – pyta Sidney, przenosząc spojrzenie ze mnie na Drake'a, nierad, że sam pozostał w mroku nieświadomości. – Co odkryliście?

– Gilbert Crosse jest leworęczny – mówię, stukając w list. – Gdy się poznaliśmy, wysunął do mnie lewą rękę i zaraz się poprawił. Myślałem, że naigrywa się z cudzoziemca... Śmieliśmy się z tego, pamiętasz?

– Gilbert? Myślisz, że on to napisał? A potem zabił Dunne'a? – Sidney wlepia we mnie oczy z niedowierzaniem wyrytym w zmarszczkach na czole. – Dlaczego?

– Ponieważ Dunne odkrył jego knowania. I kazał mu za to płacić.

– A co knuł?

Zerkam na Drake'a.

– Wtedy, kiedy widziałem Gilberta w kościele, mężczyzna siedzący obok niego wymknął się w połowie mszy. Miał strój do jazdy konnej. Założę się, że Gilbert obnosił się ze swoją pobożnością, aby zapewnić sobie wygodne i niebudzące podejrzeń miejsce spotkań.

– Masz na myśli potajemne przekazywanie listów? – Sidney robi wielkie oczy. Drake przyciska palce do skroni. – Komu?

– Jonas nie kłamał, chociaż w owym czasie tego nie rozumiałem – mówię. – Powiedział: „Jeśli ktoś szpieguje na tym okręcie, to nie ja". Po prostu założyłem, że to tylko taki zwrot retoryczny, którego użył dla podkreślenia swojej niewinności. Ale chyba naprawdę podejrzewał, że ktoś szpieguje. Teraz myślę, jaki sprytny był Gilbert, od samego początku kierując nasze podejrzenia na Jonasa.

– Gilbert jest moim sekretarzem od pierwszych dni planowania tej wyprawy – rzecze cicho Drake, wciąż się trzymając za głowę, jakby mówienie sprawiało mu ból. – Widział wszystkie mapy nawigacyjne… Zna każdą milę morską naszej trasy i ma wszystkie współrzędne zanotowane w swoich dziennikach. Wyobrażacie sobie, ile Hiszpanie zapłaciliby za takie informacje? Nasza cała flota wpłynęłaby prosto w pułapkę.

– Robert Dunne musiał to jakoś odgadnąć – powiadam.

– Zamiast mnie ostrzec, wykorzystał tę wiedzę do wyciśnięcia pieniędzy z Gilberta, domyślając się, że ma kabzę pełną hiszpańskiego złota. – Drake zaciska pięści i zgrzyta zębami.

– Przecież wiemy, że Dunne planował cię otruć, panie, gdzieś po drodze, jego lojalność już nie wiązała się z wyprawą. Był bardziej zainteresowany szybkim zyskiem z szantażowania Gilberta.

– To nie wyjaśnia zdrady Gilberta. – Sidney nie kryje niedowierzania. – Dlaczego miałby szpiegować dla Hiszpanów? Narażać bezpieczeństwo całej floty, kiedy miał z nią płynąć? Przecież nie może chodzić tylko o pieniądze?

– Jedynie Gilbert może na to pytanie odpowiedzieć – mówi Drake głosem niewyraźnym ze smutku albo złości, a może jednego i drugiego. Patrzę na niego.

– Musimy go odnaleźć. Powiedział, że wybiera się do kościoła, prawda? Szybko, jeśli zdążymy tam na czas, może nawet przyłapiemy go na przekazywaniu listu wspólnikowi. Moglibyśmy złapać obu naraz i mieć dowód w rękach. – Jestem w połowie drogi do drzwi, z ręką na sztylecie, gdy słyszę głos Drake'a:

– Zaczekaj, Bruno. Gilberta nie ma w kościele. Chciał ruszyć na brzeg, ale zapomniałem, że obiecałem Dom Antoniowi wycieczkę po *Elizabeth Bonaventure*. Od chwili przybycia zadręczał mnie, że chce zobaczyć okręt. Zależało mu na obejrzeniu map naszej podróży. Posłałem wiadomość na okręt, prosząc Gilberta, żeby zaopiekował się Dom Antoniem, ponieważ umówiłem się na spotkanie z żoną i lady Arden.

– Skoro Gilbert jest na pokładzie, to na co czekamy? – nagli Sidney. – Nigdzie nie ucieknie. Wracajmy na okręt, żeby go aresztować.

– O Boże… – szepczę, patrząc na Drake'a.

– O co chodzi, Bruno? – pyta, słysząc nutę trwogi w moim głosie.

– Tamtej nocy Dom Antonio rozpoznał Gilberta. Wiedział, że już się kiedyś spotkali. Gilbert stanowczo zaprzeczył, powiedział, że Dom Antonio musi być zdezorientowany z powodu wszystkich swoich podróży. W końcu Dom Antonio stracił pewność siebie i przyznał, że chyba się pomylił.

– Pamiętam – mówi Drake z niepokojem w oczach.

– A jeśli Dom Antonio miał rację? Dlaczego Gilbert miałby temu zaprzeczać? Chyba że samo miejsce spotkania mogłoby zdradzić coś, czego nie chciał ujawnić.

Drake marszczy czoło.

– Gilbert pracował i studiował w Europie, tyle wiem. W ubiegłym roku przez pewien czas był sekretarzem ambasadora Anglii w Paryżu. Może tam się spotkali.

– Gdziekolwiek by to było, Gilbert zaprzeczył nie bez powodu. I już zabił dwie osoby, które mogłyby ujawnić jego tajemnicę.

– Na rany Chrystusa… Myślisz, że Dom Antonio jest w niebezpieczeństwie? – Twarz Drake'a zamiera. – Jednak są z nim moi zbrojni.

– Mówiłeś, panie, że chciał obejrzeć mapy. Jeśli Gilbert ma klucz do twojej kajuty, może się powołać na poufność tych danych i uprzeć, żeby strażnicy zostali na zewnątrz. Mogą być tam sami. Gilbert będzie miał wymarzoną okazję.

Drake milczy, gdy możliwości przemykają mu przed oczami. Bierze się w garść, wyrzuca powietrze z płuc w jednym krótkim, ostrym wydechu i przyjmuje postawę dowódcy.

– Musimy jak najśpieszniej wrócić na okręt. Sir Philipie, skoro Gilbert planował dziś wieczorem wybrać się do kościoła, możliwe, że miał umówione spotkanie. Weź swoich zbrojnych i idź tam. Sprawdź, czy spotkasz kogoś, kto może być kurierem czekającym na Gilberta. Jeśli tak, spróbuj go pochwycić i sprowadź na przesłuchanie. Bruno, natychmiast wyruszamy.

Lady Drake schodzi ze schodów w tej samej chwili, gdy my pędzimy już przez hol ku drzwiom frontowym.

– Doktorze Bruno! Cudowne wiadomości! – woła, ściskając ręce. – Lady Arden wydobrzała i pragnie się z tobą widzieć.

– Nie teraz, Elizabeth! – krzyczy do niej Drake, otwierając drzwi. – Zostańcie tutaj, dopóki nie wrócimy!

– Wspaniale... przekaż jej, pani, życzenia wszystkiego najlepszego ode mnie! – odkrzykuję, a raczej chrypię, nawet się nie zatrzymując. W gardle mi zaschło ze strachu; mogę mieć tylko nadzieję, że się nie spóźnimy.

29

– Nie chcę w to uwierzyć, Bruno, ale chyba jednak muszę. – Łódź wspina się na grzbiet fali i opada w dolinę, woda obryzguje nam twarze. Drake zwraca się do wioślarza: – Psiamać, człowieku, nie możesz przyśpieszyć?!

– Przykro mi, sir Francisie, robię, co w mojej mocy. Wiatr nam nie sprzyja tego wieczoru.

– Wybacz, wiem. – Drake pochyla się nad dziobem, jakby w ten sposób mógł przyśpieszyć przybycie na okręt. – Muszę pilnie się dostać na pokład. Przyłóż się, a nie minie cię nagroda.

Mężczyzna stęka i spuszcza głowę, jego umięśnione ramiona prężą się przy każdym pociągnięciu wiosłami.

– Wiem, panie, że myliłem się co do innych – powiadam – ale teraz wszystko się zgadza. Modlę się tylko o to, żebyśmy dotarli tam w porę.

Przyzywa mnie ruchem ręki i podnoszę się z ławki, żeby lepiej go słyszeć, gdy zniża głos, żeby wioślarz nie słyszał.

– Przecież Gilbert nie mógłby zabić Dom Antonia w mojej kajucie tak, aby nie wyglądało to na morderstwo i nie wskazywało, że on jest sprawcą? – pyta. – Nie szczędził starań, żeby upozorować inne przypadki śmierci. Z pewnością nie podejmie ryzyka, by się nie zdradzić.

– Zależy, jak bardzo jest zdesperowany – mówię. Wiatr porywa moje słowa. Chcąc mnie słyszeć, Drake przysuwa się tak blisko, że jego włosy muskają moje czoło. – Jeśli wierzy, że Dom Antonio może go obciążyć, mówiąc o tamtym miejscu spotkania, może zapomnieć o ostrożności, zwłaszcza gdy uzna, że ma jedyną szansę być z nim sam na sam, z dala od straży. A co do sposobu... – Milknę, odgarniając włosy z oczu, choć wiatr natychmiast zarzuca mi je z powrotem. – Nie przypuszczam, żeby zamierzał poderżnąć mu gardło w twojej kajucie. Ale coś w winie, jakaś trucizna, która zadziała dopiero po jakimś czasie? Nietrudno to dyskretnie zorganizować. Dom Antonio nie miałby żadnych podejrzeń.

– Skąd Gilbert miałby wziąć taką truciznę?

Wzruszam ramionami.

– Przypuszczam, że nikt nie uprzątnął kwatery Jonasa? Stoi tam kufer pełen potencjalnych trucizn. Gilbert jest wykształcony, wcale bym się nie zdziwił, gdyby czytał książki medyczne.

Drake kiwa głową, dumając nad moimi argumentami.

– I dałeś mu klucz do kajuty? – pytam.

– Ma swój, żeby móc pracować podczas mojej nieobecności. Może otworzyć tylko główne drzwi i skrzynię, gdzie przechowuję moje papiery i mapy. Wszystkie inne cenne rzeczy są zamknięte. Nie widziałem w tym niczego złego. – Pociera knykciami punkt u nasady nosa. – Ufałem mu, bodaj to diabli! – Unosi głowę i patrzy na mnie. – Brat gani mnie za zbyt szybie pokładanie wiary w każdym z moich ludzi. Błaga, bym pamiętał, że została wyznaczona cena za moją głowę. Ale szczycę się tym, że jestem dobrym znawcą charakterów. Pycha prowadzi do zguby, jak mówią. – Zaciska usta. – Kilka lat temu Dom Antonio i ja walczyliśmy razem. Dowodziłem wojskiem, które miało mu pomóc w odzyskaniu portugalskiego tronu. Filip Hiszpański okazał się za silny i udało nam się zająć tylko Azory. Nieszczęsny ucieka przed hiszpańskimi zabójcami równie długo jak ja... Jeśli coś mu się stanie na pokładzie mojego okrętu, z rąk mojego sekretarza, Jej Królewska Mość... – Urywa, może nawet nie potrafi sobie wyobrazić reakcji królowej. – Gilbert przybył do mnie od Walsinghama. Myślałem, że mogę mu zaufać. – Patrzy na mnie ni to z błagalną, ni oburzoną miną. Nie jest jasne, czy chodzi mu o Gilberta, czy o Walsinghama.

– Walsingham już raz wcześniej się pomylił – mówię cicho, chowając podbródek w kołnierz. Nie zapomnę, co mnie spotkało z rąk człowieka, którego Walsingham błędnie obdarzył zaufaniem.

Drake kręci głową i pogrąża się w milczeniu. Liczę kolejne fale, każde pociągnięcie wiosłami, każdy oddech, każde uderzenie serca. Wioślarz się nie oszczędza, lecz mimo to się zdaje, że przeprawa zajmie pół życia. Gdy uderzamy w kadłub *Elizabeth* i Drake woła o drabinkę, zaczynam się bać każdego uderzenia fal, każdej chwili zwłoki.

Kapitan Fenner śpieszy do nas po głównym pokładzie, gdy tylko przedostajemy się przez reling.

– Sir Francisie, nie spodziewaliśmy się pana kapitana tak rychło. Czy wszystko w porządku?

– Gdzie jest Dom Antonio? – Znowu podziwiam Drake'a za umiejętność ukrywania emocji. Głos ma szorstki, ale nikt nie podejrzewałby go o strach.

– W pańskiej kajucie z młodym Gilbertem – mówi Fenner. – Kiedy przybył, pokazałem mu uzbrojenie, a potem powiedział, że chce zobaczyć mapy. Poszli razem, ja zaś wróciłem do moich obowiązków. Czy mam sprowadzić…

– Dziękuję, Fenner. – Drake kładzie rękę na ramieniu kapitana. – Chodź, Bruno. Ty też, kapitanie Fenner, jesteś nam potrzebny.

Podejrzliwość przemyka przez porośniętą siwym zarostem twarz Fennera, ale tylko kiwa głową.

Idę za Drakiem po schodach do drzwi kajuty kapitańskiej. Po obu stronach wejścia stoją uzbrojeni strażnicy. Drake wita ich cicho.

– Portugalczyk jest w środku?

Jeden kiwa głową.

– Z twoim sekretarzem, panie. Kazali nam stać tu na straży.

Drake patrzy na mnie i mówi ściszonym głosem:

– Musimy działać ostrożnie. Nie chcemy go przestraszyć. Może zrobić coś nieobliczalnego pod wpływem stresu, jeśli uzna, że został przyparty do muru.

– Czy Gilbert ma broń? – pytam.

– Nic mi o tym nie wiadomo. – Drake się krzywi. – Ale okazało się, że nie wiem o wielu rzeczach, tak więc nie ma żadnych gwarancji.

Naciska klamkę. Drzwi są zamknięte na klucz. Zdejmuje klucz z kółka u pasa i po cichu wsuwa go do dziurki. W połowie drogi napotyka opór. Klnie pod nosem.

– Zostawił klucz w zamku od środka, nie mogę otworzyć – mówi bezgłośnie.

– Mamy wyłamać drzwi, panie? – pyta Fenner.

Drake kręci głową.

– Nie. Unikajmy stosowania siły, dopóki nie będzie to konieczne.

– Można wejść od drugiej strony? – szepczę. – Z galerii na rufie?

Drake ściąga brwi.

– Tak, jeśli tylne drzwi albo okno są otwarte. Trzeba by zejść po linie z pokładu rufowego, ale to niebezpieczne. – Obrzuca mnie szacującym spojrzeniem. – Jesteś ranny, Bruno. Lepiej, żeby zajął się tym któryś z moich ludzi.

Kręcę głową.

– Jestem w miarę sprawny. Pozwól mi spróbować, a sam zostań tutaj, panie. Weźmiemy go w kleszcze.

Drake rozważa moje słowa i przytakuje.

– Dobrze. Fenner, proszę go zabrać na górę i dopilnować, żeby był bezpieczny. Prędko, już wiedzą, że tu jesteśmy. I, kapitanie Fenner... – zniża głos do szeptu – kiedy skończysz na górze, proszę zejść na dół i przeszukać kwaterę pana Crosse'a. Przynieś papiery, pieniądze, wszystko, co uznasz, panie, za interesujące. Przeprowadź dokładne przeszukanie. – Staje przodem do drzwi kajuty. – Gilbercie! Jesteś tam? Nie mogę otworzyć drzwi, mógłbyś przekręcić klucz?

– Już idę, kapitanie. – Głos Gilberta brzmi rześko i spokojnie. Waham się, na wpół oczekując, że otworzy drzwi na całą szerokość i zobaczymy Dom Antonia spokojnie studiującego mapy, całego i zdrowego na dowód, że znowu nie miałem racji. Ale drzwi się nie otwierają. Drake potrząsa klamką.

– Gilbercie, wpuść mnie! To rozkaz!

– Staram się, sir Francisie, jest jakiś problem z zamkiem. – Ton wciąż ma radosny. Pogłos sugeruje, że stoi w pewnej odległości od drzwi.

– Gra na zwłokę – szepczę. Drake dziko trzęsie głową i podnosi rękę, żeby załomotać w drzwi. Fenner i ja pędzimy na pokład rufowy.

Stary kapitan nie marnuje czasu na dopytywanie, co się dzieje na dole. Bez słowa wskazuje drewniany reling. Patrzę w dół i widzę, gdzie takielunek bezanmasztu jest przymocowany do boków kasztelu. Zsunięcie się po jednej z tych lin i zeskoczenie na galeryjkę wydaje się proste.

– Dasz sobie radę, panie? – pyta Fenner. Kiwam głową i przełażę przez reling. Pode mną jest stromizna kadłuba i woda. Drżę i koncentruję uwagę na burcie przed moimi oczami. Przesuwam się i chwytam napiętą linę takielunku, wychylając się i przyciskając stopy do drewna, gdy przekładam rękę za ręką. Nagle buty się ślizgają, gdy okręt przechyla się na fali; czuję ból w ramionach, wisząc jakieś trzydzieści stóp nad powierzchnią morza. Skrobię butami po drewnie i odzyskuję oparcie. W końcu wyciągam lewą nogę i stawiam ją na relingu galeryjki.

Jak najciszej osuwam się na deski i kucam poniżej parapetu szerokiego okna, które z trzech stron obiega kajutę. Drzwi do kapitańskiej kwatery są wprost przede mną. Zastanawiam się, czy nie nacisnąć klamki, ale jeśli są zamknięte na klucz, Gilbert mnie usłyszy i stracę przewagę wynikającą z zaskoczenia. Przesuwam się i unoszę głowę, żeby zajrzeć przez okno.

Dom Antonio jest bliżej mnie, siedzi na ławie za stołem plecami do okna, a przed nim leżą papiery. W prawej ręce obraca kielich pełny ciemnoczerwonego płynu. Serce mi zamiera. Portugalczyk sprawia wrażenie roztargnionego; patrzy na Gilberta, który stoi przed drugimi drzwiami. Wygląda tak, jakby manipulował kluczem albo przynajmniej udawał, że to robi. Z mojego punktu obserwacyjnego nie widać, żeby miał jakąś broń w rękach, choć nie mogę mieć całkowitej pewności – Gilbert jest pomysłowy. Rozglądam się i widzę, że jedno z okien jest uchylone na tyle, że można tam wsunąć rękę. Nie chcę uprzedzać Gilberta o mojej obecności, muszę najpierw dostać się do środka, uzbrojony w sztylet, na wypadek gdyby się rzucił na Dom Antonia.

– Co się stało? – pyta Dom Antonio z niepokojem w głosie.

– Nie ma powodów do zmartwienia, zamek po prostu się zaciął – mówi Gilbert. – Smakuje ci wino, panie?

Dom Antonio patrzy na kielich w ręce, jakby zupełnie o nim zapomniał. Drake niecierpliwie wali w drzwi. Nie mam czasu do stracenia. Przykucam i przesuwam się po galerii pod uchylone okno. Bezgłośnie wyjmuję sztylet, zaciskam rękojeść w zębach, chwytam się gzymsu nadokiennego, gwałtownie kopię w okno nogami i ląduję na stole. Podmuch rozrzuca papiery po podłodze. Dom Antonio zrywa się na równe nogi, przyciska plecy do oparcia ławy i kreśli znak krzyża. Gilbert się odwraca i wlepia we mnie oczy.

– Co...

– Jezusie Nazareński! Maryjo i Ty, Józefie Święty! Chce mnie zamordować! – krzyczy Dom Antonio. Sięgam po sztylet i kieruję go w jego stronę, a on się kuli za stołem.

– Nie dotykaj tego wina, Dom Antonio – warczę. – Odstaw kielich. Piłeś już, panie?!

Portugalczyk kręci głową i robi, co mu każę.

– Ty – mówię do Gilberta, obracając czubek sztyletu w jego kierunku i zeskakując ze stołu. – Odsuń się od drzwi. I trzymaj ręce na widoku.

Młody kartograf mruga szybko za szkłami okularów. Przesuwa się, trzymając ręce przed sobą, wnętrzem dłoni w moją stronę, jakby się zasłaniał przed szaleńcem. Śmiga językiem, nerwowo oblizuje usta.

– Doktorze Bruno, czyżby zupełnie rozum ci odjęło?

Pewnie trzymam sztylet, nie spuszczając Gilberta z oka, gdy podchodzę do drzwi. Macam po omacku i jednym płynnym ruchem przekręcam klucz.

– Jak widzę, zamek jest w porządku – mówię, gdy wpada do środka Drake, a za nim dwóch uzbrojonych strażników. Gilbert cofa się w stronę stołu, w zdumieniu patrząc na Drake'a.

– Dom Antonio, nic ci nie jest? – pyta Drake, niepewny, do kogo pierwszego się zwrócić.

– Całkiem dobrze, dziękuję. Właśnie przeglądałem te tutaj

mapy, gdy... Co się dzieje, sir Francisie? Czy ten człowiek jest niebezpieczny? – Wskazuje na mnie.

– Ten nie – odpowiada Drake, prostując ramiona, gdy odzyskał
panowanie nad sytuacją. – Gilbercie, widzę, że częstujesz Dom Antonia moim przednim winem?

Gilbert się czerwieni.

– No... tak, pomyślałem, sir Francisie, że życzyłbyś sobie, abym
serdecznie podjął znamienitego gościa...

– To ładnie z twojej strony – mówi Drake, podchodząc krok do
stołu. W jego głosie brzmi ostry ton, którego Gilbert nie może nie
zauważyć. – Ale gość nie wygląda na spragnionego. Może sam się
napijesz? – Zabiera kielich sprzed nosa Dom Antonia i podsuwa go
Gilbertowi.

Młody kartograf gwałtownie kręci głową.

– Nie mogę, sir Francisie, przecież wiesz, panie, że unikam moc-
nych trunków. Mam słabą głowę. – Wybucha nerwowym śmiechem.

– Bzdura, to wyborne wino. Rozpali ci ogień w trzewiach. Wypij!

Gilbert otwiera i zamyka usta, szybko mruga i chyba uznaje, że
nie ma wyboru. Wyciąga rękę po kielich, ale gdy bierze go od Drake'a, pozwala mu wyślizgnąć się z palców. Piękny wenecki kryształ
roztrzaskuje się na deskach, wino bryzga jak krew. Gilbert krzyczy
i przyciska palce do ust.

– Wybacz mi niezdarność, sir Francisie... nie chciałem... –
Z trudem przełyka ślinę. – Wynagrodzę szkody, oczywiście.

– Tak? – Drake unosi brew. – Czy wiesz, Gilbercie, ile kosztuje
weneckie szkło? Skąd weźmiesz takie pieniądze?

Gilbert znowu porusza grdyką. Kałuża wina wsiąka w deski
u jego stóp. Nigdy się nie dowiemy, czy było zatrute, chociaż niechęć
Gilberta do picia nie świadczy na jego korzyść. Obserwuję go pilnie; jeśli udaje, to umiejętnie. Jak dotąd nie powiedział nic, co by go
zdradziło, mimo że został zaskoczony.

– Dom Antonio – mówię do Portugalczyka, który wygląda na
zupełnie zdezorientowanego naszym wtargnięciem do kajuty –
podczas kolacji wspomniałeś, panie, że rozpoznajesz tego człowieka. – Wskazuję sztyletem Gilberta.

– Tak, ale to chyba była pomyłka. – Dom Antonio wzdycha teatralnie. – Gubię się, widzicie, we wszystkich moich podróżach. Twarze wydają się znajome, nawet kiedy nie są.

– Tak, tak. – Staram się, żeby w moim głosie nie zabrzmiało zniecierpliwienie – ale myślałeś, że skąd go znasz, panie? Musisz mieć jakieś skojarzenie z tym młodzieńcem.

– No tak. – Dom Antonio patrzy na mnie z umiarkowanym zdziwieniem. – Zdawało mi się, że spotkaliśmy się w Paryżu, zapewne nie więcej niż rok temu. Ten młody człowiek nosił wówczas brodę, choć nie za bardzo doń pasowała.

– Powiedziałem Dom Antoniowi, z najwyższym szacunkiem, że się myli – wtrąca Gilbert. – Nigdy się nie spotkaliśmy ani też nie nosiłem brody, odkąd próbowałem ją zapuścić w wieku dwudziestu lat. – Znów parska autoironicznym śmiechem.

Dom Antonio rozkłada ręce.

– No i proszę. Mieszacie starszemu panu w głowie.

– Gdzie w Paryżu? – dociekam.

– Gdybym musiał to określić – zaczyna, w skupieniu marszcząc twarz tak bardzo, że schodzą się brwi – powiedziałbym, że w hiszpańskiej ambasadzie. Byłem tam, próbując wynegocjować warunki porozumienia z Hiszpanią przez ambasadora…

– Bernardina de Mendozę.

– Widzę po twojej twarzy, panie, żeś go poznał. Tak, dwulicowy człowiek. Zaproponował pertraktacje, ale skończyło się na niczym. Jak zawsze z królem Filipem. – Opuszcza kąciki ust.

– A pan Crosse? – mówię, ucinając dalsze lamenty.

Dom Antonio mruży oczy, żeby spojrzeć na Gilberta.

– Przysiągłbym, że widziałem tego młodzieńca w rezydencji Mendozy wprowadzanego akurat wtedy, kiedy wychodziłem. Jednak jeśli powiada, że to niemożliwe… – Wzrusza ramionami.

– Teraz gdy o tym myślę – mówi Gilbert, starannie dobierając słowa – to możliwe, że doręczałem jakiś list ambasadorowi. Czasami wchodziło to w zakres moich obowiązków, gdy przebywałem w Paryżu.

– Czy to wtedy weszło ci w nawyk przekazywanie listów Hiszpanom, panie? – pytam. Wciąż trzymam sztylet zwrócony w jego stronę, ostrze lekko połyskuje w świetle. Gilbert gwałtownie zadziera głowę i wlepia we mnie oczy.

– Co?! – Kolory odpływają z jego twarzy. Przenosi dzikie spojrzenie na Drake'a, który unosi rękę, żeby mnie uciszyć.

– Schowaj broń, Bruno, tylko rozmawiamy – przykazuje spokojnie. Twarz Gilberta wyraźnie się wygładza, gdy patrzy, jak chowam sztylet. – Skoro o listach mowa, otrzymałem wielce niepokojącą pisemną wiadomość od Jonasa Solona niedługo przed tym, jak znaleziono go martwego u stóp urwiska. Przyznał się do zamordowania Roberta Dunne'a.

Pozwala, żeby jego słowa zawisły w powietrzu, gdy obserwuje reakcję Gilberta.

– W takim razie dlaczego nie wspomniałeś o tym podczas dochodzenia, sir Francisie?

Jest dobry, muszę mu to przyznać. Robi niewinną minę i mruga z zakłopotania za okularami, spokojnie wytrzymując spojrzenie kapitana. Niemal mógłbym mu uwierzyć.

– Ponieważ wiedziałem, że list został sfałszowany – wyjaśnia Drake, ze spokojem patrząc na Gilberta. – Jonas Solon nie umiał czytać ani pisać. Autorem listu mógł być tylko ktoś, kto chciał obarczyć go winą. Przypuszczalnie morderca Dunne'a i Jonasa.

– Ale... – Gilbert kręci głową. Trudno powiedzieć, czy jego nieruchome spojrzenie wyraża strach, czy niedowierzanie. – To niemożliwe, przecież był...

– ...wśród mojej korespondencji list podpisany przez Jonasa? – Drake prawie się uśmiecha. – Owszem. Ktoś go za niego napisał. I tylko ktoś mający dostęp do moich papierów mógł go zobaczyć, ale nie wiedział, że Jonas był niepiśmienny.

Gilbert kręci głową i cofa się do stołu, jakby to mogło zapewnić mu jakąś ochronę.

– Czy zwerbowali cię w hiszpańskiej ambasadzie? – pytam spokojnym tonem. – Bałeś się, że Dom Antonio cię rozpozna, prawda? Co dosypałeś do wina, które mu podałeś?

– W winie niczego nie było. Nie wiem, o czym mówicie. Nie

napisałem żadnych listów w imieniu Jonasa, mój kastylijski jest niezbyt dobry. Musicie się mylić, obaj... – Słowa płyną jedno za drugim, dopóki się nie zająkuje.

– A kto ci powiedział, że list od Jonasa został napisany po kastylijsku? – pytam. Gilbert rozdziawia usta i grdyka mu podskakuje, gdy próbuje przełknąć ślinę.

– Nie pokazałem tego listu nikomu z wyjątkiem Bruna – mówi Drake. – Choć mało brakowało, a poprosiłbym ciebie o przetłumaczenie. Na to liczyłeś, jak mniemam?

– Nie... na pokładzie Elizabeth są jeszcze inni ludzie, który znają hiszpański. Dlaczego ich nie spytacie?

– Bo nie są mańkutami.

Na te słowa Gilbert się kurczy, tracąc wolę walki. Garbi się przy stole tak, że niemal na nim przysiada.

Drake szeroko rozkłada ręce.

– Dlaczego, Gilbercie? – pyta tonem zawiedzionego ojca. Crosse na chwilę unosi oczy i patrzy na swojego kapitana, potem spuszcza wzrok. Nie odpowiada.

– Robert Dunne odkrył, do czego zmierzasz, prawda? – mówię. – I postanowił wykorzystać tę wiedzę z pożytkiem dla siebie. Pięć złotych aniołów to niemała suma, bez względu na to, ile ci płacą Hiszpanie. A potem zażądał więcej. Ja też byłbym wściekły. I pełen lęku, że za te pieniądze nie na długo kupisz jego dyskrecję. Lepiej było uciszyć go na zawsze.

Gilbert nadal się nie odzywa ani nie unosi wzroku.

– I nawet wtedy zdałeś sobie sprawę, że wciąż nie jesteś bezpieczny – kontynuuję. – Sir Francis nie uwierzył w samobójczą śmierć Dunne'a, więc postanowiłeś zrobić z Jonasa kozła ofiarnego.

Wciąż żadnej reakcji. Podchwytuję spojrzenie Drake'a, który nieznacznie kręci głową. Po dłuższej chwili Gilbert unosi wzrok.

– Nie można tego dowieść. – Jego głos brzmi głucho, jakby sam w to nie wierzył.

– Poprosiłem kapitana Fennera, żeby przeszukał twoją kwaterę – informuje go Drake. – Jeśli masz tam ukrytą jakąś korespondencję, wydobędziemy ją na światło dzienne.

– Nie możecie tego zrobić. – Oburza się. – To moje rzeczy osobiste…

– Na moim okręcie nie ma rzeczy osobistych – warczy Drake.

– Nic tam nie znajdziecie – oznajmia Gilbert, choć sprawia wrażenie wystraszonego.

– Chwileczkę – wtrącam się. – Sądził, że dziś wieczorem pój-
dzie do kościoła, zanim go poprosiłeś, sir Francisie, by został i pokazał mapy Dom Antoniowi. Może powinno się go przeszukać. Ukry-
łeś listy pod koszulą, prawda? – Zbliżam się do Gilberta. – Kiedy
zderzyłeś się ze mną na łodzi tamtej pierwszej nocy, bałeś się, żeby
ci nie wypadły.

W tej chwili wiem, że mamy go w garści. Twarz mu tężeje, nagle
biała jak papier, i lewa ręka odruchowo sięga do piersi, jakby dla
ochrony tego, co jest ukryte w zanadrzu. Drake zerka na mnie, kiwa
głową na znak aprobaty. Gilbertowi wystarcza to krótkie wahanie.
Przerzuca nogi nad stołem i skacze na Dom Antonia. Portugalczyk,
który przez cały czas przysłuchiwał się rozmowie z coraz większym
niedowierzaniem, daje się zaskoczyć. Zanim może cokolwiek zrobić,
Gilbert wyrywa ozdobny sztylet z pochwy u jego pasa i przykłada
mu go do gardła.

– Gilbercie, puść go. Co dobrego ci z tego przyjdzie? – Drake
dokłada starań, żeby mówić uspokajającym głosem. Z gardła Dom
Antonia płynie zduszony skowyt.

– To wszystko kłamstwa – cedzi Gilbert przez zęby. – Ale mnie
nie wysłuchasz, panie. Każesz mnie aresztować na podstawie swoich wymysłów. Nie masz o niczym pojęcia.

– Puść Dom Antonia, a chętnie pomówię o wszystkim, o czym
sobie życzysz – zapewnia go Drake.

Gilbert kręci głową. Stoi wyprostowany, z nożem na gardle Portugalczyka.

– Łżesz – mówi do mnie z desperacją w oczach. – To wszystko
twoja sprawka. Gdybyś się tu nie zjawił, nie wtrącał w nie swoje
sprawy… – Urywa. – Myślałem, że łączy nas pokrewieństwo duchowe, ciebie i mnie, jako uczonych.

Patrzę na niego, ma dziwnie gorliwą, zadufaną minę, jakby był przekonany o swojej nieomylności. Mamy z sobą więcej wspólnego, niż zdaje sobie sprawę; wykonywałem podobne tajne misje, zdradzałem zaufanie innych i wysyłałem zaszyfrowane wiadomości dostarczane przez szybkich kurierów w środku nocy. Robiłem to dla pieniędzy, ale również dlatego, że wierzyłem w wolność królestwa Anglii, chociaż niedoskonałą, i chciałem jej bronić, pomimo iż w moich żyłach nie płynie angielska krew. Zastanawiam się, co z kolei jego skusiło do szpiegowania. Sidney ma rację; nie wierzę, że tylko pieniądze. Gilbert ma na to zbyt skomplikowaną naturę.

– Odłóż sztylet, a porozmawiamy – proponuje Drake tym samym spokojnym głosem. – Jeśli uważasz te zarzuty za niesprawiedliwe, chcę usłyszeć, co masz na swoją obronę. Wierz mi, niczego bardziej nie pragnę niż dowodu twojej niewinności. Ale nie pomożesz sobie, krzywdząc kogoś innego. – Wyciąga rękę po sztylet, zachęcająco kiwając głową.

Gilbert rzuca szybkie spojrzenie przez ramię na okno, które zostawiłem otwarte.

– Pozwól mi opuścić okręt, sir Francisie. Daj mi słowo, że będę mógł to zrobić bez przeszkód.

– Dokąd się udasz? – W głosie Drake'a pobrzmiewa zmęczenie.

– Do swoich hiszpańskich przyjaciół? – pytam, podchodząc o krok bliżej. Gilbert się wzdryga jak uderzony. Widzę strach w jego oczach; jest jak zapędzone w kąt zwierzę, niepewne, czy walczyć, czy uciekać. Ręka zaciśnięta na nożu trzęsie się gwałtownie – nie jest urodzonym zabójcą. Poszedłbym o zakład, że nigdy nikogo nie uderzył ostrzem ani też nie ma takiego pragnienia, lecz jest przerażony i przez to nieobliczalny. Drake wyciąga rękę, żeby mnie zatrzymać. Nie odrywając oczu od nas ani czubka sztyletu od szyi Dom Antonia, Gilbert kuca na ławce. Przyciąga do siebie skrzydło okna i skacze na zewnątrz, popychając Dom Antonia. W jednej chwili znika na galeryjce. Rzucam się za nim przez stół, gdy Drake biegnie do drzwi, które wychodzą na pokład rufowy. Jeśli wejdzie na kasztel, Gilbert znajdzie się w pułapce.

Gdy wychodzę przez otwarte okno, Gilbert już stoi na drewnianym relingu i wychyla się, żeby złapać wanty. Sięgam do jego nogi i prawie go łapię, ale jest ode mnie młodszy i zwinny, a nie obolały jak ja. Wyszarpuje stopę i chwytając kolejne liny, przesuwa się wzdłuż kadłuba, choć nóż ściskany w prawej dłoni utrudnia mu ruchy. Wiatr tarmosi moje włosy, drewno trzeszczy, gdy okręt się kołysze. Ruch jest łagodny, choć tutaj, wisząc nad wodą, mam wrażenie, że wystarczy najdelikatniejszy przechył, by stracił równowagę. Gramolę się za nim, gdy nagle Gilbert przystaje z wahaniem. Dotarł do ostatniej wanty; musi wspiąć się na kasztel albo próbować dotrzeć do odległego o kilka stóp takielunku grotmasztu. Patrzy w górę; Drake i Fenner z kilkoma członkami załogi i uzbrojoną strażą spoglądają na niego znad relingu. Patrzy w dół na ciemnozieloną wodę. Widzę, jak się spręża, chcąc skoczyć do następnej sieci olinowania. Ta krótka pauza pozwala mi przesunąć się kilka stóp bliżej. W chwili gdy zbiera siły do skoku, otwieram lewą rękę, odbijam się od burty i na niego rzucam. Macha nożem, rozorując mi rękę, ale udaje mi się złapać go za nadgarstek. Trzymam mocno, więc nie może dźgnąć mnie nożem, i traci równowagę. Odchyla się do tyłu, jeszcze moment, a rozpocznie spektakularny skok ku falom, ale nie, odzyskuje kontrolę. Z zadowoleniem stwierdzam, że choć on jest bardziej zwinny, ja jestem silniejszy. Szarpię jego rękę i mocno tłukę w kadłub wewnętrzną stroną nadgarstka. Czuję, że coś pęka w chwili uderzenia. Gilbert krzyczy z bólu, ale wciąż kurczowo trzyma nóż. Próbuje się wyrwać, ale znowu szarpię i uderzam po raz drugi; tym razem wydaje żałosny jęk i wypuszcza nóż z dłoni. Nie patrzę, jak spada i znika z pluskiem w odmętach.

Nie mogę wyciągnąć sztyletu, bo prawą ręką trzymam się wanty. Puszczam rękę Gilberta i chwytam go za włosy, pociągam głowę do tyłu i nie bacząc na jego krzyki, przechodzę za plecy. Zahaczam lewą nogą o jego kolano i od tyłu przyciskam go do lin. Próbuje mnie uderzyć, ale wsuwam prawą rękę pod linę i znów łapię go za nadgarstek.

– Dasz mi ten list, Gilbercie, czy musimy o niego walczyć? – syczę mu do ucha, oddychając urywanie. Walczy ze mną, ale z całej siły przyciskam go do lin i czuję, że słabnie. – Nie masz dokąd uciec, Gilbercie – syczę w kąsającej nas bryzie. Fale są jakby większe, podmuchy gwałtowniejsze. – Poddaj się wreszcie, daj mi list, a może jeszcze sir Francis okaże ci łaskawość. – Z jego ust dobywa się dźwięk, który może być głuchym śmiechem. Zaraz potem dźga łokciem do tyłu. Zgrzytam zębami. – Nie chcę tego robić, przecież wiesz – podejmuję, znów łapiąc go za włosy i pociągając do tyłu. Walę jego głową w kadłub pomiędzy linami. Mógłbym zadać mocniejszy cios, ale mimo to trzask jest paskudny i Gilbert wyje z bólu. Bezwładnie zwiesza głowę i czuję, że jego ciało przestaje stawiać opór. Sięgam pod jego lewe ramię i szarpię przód kaftana, aż słyszę odgłos wyrywanego guzika. Sięgam w zanadrze i szukam, w końcu czuję pod palcami papier i wyciągam stamtąd złożony list. – Dzięki – mruczę. – Mogłeś to sobie ułatwić. Teraz możesz równie dobrze wspiąć się na górę do Drake'a – dodaję, trącając go w plecy. Wciąż ma bezwładnie zwieszoną głowę i zaczynam się zastanawiać, czy cios mógł go ogłuszyć. Jeśli tak, Drake będzie musiał spuścić linę i go wciągnąć na pokład. Spoglądam w górę, gotów zawołać po pomoc, gdy Gilbert nagle szarpie głową w tył, z całej siły uderzając mnie w nos potylicą. Krzyczę z bólu i szoku, tracę równowagę, puszczam linę lewą ręką, choć nie gubię listu. Krew ścieka mi po wardze i podbródku. Gilbert śle mi dziwny przelotny uśmiech, łapie mnie za nadgarstek i rzuca się w powietrze, robiąc przewrót do tyłu niczym akrobata, jednocześnie pociągając mnie za sobą.

Czuję szarpnięcie jego ciężaru, moja prawa ręka wysuwa się zza liny i przez jedną przerażającą chwilę widzę stromą ścianę drewna za moimi plecami oraz odległość dzielącą mnie od morza. Ale noga wciąż jest zahaczona o linę. Zatrzymuję się gwałtownie i potworny ból przeszywa moją rękę, gdy Gilbert zawisa na niej całym swoim ciężarem, trzymając za lewy rękaw. Mam zgiętą nogę, coś pęka mi w kolanie, gdy się kołyszę, wisząc głową w dół. Gilbert dziko wymachuje wolną ręką, chcąc mnie dosięgnąć. Zamykam oczy; teraz mają znaczenie tylko dwie rzeczy – trzymanie się nogą za linę i niedopuszczenie do tego, żeby on okazał się lepszy. Czuję, że moja noga się wyślizguje z lin. Nad nami Drake wykrzykuje rozkazy, ale nie ma szans, by ktoś zdążył po nas na czas. W chwili gdy myślę, że moja ręka dłużej nie wytrzyma tego obciążenia, słyszę trzask dartego materiału. Spoglądam w dół i widzę, jak mankiet koszuli odrywa się od rękawa. Gilbert też widzi, co się dzieje, i drapie powietrze wolną ręką. Ostatnie szwy puszczają i patrzę, jak niemal z wdziękiem spada do morza. Uderza w wodę w białym gejzerze piany. Prawie w tej samej chwili z głównego pokładu opuszczana jest szalupa z ludźmi krzyczącymi jeden do drugiego. Wpatruję się w spienioną wodę; Gilbert chce uciec czy z rozmysłem zabierze swoje sekrety na dno zatoki? Gdy patrzę na zmienne refleksy światła na ruchliwej powierzchni, z głębiny wyskakuje ciemny kształt i młóci rękami wodę, oddalając się od okrętu. Tak więc Gilbert umie pływać: oto moja odpowiedź. Szalupa jest już prawie na wodzie. Nie ucieknie daleko.

– Daj mi rękę, kolego – mówi ktoś bardzo blisko mnie. Wykręcam szyję, krztuszę się krwią zalewającą mi nos i gardło. Krzepki mężczyzna z załogi Drake'a zsunął się po takielunku i wyciąga ramię grube niczym konar. Chwyta mnie pod rękę, podciąga i na wpół niesie na górę, do patrzącego na nas Drake'a. Resztkami sił podnoszę rękę i podaję mu zbryzgany krwią list, zapieczętowany szkarłatnym woskiem. Gdy pomagają mi wejść na pokład, oglądam się za siebie i widzę, że dwóch ludzi wciąga do szalupy przemoczoną postać.

30

– Drake będzie musiał zmienić całą trasę. – Sidney rozsuwa kotary i otwiera okiennice.

Uchylam oko i widzę bladobłękitne niebo zalane blaskiem porannego słońca.

– Może nawet poprosi nas o pomoc – kontynuuje, zawiązując pludry. – Trochę się znasz na nawigacji, a on przecież teraz został bez kartografa. Nie ma możliwości, żeby odmówił nam udziału w wyprawie, nie po tym, cośmy dla niego zrobili. Ten kurier nie poddał się bez walki, tyle ci powiem.

– Ho, ho. – Podnoszę się na łokciu. Przy każdym ruchu ból przeszywa moje lewe ramię. Siniak u nasady nosa łagodnie pulsuje. Sidney już mi opowiedział o swoim spotkaniu z człowiekiem Gilberta w kościele, niejeden raz, za każdym razem ubarwiając swoje heroiczne czyny. Puszczam to mimo uszu; jestem rad, że w końcu odegrał jakąś rolę w rozwiązaniu kłopotów Drake'a.

– Siedział w tylnej ławce – mówi Sidney, zarzucając kaftan.

Chrząkam zachęcająco i ostrożnie spuszczam nogi z łóżka, sprawdzając powagę urazów po nocnym odpoczynku, który pozwolił zesztywnieć moim nadszarpniętym mięśniom. Wszystko mnie boli.

– Postawiłem moich zbrojnych po obu stronach ławki, potem wślizgnąłem się obok niego. Udawał, że się modli. Pochyliłem się i szepnąłem: „Gilbert dzisiaj nie przyjdzie, przyjacielu". Żałuj, że nie widziałeś jego miny. – Milknie w połowie zapinania guzików, uśmiechając się do swoich wspomnień. – Oczywiście powtarzał, że nie zna żadnego Gilberta, że nie wie, o czym mówię. Ale kiedy mu powiedziałem, że Crosse został aresztowany i wszystko nam wyśpiewał, a on może dla siebie wybrać łatwy albo trudny sposób, nie mógłby być bardziej uczynny.

– To było sprytne – mówię w tym momencie, jak podczas wszystkich poprzednich okazji.

– Ryzykowne, przyznaję. – Sidney rozprostowuje krezę i przegląda się w trochę zaśniedziałym lustrze. – Ale się opłaciło. Ogarnął go strach, gdy tylko zasugerowałem, że należy go przesłuchać w Tower. To tylko płotka, francuski kupiec, który mieszka tu w Plymouth i ma jakąś umowę z Ligą Katolicką na przekazywanie listów kurierom na francuskich statkach. Nie znał ich treści, były to dla niego tylko łatwe pieniądze.

– Więc listy Gilberta trafiały bezpośrednio do ambasady hiszpańskiej w Paryżu – zauważam, podciągając się na rzeźbionym słupku, żeby wstać.

– Prosto do rąk Mendozy. Gdybyśmy w porę się o tym nie dowiedzieli, cała flota Drake'a pożeglowałaby prosto w hiszpańską zasadzkę. – Kręci głową. – Wciąż tego nie rozumiem. Gilbert Crosse nie wyglądał na człowieka, którego ekscytują pieniądze. Wystarczy spojrzeć na jego ubrania, by to stwierdzić. I nic nie wskazuje, że kierowały nim przekonania religijne, pochodzi z dobrej protestanckiej rodziny. Więc jeśli nie pieniądze ani wiara, to co?

Wzruszam mniej obolałym ramieniem.

– Może list da nam jakąś wskazówkę. Jest zaszyfrowany, rzecz jasna, ale Drake pośle kopię do Walsinghama. Jego kryptografowie szybko się z tym uwiną.

– Powinni rozkodować i odczytać jego treść do czasu, zanim Gilbert trafi do Tower – mówi, czesząc włosy szylkretowym grzebieniem. – Wtedy będzie mógł się wytłumaczyć osobiście. – Jego głos brzmi niefrasobliwie.

Staram się nie myśleć, jak być może Gilbert zostanie zachęcony do mówienia.

– Wtedy, Bruno, ty i ja będziemy na morzu – kontynuuje. – Tylko pomyśl, wiatr we włosach, to miasto i jego wszystkie bezeceństwa daleko za nami, a przed nami otwarty horyzont i przygoda. – Jego twarz się rozjaśnia na tę myśl.

– Do tego Pettifer i Savile wyczekujący okazji, żeby przypadkiem wypchnąć nas za burtę, gdy morze będzie wzburzone.

Odwraca się i piorunuje mnie wzrokiem.

– Lepiej hamuj się z tym czarnowidztwem w zasięgu słuchu Drake'a – mówi, wskazując na mnie grzebieniem.

A więc wygląda na to, że już nie ma sposobu na odroczenie tego wyroku. W chwili obecnej wszystkim, czego pragnę, jest więcej czasu na odpoczynek. Naglące walenie do drzwi uniemożliwia mi odpowiedź.

– Otworzysz, Bruno? – prosi Sidney, przypinając rapier. – Założę się, że to posłaniec od Drake'a. Ciekawe, czy przydzieli nam kajutę Dunne'a? Chyba nie masz nic przeciwko spaniu w łóżku nieboszczyka? Osobiście nie dbam o takie bzdury, ale wiem, że większość marynarzy byłaby... Na litość boską, idziemy!

Pukanie staje się jeszcze bardziej natarczywe. Otwieram i widzę Hetty ze zwykłą nadąsaną miną. Dziwię się, że wciąż tu pracuje, może gospodyni Judith jeszcze nie znalazła nikogo na jej miejsce. Hetty ma przynajmniej dość poczucia przyzwoitości, żeby okazać lekkie zakłopotanie.

– Prawie zdarłam knykcie do kości – mamrocze. – Ktoś czeka na ciebie na dole... panie. Mówi, że sprawa jest pilna.

– Kto taki? – Mam na sobie tylko koszulę i gacie. Rozglądam się w poszukiwaniu pludrów.

– Nie na ciebie. Na niego. – Wskazuje przez otwarte drzwi na Sidneya. – Nie wiem, ale wygląda na kogoś ważnego.

– W takim razie nie każmy mu czekać – mówi Sidney, już mnie mijając. Śle służącej wielkoduszny uśmiech i wydyma pierś, kiedy kroczy ku schodom. Wygląda jak człowiek, który się spodziewa, że wreszcie zostanie sowicie nagrodzony.

Zarzucam na siebie ubranie, najlepiej jak mogę poskramiam włosy i chwilę później schodzę za nim do sieni. Znad poręczy widzę, że Sidney rozmawia z człowiekiem w zielono-białej liberii Tudorów, od stóp do głów zbryzganym błotem. Na pelerynie ma naszytą złotą odznakę; z bliska rozpoznaję herb królowej Elżbiety. Sidney obraca się w moją stronę. Jest blady, jakby cierpiał na chorobę morską.

– Posłaniec przybył ze dworu. Mówi, że jechał prawie bez przystanku, by dać mi to. – Podnosi kartkę kremowego papieru zapieczętowaną grubym szkarłatnym woskiem. Posłaniec stoi cierpliwie ze spuszczonymi oczyma i splecionymi na piersi rękami, gdy Sidney otwiera pismo. Patrzę, jak wodzi wzrokiem po linijkach; jego twarz staje się napięta z furii, gdy pojmuje ich znaczenie. Patrzy na mnie, oczy mu płoną.

– Dwulicowy łajdak! – syczy, odwracając się ku posłańcowi, który robi krok do tyłu.

– Co się stało, Philipie? – pytam, choć już się domyślam.

– Sam zobacz – warczy, wciskając mi list w rękę, po czym wypada za drzwi, waląc nimi o ścianę.

◆ ◆ ◆

Wiem, gdzie go znajdę. Kuśtykam za nim Nutt Street, ale gniew pcha go znacznie szybciej, niż ja mogę iść w obecnym stanie. Wysforował się daleko przede mnie, zanim przebiegłem wzrokiem treść listu, dałem napiwek biednemu posłańcowi i poprosiłem gospodynię Judith, żeby dała mu coś do jedzenia i picia. Rozumiem wściekłość mojego przyjaciela, ale nie jego zaskoczenie. Czyżby naprawdę wierzył, że kapitan Drake zabierze go na kraj świata, wiedząc, że nie ma zgody królowej Elżbiety na opuszczenie Anglii? Drake musiał pchnąć posłańca w dniu naszego przybycia; natychmiast zdał sobie sprawę, że żadna ilość hiszpańskiego złota nie wynagrodzi królowej takiej jawnej niesubordynacji. Od momentu oznajmienia swojego zamiaru podróżowania z flotą Sidney stał się dla Drake'a kulą u nogi. Muszę podziwiać gładkość oszustwa głównodowodzącego. Od kilku dni składał nam obietnice, które zapewniły mu naszą pomoc w rozwiązaniu jego problemu, przez cały czas wiedząc, że jego posłaniec pędzi co koń wyskoczy w kierunku dworu, gotów rozpętać furię królowej.

Spoglądam na list w mojej ręce, gdy podchodzę do drzwi frontowych domu burmistrza. Dziwnie jest myśleć, jak Elżbieta Tudor kreśli go własną ręką, z trudem hamując oburzenie, gdy zanurza pióro w kałamarzu. Pismo jest śmiałe i zamaszyste, z długimi ogonkami i pętelkami, a podpis podkreślony zawijasami. Ręka pewnie trzymała pióro, tak mocno naciskając na kartkę, że gdzieniegdzie powstały kleksy. To list, który wyraża głębię uczucia w jego niedoskonałości, list napisany w żarze monarszego gniewu. Królowa kategorycznie zakazuje Sidneyowi żeglowania z Drakiem pod karą wycofania patronatu dla nich obu. Pisze, że jeśli sir Philip opuści kraj, to lepiej dla niego, by już nigdy nie wrócił. Ma ruszyć w drogę w dniu odebrania listu, bezzwłocznie i zgodnie z obietnicą sprowadzając Dom Antonia na dwór. Przywołuje swojego szczeniaka do nogi, pstrykając palcami, by patrzeć, jak biegnie. Sidney nie ma wyboru. Nic dziwnego, że wrze z wściekłości. Mam tylko nadzieję, że przybyłem w porę, aby go powstrzymać od uderzenia Drake'a. Przeczuwam, że nie on wyszedłby obronną ręką.

Może ja też mam prawo czuć się oszukany, myślę, gdy czekam na odpowiedź na moje pukanie. Przez ubiegły tydzień narażałem życie, by pomóc Francisowi Drake'owi w zamian za obiecaną nagrodę, której, o czym wiedział od samego początku, nie ma zamiaru nam dać. Prawda, robiłem to dla Sidneya i dla lady Arden, ale trudno się oprzeć wrażeniu, że Drake wykorzystał nas obu.

Słyszę podniesione głosy, gdy służąca prowadzi mnie korytarzem do salonu, w którym bawiliśmy się wczoraj. Przed drzwiami zatrzymuje nas lady Drake, przykłada palec do ust, ujmuje mnie pod rękę i nie bacząc na moje protesty, prowadzi przez dom do drzwi ogrodowych.

– Lepiej pozwolić, żeby sami wyjaśnili to nieporozumienie – szepcze, kiwając głową w stronę salonu, gdzie niezadowolony ton Sidneya konkuruje z cichszymi, kojącymi kadencjami głosu Drake'a. Nie rozróżniam słów, lecz wcale nie muszę. – Sir Philip jest wielce rozeźlony, prawda? Biedak. Wiem, jak bardzo mu zależało na tej wyprawie. Ale ogólnie rzecz biorąc, lepiej, żeby mój mąż wprawił w zły humor jego niż królową, nieprawdaż? Poza tym nie będzie taki wściekły, gdy usłyszy, co sir Francis ma mu w zamian do zaoferowania. – Pochyla się ku mnie, jakby chcąc się podzielić wielką tajemnicą, i chichocze z ręką przyciśniętą do ust. Jest trochę infantylna, myślę, gdy pochylam głowę, żeby wziąć udział w jej grze. Wielu mężczyzn uznałoby tę cechę za powabną, choć ja zawsze wolałem kobietę, która nieustraszenie patrzy mężczyźnie w oczy jak jedna dorosła osoba drugiej. – Wpadł na pomysł, żebyście wraz z Dom Antoniem spędzili kilka dni u nas w Buckland, zanim wyruszycie do Londynu.

– Sir Francis nie zostaje w Plymouth?

Niecierpliwie kręci głową.

– Oczywiście, że tak. Postawi żagle jak najszybciej po pogrzebie Jonasa, ale najpierw chce wyprawić mnie i Nell z miasta. Jutro wracamy do domu, w waszym towarzystwie, jeśli sir Philip się zgodzi. Myślę, że mogłybyśmy uprzyjemnić wam pobyt. – Przerywa, aby zaprezentować znaczący uśmiech. – Ale na razie, Bruno, nie zaszkodzi zażyć świeżego powietrza – dodaje, wypychając mnie na dziedziniec.

Widzę Nell, która siedzi na ławce w cieniu jabłoni, udając, że czyta książkę. Nie unosi wzroku do ostatniej chwili, następnie pozoruje zaskoczenie i zawstydzenie na mój widok. Włosy ma upięte pod francuskim czepkiem, żeby ukryć szkody poczynione przez ogień, a szyję okręconą jedwabnym szalikiem, który zasłania siniaki zostawione przez linę. Choć jest blada, skaleczenia na jej twarzy są mniej widoczne, a oczy odzyskały część dawnego blasku. Przypuszczam, że oboje czujemy się niezręcznie, gdy ostrożnie odkłada książkę i patrzy na mnie z niepewnym uśmiechem. Jej oczy ogromnieją na widok moich nowych obrażeń.

Kłaniam się lekko.

– Milady. Wyglądasz na wypoczętą. Jak się czujesz?

– Wyglądam koszmarnie, Bruno, nie kłam – mówi, ostrożnie dotykając skaleczenia na policzku. – A ty wyglądałeś lepiej, jeśli mamy być z sobą szczerzy. Ale siniaki w końcu znikną i żyjemy, dzięki Bogu. – Śmieje się, chociaż widzę, że przełykanie wciąż sprawia jej ból. – Sir Francis opowiadał, że byłeś wyjątkowo dzielny i złapałeś zabójcę.

Skromnie wzruszam ramionami.

– Sam się zdradził, naprawdę. Biedny chłopak.

Unosi brew.

– Jak możesz się nad nim litować? Sir Francis mówi, że zostanie stracony jako zdrajca. – Przebiega ją lekki dreszcz. Mam wrażenie, że raczej cieszy ją myśl o takim zakończeniu. Domyślam się, że nigdy nie widziała egzekucji zdrajcy.

– Prędzej umrze ze strachu, zanim go dowiozą do Tower. – Siadam na ławce obok niej. Gilbert jeszcze przed popełnieniem morderstwa wiedział, że to, co robi, jest zdradą, i będzie świadom kary: powolna podróż na drewnianej platformie do Tyburn, tam szubienica, a obok szafot z klocem rzeźniczym i koszem z węglami; po kilku minutach dławienia się na końcu liny kładą skazańca na szafocie, żeby obciąć mu genitalia, rozpłatać tułów od gardła do pępka, na jego oczach nawinąć wnętrzności na kij, a na koniec wyciąć serce i rzucić je w ogień. Każdy, kto widział taką egzekucję, nigdy nie wymaże tych wspomnień z pamięci; myśląc o takim końcu, człowiek potrzebuje wyjątkowego powodu, żeby zdradzić swój kraj.

Wciąż nie rozumiem, co kierowało Gilbertem. Nie miał cech fanatyka religijnego. Wręcz przeciwnie: uważał się za światłego człowieka i ja też go za takiego miałem, chociaż niektórzy z tych młodych neofitów nauczyli się dobrze maskować. Może nigdy się nie dowiemy, chyba że zacznie mówić w Tower. Krzywię się na samą myśl.

Nell kładzie dłoń na mojej ręce. Splatam palce z jej palcami, choć trudno mi oderwać umysł od wyobrażeń tego, co czeka Gilberta w Londynie.

– Ale ty zbytnio nie rozpaczasz, że nie wolno ci popłynąć z sir Francisem? – pyta z domyślnym spojrzeniem.

– Mogę przełknąć rozczarowanie, ale Sidney jest wściekły. Jest młody, tęskni za przygodą.

– A ty?

– Już nie jestem taki młody. Co do przygody, zgoła jej nie szukam. Jak się zdaje, sama za mną ciągnie. Nie muszę przepływać oceanu, żeby mnie znalazła.

– Też się o tym przekonałam – mówi, dotykając szala na szyi. Czubkami palców rysuje wzorki na grzbiecie mojej ręki. Dostaję gęsiej skórki. – Bruno... – zaczyna z wahaniem. – Tam w krypcie, kiedy myśleliśmy... obawiam się, że mówiłam trochę nierozważnie. Nakłoniłam cię, żebyś powiedział coś, co nie było szczere.

– Nell, milady... – mówię, choć nie wiem, jak kontynuować.

– Daj spokój, Bruno, przynajmniej teraz bądźmy z sobą szczerzy. Nie kochasz mnie, ledwie mnie znasz i ja też nie kocham ciebie. Lubię przebywać w twoim towarzystwie bardziej niż z jakimkolwiek innym mężczyzną od długiego czasu. Tamtej nocy wyobrażałam sobie, że jeśli przeżyjemy, może nie zabraknie mi śmiałości, żeby odrzucić wszelkie konwenanse, ale... – Milknie i z twarzą pełną żalu ściska moje ramię. – Nie jestem taka naiwna, żeby zapomnieć o dzielącej nas różnicy.

Kiwam głową. Niespodziewany smutek ściska mnie za gardło, nie tyle z powodu jej utraty, ile z powodu przypomnienia, że dla mnie tak będzie zawsze. Przekonałem się na własnej skórze, że kochanie kogoś jest równoznaczne z odsłonięciem słabych punktów, a w życiu takim jak moje nie można sobie na to pozwolić.

Opiera głowę na moim ramieniu.

– Chciałabym, Bruno, żeby mogło być inaczej. Czasami przeklinam zobowiązania wobec stanu i pozycji, ale jest, jak jest. W innym życiu byłbyś mężczyzną, jakiego szukam. Ponieważ nie mam swobody wyboru, sądzę, że na razie będę szczęśliwsza bez męża. Może żadne z nas nie jest stworzone do małżeństwa? – Uśmiecha się. – Jakkolwiek muszę wyznać, że z przyjemnością zobaczyłabym miny członków mojej rodziny, gdybym cię przedstawiła jako mojego oblubieńca. Zwłaszcza minę kuzyna Edgara, zwanego Dzikiem. Odjęłoby im mowę.

– Myślę – zaczynam, szukając odpowiednich słów – że gdybym kiedykolwiek miał się ożenić, chciałbym to zrobić z bardziej poważnego powodu niż chęć zbulwersowania krewnych.

– Prawda – powiada z westchnieniem. – Chociaż to naprawdę byłoby zabawne. – Przeciąga ręką po moim udzie. Spoglądam na dom, wiedząc, że domownicy burmistrza mogą nas obserwować przez okna. Ujmuję jej dłoń, delikatnie unoszę do ust i odkładam na jej kolana, bardziej w duchu żalu niż pożądania.

– Lepiej sprawdzę, czy Sidney doszedł do porozumienia z sir Francisem – mówię, wstając. – Później muszę spakować nasze sakwojaże.

– Czy Elizabeth ci powiedziała o naszym planie wspólnej podróży do Buckland? – pyta, utykając pod czepkiem niesforny pukiel włosów. – Może przez tych kilka dni, zanim każde z nas wróci do swojego życia, na krótko zapomnimy o dzielących nas różnicach? – Śle mi szelmowski uśmiech, a rzucone spod rzęs spojrzenie wyraźnie mówi, co ma na myśli.

– Mam nadzieję, że to będzie możliwe – odpowiadam z ulgą. Opada mnie nagłe pragnienie, żeby wziąć ją w ramiona i zmiażdżyć jej usta wargami, tu i teraz, ale tylko się kłaniam i jeszcze raz składam niewinny pocałunek na jej dłoni. Sidney może gardzić towarzystwem kobiet, ale ja miałem go w życiu za mało, by się nim znudzić. Kilka dni sielanki, zanim będę musiał znowu mierzyć się z przyszłością, na pewno mi nie zaszkodzi – dopóki będę pamiętać, żeby strzec mojego serca.

◆ ◆ ◆

– Naprawdę mi przykro, Bruno, że musimy się pożegnać. – Drake ocienia oczy i patrzy ze szczytu Hoe. Słońce powoli chyli się ku zachodowi, zostawiając smugi koralu i złota na niebie. Cienie chmur suną po powierzchni wody, czyniąc z niej bezustannie zmieniający się patchwork. Fale rozbijają się o burty wielkich okrętów. Z ich pokładów płynie muzyka, melodia fletów i skrzypiec. Na Wyspie Świętego Mikołaja panuje spokój i cisza. Drake oddycha głęboko i pręży ramiona. Przyglądam mu się ukradkiem, gdy skupia uwagę na horyzoncie. Zniknęło napięcie, które go prześladowało, odkąd przybyliśmy; nosi się z nową lekkością, jakby spadła mu z ramion ołowiana peleryna. Kiedy się uśmiecha, pod twardą powłoką bezwzględnego dowódcy można dostrzec sympatycznego człowieka. Zaczynam myśleć, że żeglowanie z nim byłoby wartościowym doświadczeniem.

– Podobnie jak mnie. Kiedy planujesz wyruszyć, sir Francisie?

– Jak najszybciej. Pójdę na pogrzeb biednego Jonasa, a Gilbert i jego kurier ruszą w drogę do Londynu z uzbrojoną strażą. Już pchnąłem jeźdźca do Walsinghama z zaszyfrowanymi listami, więc będzie miał mnóstwo czasu, by się przygotować. ‑ Odwraca się ku mnie, nagle poważny. – Robię to z ciężkim sercem. Ludzie myślą, że jestem bezduszny, ponieważ cenię dyscyplinę. Kapitan, który tego nie robi, nie jest kapitanem, i to samo tyczy się władcy. Ale wiem, co czeka Gilberta, i zgoła nie jest mi lekko.

– Rzeczowy to nie to samo co bezduszny – mówię.

– Otóż to. Wyraziłeś to lepiej ode mnie. – Wzdycha i zwraca spojrzenie na wodę. – Sir William Savile postanowił jednak z nami nie płynąć – powiada Drake po długim milczeniu.

– Wycofał swoje pieniądze?

– Nie, dzięki Bogu. Ale teraz, gdy Robert Dunne będzie miał chrześcijański pochówek i jego żona będzie szanowaną wdową, doszedł do przekonania, że lepiej pozwolić nam zrobić swoje, a samemu zostać i czekać stosownej chwili, by poślubić ją bez skandalu, a po naszym powrocie zgarnąć pokaźne zyski z inwestycji. Dziecko zostanie ochrzczone jako potomek Dunne'a i Savile po ślubie z Marthą legalnie je adoptuje jako swojego dziedzica. Zgrabnie pomyślane. – Splata ręce na piersi i uśmiecha się w brodę. – Bóg świadkiem, William Savile nie budzi we mnie wielkiego podziwu, ale może będzie dla niej lepszym mężem niż pierwszy. Biedny Robert. Pokój jego duszy.

– A Pettifer? – Niezupełnie patrzę mu w oczy, gdy stawiam to pytanie.

– Pettifer płynie ze mną jako okrętowy kapelan. – Zerka na mnie z ukosa. – Czy to cię zaskakuje?

– Pomyliłem się, oskarżając go o morderstwo, i jest mi przykro z tego powodu, ale wszystko inne, co powiedziałem, sir Francisie... jestem przekonany, że to prawda. Gdybyś widział twarz tego biednego chłopca, nie miałbyś żadnych wątpliwości.

Drake unosi rękę, żeby mnie powstrzymać.

– Wierzę, Bruno, we wszystko. Pettifer może pomstować na

twoje oskarżenia, dopóki nie ochrypnie, ale wyraźnie widać, że przeraził go szok bliskiego zdemaskowania. Jest pełen skruchy i chcę myśleć, iż zmienił swoje nawyki. – Zakłada ręce za plecy. – Poza tym na morzu, z dala od pokus, wyrządzi mniej krzywd, niż gdyby został tutaj i zmawiał się z tą kobietą. Co zaś się tyczy Domu Westy... – Krzywi usta. – Rozmawiałem z burmistrzem o oczyszczeniu tego gniazda robactwa. Nie mogą bez końca wierzyć, że stoją ponad prawem. Napisałem również do szeryfa.

– A jeśli burmistrz i szeryf należą do stałej klienteli? Nie kiwną palcem. Na tym się opiera cały jej interes.

– Jeśli tak, Bruno... – mówi ze znacznym naciskiem – będą musieli głęboko się zastanowić, po której stronie prawa chcą się znaleźć. Zasugerowałem, że z Londynu przybędzie członek komisji królewskiej, żeby zbadać, czy ten przybytek jest prowadzony w sposób zgodny z prawem. To powinno wystarczająco ich przestraszyć. Jestem przekonany, że gdy wrócę z wyprawy, Dom Westy będzie niczym więcej jak tylko wspomnieniem. – Błyska szybkim uśmiechem, jego złoty ząb mruga w świetle słońca.

Kiwam głową. Nikt nie mógłby mieć zastrzeżeń do jego sposobu działania, ale nie mogę przestać się zastanawiać, jaki los spotka te dziewczyny, jeśli Dom Westy zostanie zamknięty. Czy zaczną kupczyć swoimi wdziękami w dokach, bez zapewnionej strawy i dachu nad głową, dokonując żywota jak biedna, zarażona kiłą Sara? Przygryzam wargę; nic w związku z tym nie mogę uczynić, ale przynajmniej madame Grace nie będzie czerpać dalej z nich zysków.

– Więc masz, panie, kilka wolnych koi na pokładzie *Elizabeth* – zauważam po jakimś czasie.

– Niestety. Tym większa szkoda, że nie możecie z nami płynąć. Chciałbym mieć przy sobie człowieka o twoich uzdolnieniach. – Drake milknie, wciąż patrząc na morze. – Z pewnością uważasz, że was oszukałem.

– Od początku wiedziałem, że nie masz zamiaru nas zabrać. Kilka razy próbowałem odwieść Sidneya od tego pomysłu, ale nie chciał słuchać. Podjął decyzję i uparł się, że postawi na swoim.

– Tak, i nadal się do mnie nie odzywa – mówi Drake, pociągając się za brodę. – Ale wie lepiej niż ja, jak niebezpieczne byłoby sprzeciwienie się woli królowej. Pewnego dnia mi za to podziękuje.

– Jego żona już ci dziękuje. Podobnie jak lord Walsingham. – Waham się, niepewny, jak zareaguje na moje następne pytanie. – Rozmawiałeś, panie, z Gilbertem od czasu aresztowania?

– Nie. – Napięcie powraca na jego twarz i głos mu twardnieje. – Brałem to pod rozwagę, lecz nie mogę się zmusić, żeby spojrzeć mu w oczy. Lojalność, Bruno. – Patrzy na mnie z poważną miną. – Dla człowieka na moim stanowisku jest królową wszystkich cnót. Wszystkie te okręty, wszyscy ci ludzie są pod moją opieką – powiada, wskazując flotę spokojnie kołyszącą się w zatoce, wielkie okręty ciemniejące na tle rozmigotanej wody. – Dlatego kapitanowi najtrudniej jest wybaczyć zdradę. Trudniej niż morderstwo. Myśl, że siedział przy moim stole, jadł moją strawę, poznawał nasze plany, gdy rozmawiałem z moimi kapitanami, a potem przekazywał każde słowo Hiszpanom... to ścina mi krew w żyłach. – Zaciska pięści, potem powoli je otwiera i zwiesza ręce u boków. – To brak lojalności zrodził wszystkie moje problemy z braćmi Doughty, i spójrz, czym się to skończyło.

– Czy napłynęły jakieś wiadomości o Johnie Doughtym i Jenkesie?

– Jeszcze nie. – Zaciska usta. – Rozesłałem posłańców na każdy statek wychodzący do francuskich portów na tym odcinku wybrzeża, prosząc celników, aby ich wypatrywali. Wydawałoby się, że przynajmniej Jenkes rzuci się komuś w oczy. Ale jeśli dotarli do Francji, to znikną jak szczury w kanałach, żeby wyskoczyć gdzieś indziej. John Doughty będzie mnie ścigać, dopóki jeden z nas nie spocznie w grobie, co do tego nie mam wątpliwości.

– A jednak, gdyby Gilbert nie zamordował Roberta Dunne'a, ten mógłby zrealizować swój plan, zanim wyszedłbyś z Zatoki Biskajskiej.

Refleksyjnie kiwa głową.

– To prawda. Ale jeszcze mnie nie proś, żebym był wdzięczny Gilbertowi.

– Pomyślałem, że może ja z nim porozmawiam przed wyjazdem – mówię cicho.

– Po co? – Mruży oczy.

– Chcę zrozumieć, dlaczego to zrobił. – I, ponieważ wiem, co mogą mu zrobić przed śmiercią, dopilnować, by nie próbował chować swoich sekretów.

Drake chrząka niezobowiązująco i kieruje spojrzenie na morze.

– Zawsze uwielbiałem ten widok – mówi po chwili. – Ale jest niczym w porównaniu z tym, który widać z drugiej strony, gdy wracam do Plymouth po miesiącach na morzu. – Unosi głowę i słona bryza targa jego włosami. – Ze wszystkich widoków, jakie widziałem na świecie, nie ma żadnego, który kochałbym równie mocno jak widok ojczystych brzegów.

Milczę, ponieważ na jego słowa nostalgia ściska mi gardło i łzy szczypią mnie w oczy. Przepędzam je, mrużąc oczy. Dla uchodźcy nic nie jest bardziej bolesne niż marzenia o powrocie do domu. Pozwalam sobie fantazjować, że patrzę na zielononiebieskie wody Zatoki Neapolitańskiej, i dumam, czy jeszcze kiedyś będzie mi dane je ujrzeć.

Drake wskazuje horyzont, skąd w kierunku lądu płynie ząbkowana płachta chmur wykończona liliowozłotym rąbkiem.

– Jeśli Hiszpanie kiedykolwiek zbiorą flotę, by zaatakować tę wyspę, z pewnością powita ich ten widok. Czasami fantazjuję, że ich widzę, szeregi galeonów ukazujących się na tle nieba. Potem mrugam i uświadamiam sobie, iż to tylko chmury. Ale ta wizja mrozi mnie do szpiku kości.

– Daj Bóg, aby ten dzień nigdy nie nastąpił – mówię. – Ale jeśli nadejdzie, nie przychodzi mi na myśl nikt inny, kto mógłby dowodzić obroną Anglii.

Uśmiecha się i wokół jego oczu pojawiają się zmarszczki. Kładzie rękę na moim ramieniu.

– Niech Bóg będzie z tobą, Bruno. Być może ty przesądziłeś o powodzeniu tej wyprawy. Gdybyś nie zdemaskował Gilberta, pożeglowalibyśmy prosto w hiszpańską zasadzkę. Dopilnuję, żeby spotkała cię sowita nagroda. I sir Philipa, za jego udział.

Skłaniam głowę na znak szacunku.

– Bóg z tobą, sir Francisie, i życzę bezpiecznego powrotu do domu.

– Modlę się, żebyśmy znów się spotkali. – Podchodzi i bierze mnie w ramiona, jego silne dłonie miażdżą moje posiniaczone łopatki. Kiedy mnie puszcza, kłaniam się nisko i zostawiam go na szczycie urwiska. Stoi z ramionami skrzyżowanymi na piersi, oświetlony przez wieczorne słońce, i patrzy na swoje okręty, swoje morze, swój horyzont. Każda epoka wydaje tylko garstkę naprawdę wielkich ludzi i mam wrażenie, że miałem dość szczęścia, by zasłużyć na podziw jednego z nich.

◆ ◆ ◆

Miejskie więzienie stoi za ratuszem, to brzydki budynek z brudnego białego kamienia, z rzędami wąskich zakratowanych okien patrzących w zaułek jak przymrużone oczy. Zbieram się w sobie przed wejściem, przyciskam chusteczkę do nosa i ust, próbując odepchnąć napływające wraz z potwornym smrodem wspomnienia pobytu w angielskim więzieniu. Podaję opłatę dozorcy, który otwiera drzwi i prowadzi mnie brudnym korytarzem. Słabe piskliwe zawodzenie płynie zza bocznych drzwi, a w inne ktoś tłucze pięściami, kiedy przechodzimy.

– Tutaj – mówi dozorca, otwierając drzwi na końcu korytarza. Grzebie palcem w uchu, po czym ogląda swoje znalezisko. – Masz, panie, dziesięć minut. Nie może cię tknąć, jest skuty, ale krzyknij po mnie, gdybyś chciał wyjść wcześniej.

Mrugam, przyzwyczajając oczy do mroku, gdy słyszę za plecami szczęk klucza przekręcanego w zamku. W powietrzu unosi się przenikliwy zwierzęcy odór ekskrementów i uryny, ale słoma pod moimi nogami wygląda na względnie świeżą. Gilbert kuli się w kącie. Twarz ma posiniaczoną po upadku do morza, a włosy zwisają w skołtunionych, szorstkich od soli strąkach. Mruży oczy, żeby na mnie spojrzeć. Bez okularów wygląda jak jakieś nocne stworzenie. Gdy robię krok bliżej, rozpoznaje mnie i odwraca się do ściany.

– Dostajesz jedzenie? – pytam, żeby przerwać milczenie.

– Jeśli tak można to nazwać – odpowiada cicho.

– W takim razie Drake za nie płaci. W przeciwnym razie nic byś nie dostał.

– Przekaż mu, proszę, uniżone wyrazy wdzięczności – syczy, unosząc głowę i wypluwając słowa. – Nie śmieliby mnie zagłodzić, bo oczekują mnie w Tower, nie wiedziałeś?

Nie mam na to nic do powiedzenia. Obejmuję tors rękami i spuszczam wzrok. Może przyjście tutaj było błędem.

– Co zrobili z listem? – pyta po chwili takim tonem, jakby zgoła to go nie obchodziło.

– Wysłali do Londynu. – Kucam, żeby móc patrzeć mu w oczy bez siadania na podłodze. – Zaoszczędziłbyś sobie wielkiego kłopotu, zdradzając im szyfr. Wydobędą go z ciebie w taki czy inny sposób.

Wzrusza ramionami.

– Niech rozszyfrują w Londynie. Wtedy zobaczą.

– Co zobaczą?

– Że nie jestem zdrajcą.

Ostrożnie robię wdech przez chusteczkę, lecz mimo to zgniłe powietrze sprawia, że zbiera mi się na wymioty.

– Miałbyś wielki kłopot, żeby przekonać o tym kapitana Drake'a.

– Zrozumie, jeśli przeczyta list.

– Nie może, jest napisany szyfrem. Mówisz zagadkami, Gilbercie. Co by zrozumiał? – Staram się nie stracić cierpliwości, przypominając sobie, że mam prawo wyjść w każdej chwili.

– Że go nie zdradziłem. Te listy, które wysyłałem do hiszpańskich posłów… nigdy im nie wyjawiłem prawdziwych planów Drake'a. Zmieniałem szczegóły i współrzędne za każdym razem, gdy było to dość wiarygodne, żeby ich oszukać, i nigdy nie przekazałem wystarczająco dokładnych danych, by narazić wyprawę. – Przenosi ciężar ciała na bok i wyciąga nogi, krzywiąc się, gdy to robi. – Flota nigdy nie była zagrożona, dopilnowałem tego. Ale Robert Dunne zraził się do mnie na samym początku, gdy raz go skrytykowałem w obecności Drake'a. Szukał sposobów, żeby mnie zdyskredytować.

Pewnego wieczoru mnie śledził, gdy wybrałem się do kościoła, i zobaczył, jak przekazuję list. Pomyślał, że może wykorzystać tę sytuację dla własnego zysku. Gdyby się nie wtrącił, nic by się nie stało. – Głos ma drżący z gniewu i kułakiem ociera ślinę.

– Ale musiałeś wiedzieć, że pięć złotych aniołów nie uciszy Dunne'a na długo. Więc co się stało? Postanowiłeś zamknąć mu usta na zawsze?

– Mówisz tak, jakbym to ja zadecydował. – Garbi się pod ścianą. – Nie wiedziałem, co począć. – Słyszę drżenie desperacji w jego głosie. Wygląda bardzo młodo. – Byłem tamtej nocy na pokładzie, kiedy kapelan przyprowadził kompletnie pijanego Dunne'a.

– Dostrzegłeś okazję?

– Obserwowałem. Nikt nie zwracał na mnie uwagi, wszyscy przywykli, że stoję z moimi instrumentami. Dunne był w strasznym stanie. Zwymiotował na pokład. Ojciec Pettifer pomógł go zaprowadzić do kajuty. Widziałem, jak wyszedł i jak Hiszpan przybył ze swoją miksturą. Po jego wyjściu zostałem na pokładzie, próbując się zebrać na odwagę. Pomyślałem, że Dunne najpewniej zasnął. Nie planowałem zrobić niczego takiego, ale…

– Nie miałeś wyboru, prawda?

– Pomyślałem, że to moja jedyna możliwość. Zaczekałem, aż odeszli wszyscy poza wachtowymi, którzy byli zbytnio zajęci grą w karty na fordeku, żeby zwracać za mnie uwagę. Nacisnąłem klamkę i drzwi się otworzyły. Dunne leżał na brzuchu na koi. Wiedziałem, że wystarczy przycisnąć twarz do poduszki i go przytrzymać. Jeślibym zdołał to zrobić, ludzie pomyśleliby, że się udusił we śnie… ale zaczął się ruszać i opadł mnie strach, że się ocknie, zanim skończę. Był ode mnie silniejszy, nie poradziłbym sobie, gdyby próbował się bronić. Nagle straciłem odwagę i już miałem uciec, gdy usłyszałem pukanie do drzwi. Spanikowałem. Pod koją był schowek na rzeczy, jak we wszystkich oficerskich kajutach. Usłyszałem, jak kapelan pyta Dunne'a, czy nie śpi. W ostatniej chwili skuliłem się w schowku i zamknąłem drzwiczki. Pettifer wszedł do kajuty i obudził Dunne'a.

– Dlaczego to zrobił?

Gilbert wzrusza ramionami. Ta część łamigłówki już nie ma dla niego znaczenia.

– Niezupełnie rozumiałem, co mówił. Powtarzał, że Dunne nie powinien przywiązywać wagi do kłamstw pospolitej dziewki i jeśli je będzie rozpowiadał, to tym gorzej dla dziewczyny. Nie wiem, o jakiej dziewczynie mówił.

– Co Dunne na to?

– Był na wpół przytomny, w zasadzie nie słuchał. Zaczął bełkotać o piekle i szatanie, i czy Bóg mu wybaczy takie czarne grzechy. Pettifer powiedział, że udzieli mu rozgrzeszenia, pod warunkiem że nie będzie powtarzać oszczerstw.

Kiwam głową. Rzecz jasna, Pettifer wiedział, jak wykorzystać swoją przynależność do stanu duchownego, żeby strzec swoich brudnych sekretów.

– Czy to uspokoiło Dunne'a?

– Chyba go nie słuchał, jakby miał źle w głowie. Wciąż jęczał, że jego dusza jest przeklęta, że zasłużył na śmierć za to, co zrobił. Pomyślałem, że nęka go poczucie winy za szantaż.

– Nie o to mu chodziło. Ale czy dzięki temu przeświadczeniu łatwiej ci poszło?

– Niezupełnie. – Skubie paznokcie. – W końcu Pettifer się poddał. Powiedział Dunne'owi, że porozmawiają, kiedy wytrzeźwieje. Usłyszałem trzask zamykanych drzwi, ale musiałem zostać pod koją, dopóki nie zyskałem pewności, że Dunne zasnął. Znalazłem w schowku kawałek liny. Pewnie Dunne użył jej do obwiązania kufrów, kiedy wnoszono je na pokład. Ale sznur podsunął mi pewien pomysł.

– Postanowiłeś go powiesić, żeby upozorować samobójstwo.

– Gdybyś go słyszał... Wiedziałem, że Pettifer potwierdzi, iż Dunne był zdesperowany i według niego wkrótce po rozmowie z kapelanem uległ prześladującym go demonom. Pozostali przyjęliby do wiadomości jego punkt widzenia. Takie rozwiązanie wydawało się idealne. Tyle że był taki ciężki.

– Najpierw go udusiłeś?

Kiwa głową, patrząc na ścianę, spojrzenie ma rozkojarzone.

- Zamknąłem kajutę na klucz. Spał twarzą w dół. Usiadłem na nim okrakiem, z kolanami na rękach, i przycisnąłem jego twarz do poduszki. Był za bardzo pijany, żeby długo walczyć. Ściągnięcie go z łóżka było trudne. Dziwiłem się, że nikt nas nie usłyszał.

- Nie pomyślałeś, że człowiek, który zmarł w wyniku powieszenia, wygląda inaczej niż ten, który został uduszony? Że to może wzbudzić podejrzenia?

Odgarnia strąk włosów z oczu.

- Wtedy o tym nie myślałem. Dopiero później, nazajutrz, kiedy podsłuchałem, jak Drake rozmawiał z bratem. W owym czasie zależało mi tylko na ucieczce z kajuty. Zamknąłem drzwi na klucz, żeby opóźnić znalezienie ciała, i wyrzuciłem go do wody.

- Nikt cię nie widział, kiedy wychodziłeś?

- Nie. Ale Hiszpan nie spał, kiedy zszedłem pod pokład. Zapytał, gdzie byłem. Odparłem, że robiłem pomiary, i na tym poprzestał. Następnego dnia zrozumiałem, że Drake nie wierzy w samobójstwo Dunne'a. Pomyślałem, że jeśli zacznie rozpytywać, Jonas o mnie wspomni.

- Więc znalazłeś sposób, żeby go uciszyć, i za jednym zamachem rozwiać wątpliwości co do charakteru śmierci Dunne'a.

- Wiedziałem, że Jonas niczego nie powie Drake'owi, dopóki nie nabierze całkowitej pewności – mówi dalej Gilbert. Jego głos staje się płaski i beznamiętny. Już się nie osądza, tylko relacjonuje przebieg wydarzeń, które, jak mu się zdaje, należą do zamierzchłej przeszłości. – Kiedy wieczorem płynęliśmy razem na brzeg, zapytałem, czy możemy porozmawiać prywatnie, z dala od innych. Zaprowadziłem go na klify Hoe. – Ze zmęczeniem wzrusza ramionami, jakby ciąg dalszy nie był wart wzmianki.

- Uszłoby ci płazem, gdyby Jonas nie był niepiśmienny.

- Może. – Podbródek opada mu na pierś, wygląda tak, jakby stracił zainteresowanie moją osobą. Przez kilka minut siedzimy w milczeniu. Czuję, jak smród wsiąka w moje ubranie, włosy, skórę.

- Powiedziałeś Drake'owi, że przekazywałeś Hiszpanom fałszywe informacje? – pytam w końcu.

Patrzy na mnie tak, jakby mi rozum odjęło.

– Myślisz, że by uwierzył? Zarzuciłby mi kłamstwo. W każdym razie nie zniży się, żeby mnie zapytać. Zostawi to Walsinghamowi i jego przyjaciołom. – Na tę myśl drżenie wstrząsa jego chudym ciałem.

– Powiedz im wszystko – mówię szybko. – To przyszedłem ci poradzić. Nie próbuj niczego taić z jakiejś źle pojętej lojalności wobec swoich hiszpańskich mocodawców. Tak czy inaczej, będziesz mówić, więc lepiej zrób to z własnej woli.

– Myślisz, że nie wiem? Znam Walsinghama. Wiem, co robi. – Z trudem przełyka ślinę. – Ale nie czuję się związany lojalnością wobec Hiszpanów. Gdyby było inaczej, nie musiałbym ich okłamywać, prawda?

– W takim razie dlaczego to robiłeś?

Prycha z pogardą.

– Dla pieniędzy, a dlaczegóż by innego? Dobrze mi płacili za to, co uważali za plany Drake'a. Oczywiście, że płacili. – Wybucha żałosnym śmiechem, który balansuje na krawędzi płaczu.

– Ale pracowałeś dla Walsinghama, dla królowej. Na pewno hojnie ci płacili? Sam mówiłeś, że zostaniesz pierwszym słynnym angielskim kartografem.

Obraca głowę i przeszywa mnie palącym spojrzeniem.

– Na tym polegał problem.

– Nie rozumiem.

– Gdy się zgodziłem na udział w wyprawie, powiadomili mnie, że mapy, które sporządziłem dla królowej Elżbiety, nigdy nie zostaną opublikowane. Taki był warunek mojego udziału. Mapy miały być trzymane w tajemnicy, żeby zapewnić Anglii przewagę nad Hiszpanią. – Przeciąga knykciami po oczach i łańcuchy grzechoczą złowieszczo, gdy się porusza. – Myśl o całej tej pracy, zamkniętej pod kluczem, oglądanej tylko przez garstkę kapitanów... Nie mogłem do tego dopuścić, nie rozumiesz? Mapy nie powinny być narzędziem wojny chowanym w tajemnicy przez jeden kraj, by zyskać przewagę nad drugim. Chciałem, aby moje mapy były publikowane i czytane. Jak inaczej mamy poszerzyć naszą wiedzę o świecie? Hiszpański ambasador zaproponował mi mnóstwo pieniędzy, ale też przyrzekł, że kiedy wrócę, własnym sumptem opublikuje moje prace w Niderlandach.

– A później? Jak sobie wyobrażałeś powrót do Anglii po ukazaniu się map, które miały być tajemnicą państwową?

– Nie zamierzałem wrócić. Ambasador obiecał mi dożywotnią pensję. – Zniża głos. – Trzeba było tylko zatroszczyć się o pewne szczegóły. Drake jest odważny, na pewno, ale niebawem dojdzie do wojny z Hiszpanią i nie możemy liczyć, że obronimy się przed napaścią, nie przed całą hiszpańską armadą. Pomyślałem, że mądrym człowiekiem jest ten, kto umie zadbać o swoją przyszłość. – Przygryza dolną wargę i milknie.

– Nie przyszło ci na myśl, że Hiszpanie mogą być mniej życzliwi, kiedy się zorientują, że wszystkie informacje były fałszywe?

– Po prostu założyliby, iż Drake zmienił plany.

Jest naiwny, wierząc, że tak łatwo zwieść hiszpańskiego ambasadora, ale przecież taki był od samego początku. Uświadamianie mu tego w niczym mu nie pomoże.

– Prawie ci się udało. – Podnoszę się z trudem. – A teraz twoje mapy nigdy nie powstaną. Na Boga, Gilbercie, naraziłeś własne życie i odebrałeś je innym w imię własnej ambicji? Czy było warto?

Krzywi usta w żałosnym uśmiechu.

– Pomyślałem, że warto zaryzykować. Bruno, historia pamięta ludzi, którzy wiele ryzykowali w poszukiwaniu wiedzy. Bez nich świat stałby w miejscu. Być jednym z tych, którzy zmienili bieg przyszłości… o tym marzyłem. Myślałem, że kto jak kto, ale ty to zrozumiesz. Czy również nie ryzykowałeś życia, by opublikować swoje książki?

Patrzę mu w oczy. Ma rację; rozpoznaję płonące w nim pragnienie. Siła ambicji, z jaką uczony podchodzi do swojej pracy, może konkurować z zagorzałością ojca walczącego o życie dziecka. Sam byłem winny niepohamowanej ambicji, ale czy na tyle, by zdradzić ojczyznę? Nigdy nie miałem okazji się nad tym zastanawiać – mój kraj odrzucił mnie pierwszy. Wybrałem życie na uchodźstwie ze względu na moje książki. I gdybym musiał zabić, żeby dać im życie albo za nie umrzeć, czybym to uczynił? Nie mogę całkowicie odrzucić tej koncepcji.

– Powiedz Walsinghamowi, że sprzedawałeś fałszywe informacje, by zwieść Hiszpanów. Może okaże ci łaskę – mówię, odwracając się do wyjścia.

Śmieje się, dźwięk ten jest kruchy jak trzask chrustu.

– Nie, nie okaże. – Kręci głową. – Za coś takiego nie okaże łaski. Wysłałby rodzone wnuki do Tyburn, gdyby myślał, że zdradziły Anglię.

Nic na to nie mówię – wiem, że taka jest prawda. Szef siatki szpiegowskiej królowej Elżbiety jest nieugięty, gdy chodzi o ochronę królestwa, i równie bezlitosny jak Drake. Może dzięki temu on też jest wielkim człowiekiem.

– Umrę jako zdrajca. – Gilbert kurczy się w sobie, mówiąc te słowa. Jego głos jest wyprany z emocji, bez użalania się nad sobą i nadziei. Nie mogę zaoferować mu żadnej pociechy.

– Już pora, Hiszpanie. – Klucz grzechocze w zamku i drzwi otwierają się ze skrzypnięciem. – Wychodź. Zostaw tę gnidę, niech sczeźnie. – Dozorca dał mi tyle, za ile zapłaciłem, i nie sili się na uprzejmość.

– Pamiętaj, Gilbercie, co powiedziałem. Odpowiadaj na pytania, a może unikniesz najgorszego.

Dozorca rechocze.

– Mało, kurwa, prawdopodobne. Ten jutro jedzie do Tower. I tamten francuski łajdak z sąsiedniej celi. Kto by pomyślał, że to miejsce będzie przypominać jakiś pieprzony pałac.

– Doktorze Bruno! – woła Gilbert, gdy drzwi się zamykają. Formalny zwrot brzmi dziwnie w tej norze. Podnosi się na kolana, łańcuchy dźwięczą na kamieniu. – Powiesz Drake'owi, że go nie zdradziłem? Chcę, żeby to wiedział, jeśli nawet mi nie uwierzy.

Sam wciąż nie jestem pewien, czy mu wierzyć, ale kiwam głową, rzucam na niego ostatnie spojrzenie przez maleńki zakratowany otwór w drzwiach, po czym chwiejnym krokiem wychodzę na powietrze i w światło dnia. Myślę o ryzyku, jakie podejmuje człowiek, by zostawić po sobie ślad. Dla Drake'a oznacza to mierzenie się z żywiołami i potęgą Hiszpanii – przemierza ocean nie dla skarbów, ale po prostu po to, by powiedzieć, że tego dokonał. Dla Sidneya – porzucenie żony, nowo narodzonego dziecka i wygodnego życia w świecie poezji i polityki dla krwi i kurzu bitewnego. Dla Gilberta – ryzykowanie życia i w końcu haniebną śmierć zdrajcy w nadziei, że jego mapy staną się słynne w całej Europie, a jego nazwisko będzie wymawiane jednym tchem z nazwiskami Merkatora i Orteliusa. A dla mnie? Życie uchodźcy przepędzanego z jednego dworu na drugi ze świadomością, że nigdy więcej nie zobaczy ojczyzny bez spojrzenia śmierci w oczy – i wszystko to dlatego, że nie chciałem zachować moich przemyśleń dla siebie, ponieważ musiałem podzielić się nimi ze światem, nawet za cenę życia. Wierzyłem Gilbertowi, gdy powiedział, że jego ambicja nie wyrasta z próżności. Niczego bardziej nie pragnął niż tego, by zmienić sposób myślenia ludzi o świecie, i miał rację. Tak, doskonale to rozumiem.

EPILOG

– Spal to. – Sir Francis Walsingham przesuwa po stole plik papierów. Zostały zrolowane i przewiązane czarną wstążką. Kładę na nich rękę w ochronnym geście.

– Ale królowa...

Kręci głową.

– Nie chce o tym wiedzieć, Bruno. Bez oryginału to nic więcej, jak tylko wyjątkowo niebezpieczne wymysły. – Patrzy na mnie z poważną miną.

– Ale skoro Watykan próbuje ukryć tekst tej wagi przed całym światem chrześcijańskim, ta sprawa powinna ją zainteresować? – Sidney kładzie dłonie płasko na stole i pochyla się, rzucając teściowi wyzywające spojrzenie. Walsingham zachowuje milczenie, skupiając uwagę na rękach zaciśniętych przed sobą. Świece dopalają się w kinkietach i w srebrnych lichtarzach na stole, złocąc krawędzie naszych kielichów do wina, cienie pełgają po boazerii. Zmierzch zapada wcześniej, wrzesień prawie się skończył i ostre wieczorne powietrze zapowiada jesienne chłody.

Miękki blask świec podkreśla rysy Walsinghama: cienie pod oczami po nocach, kiedy sprawy Anglii nie pozwoliły mu spać, bruzdy na wysokim czole od rozmyślania nad zaszyfrowanymi depeszami z całego królestwa i reszty Europy, ponure wygięcie kącików ust pod pięknymi wąsami. Nieczęsto widuje się roześmianego Walsinghama, jego praca nie zostawia wiele miejsca na wesołość. Ma ponad pięćdziesiąt lat i choć może się zdawać, że dysponuje kondycją człowieka o połowę młodszego, wysiłek włożony w obronę Anglii i jej królowej zaczyna zbierać swoje żniwo.

– Watykan może mieć znacznie więcej wszelkiego rodzaju heretyckich pism zamkniętych w archiwach – mówi, unosząc głowę. – Spędzili setki lat na próbach zduszenia sekt gnostycznych.

– Może dlatego, że się ich bali – powiadam cicho. – Może musieli chronić swoją przewagę, ponieważ się obawiali, że któraś z tych gnostycznych ewangelii zawiera prawdę.

– Bruno, to nie jest bitwa królowej Elżbiety – rzecze Walsingham ze zmęczeniem w głosie. – Spójrz, jak świat chrześcijański podzielił się z powodu różnic w interpretowaniu pism, które już znamy. A ty przywiozłeś jej księgę, która dotyczy nie szczegółów składu chleba i wina, ale rości sobie pretensje do obalenia całej doktryny o zbawieniu i przeczy zmartwychwstaniu. – Szeroko rozkłada ręce dla zilustrowania ogromu mojego szaleństwa. – Opublikowanie takiej księgi nie przyniosłoby jej żadnej korzyści, a mogłoby spowodować wszelkie możliwe szkody. Gdy tylko zrozumiała jej treść, zdecydowała, że nie chce mieć z nią do czynienia. I poradziła, żeby każdego, kto ją wydrukuje albo będzie rozpowszechniać kopie, karać jako heretyka.

– Ale jeśli ta księga zawiera prawdę? – pytam.

– Tak sądzisz? – pyta po chwili.

Patrzę na niego i w niezgłębionych ciemnych oczach nie znajduję żadnej wskazówki, jak powinna brzmieć moja odpowiedź. Walsingham jest niezłomnie pobożny w swojej protestanckiej wierze; pomimo całej swojej pozornej łagodności każe łamać kołem i patroszyć ludzi, jeszcze zanim uzna, iż stanowią zagrożenie. Czy wierzę *Ewangelii Judasza*? Nie jest to proste pytanie i dobrze o tym wie. Uważam, że pomimo wszystkich swoich błędów gnostycy szukali drogi ku prawdzie. My, ludzie, jesteśmy czymś więcej niż pełną wad gliną, od urodzenia skalaną przez grzech i bezwartościową bez odkupienia, co przez setki lat wmawiał nam Kościół, bo to mu odpowiadało. Gnostycy uznali, że człowiek ma w sobie świętą iskrę – potencjał do tworzenia, do wynalazczości, do pojmowania wszechświata i właśnie poprzez te wszystkie przymioty także do stania się podobnym Bogu – i ta iskra drzemie w nas wszystkich. Zasługujemy na coś więcej niż wieczność spędzona na próbach wydostania się z czyśćca albo na strącenie do piekła przez jakieś pojmowane arbitralnie predestynowane odkupienie, w zależności od preferowanej doktryny. Przynajmniej ja tak sądzę. Nie jestem pewien, czy Walsingham chce to usłyszeć.

– Są tam elementy, które uznaję za wiarygodne – mówię ostrożnie. Walsingham pozwala sobie na nieznaczny uśmiech.

– Dyplomata jak zawsze, Bruno. Z pewnością jest to intrygujący dokument. Ale najlepiej go zniszczyć. Dla dobra nas wszystkich.

Przysuwam papiery do siebie i kiwam głową, spuszczając oczy z należnym szacunkiem. Niczego mu nie obiecuję.

– A Jej Królewska Mość...? – pytam, nie śmiejąc dokończyć pytania.

Walsingham nie odpowiada od razu, lecz kiedy unoszę wzrok i napotykam jego spokojne spojrzenie, już znam odpowiedź i moje nadzieje toną niczym kotwica.

– Rozmawiałem z królową o twojej sytuacji, Bruno, ale... – Ściąga usta i kręci głową. – Niewiele może zrobić. Twoje koncepcje są zbyt kontrowersyjne. Twoje książki prowokują do myślenia, tak mi powiedziała, ale nie może udzielić im publicznego poparcia. Nie może też dać ci żadnego oficjalnego stanowiska na dworze, zwłaszcza po tym, jak była zmuszona wydalić Johna Dee.

Kiwam głową, choć czuję się odrętwiały. John Dee był kimś w rodzaju nadwornego filozofa królowej Elżbiety, ale jego znajomość astrologii i eksperymenty alchemiczne uczyniły go osobą podejrzaną w oczach bardziej ortodoksyjnych purytanów wśród jej doradców, którzy zaczęli atakować go plotkami o uprawianej rzekomo przez niego czarnej magii i wszelkiego rodzaju niemoralności, posuwali się nawet do rzucania chytrych oszczerstw na samą królową za słuchanie jego rad. W końcu, by chronić jego reputację i swoją, wyprawiła go w podróż do Europy na dalsze studia, choć Dee i wszyscy jego przyjaciele wiedzieli, że to się równa banicji. Nie ma go już od dwóch lat, bez szans na odwołanie z wygnania. Tak oto raczej nie ma możliwości, by królowa Elżbieta postanowiła zostać patronką kolejnego filozofa, którego znajomość nauk okultystycznych czyni go równie niebezpiecznym i który nawet nie jest rodowitym Anglikiem. A jednak żywiłem nieśmiałą nadzieję, że zyskam wsparcie monarchini.

– Rozumiem.

– Można by się spodziewać, że po wszystkim, co Bruno zrobił dla królowej, znajdzie się jakaś posada na dworze w uznaniu jego zasług! – wybucha Sidney, wstając. – Gdyby nie on, w tej chwili mogłaby być więźniem królowej Szkocji i jej francuskich sprzymierzeńców. To samo się tyczy nas wszystkich. – Wygląda na urażonego. – Gdyby nie przybył ze mną do Plymouth, Drake mógłby się nie dowiedzieć, że jego sekretarz sprzedaje Hiszpanom informacje o trasie jego wyprawy morskiej. Straciłaby całą swoją inwestycję, nie wspominając o setkach Anglików, i doznała upokorzenia ze strony króla Filipa. Jeśli to nie jest warte nagrody, to już nie wiem, co jest.

Walsingham skłania głowę.

– Jej Królewska Mość dobrze wie o wysiłkach, jakie Bruno podejmował w jej służbie. Choć może cię zainteresuje, że się okazało, iż młody Crosse nie kłamał.

– Naprawdę? – Sidney ściąga brwi. – Myślałem, że przyznał się do popełnienia morderstw?

– Do morderstw tak. Ale rozszyfrowaliśmy list i wszystkie szczegóły, które wysyłał hiszpańskiemu ambasadorowi, były niezgodne z prawdą. Przekazałem je Drake'owi tuż przed wyjściem w morze, a on przysłał potwierdzenie. Jeśli wszystkie informacje przekazywane przez Gilberta podlegały temu samemu wzorowi, flota byłaby w niebezpieczeństwie nie większym niż obecne, z punktu widzenia sir Francisa.

– Mimo to jest zabójcą – zaznacza Sidney, na wypadek gdyby powyższe umniejszyło nasze dokonania.

– I za to umrze – mówi łagodnie Walsingham. – Takie jest prawo. Ponieważ jego zdrada była tylko częściowa, zgodziłem się na jedno ustępstwo. Zostanie powieszony i dopiero po śmierci go rozpłatają. Dałem mu słowo. – Siedzimy w milczeniu, każdy z nas wyobraża sobie koniec czekający zdrajcę. – Jej Królewska Mość cię nagrodzi, obiecała – dodaje, zwracając się do mnie. – Podobnie jak sir Francis Drake i Dom Antonio, który, jak się zdaje, nie może głośniej cię wysławiać. Będziesz dobrze wyposażony, Bruno. Przynajmniej przez jakiś czas.

– Wielce to łaskawe z ich strony – powiadam, starając się, żeby brzmiało to szczerze. Dar pieniężny zawsze jest mile widziany, ale kupi mi tylko kilka miesięcy swobody. Potrzebuję nie tyle pełnej sakiewki, ile pracy – jakiegoś oficjalnego stanowiska, które pozwoli mi osiąść w Anglii i pisać książki, i przyzna im pewien status, kiedy zostaną opublikowane. Dobra byłaby posada wykładowcy na którymś z uniwersytetów, a jeszcze lepszy jakiś urząd na dworze. Teraz najwyraźniej nie mogę już liczyć ani na jedno, ani na drugie. Nigdy tak naprawdę nie należałem do dworskiego kręgu, choć przez jakiś czas jego członkowie otwierali przede mną drzwi. Jednakże nie mogę się równać z ludźmi takimi jak Sidney i jego wuj, hrabia Leicester, ani nawet Walsingham, wszyscy od niemal trzydziestu lat połączeni więzami krwi, koligacji rodzinnych i polityki. Moja twarz, mój głos, moje idee odróżniają mnie od innych ludzi. Może, jak często się obawiałem, ktoś taki jak ja nigdzie nie przynależy.

Staram się panować nad twarzą, żeby nie wyraziła rozczarowania, z którym walczę. Sięgam po dzbanek i nalewam kolejny kielich wina.

– Jej Królewska Mość była rada, wspierając cię, póki mogła to robić potajemnie – kontynuuje Walsingham łagodnym tonem – i po przeprowadzonej rozmowie uważamy, że jest sposób, w jaki mogłaby robić to znowu. – Spostrzega światło w moich oczach i unosi rękę, jakby ostrzegając, żebym nie pozwolił, by moje nadzieje wybiegły przed jego słowa. – Informacje z Paryża sugerują, że poplecznicy Marii Stuart nadal spiskują przeciwko królowej i że ich spiski z dnia na dzień stają się coraz bardziej niebezpieczne. Gdybyśmy mieli w Paryżu człowieka zdolnego ich obserwować i meldować o ich posunięciach, byłoby to wiele warte dla Jej Królewskiej Mości, i oczywiście dla mnie. – Obrzuca mnie długim spojrzeniem.

– Ale moim najgorętszym pragnieniem jest pozostać w Londynie – mówię, starając się, żeby nie wypadło błagalnie. Nie muszę mu wymieniać niebezpieczeństw, które czekają mnie na francuskim dworze.

– Wiem, Bruno. – Wzdycha i rozkłada ręce. – Smuci mnie, że nie mogę ci dać tego, czego pragniesz. Ale oferuję ci szansę dalszego świadczenia usług Jej Królewskiej Mości. Kto wie, może za parę lat sytuacja się zmieni. – Unosi ręce wnętrzem dłoni w górę na znak, że to najlepsze, co może zrobić.

– Dziękuję, panie sekretarzu – mówię, zmuszając się do uśmiechu, choć moje serce zapada się pod własnym ciężarem. – Pomyślę nad tym. – Za parę lat król Henryk Francuski może zostać strącony z tronu przez Ligę Katolicką, która rozedrze mnie na kawałki szybciej, niż można zmówić nowennę. Za parę lat Hiszpania może napaść na Anglię. To niespokojne czasy: za parę lat żaden z nas może nie być tam, gdzie jesteśmy teraz. Poza tym wszyscy wiemy, że to obietnica bez pokrycia, wysunięta tylko dla złagodzenia ciosu. Jeśli królowa Elżbieta nie może znaleźć miejsca dla mnie teraz, gdy świeżo pamięta o moich usługach, mało prawdopodobne, że za dwa lata będzie w lepszym usposobieniu.

– Może w Paryżu złapiesz Rowlanda Jenkesa, Bruno – mówi Sidney, odchylając się na krześle z rękami założonymi za głowę. – Zamienisz z nim słówko o jego manierach w Plymouth. Może nawet wytropisz oryginał tej księgi. – Ruchem głowy wskazuje papiery na stole. Walsingham ściąga brwi.

– Mam dość spotkań z Jenkesem na kilka żywotów – mówię. Myśl, że przebywa w Paryżu, tym bardziej mnie zniechęca.

Słyszymy nieśmiałe pukanie do drzwi. Walsingham woła, żeby wejść, i drzwi się uchylają na tyle, że widzimy pełną wahania Frances, żonę Sidneya. Wsuwa się do pokoju i staje za krzesłem męża. Sidney się obraca i kładzie rękę na jej brzuchu. Twarz Walsinghama łagodnieje.

– O co chodzi, córko? – pyta.

– Właśnie przybył posłaniec od lorda Burghleya, ojcze – mówi z takim dygnięciem, na jakie jej pozwala zaawansowana ciąża. – Przybył rzeką z Whitehall i mówi, że sprawa jest pilna.

– Dobrze. Zechcecie mi wybaczyć, panowie?

Wstajemy, gdy Walsingham odsuwa krzesło. Z jego miny widać, że ta przerwa sprawia mu ulgę.

Kiedy zamyka za sobą drzwi, Sidney obejmuje żonę i napina materiał sukni na jej brzuchu.

– Jak sądzisz, Bruno, czy jest tam silny syn? Wnosząc po wielkości?

– Sądzę, że lady Sidney wygląda na okaz zdrowia i jestem pewien, że to samo odnosi się do dziecka – powiadam, widząc, jak zakłopotana młoda kobieta się rumieni. Unosi oczy i uśmiecha się do mnie z wdzięcznością. Ma ledwie dziewiętnaście lat, jest blada i ładna, choć wygląda na wyczerpaną. Po kilku dniach spędzonych z Sidneyem zdaję sobie sprawę dlaczego, a przecież nawet nie noszę pod sercem dziecka.

– Jest też wojownikiem – mówi Sidney, trącając brzuch. – Kopie i bije, żeby się wydostać, prawda, moja droga? Będzie żołnierzem jak jego ojciec – dodaje, dumnie prężąc pierś.

Frances uśmiecha się blado i przygryza wargę.

– Nie, jeśli zdołam temu zapobiec – szepcze.

– Zbieraj się. Powinnaś odpoczywać, a nie biegać na posyłki dla ojca – mówi, poklepując ją z roztargnionym wyrazem twarzy. – Bruno i ja mamy sprawę do omówienia.

Kłaniam się, gdy wychodzi. Zauważam, że ociąga się przy drzwiach, patrząc na męża. Mogę się tylko domyślać, co czuje.

– Więc naprawdę jedziesz? – pytam, kiedy drzwi się zamykają.

– Tak. Dzięki Bogu, królowa ustąpiła. Przyjęła mnie pod koniec ubiegłego tygodnia i potwierdziła moje mianowanie. – Jego twarz jaśnieje z podekscytowania. Wygląda jak zakochany, myślę, z tym wyjątkiem, że obiektem jego pożądania jest dowodzenie garnizonem we Flushing.

– Więc ci wybaczyła próbę ucieczki do Nowego Świata?

– Na to wygląda. Przynajmniej odniosłem wrażenie, że ma lekkie wyrzuty sumienia, iż pchnęła mnie do takiego desperackiego kroku. Mianowanie mnie dowódcą garnizonu we Flushing to jej sposób na zrekompensowanie mi wcześniejszego zawodu. Nawet zaproponowała, że zostanie matką chrzestną dziecka. Ale on mi nie wybaczył – dodaje ponuro, wskazując na drzwi, którymi wyszedł Walsingham. – Najpierw za próbę dołączenia do wyprawy Drake'a bez powiadomienia go o tym, a teraz za wyruszanie na wojnę, gdy dziecko ma się urodzić.

– Rozumiem jego punkt widzenia.

– Nie jestem mamką.

– A co o tym sądzi lady Sidney? – W zasadzie nie muszę pytać, wyczytałem jej myśli na twarzy.

– Och, jest wściekła. Nie pozwoliła mi się do siebie zbliżyć, odkąd jej powiedziałem. Ale wiesz, jakie są żony – mówi, krzywiąc się.

– Nie, nie wiem.

Przesuwa krzesło i siada z przepraszającą miną.

– Och, wybacz mi bezmyślność. – Milknie, ważąc następne słowa. – Pożegnanie z lady Arden musiało być trudne.

Zbywam pytanie wzruszeniem ramion.

– Było, jak było. Romans, nic więcej. Żadne z nas się nie łudziło.

– A jednak… Sądzę, że bardzo cię polubiła. – Nie pyta wprost, co do niej czułem. Może myśli, że przekroczyłby granice przyjaźni.

– Może.

Podczas tych kilku dni w wiejskiej posiadłości Drake'a słońce podjęło ostatnią, dzielną próbę i wieczorami spacerowaliśmy w złotym świetle po łagodnych trawiastych wzgórzach, gdy jaskółki kreśliły pętle i pomykały nad naszymi głowami. Było to krótkie, szczęśliwe *interludium*, tym słodsze dzięki wiedzy, że nie potrwa długo.

– Nie wątpię, że wiele piękności na francuskim dworze będzie zachwyconych z twojego powrotu – mówi, podchwytując moje roztargnione spojrzenie.

– Przewagę liczebną będą miały członkinie Ligi Katolickiej przerażone na mój widok – odpowiadam przygnębiony na myśl o Paryżu. – Poza tym nie jestem zainteresowany francuskimi kurtyzanami.

– Nie. Znam cię zbyt dobrze. Wciąż żyjesz nadzieją na spotkanie z Sophią, nie mam racji? Tylko to sprawia, że pespektywa wyjazdu do Francji wydaje ci się znośna.

Patrzę w okno. Nie zdawałem sobie sprawy, że tak łatwo mnie rozszyfrować.

– Musisz o niej zapomnieć, Bruno – radzi łagodnym tonem. – Znaleźć sobie kogoś innego.

– W sposób, w jaki ty zapomniałeś o Penelope Devereux? – Odwracam się w jego stronę, unosząc brew. – Przynajmniej nie napisałem dla niej stu sonetów.

– Stu ośmiu, ściśle mówiąc – precyzuje. Patrzymy na siebie i wybuchamy śmiechem.

– Żałuję, że jedziesz – mówi, kiedy śmiech cichnie.

– Co za różnica dla ciebie, gdzie jestem? Będziesz zajęty obroną Flushing. – Milknę; nie miałem zamiaru mówić z taką irytacją. W jakimś zakamarku duszy wciąż czuję, że obaj z Walsinghamem mogliby się bardziej postarać, żeby znaleźć jakiś sposób, abym mógł tu pozostać. Sidney ma zaskoczoną minę.

– Ale byłbyś tu, kiedy wrócę – powiada ze szczerym wyrazem twarzy.

Patrzę na niego. Jakże młodo wygląda w blasku świec, z oczyma jaśniejącymi w oczekiwaniu na przygodę. Ale nie możesz zagwarantować, że wrócisz, myślę, choć tego nie mówię. Nagle opada mnie pragnienie, żeby go błagać, by nie szedł na wojnę, przedstawić szanse zwycięstwa przeciwko Hiszpanom, ale jest dorosłym mężczyzną i chce mieć okazję, żeby tego dowieść.

Nalewa wina do kielichów.

– Po zastanowieniu wyznam, że w zasadzie się cieszę, wiesz, iż nie jestem w połowie drogi przez Atlantyk. Nie ścierpiałbym, gdyby Drake kazał mi szorować wychodki, miesiąc po miesiącu. I pomyśl o tej wilgoci.

– I o piciu sików i o wołkach zbożowych – powiadam ze śmiechem. – A nie mówiłem?

– Poza tym minęłaby mnie okazja wyjazdu do Flushing.

– Słusznie. Ponieważ w porównaniu z okrętem obóz wojskowy będzie jak pałac Whitehall. Wszędzie tureckie kobierce i piernaty, bez wszy i szkorbutu.

– Zamknij się, Bruno – przekomarza się ze mną. – Nie zniechęcisz mnie, cokolwiek powiesz. To wszystko, czego chciałem, zostać dowódcą wojskowym. I kiedy wrócę do domu, zgotują mi powitanie godne bohatera. Niech wtedy mnie nazwą pieskiem salonowym. – Szczerzy zęby w szerokim uśmiechu, unosząc kielich. Wino w blasku świec połyskuje głębokim szkarłatem, bogatym i ciepłym jak krew. – Za nas, Bruno. Za wolność, chwałę i poezję. I za rychłe spotkanie, z wielkimi przygodami do opowiadania.

Wstaję i trącamy się kielichami.

– Za wszystkie te rzeczy – dopowiadam. – Zwłaszcza za tę ostatnią. – Ale gdy piję, czuję przebiegające mnie drżenie, jakby chmura przysłoniła słońce. „Jakby ktoś przeszedł po moim grobie", jak mawiała moja matka. Nie wierzę w przeczucia, powtarzam sobie. Świece prawie się dopaliły. – Za naszą przyszłość – wznoszę toast, jakbym wkładając w te słowa dość wiary, mógł uczynić je prawdą.